U0710114

中國國家圖書館編

國家圖書館藏敦煌遺書

第九冊　北敦〇〇六〇一號——北敦〇〇六六九號

北京圖書館出版社

圖書在版編目(CIP)數據

國家圖書館藏敦煌遺書·第九册/中國國家圖書館編;任繼愈主編.—北京:北京圖書館出版社,2005.12

ISBN 7-5013-2951-6

Ⅰ.國… Ⅱ.①中…②任… Ⅲ.敦煌學-文獻 Ⅳ.K870.6

中國版本圖書館 CIP 數據核字(2005)第 136337 號

書　　名　國家圖書館藏敦煌遺書·第九册
著　　者　中國國家圖書館編　任繼愈主編
責任編輯　徐　蜀　孫　彦
封面設計　李　璀

出　　版　北京圖書館出版社　(100034　北京西城區文津街 7 號)
發　　行　010-66139745　66151313　66175620　66126153
66174391(傳真)　66126156(門市部)
E-mail　cbs@nlc.gov.cn(投稿)　btsfxb@nlc.gov.cn(郵購)
Website　www.nlcpress.com
經　　銷　新華書店
印　　刷　北京文津閣印務有限責任公司

開　　本　八開
印　　張　52.25
版　　次　2005 年 12 月第 1 版第 1 次印刷
印　　數　1-150 册(套)

書　　號　ISBN 7-5013-2951-6/K·1234
定　　價　990.00 圓

編輯委員會

出版委員會

攝製人員（按姓氏筆畫排列）

目錄

長者
言寶積衆生之類是菩薩佛
薩隨所化衆生而取佛土隨所調伏
取佛土隨諸衆生應以何國入佛智慧而
佛土隨諸衆生應以何國起菩薩根而取佛
土所以者何菩薩取於淨國皆為饒益諸衆
生故譬如有人欲於空地造立宮室隨意无
㝵若於虛空終不能成菩薩如是為成就衆
生故願取佛國願取佛國者非於空也寶積
當知直心是菩薩淨土菩薩成佛時不諂衆
生來生其國深心是菩薩淨土菩薩成佛時
具足功德衆生來生其國大乘心是菩薩淨
土菩薩成佛時大乘衆生來生其國布施是
菩薩淨土菩薩成佛時一切能捨衆生來生
其國持戒是菩薩淨土菩薩成佛時行十善
道滿願衆生來生其國忍辱是菩薩淨土菩
薩成佛時三十二相莊嚴衆生來生其國精
進是菩薩淨土菩薩成佛時勤脩一切功德
衆生來生其國禪定是菩薩淨土菩薩成
衆生來生其國智慧是菩薩淨
衆生來生其國四无量
菩薩成佛時成就慈悲喜捨
衆生來生其國四攝法是菩薩淨土菩薩成

BD00601 號　維摩詰所說經卷上　（14-1）

國智慧是菩薩淨
衆生來生其國四无量
菩薩成佛時成就慈悲喜捨
衆生來生其國四攝法是菩薩淨土菩薩成
佛時解脫所攝衆生來生其國方便是菩薩
淨土菩薩成佛時於一切法方便无㝵衆生
來生其國三十七道品是菩薩淨土菩薩成
佛時念處正勤神足根力覺道衆生來生其
國迴向心是菩薩淨土菩薩成佛時得一切
具足功德國土說除八難是菩薩淨土菩薩
成佛時國土无有三惡八難自守戒行不譏
彼闕是菩薩淨土菩薩成佛時國土无有犯
禁之名十善是菩薩淨土菩薩成佛時命不
中夭大富梵行所言誠諦常以軟語眷屬不
離善和諍訟言必饒益不嫉不恚正見衆生
來生其國如是寶積菩薩隨其直心則能發
行隨其發行則得深心隨其深心則意調伏
隨意調伏則如說行隨如說行則能迴向隨
其迴向則有方便隨其方便則成就衆生隨
成就衆生則佛土淨隨佛土淨則說法淨隨
說法淨則智慧淨隨智慧淨則其心淨隨其
心淨則一切功德淨是故寶積若菩薩欲得
淨土當淨其心隨其心淨則佛土淨
尒時舍利弗承佛威神作是念若菩薩心淨
則佛土淨者我世尊本為菩薩時意豈不淨
而是佛土不淨若此佛知其念即告之言於
意云何日月豈不淨耶而盲

BD00601 號　維摩詰所說經卷上　（14-2）

則佛土淨者我世尊本為菩薩時意豈不淨
而是佛土不淨若此佛知其念即告之言於
意云何日月豈不淨耶而盲者不見對曰不
也世尊是盲者過非日月咎舍利弗眾生罪
故不見如來佛國嚴淨非如來咎舍利弗我
此土淨而汝不見介時螺髻梵王語舍利弗
勿作是意謂此佛土以為不淨所以者何我
見釋迦牟尼佛土清淨譬如自在天宮舍利
弗言我見此土丘陵坑坎荊棘沙礫土石諸
山穢惡充滿螺髻梵言仁者心有高下不依
佛慧故見此土為不淨耳舍利弗菩薩於一
切眾生悉皆平等深心清淨依佛智慧則能
見此佛土清淨於是佛以足指按地即時三
千大千世界若干百千珍寶嚴飾譬如寶莊
嚴佛无量功德寶莊嚴土一切大眾歎未曾
有而皆自見坐寶蓮華佛告舍利弗汝且觀
是佛土嚴淨舍利弗言唯然世尊本所不見
本所不聞今佛國土嚴淨悉現佛語舍利弗
我佛國土常淨若此為欲度斯下劣人故示
是眾惡不淨土耳譬如諸天共寶器食隨其
福德飯色有異如是舍利弗若人心淨便見
此土功德莊嚴當佛現此國土嚴淨之時寶
積所將五百長者子皆得无生法忍八万四
千人發阿耨多羅三藐三菩提心佛攝神足
於是世界還復如故求聲聞乘三万二千天
及人知有為法皆悉无常遠塵離垢得法眼

千人發阿耨多羅三藐三菩提心佛攝神足
於是世界還復如故求聲聞乘三万二千天
及人知有為法皆悉无常遠塵離垢得法眼
淨八千比丘不受諸法漏盡意解

維摩詰方便品第二

介時毗耶離大城中有長者名維摩詰已曾
供養无量諸佛深殖善本得无生忍辯才无
閡遊戲神通逮諸摠持獲无所畏降魔勞怨
入深法門善於智度通達方便大願成就明
了眾生心之所趣又能分別諸根利鈍久於
佛道心已純淑決定大乘諸有所作能善思
量住佛威儀心如大海諸佛咨嗟弟子釋梵
世主所敬欲度人故以善方便居毗耶離資
財无量攝諸貧民奉戒清淨攝諸毀禁以忍
調行攝諸恚怒以大精進攝諸懈怠一心禪
寂攝諸亂意以決定慧攝諸无智雖為白衣
奉持沙門清淨律行雖處居家不著三界示
有妻子常脩梵行現有眷屬常樂遠離雖服
寶飾而以相好嚴身雖復飲食而以禪悅為
味若至博弈戲處輒以度人受諸異道不毀
正信雖明世典常樂佛法一切見敬為供養
中最執持正法攝諸長幼一切治生諧偶雖
獲俗利不以喜悅遊諸四衢饒益眾生入治
政法救護一切入講論處導以大乘入諸學
堂誘開童蒙入諸婬舍示欲之過入諸酒肆
能立其志若在長者長者中尊為說勝法

政法救護一切入講論處導以大乘入諸學
堂誘開童蒙入諸婬舍示欲之過入諸酒肆
能立其志若在長者長者中尊為說勝法若
在居士居士中尊斷其貪著若在剎利剎利
中尊教以忍辱若在婆羅門婆羅門中尊除
其我慢若在大臣大臣中尊教以正法若在
王子王子中尊示以忠孝若在內官內官中
尊化正宮女若在庶民庶民中尊令興福力
若在梵天梵天中尊誨以勝慧若在帝釋帝
釋中尊示現无常若在護世護世中尊護諸
眾生長者維摩詰以如是等无量方便饒益
眾生其以方便現身有疾以其疾故國王大
臣長者居士婆羅門等及諸王子并餘官屬
无數千人皆往問疾其往者維摩詰因以身
疾廣為說法諸仁者是身无常无強无力无
堅速朽之法不可信也為苦為惱眾病所集
諸仁者如此身明智者所不怙是身如聚沫
不可撮摩是身如泡不得久立是身如炎從
渴愛生是身如芭蕉中无有堅是身如幻從
顛倒起是身如夢為虛妄見是身如影從業
緣現是身如響屬諸因緣是身如浮雲須臾
變滅是身如電念念不住是身无主為如地
是身无我為如火是身无壽為如風是身无
人為如水是身不實四大為家是身為空離
我我所是身无知如草木瓦礫是身无作風
力所轉是身不淨穢惡充滿是身為虛偽雖

我我所是身无知如草木瓦礫是身无作風
力所轉是身不淨穢惡充滿是身為虛偽雖
假以澡浴衣食必歸磨滅是身為災百一病
惱是身如丘井為老所逼是身无定為要當
死是身如毒蛇如怨賊如空聚陰界諸入所
共合成諸仁者此可患厭當樂佛身所以者
何佛身者即法身也從无量功德智慧生從
戒定慧解脫解脫知見生從慈悲喜捨生從
布施持戒忍辱柔和勤行精進禪定解脫三
昧多聞智慧諸波羅蜜生從方便生從六通
生從三明生從三十七道品生從止觀生從
十力四无所畏十八不共法生從斷一切不
善法集一切善法生從真實生從不放逸生
從如是无量清淨法生如來身諸仁者欲得
佛身斷一切眾生病者當發阿耨多羅三藐
三菩提心如是長者維摩詰為諸問疾者如
應說法令无數千人皆發阿耨多羅三藐三
菩提心

維摩詰經弟子品第三
尒時長者維摩詰自念寢疾于牀世尊大慈
寧不垂愍佛知其意即告舍利弗汝行詣維
摩詰問疾舍利弗白佛言世尊我不堪任詣
彼問疾所以者何憶念我昔曾於林中宴坐
樹下時維摩詰來謂我言唯舍利弗不必是
坐為宴坐也夫宴坐者不於三界現身意是
為宴坐不起滅定而現諸威儀是為宴坐不

坐為宴坐也夫宴坐者不於三界現身意是
為宴坐不起滅定而現諸威儀是為宴坐不
捨道法而現凡夫事是為宴坐心不住內亦
不在外是為宴坐於諸見不動而脩行三十
七品是為宴坐不斷煩惱而入涅槃是為宴
坐若能如是坐者佛所印可時我世尊聞是
語默然而止不能加報故我不任詣彼問疾
佛告大目揵連汝行詣維摩詰問疾目連白
佛言世尊我不堪任詣彼問疾所以者何憶
念我昔入毗耶離大城於里巷中為諸居士
說法時維摩詰來謂我言唯大目連為白衣
居士說法不當如仁者所說夫說法者當如
法說法无衆生離衆生垢故法无有我離我
垢故法无壽命離生死故法无有人前後際
斷故法常寂然滅諸相故法離於相无所緣
故法无名字言語斷故法无有說離覺觀故
法无形相如虛空故法无戲論畢竟空故法
无我所離我所故法无分別離諸識故法无
有比无相待故法不屬因不在緣故法同法
性入諸法故法隨於如无所隨故法住實際
諸邊不動故法无動搖不依六塵故法无去
来常不住故法順空隨无相應无作法離好
醜法无增損法无生滅法无所歸法過眼耳
鼻舌身心法无高下法常住不動法離一切
觀行唯大目連法相如是豈可說乎夫說法

觀行唯大目連法相如是豈可說乎夫說法
者无說无示其聽法者无聞无得譬如幻士
為幻人說法當建是意而為說法當了衆生
根有利鈍善於知見无所罣㝵以大悲心讚
于大乘念報佛恩不斷三寶然後說法維摩
詰說是法時八百居士發阿耨多羅三藐三
菩提心我无此辯是故不任詣彼問疾
佛告大迦葉汝行詣維摩詰問疾迦葉白佛
言世尊我不堪任詣彼問疾所以者何憶念
我昔於貧里而行乞時維摩詰來謂我言唯
大迦葉有慈悲心而不能普捨豪富從貧乞
迦葉住平等法應次行乞為不食故應行乞
食為壞和合相故應取揣食為不受故應受
彼食以空聚相入於聚落所見色與盲等所
聞聲與響等所嗅香與風等所食味不分別
受諸觸如智證知諸法如幻相无自性无他
性本自不然今則无滅迦葉若能不捨八邪
入八解脫以邪相入正法以一食施一切供
養諸佛及衆賢聖然後可食如是食者非有
煩惱非離煩惱非入定意非起定意非住世
間非住涅槃其有施者无大福无小福不為
益不為損是為正入佛道不依聲聞迦葉若
如是食為不空食人之施也時我世尊聞說
是語得未曾有即於一切菩薩深起敬心復
作是念斯有家名辯才智慧乃能如是其誰

作是念斯有家名辨才智慧乃能如是其誰
不發阿耨多羅三藐三菩提心我從是來不
復勸人以聲聞辟支佛行是故不任詣彼問
疾
佛告須菩提汝行詣維摩詰問疾須菩提白
佛言世尊我不堪任詣彼問疾所以者何憶
念我昔入其舍從乞食時維摩詰取我鉢盛
滿飯謂我言唯須菩提若能於食等者諸法
亦等諸法等者於食亦等如是行乞乃可取
食若須菩提不斷婬怒癡亦不與俱不壞於
身而隨一相不滅癡愛起於明脫以五逆相
而得解脫亦不解不縛不見四諦非不見諦
非得果非凡夫非離凡夫法非聖人非不聖
人雖成就一切法而離諸法相乃可取食若
須菩提不見佛不聞法彼外道六師富蘭那
迦葉末伽梨拘賒梨子刪闍耶毗羅胝子阿
耆多翅舍欽婆羅迦羅鳩馱迦旃延尼揵陁
若提子等是汝之師因其出家彼師所墮汝
亦隨墮乃可取食若須菩提入諸耶見不到
彼岸住於八難不得无難同於煩惱離清淨
法汝得无諍三昧一切眾生亦得是定其施
汝者不名福田供養汝者墮三惡道為與眾
魔共一手作諸勞侶汝與眾魔及諸塵勞等
无有異於一切眾生而有怨心謗諸佛毀於
法不入眾數終不得滅度汝若如是乃可取
食時我世尊聞此茫然不識是何言不知以

BD00601號　維摩詰所說經卷上　（14–9）

法不入眾數終不得滅度汝若如是乃可取
食時我世尊聞此茫然不識是何言不知以
何荅便置鉢欲出其舍維摩詰言唯須菩提
取鉢勿懼於意云何如來所作化人若以是
事詰寧有懼不我言不也維摩詰言一切諸
法如幻化相汝今不應有所懼也所以者何
一切言說不離是相至於智者不著文字故
无所懼何以故文字性離无有文字是則解
脫解脫相者則諸法也維摩詰說是法時二
百天子得法眼淨故我不任詣彼問疾
佛告富樓那彌多羅尼子汝行詣維摩詰問
疾富樓那白佛言世尊我不堪任詣彼問疾
所以者何憶念我昔於大林中在一樹下為
諸新學比丘說法時維摩詰來謂我言唯富
樓那先當入定觀此人心然後說法无以穢
食置於寶器當知是比丘心之所念无以琉
璃同彼水精汝不能知眾生根原无得發起
以小乘法彼自无瘡勿傷之也欲行大道莫
示小徑无以大海內於牛跡无以日光等彼
螢火富樓那此比丘久發大乘心中忘此意
如何以小乘法而教導之我觀小乘智慧微
淺猶如盲人不能分別一切眾生根之利鈍
時維摩詰即入三昧令此比丘自識宿命曾
於五百佛所殖眾德本迴向阿耨多羅三藐
三菩提即時豁然還得本心於是諸比丘稽
首礼維摩詰足時維摩詰因為說法於阿耨

BD00601號　維摩詰所說經卷上　（14–10）

三菩提即時嘿然還得本心於是諸比丘稽
首礼維摩詰足時維摩詰因為說法於阿耨
多羅三藐三菩提不復退轉我念聲聞不觀
人根不應說法是故不任詣彼問疾
佛告摩訶迦旃延汝行詣維摩詰問疾迦旃
延白佛言世尊我不堪任詣彼問疾所以者
何憶念昔者佛為諸比丘略說法要我即於
後敷演其義謂无常義苦義空義无我義寂
滅義時維摩詰來謂我言唯迦旃延无以生
滅心行說實相法迦旃延諸法畢竟不生不
滅是无常義五受陰洞達空无所起是苦義
諸法究竟无所有是空義於我无我而不二
是无我義法本不然今則无滅是寂滅義說
是法時彼諸比丘心得解脫故我不任詣彼
問疾
佛告阿那律汝行詣維摩詰問疾阿那律白
佛言世尊我不堪任詣彼問疾所以者何憶
念我昔於一處經行時有梵王名曰嚴淨與
万梵俱放淨光明來詣我所稽首作礼問我
言幾何阿那律天眼所見我即答言仁者吾
見此釋迦牟尼佛土三千大千世界如觀掌
中菴摩勒菓時維摩詰來謂我言唯阿那律
天眼所見為作相耶无作相耶假使作相則與外
道五通等若无作相即是无為不應有見世
尊我時嘿然彼諸梵聞其言得未曾有即為
作礼而問曰世孰有真天眼者維摩詰言有

尊我時嘿然彼諸梵聞其言得未曾有即為
作礼而問曰世孰有真天眼者維摩詰言有
佛世尊得真天眼常在三昧悉見諸佛國不
以二相於是嚴淨梵王及其眷屬五百梵天
皆發阿耨多羅三藐三菩提心礼維摩詰足
已忽然不現故我不任詣彼問疾
佛告優波離汝行詣維摩詰問疾優波離白
佛言世尊我不堪任詣彼問疾所以者何憶
念昔者有二比丘犯律行以為恥不敢問佛
來問我言唯優波離我等犯律誠以為恥不
敢問佛願解疑悔得免斯咎我即為其如法
解說時維摩詰來謂我言唯優波離无重增
此二比丘罪當直除滅勿擾其心所以者何
彼罪性不在內不在外不在中間如佛所說
心垢故眾生垢心淨故眾生淨心亦不在內
不在外不在中間如其心然罪垢亦然諸法
亦然不出於如如優波離以心相得解脫時
寧有垢不我言不也維摩詰言一切眾生心
相无垢亦復如是唯優波離妄想是垢无妄
想是淨顛倒是垢无顛倒是淨取我是垢不
取我是淨優波離一切法生滅不住如幻如
電諸法不相待乃至一念不住諸法皆妄見
如夢如炎如水中月如鏡中像以妄想生其
知此者是名奉律其知此者是名善解於是
二比丘言上智哉是優波離所不及持律之
上而不能說我答言自捨如來未有聲聞及
菩薩能制其樂說之辯其智慧明達為若此也

二比丘言上智哉是優波離所不及持律之
上而不能說我荅言自捨如來未有聲聞及
菩薩能制其樂說之辯其智慧明達爲若此
也時二比丘疑悔即除發阿耨多羅三藐三
菩提心作是願言令一切衆生皆得是辯故
我不任詣彼問疾
佛告羅睺羅汝行詣維摩詰問疾羅睺羅白
佛言世尊我不堪任詣彼問疾所以者何憶
念昔時毗耶離諸長者子来詣我所稽首作
礼問我言唯羅睺羅汝佛之子捨轉輪王位
出家爲道其出家者有何等利我即如法爲
說出家功德之利時維摩詰来謂我言唯羅
睺羅不應說出家功德之利所以者何无利
无功德是爲出家有爲法者可說有利有功
德夫出家者爲无爲法无爲法中无利无功
德羅睺羅夫出家者无彼无此亦无中間離
六十二見處於涅槃智者所受聖所行處降
伏衆魔度五道淨五眼得五力立五根不惱
於彼離衆雜惡摧諸外道超越假名出淤泥
无繫著无我所无所受无擾亂內懷喜護彼
意隨禪定離衆過若能如是是真出家於是
維摩詰語諸長者子汝等於正法中宜共出
家所以者何佛世難值諸長者子言居士我
聞佛言父母不聽不得出家維摩詰言然汝
等便發阿耨多羅三藐三菩提心即是出家

等便發阿耨多羅三藐三菩提心即是出家
是即具足尒時三十二長者子皆發阿耨多
羅三藐三菩提心故我不任詣彼問疾
佛告阿難汝行詣維摩詰問疾阿難白佛言
世尊我不堪任詣彼問疾所以者何憶念昔
時世尊身小有疾當用牛乳我即持鉢詣大
婆羅門家門下立時維摩詰来謂我言唯阿
難何爲晨朝持鉢住此我言居士世尊身小
有疾當用牛乳故来至此維摩詰言止止阿
難莫作是語如来身者金剛之體諸惡已斷
衆善普會當有何疾當有何惱嘿往阿難勿
謗如来莫使異人聞此麁言无令大威德諸
天及他方淨土諸来菩薩得聞斯語阿難轉
輪聖王以少福故尚得无病豈況如来无量
福會普勝者哉行矣阿難勿使我等受斯恥
也外道梵志若聞此語當作是念何名爲師
自疾不能救而能救諸疾人可密速去勿使
人聞當知阿難諸如来身即是法身非思欲
身佛爲世尊過於三界佛身无漏諸漏已盡
佛身无爲不墮諸數如此之身當有何疾時
我世尊實懷慚愧得无近佛而謬聽耶即聞
空中聲曰阿難如居士言但爲佛出五濁惡
世現行斯法度脫衆生行矣阿難取乳勿慙
世尊維摩詰智慧辯才爲若此也是故不任

當來无量快樂
其體種種恐懼逼切其身如是不
等悉令解脫无有衆難
第十一願者使我來世若有衆生、
令得種種甘美飲食天諸餚饍種
以施與令身充足
第十二願者使我來世若有貧凍躶
即得衣服窮乏之者施與珍寶倉庫
所乏少一切皆受无量快樂乃至无有
苦使諸衆生和顏悅色形貌端嚴
琴瑟鼓吹如是无量最上音聲施與
量衆生是爲十二微妙上願
佛告文殊師利此藥師琉璃光佛本
如是我今爲汝略說其國莊嚴之事
琉璃光如來國土清淨无五濁无愛
垢以白銀琉璃爲地宮殿樓閣悉
如西方无量壽國无有異也有二菩
曜二名月淨是二菩薩次補佛處諸善男
子及善女人亦當願生彼國土也文殊師利白
佛言願爲演說藥師琉璃光如來无量功
德饒益衆生令得佛道佛言若有善男子

BD00602號　灌頂拔除過罪生死得度經　（5–1）

子及善女人亦當願生彼國土也文殊師利白
佛言願爲演說藥師琉璃光如來无量功
德饒益衆生令得佛道佛言若有善男子
善女人新破衆魔來入正道得聞我說藥師
琉璃光如來名字者魔家眷屬退散馳走如
是无量拔衆生苦我今說之
佛告文殊師利世間有人不解罪福慳貪不
知布施今世後世當得其福世人愚癡但知
貪惜寧自割身肉而噉食之不肯持錢財
布施求後世之福又有人身不能衣食此大慳
貪命終以後當墮地獄餓鬼畜生中聞我說
是藥師琉璃光如來名字之時无不解脫憂
苦者也皆作信心貪福畏罪人從索頭與頭
索眼與眼乞妻與妻乞子與子求金銀珍寶
皆大布施一時歡喜即發无上正真道意
佛言若復有人受佛淨戒遵奉明法不解罪
福雖知明經不及中義不能分別曉了中事
以自貢高恒常瞻憒乃與世間衆魔從事
更作縛著不解行之惡著婦女恩愛之情口
爲說空行在有中不能發覺復不自知但能
論說他人是非如此人輩皆當墮三惡道中聞
我說是藥師琉璃光佛本願功德无不歡
喜念欲捨家行作沙門者也

BD00602號　灌頂拔除過罪生死得度經　（5–2）

論說他人是非如此人輩皆當墮三惡道中聞
我說是藥師琉璃光佛本願功德无不歡
喜念欲捨家行作沙門者也
佛言世間有人好自稱譽皆自貢高當墮
三惡道中後還為人馬牛奴婢生下賤中人
當乘其力負重而行困苦疲極亡失人身
聞我說是藥師琉璃光如來本願功德皆當
一心歡喜踊躍更作謙敬即得解脫衆苦之
患長得歡樂聰明智慧遠離惡道得生
善處與善知識共相值遇无復憂惱離諸魔
縛佛言世間愚癡人輩兩舌鬬諍惡口罵詈
更相嫉恨或就山神樹下鬼神日月之神南斗
北辰諸鬼神所作諸呪擔或作人名字或作人
形像或作符書以相厭禱呪咀言說聞我
說是藥師琉璃光佛本願功德无不兩作和解
俱生慈心惡意悉滅各各歡喜無復惡念
佛言若有四輩弟子比丘比丘尼清信士清
信女常脩月六齋歲三長齋或晝夜精勤一
心苦行願欲往生西方阿彌陁佛國者憶念
晝夜若一日二日三日四日五日六日七日或
復中悔聞我說是藥師琉璃光佛本願功
德盡其壽命欲終之日有八菩薩
跋陁和菩薩 羅憐那菩薩 憍日兜菩薩 那羅達菩薩

德盡其壽命欲終之日有八菩薩
跋陁和菩薩 羅憐那菩薩 憍日兜菩薩 那羅達菩薩
須彌深菩薩 摩訶迦菩薩 用坻達菩薩 和瑜論菩薩
是八菩薩皆當飛往迎其精神不逕八難生蓮
華中自然音樂而相娛樂佛言假使壽命
欲盡時臨終之日得聞我說是藥師琉璃光佛
本願功德者命終皆得上生天上不復逕歷三
惡道中天上福盡若下生人間當為帝王家
作子或生豪姓長者居士富貴家生皆當端
正聰明智慧高才勇猛若是女人化成男子
无復憂苦患難者也佛語文殊師利我稱譽
顯說藥師琉璃光佛至真等正覺本所脩集
无量行願功德如是文殊師利從坐而起長
跪叉手白佛言世尊佛去世後當以此法開化
十方一切衆生使其受持是經典者若有善
男子善女人愛樂是經受持讀誦宣通之者
復能專念若一日二日三日四日五日乃至七日憶
念不忘能以素帛書取是經五色雜綵作
囊盛之者是時當有諸天善神四天大王龍
神八部常來營衛敬此經者日日作礼持是
經者不墮橫死所在安隱惡氣消滅諸魔
鬼神亦不中害佛言如是如是如汝所說文
殊師利言天尊所說言无不善

復能專念若一日二日三日四日五日乃至七日憶
念不忘能以素帛書取是經五色雜綵作
囊盛之者是時當有諸天善神四天大王龍
神八部常来營衛敬此經者日日作礼持是
經者不墮橫死所在安隱惡氣消滅諸魔
鬼神亦不中害佛言如是如是如汝所說文
殊師利言天尊所說言无不善
佛言文殊師利若有善男子善女人等發
心造立藥師琉璃光如来形像供養礼拜懸
雜色幡蓋燒香散華歌詠讚歎圍遶百帀還
坐本處端坐思惟念藥師琉璃光佛无量功
德若有善男子善女人七日七夜菜食長齋
供養礼拜藥師琉璃光佛求心中所願者无不
獲得求長壽得長壽求富饒得富饒求安隱
得安隱求男女得男女求官位得官位若命
過已後欲生妙樂天上者亦當礼敬藥師琉
璃光佛至真等正覺若欲上生三十三天本
亦當礼拜藥師琉璃光佛必得往生若與明
師世世相值者亦當礼敬藥師琉璃光佛

BD00602 號　灌頂拔除過罪生死得度經　（5–5）

…不能
…處善男子譬如
…衣金處處求覓遂得金礦既得
礦已即便碎之擇取精者爐中銷鍊得清
淨金隨意迴轉作諸環釧種種嚴具雖
有諸用金性不改
復次善男子若善男子善女人求勝解脫修
行世善得見如来及弟子衆得親近已白佛
言世尊何者為善何者不善何者正修得
清淨行諸佛如来及弟子衆見彼問時如是
思惟是善男子善女人欲求清淨欲聽正法
即便為說令其開悟彼既聞已正念憶持發
心修行得精進力除嬾惰障滅一切罪於諸學處
離不尊重息掉悔心入於初地依初地心除
利有情障得入二地於此地中除不逼惱障
入於三地於此地中除心軟淨障入於四地
於此地中除善方便障入於五地於此地中除
見真俗障入於六地於此地中除見行相障
入於七地於此地中除不見滅相障入於八地
於此地中除不見生相障入於九地於此地

BD00603 號　金光明最勝王經卷二　（13–1）

於此地中除善方便障入於五地於此地中除
見真俗障入於六地於此地中除見行相障
入於七地於此地中除不見滅相障入於八地
於此地中除不見生相障入於九地於此地
中除六通障入於十地於此地中除所知障
除根本心入如來地如來地者由三淨故名
極清淨云何為三一者煩惱淨二者苦
淨三者相淨譬如真金鎔銷冶鍊既燒打
已無復塵垢為顯金性本清淨故金體清淨
非謂無金譬如濁水澄停清淨無復滓穢為
顯水性本清淨故非謂無水如是法身與煩惱
雜苦集除已無復餘習為顯佛性本清淨故
非謂無體譬如虛空烟雲塵霧之所障蔽若
除屛已是空界淨非謂無空如是法身一切
衆苦悉皆盡故說為清淨非謂無體譬如
有人於睡夢中見大河水漂泛其身運手動
足截流而渡得至彼岸由彼身心不懈退故
從夢覺已不見有水彼此岸別非謂無心生
死妄想既滅盡已是覺清淨非謂無覺如是
法界一切妄想不復生故說為清淨非是諸
佛無其實體
復次善男子是法身者惑障清淨能現應身
業障清淨能現化身智障清淨能現法身譬
如依空出電依電出光如是依法身故能現應
身依應身故能現化身由性清淨故能現法身
智慧清淨能現應身三昧清淨能現化身

如依空出電依電出光如是依法身故能現應
身依應身故能現化身由性清淨故能現法身
智慧清淨能現應身三昧清淨能現化身
此三清淨是法如如不異如如一味如如解脫
如如究竟如如是故諸佛體無有異善男子
若有善男子善女人說於如來是我大師
若作如是決定信者此人即應深心解了如
來之身無有別異善男子以是義故於諸境
界不正思惟悉皆除斷即知彼法無有二相
亦無分別聖所修行如如於彼無有二相正修
行故如是如是一切諸障悉皆除滅如如一切
障滅如是如是法如如如如智得最清淨
如如法界正智清淨如是如是一切自在具
足攝受皆得成就一切諸障悉皆除滅一切
諸障得清淨故是名真如正智真實之相如
是見者是名聖見是則名為真實見佛何
以故如實得見法真如故是故諸佛悉皆普
見一切如來何以故聲聞獨覺已出三界求真
實境不能智見如是聖人所不知見一切凡
夫皆生疑惑顛倒分別不能得度如兔浮海
必不能過所以者何力微劣故凡夫之人亦
復如是不能通達法如如故然諸如來無
分別心於一切法得大自在具足清淨深智慧
故是自境界不共他故是故諸佛如來於無
量無邊阿僧祇劫不惜身命難行苦行方
得此身最上無比不可思議過言說境是妙

故是自境界不共他故是故諸佛如來於無
量無邊阿僧祇劫不惜身命難行苦行方
得此身最上無比不可思議過言說境是妙
寂靜離諸怖畏
善男子如是知見法真如者無生老死壽命
無限無有睡眠亦無飢渴心常在定無有散
動若於如來起諍論心是則不能見於如來
諸佛所說皆能利益有聽聞者無不解脫諸
惡禽獸惡人惡鬼不相逢值由聞法故果報
無盡然諸如來無無記事一切境界無欲知
心生死涅槃無有異想如來所說無不決定
諸佛如來四威儀中無非智攝一切諸法無
有不為慈悲所攝無有不為利益安樂諸
衆生者善男子若有善男子善女人於此金光
明經聽聞信解不墮地獄餓鬼傍生阿蘇羅
道常處人天不生下賤恒得親近諸佛如
來聽受正法常生諸佛清淨國土所以者何由
得聞此甚深法故是善男子善女人則為如
來已知已記當得不退阿耨多羅三藐三
菩提若善男子善女人於此甚深微妙之法一
經耳者當知是人不謗如來不毀正法不輕
聖衆一切衆生未種善根令得種故已種善
根令增長成熟故一切世界所有衆生皆
勸修行六波羅蜜多
尒時虛空藏菩薩梵釋四王諸天衆等即從
座起偏袒右肩合掌恭敬頂禮佛足白佛言
世尊若所在處講說如是金光明王微妙經

BD00603 號　金光明最勝王經卷二　（13–4）

尒時虛空藏菩薩梵釋四王諸天衆等即從
座起偏袒右肩合掌恭敬頂禮佛足白佛言
世尊若所在處講說如是金光明王微妙經
典於其國土有四種利益何者為四一者國
王軍衆強盛無諸怨敵離於疾病壽命延
長吉祥安樂正法興顯二者中宮妃后王子諸
臣和悅無諍離於諂佞王所愛重三者沙門
婆羅門及諸國人修行正法無病安樂無枉死
者於諸福田悉皆修立四者於三時中四大
調適常為諸天增加守護慈悲平等無傷
害心令諸衆生歸敬三寶皆願修習菩提之
行是為四種利益之事世尊我等亦常為弘
經故隨逐如是持經之人所在住處為作利
益佛言善哉善哉善男子如是如是汝等
應當勤心流布此妙經王則令正法久住於世
金光明最勝王經夢見懺悔品第四
尒時妙幢菩薩親於佛前聞妙法已歡喜踊
躍一心思惟還至本處於夜夢中見大金鼓
光明晃耀猶如日輪於此光中得見十方無
量諸佛於寶樹下坐瑠璃座無量百千大衆
圍繞而為說法見一婆羅門桴擊金鼓出大
音聲聲中演說微妙伽他明懺悔法妙幢
聞已皆悉憶持繫念而住至天曉已與無
量百千大衆圍繞持諸供具出王舍城詣鷲峯
山至世尊所禮佛足已布設香花右繞三帀退
坐一面合掌恭敬瞻仰尊顏白佛言世尊我

BD00603 號　金光明最勝王經卷二　（13–5）

山至世尊所，礼佛足已，布設香花，右繞三帀，退
坐一面，合掌恭敬，瞻仰尊顏，白佛言：世尊，我
於夢中見婆羅門以手執桴擊妙金鼓，出大
音聲，聲中演說微妙伽他明懺悔法。我皆
憶持，唯願世尊降大慈悲，聽我所說。即於
佛前而說頌曰：
我於昨夜中　夢見大金鼓　其形極姝妙　周遍有光明
猶如盛日輪　光明皆普耀　充滿十方界　咸見於諸佛
在於寶樹下　各處瑠璃座　無量百千眾　恭敬而圍繞
有一婆羅門　以桴擊金鼓　於其鼓聲內　說此妙伽他
金光明鼓出妙聲　遍至三千大千界
能滅三塗極重罪　及以人中諸苦厄
由此金鼓聲威力　永滅一切煩惱障
斷除怖畏令安隱　譬如自在牟尼尊
佛於生死大海中　積行修成一切智
能令眾生覺品具　究竟咸歸功德海
由此金鼓出妙聲　普令聞者獲梵響
證得無上菩提果　常轉清淨妙法輪
住壽不可思議劫　隨機說法利群生
能斷煩惱眾苦流　貪瞋癡等皆除滅
若有眾生處惡趣　大火猛焰周遍身
若得聞是妙鼓音　即能離苦歸依佛
皆得成就宿命智　能憶過去百千生
悉皆正念牟尼尊　得聞如來甚深教
由聞金鼓勝妙音　常得親近於諸佛
悉能捨離諸惡業　純修清淨諸善品
一切天人有情類　殷重至誠祈願者

BD00603號　金光明最勝王經卷二　（13–6）

悉皆正念牟尼尊　得聞如來甚深教
由聞金鼓勝妙音　常得親近於諸佛
悉能捨離諸惡業　純修清淨諸善品
一切天人有情類　殷重至誠祈願者
得聞金鼓妙音聲　能令所求皆滿足
眾生墮在無間獄　猛火炎熾苦焚身
無有救護處輪迴　聞者能令苦除滅
人天餓鬼傍生中　所有現受諸苦難
得聞金鼓發妙響　皆蒙離苦得解脫
現在十方界　常住兩足尊　願以大悲心　哀愍憶念我
眾生無歸依　亦無有救護　為如是等類　能作大歸依
我先所作罪　極重諸惡業　今對十力前　至心皆懺悔
我不信諸佛　亦不敬尊親　不務修眾善　常造諸惡業
或自恃尊高　種姓及財位　盛年行放逸　常造諸惡業
心恒起邪念　口陳於惡言　不見於過罪　常造諸惡業
恒作愚夫行　無明闇覆心　隨順不善友　常造諸惡業
或因諸戲樂　或復懷憂惱　為貪瞋所纏　故我造惡業
親近不善人　及由慳嫉意　貧窮行諂誑　故我造惡業
雖不樂眾過　由有怖畏故　及不得自在　故我造諸惡
或為躁動心　或因瞋恚恨　及以飢渴惱　故我造諸惡
由飲食衣服　及貪愛女人　煩惱火所燒　故我造諸惡
於佛法僧眾　不生恭敬心　作如是眾罪　我今悉懺悔
於獨覺菩薩　亦無恭敬心　作如是眾罪　我今悉懺悔
無知謗小法　不孝於父母　作如是眾罪　我今悉懺悔
由愚癡憍慢　及以貪瞋力　作如是眾罪　我今悉懺悔
我於十方界　供養無數佛　當願拔眾生　令離諸苦難

BD00603號　金光明最勝王經卷二　（13–7）

於獨覺菩薩 亦無恭敬心 作如是衆罪 我今悉懺悔
無知謗小法 不孝於父母 作如是衆罪 我今悉懺悔
由愚癡憍慢 及以貪瞋力 作如是衆罪 我今悉懺悔
我於十方界 供養無數佛 當願拔衆生 令離諸苦難
願一切有情 皆令住十地 福智圓滿已 成佛導群迷
我為諸衆生 苦行百千劫 以大智慧力 皆令出苦海
我為諸含識 演說甚深經 最勝金光明 能除諸惡業
若人百千劫 造諸極重罪 暫時能發露 衆惡盡消除
依此金光明 作如是懺悔 由斯能速盡 一切諸業苦
勝定百千種 不思議總持 根力覺道支 修習常無倦
我當至十地 具足珍寶處 圓滿佛功德 濟度生死流
我於諸佛海 甚深功德藏 智知難思議 皆令得具足
唯願十方佛 觀察護念我 皆以大悲心 哀受我懺悔
我於多劫中 所造諸惡業 由斯生苦惱 哀愍願消除
我造諸惡業 常生憂怖心 於四威儀中 曾無歡樂想
諸佛具大悲 能除衆生怖 願受我懺悔 令得離憂惱
我有煩惱障 及以諸報業 願以大悲水 洗濯令清淨
我先作諸罪 及現造惡業 至心皆發露 咸願得蠲除
未來諸惡業 防護令不起 設令違有者 終不敢覆藏
身三語四種 意業復有三 繫縛諸有情 無始恒相續
由斯三種行 造作十惡業 如是衆多罪 我今皆懺悔
我造諸惡業 苦報當自受 今於諸佛前 至誠皆懺悔
於此贍部洲 及他方世界 所有諸善業 今我皆隨喜
願離十惡業 修行十善道 安住十地中 常見十方佛
我以身語意 所修福智業 願以此善根 速成無上慧
我今親對十力前 發露衆多苦難事

於此贍部洲 及他方世界 所有諸善業 今我皆隨喜
願離十惡業 修行十善道 安住十地中 常見十方佛
我以身語意 所修福智業 願以此善根 速成無上慧
我今親對十力前 發露衆多苦難事
凡愚迷惑三有難 恒造極重惡業難
我所積集欲邪難 常起貪愛流轉難
於此世間耽著難 一切愚夫煩惱難
狂心散動顛倒難 及以親近惡友難
於生死中貪染難 瞋癡闇鈍造罪難
生八無暇惡處難 未曾積集功德難
我今皆於最勝前 懺悔無邊罪惡業
我今歸依諸善逝 我禮德海無上尊
如大金山照十方 唯願慈悲哀攝受
身色金光淨無垢 目如清淨紺瑠璃
吉祥威德名稱尊 大悲慧日除衆闇
佛日光明常普遍 善淨無垢離諸塵
牟尼月照極清涼 能除衆生煩惱熱
三十二相遍莊嚴 八十隨好皆圓滿
福德難思無與等 如日流光照世間
色如瑠璃淨無垢 猶如滿月處虛空
妙頗梨網映金軀 種種光明以嚴飾
於生死苦暴流內 老病憂愁水所漂
如是苦海難堪忍 佛日舒光令永竭
我今稽首一切智 三千世界希有尊
光明晃耀紫金身 種種妙好皆嚴飾
如大海水量難知 大地微塵不可數

光明晃耀紫金身　種種妙好皆嚴飾
如大海水量難知　大地微塵不可數
如妙高山叵稱量　亦如虛空無有際
諸佛功德亦如是　一切有情不能知
於無量劫諦思惟　無有能知德海岸
盡此大地諸山岳　析如微塵能算知
毛端滴海尚可量　佛之功德無能數
一切有情皆共讚　世尊名稱諸功德
清淨相好妙莊嚴　不可稱量知分齊
我之所有衆善業　願得速成無上尊
廣說正法利群生　悉令解脫於衆苦
降伏大力魔軍衆　當轉無上正法輪
久住劫數難思議　充足衆生甘露味
猶如過去諸最勝　六波羅蜜皆圓滿
滅諸貪欲及瞋癡　降伏煩惱除衆苦
願我常得宿命智　能憶過去百千生
亦常憶念牟尼尊　得聞諸佛甚深法
願我以斯諸善業　奉事無邊最勝尊
遠離一切不善因　恒得修行真妙法
一切世界諸衆生　悉皆離苦得安樂
所有諸根不具足　令彼身相皆圓滿
若有衆生遭病苦　身形羸瘦無所依
咸令病苦得消除　諸根色力皆充滿
若犯王法當刑戮　衆苦逼迫生憂惱
彼受如斯極苦時　無有歸依能救護
若受鞭杖枷鎖繫　種種苦具切其身

BD00603號　金光明最勝王經卷二　（13–10）

彼受如斯極苦時　無有歸依能救護
若受鞭杖枷鎖繫　種種苦具切其身
無量百千憂惱時　逼迫身心無暫樂
皆令得免於繫縛　及以鞭杖苦楚事
將臨刑者得命全　衆苦皆令永除盡
若有衆生飢渴逼　令得種種殊勝味
盲者得視聾者聞　跛者能行瘂能語
貧窮衆生獲寶藏　倉庫盈溢無所乏
皆令得受上妙樂　無一衆生受苦惱
一切人天皆樂見　容儀溫雅甚端嚴
悉皆現受無量樂　受用豐饒福德具
隨彼衆生念伎樂　衆妙音聲皆現前
念水即現清涼池　金色蓮花泛其上
隨彼衆生心所念　飲食衣服及床敷
金銀珍寶妙瑠璃　瓔珞莊嚴皆具足
勿令衆生聞惡響　亦復不見有相違
所受容顏悉端嚴　各各慈心相愛樂
世間資生諸樂具　隨心念時皆滿足
所得珍財無悋惜　分布施與諸衆生
燒香末香及塗香　衆妙雜香非一色
每日三時從樹墮　隨心受用生歡喜
普願衆生咸供養　十方一切最勝尊
三乘清淨妙法門　菩薩獨覺聲聞衆
常願勿處於卑賤　不墮無暇八難中
生在有暇人中尊　恒得親承十方佛
願得常生富貴家　財寶倉庫皆盈滿

BD00603號　金光明最勝王經卷二　（13–11）

常願勿處於卑賤　不墮無暇八難中
生在有暇人中尊　恒得親承十方佛
願得常生富貴家　財寶倉庫皆盈滿
顏貌名稱無與等　壽命延長經劫數
迷願女人變為男　勇健聰明多智慧
一切常行菩薩道　勤修六度到彼岸
常見十方無量佛　寶王樹下而安樂
處妙瑠璃師子座　恒得親承轉法輪
若於過去及現在　輪迴三有造諸業
能招可猒不善趣　願得消滅永無餘
一切眾生於有海　生死羂網堅牢縛
願以智劒為斷除　離苦速證菩提處
眾生於此贍部內　或於他方世界中
所作種種勝福因　我今皆悉生隨喜
以此隨喜福德事　及身語意造眾善
願此勝業常增長　速證無上大菩提
所有礼讚佛功德　深心清淨無瑕穢
迴向發願福無邊　當超惡趣六十劫
若有男子及女人　婆羅門等諸勝族
合掌一心讚歎佛　生生常憶宿世事
諸根清淨身圓滿　殊勝功德皆成就
願於未來所生處　常得人天共瞻仰
非於一佛十佛所　修諸善根今得聞
百千佛所種善根　方得聞斯懺悔法
尒時世尊聞此記已讚妙幢菩薩言善哉

BD00603號　金光明最勝王經卷二　（13–12）

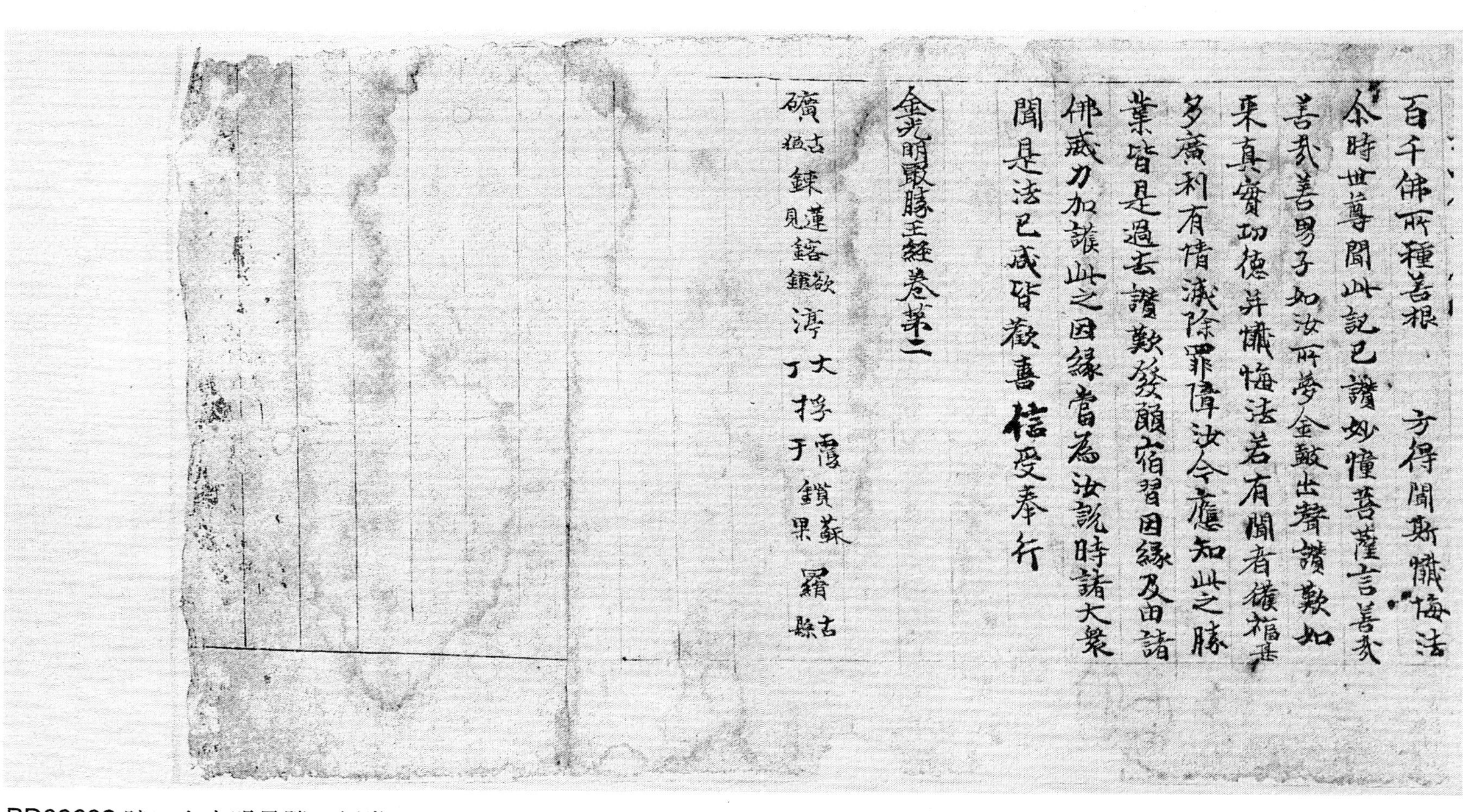

百千佛所種善根　方得聞斯懺悔法
尒時世尊聞此記已讚妙幢菩薩言善哉
善哉善男子如汝所夢金皷出聲讚歎如
來真實功德并懺悔法若有聞者獲福甚
多廣利有情滅除罪障汝今應知此之勝
業皆是過去讚歎發願宿習因緣及由諸
佛威力加護此之因緣當為汝說時諸大眾
聞是法已咸皆歡喜信受奉行

金光明最勝王經卷第二

礦古猛　錬蓮見　鎔欲鍾　渟大丁　捋于霞　鎖蘇果　羂古縣

BD00603號　金光明最勝王經卷二　（13–13）

道品生從止觀生從十
力四无所畏十八不共法生從斷一切不善法
集一切善法生從真實生從不放逸生從
如是无量清淨法生如來身諸仁者欲得佛
身斷一切衆生病者當發阿耨多羅三藐三
菩提心如是長者維摩詰為諸問疾者如
應說法令无數千人皆發阿耨多羅三藐三菩
提心
弟子品第三
尒時長者維摩詰自念寢疾于牀世尊大慈
寧不垂愍佛知其意即告舍利弗汝行詣維
摩詰問疾舍利弗白佛言世尊我不堪任詣
彼問疾所以者何憶念我昔曾於林中宴坐
樹下時維摩詰來謂我言唯舍利弗不必是
坐為宴坐也夫宴坐者不於三界現身意是
為宴坐不起滅定而現諸威儀是為宴坐不
捨道法而現凡夫事是為宴坐心不住內亦
不在外是為宴坐於諸見不動而脩行三十
七品是為宴坐不斷煩惱而入涅槃是為宴

BD00604 號　維摩詰所說經卷上　（4–1）

為宴坐不起滅定而現諸威儀是為宴坐不
捨道法而現凡夫事是為宴坐心不住內亦
不在外是為宴坐於諸見不動而脩行三十
七品是為宴坐不斷煩惱而入涅槃是為宴
坐若能如是坐者佛所印可時我世尊聞是
語已默然而止不能加報故我不任詣彼問疾
佛告大目犍連汝行詣維摩詰問疾目連白
佛言世尊我不堪任詣彼問疾所以者何憶念
我昔入毗耶離大城於里巷中為諸居士說
法時維摩詰來謂我言唯大目連為白衣
居士說法不當如仁者所說夫說法者當如
法說法无衆生離衆生垢故法无有我離我垢
故法无壽命離生死故法无有人前後際
斷故法常寂然滅諸相故法離於相无所緣
故法无名字言語斷故法无有說離覺觀故
法无形相如虛空故法无戲論畢竟空故法
无我所離我所故法无分別離諸識故法无
有比无相待故法不屬因不在緣故法同法
性入諸法故法隨於如无所隨故法住實際
諸邊不動故法无動搖不依六塵故法无去
來常不住故法順空隨无相應无作法離好
醜法无增損法无生滅法无所歸法過眼耳鼻
舌身心法无高下法常住不動法離一切觀行
唯大目連法相如是豈可說乎夫說法者
无說无示其聽法者无聞无得譬如幻士
為幻人說法當建是意而為說法當了衆生
根有利鈍善於知見无所罣礙以大悲心讚

BD00604 號　維摩詰所說經卷上　（4–2）

无說无示其聽法者无聞无得譬如幻士
為幻人說法當建是意而為說法當了衆生
根有利鈍善於知見无所罣礙以大悲心讚
于大乘念報佛恩不斷三寶然後說法維摩
詰說是法時八百居士發阿耨多羅三藐三菩
提心我无此辯是故不任詣彼問疾
佛告大迦葉汝行詣維摩詰問疾迦葉白
佛言世尊我不堪任詣彼問疾所以者何憶
念我昔於貧里而行乞食時維摩詰來謂
我言唯大迦葉有慈悲心而不能普捨豪
富從貧乞迦葉住平等法應次行乞食為不
食故應行乞食為壞和合相故應取揣食為不受
故應受彼食以空聚相入於聚落所見色與盲
等所聞聲與響等所嗅香與風等所食味不
分別受諸觸如智證知諸法如幻相无自性
无他性本自不然今則无滅迦葉若能不捨
八邪入八解脫以邪相入正法以一食施一切
供養諸佛及衆賢聖然後可食如是食者
非有煩惱非離煩惱非入定意非起定意非
住世間非住涅槃其有施者无大福无小福
不為益不為損是為正入佛道不依聲聞迦
葉若如是為不空食人之施也時我世尊聞
說是語得未曾有即於一切菩薩深起敬
心復作是念斯有家名辯才智慧乃能如
是其誰不發阿耨多羅三藐三菩提心我
[illegible]辟支佛行是故我不

BD00604號　維摩詰所說經卷上　（4–3）

富從貧乞迦葉住平等法應次行乞食為不
食故應行乞食為壞和合相故應取揣食為不受
故應受彼食以空聚相入於聚落所見色與盲
等所聞聲與響等所嗅香與風等所食味不
分別受諸觸如智證知諸法如幻相无自性
无他性本自不然今則无滅迦葉若能不捨
八邪入八解脫以邪相入正法以一食施一切
供養諸佛及衆賢聖然後可食如是食者
非有煩惱非離煩惱非入定意非起定意非
住世間非住涅槃其有施者无大福无小福
不為益不為損是為正入佛道不依聲聞迦
葉若如是為不空食人之施也時我世尊聞
說是語得未曾有即於一切菩薩深起敬
心復作是念斯有家名辯才智慧乃能如
是其誰不發阿耨多羅三藐三菩提心我
[illegible]辟支佛行是故我不

BD00604號　維摩詰所說經卷上　（4–4）

世尊[illegible]法難解難知尒時世尊欲重宣
此義而說偈言
破有法王　出現世間　隨眾生欲　種種說法
如來尊重　智慧深遠　久嘿斯要　不務速說
有智若聞　則能信解　无智疑悔　則為永失
是故迦葉　隨力為說　以種種緣　令得正見
[illegible]大雲　起於世間　遍覆一切
慧雲含潤　電光晃曜　雷聲遠振　令眾悅豫
日光掩蔽　地上清涼　靉靆垂布　如可承攬
其雨普等　四方俱下　流澍无量　率土充洽
山川嶮谷　幽邃所生　卉木藥草　大小諸樹
百穀苗稼　甘蔗蒲桃　雨之所潤　无不豐足
乾地普洽　藥木並茂　其雲所出　一味之水
草木叢林　隨分受潤　一切諸樹　上中下等
[illegible]各得生長　根莖枝葉　華菓光色
一雨所及　皆得鮮澤　如其體相　性分大小
所潤是一　而各滋茂　佛亦如是　出現於世
譬如大雲　普覆一切　既出于世　為諸眾生
分別演說　諸法之實　大聖世尊　於諸天人
一切眾中　而宣是言　我為如來　兩足之尊
出于世間　猶如大雲　充潤一切　枯槁眾生
皆令離苦　得安隱樂　世間之樂　及涅槃樂
諸天人眾　一心善聽　皆應到此　覲无上尊

BD00605號　妙法蓮華經卷三　（21–1）

譬如大雲　普覆一切　既出于世　為諸眾生
分別演說　諸法之實　大聖世尊　於諸天人
一切眾中　而宣是言　我為如來　兩足之尊
出于世間　猶如大雲　充潤一切　枯槁眾生
皆令離苦　得安隱樂　世間之樂　及涅槃樂
諸天人眾　一心善聽　皆應到此　覲无上尊
我為世尊　无能及者　安隱眾生　故現於世
為大眾說　甘露淨法　其法一味　解脫涅槃
以一妙音　演暢斯義　常為大乘　而作因緣
我觀一切　普皆平等　无有彼此　愛憎之心
我无貪著　亦无限㝵　恒為一切　平等說法
如為一人　眾多亦然　常演說法　曾无他事
去來坐立　終不疲猒　充足世間　如雨普潤
貴賤上下　持戒毀戒　威儀具足　及不具足
正見邪見　利根鈍根　等雨法雨　而无懈惓
一切
聞我法者　隨力所受　住於諸地
[illegible]轉輪聖王　釋梵諸王　是小藥草
[illegible]得涅槃　起六神通　及得三明
常行禪定　得緣覺證　是中藥草
我當作佛　行精進定　是上藥草
專心佛道　常行慈悲　自知作佛
[illegible]是名小樹　安住神通　轉不退輪
百千眾生　如是菩薩　名為大樹
如一味雨　隨眾生性　所受不同
草木　所稟各異　佛以此喻　方便開示
言辭　演說一法　於佛智慧　如海一渧
我雨法雨　充滿世間　一味之法　隨力脩行
如彼叢林　藥草諸樹　隨其大小　漸增茂好

BD00605號　妙法蓮華經卷三　（21–2）

言譬 演說一法 於佛智慧 如海一渧
我雨法雨 充滿世間 一味之法 隨力脩行
如彼叢林 藥草諸樹 隨其大小 漸增茂好
諸佛之法 常以一味 令諸世間 普得具足
漸次脩行 皆得道果 聲聞緣覺 處於山林
住最後身 聞法得果 是名藥草 各得增長
若諸菩薩 智慧堅固 了達三界 求最上乘
是名小樹 而得增長 復有住禪 得神通力
聞諸法空 心大歡喜 放无數光 度諸衆生
是名大樹 而得增長 如是迦葉 佛所說法
譬如大雲 以一味雨 潤於人華 各得成實
迦葉當知 以諸因緣 種種譬喻 開示佛道
是我方便 諸佛亦然 今為汝等 說最實事
諸聲聞衆 皆非滅度 汝等所行 是菩薩道
漸漸脩學 悉當成佛

妙法蓮華經授記品第六

尒時世尊說是偈已 告諸大衆 唱如是言 我
此弟子摩訶迦葉 於未來世 當得奉覲三百
万億諸佛世尊 供養恭敬 尊重讚歎 廣宣諸
佛无量大法 於最後身 得成為佛 名曰光明
如來 應供 正遍知 明行足 善逝 世間解 无上
士 調御丈夫 天人師 佛 世尊 國名光德 劫名
大莊嚴 佛壽十二小劫 正法住世二十小劫
像法亦住二十小劫 國界嚴飾 无諸穢惡 瓦
礫荊棘 便利不淨 其土平正 无有高下 坑坎
堆阜 瑠璃為地 寶樹行列 黃金為繩 以界道
側 散諸寶華 周遍清淨 其國菩薩 无量千
億 諸聲聞衆亦復无數

礫荊棘 便利不淨 其土平正 无有高下 坑坎
堆阜 瑠璃為地 寶樹行列 黃金為繩 以界道
側 散諸寶華 周遍清淨 其國菩薩 无量千
億 諸聲聞衆亦復无數 无有魔事 雖有魔及魔
民 皆護佛法 尒時世尊 欲重宣此義 而說
偈言
告諸比丘 我以佛眼 見是迦葉 於未來世
過无數劫 當得作佛 而於來世 供養奉覲
三百万億 諸佛世尊 為佛智慧 淨脩梵行
供養最上 二足尊已 脩集一切 无上之慧
於最後身 得成為佛 其土清淨 瑠璃為地
多諸寶樹 行列道側 金繩界道 見者歡喜
常出好香 散衆名華 種種奇妙 以為莊嚴
其地平正 无有丘坑 諸菩薩衆 不可稱計
其心調柔 逮大神通 奉持諸佛 大乘經典
諸聲聞衆 无漏後身 法王之子 亦不可計
乃以天眼 不能數知 其佛當壽 十二小劫
正法住世 二十小劫 像法亦住 二十小劫
光明世尊 其事如是
尒時大目揵連 須菩提 摩訶迦旃延等 皆悉
悚慄 一心合掌 瞻仰世尊 目不暫捨 即共
同聲而說偈言
大雄猛世尊 諸釋之法王 哀愍我等故 而賜佛音聲
若知我深心 見為授記者 如以甘露灑 除熱得清涼
如從飢國來 忽遇大王膳 心猶懷疑懼 未敢即便食
若復得王教 然後乃敢食 我等亦如是 每惟小乘過
不知當云何 得佛无上慧 雖聞佛音聲 言我等作佛

如從飢國來　忽遇大王膳　心猶懷疑懼　未敢即便食

若復得王教　然後乃敢食　我等亦如是　每惟小乘過
不知當云何　得佛无上慧　雖聞佛音聲　言我等作佛
心尚懷憂懼　如未敢便食　若蒙佛授記　尒乃快安樂
大雄猛世尊　常欲安世間　願賜我等記　如飢須教食
尒時世尊　知諸大弟子心之所念　告諸比丘　是
須菩提　於當来世奉覲三百万億那由他佛
供養恭敬尊重讚嘆　常脩梵行　具菩薩道
於最後身得成為佛　号曰名相如来應供正
遍知明行足善逝世間解无上士調御丈夫
天人師佛世尊　劫名有寶　國名寶生　其土平
正頗梨為地　寶樹莊嚴　无諸丘墟沙礫荊棘
便利之穢　寶華覆地　周遍清淨　其土人民皆
處寶臺珎妙樓閣　聲聞弟子无量无邊　筭數
譬喻所不能知　諸菩薩衆无數千万億那由
他　佛壽十二小劫　正法住世二十小劫　像法
亦住二十小劫　其佛常處虛空　為衆說法　度
脫无量菩薩及聲聞衆　尒時世尊欲重宣
此義　而說偈言
諸比丘衆　今告汝等　皆當一心　聽我所說
我大弟子　須菩提者　當得作佛　号曰名相
當供无數　万億諸佛　隨佛所行　漸具大道
最後身得　三十二相　端正殊妙　猶如寶山
其佛國土　嚴淨第一　衆生見者　无不愛樂
佛於其中　度无量衆　其佛法中　多諸菩薩
皆悉利根　轉不退輪　彼國常以　菩薩莊嚴
諸聲聞衆　不可稱數　皆得三明　具六神通
住八解脫　有大威德　其佛說法　現於无量

皆悉利根　轉不退輪　彼國常以　菩薩莊嚴
諸聲聞衆　不可稱數　皆得三明　具六神通
住八解脫　有大威德　其佛說法　現於无量
神通變化　不可思議　諸天人民　數如恒沙
皆共合掌　聽受佛語　其佛當壽　十二小劫
正法住世　二十小劫　像法亦住　二十小劫
尒時世尊復告諸比丘衆　我今語汝　是大迦
旃延　於當来世　以諸供具　供養奉事八千億
佛　恭敬尊重　諸佛滅後　各起塔廟　高千由旬
縱廣正等五百由旬　皆以金銀琉璃車𤥭馬
瑙真珠玫瑰七寶合成　衆華瓔珞塗香末香
燒香繒蓋幢幡　供養塔廟　過是已後　當復供
養二万億佛　亦復如是　供養是諸佛已　具菩
薩道　當得作佛　号曰閻浮那提金光如来應
供正遍知明行足善逝世間解无上士調御
丈夫天人師佛世尊　其土平正　頗梨為地　寶
樹莊嚴　黃金為繩　以界道側　妙華覆地　周遍
清淨　見者歡喜　无四惡道地獄餓鬼畜生阿
脩羅道　多有天人　諸聲聞衆及諸菩薩　无量
万億莊嚴其國　佛壽十二小劫　正法住世二
十小劫　像法亦住二十小劫　尒時世尊欲重
宣此義　而說偈言
諸比丘衆　皆一心聽　如我所說　真實无異
是迦旃延　當以種種　妙好供具　供養諸佛
諸佛滅後　起七寶塔　亦以華香　供養舍利
其最後身　得佛智慧　成等正覺　國土清淨
度脫无量　万億衆生　皆為十方　之所供養
佛之光明　无能勝者　其佛号曰　閻浮金光

其最後身　得佛智慧　成等正覺　國土清淨
度脫无量　万億衆生　皆為十方　之所供養
佛之光明　无能勝者　其佛号曰　閻浮金光
菩薩聲聞　斷一切有　无量无數　莊嚴其國
尒時世尊復告大衆我今語汝是大目揵連
當以種種供具供養八千諸佛恭敬尊重諸
佛滅後各起塔廟高千由旬縱廣正等五百
由旬以金銀琉璃車𤦲馬瑙真珠玫瑰七寶
合成衆華瓔珞塗香末香燒香繒蓋幢幡以
用供養過是已後當復供養二百万億諸佛
亦復如是當得成佛号曰多摩羅跋栴檀香
如來應供正遍知明行足善逝世間解无上
士調御丈夫天人師佛世尊劫名喜滿國名
意樂其土平正頗梨為地寶樹莊嚴散真珠
華周遍清淨見者歡喜多諸天人菩薩聲聞
其數无量佛壽二十四小劫正法住世四十
小劫像法亦住四十小劫尒時世尊欲重宣
此義而說偈言
我此弟子　大目揵連　捨是身已　得見八千
二百万億　諸佛世尊　為佛道故　供養恭敬
於諸佛所　常脩梵行　於无量劫　奉持佛法
諸佛滅後　起七寶塔　長表金剎　華香伎樂
而以供養　諸佛塔廟　漸漸具足　菩薩道已
於意樂國　而得作佛　号多摩羅　栴檀之香
其佛壽命　二十四劫　常為天人　演說佛道
聲聞无量　如恒河沙　三明六通　有大威德
菩薩无數　志固精進　於佛智慧　皆不退轉

聲聞无量　如恒河沙　三明六通　有大威德
菩薩无數　志固精進　於佛智慧　皆不退轉
佛滅度後　正法當住　四十小劫　像法亦尒
我諸弟子　威德具足　其數五百　皆當授記
於未來世　咸得成佛　我及汝等　宿世因緣
吾今當說　汝等善聽

妙法蓮華經化城喻品第七

佛告諸比丘乃往過去无量无邊不可思議
阿僧祇劫尒時有佛名大通智勝如來應供
正遍知明行足善逝世間解无上士調御丈
夫天人師佛世尊其國名好成劫名大相諸
比丘彼佛滅度已來甚大久遠譬如三千大
千世界所有地種假使有人磨以為墨過於
東方千國土乃下一點大如微塵又過千國
土復下一點如是展轉盡地種墨於汝等意
云何是諸國土若筭師若筭師弟子能得邊
際知其數不不也世尊諸比丘是人所經國
土若點不點盡末為塵一塵一劫彼佛滅度
已來復過是數无量无邊百千万億阿僧祇
劫我以如來知見力故觀彼久遠猶若今日
尒時世尊欲重宣此義而說偈言
我念過去世　无量无邊劫　有佛兩足尊　名大通智勝
如人以力磨　三千大千土　盡此諸地種　皆悉以為墨
過於千國土　乃下一塵點　如是展轉點　盡此諸塵墨
如是諸國土　點與不點等　復盡末為塵　一塵為一劫
此諸微塵數　其劫復過是　彼佛滅度來　如是无量劫
如來无导智　知彼佛滅度　及聲聞菩薩　如見今滅度

此諸微塵數　其劫復過是　彼佛滅度來　如是无量劫
如來无㝵智　知彼佛滅度　及聲聞菩薩　如見今滅度
諸比丘當知　佛智淨微妙　无漏无所㝵　通達无量劫
佛告諸比丘大通智勝佛壽五百卌万億那
由他劫其佛本坐道場破魔軍已垂得阿耨
多羅三藐三菩提而諸佛法不現在前如是
一小劫乃至十小劫結跏趺坐身心不動而
諸佛法猶不在前尒時忉利諸天先為彼佛
於菩提樹下敷師子座高一由旬佛於此坐
當得阿耨多羅三藐三菩提適坐此座時諸
梵天王雨衆天華面百由旬香風時來吹去
萎華更雨新者如是不絶滿十小劫供養於
佛乃至滅度常雨此華四王諸天為供養佛
常擊天鼓其餘諸天作天伎樂滿十小劫至
于滅度亦復如是諸比丘大通智勝佛過十
小劫諸佛之法乃現在前成阿耨多羅三藐
三菩提其佛未出家時有十六王子其第一
者名曰智積諸子各有種種珎異翫好之具
聞父得成阿耨多羅三藐三菩提皆捨所珎
往詣佛所諸母涕泣而隨送之其祖轉輪聖
王與一百大臣及餘百千万億人民皆共圍
繞隨至道場咸欲親近大通智勝如來供養
恭敬尊重讃歎到已頭面禮足遶佛畢已一
心合掌瞻仰世尊以偈頌曰
大威德世尊　為度衆生故　於无量億歲　尒乃得成佛
諸願已具足　善哉吉无上　世尊甚希有　一坐十小劫
身體及手足　靜然安不動　其心常惔怕　未曾有散乱
究竟永寂滅　安住无漏法　今者見世尊　安隱成佛道

BD00605號　妙法蓮華經卷三　（21–9）

諸願已具足　善哉吉无上　世尊甚希有　一坐十小劫
身體及手足　靜然安不動　其心常惔怕　未曾有散乱
究竟永寂滅　安住无漏法　今者見世尊　安隱成佛道
我等得善利　稱慶大歡喜　衆生常苦惱　盲冥无導師
不識苦盡道　不知求解脫　長夜增惡趣　減損諸天衆
從冥入於冥　永不聞佛名　今佛得最上　安隱无漏道
我等及天人　為得最大利　是故咸稽首　歸命无上尊
尒時十六王子偈讃佛已勸請世尊轉於法
輪咸作是言世尊說法多所安隱憐愍饒益
諸天人民重說偈言
世雄无等倫　百福相莊嚴　得无上智慧　願為世間說
度脫於我等　及諸衆生類　為分別顯示　令得是智慧
若我等得佛　衆生亦復然　世尊知衆生　深心之所念
亦知所行道　又知智慧力　欲樂及脩福　宿命所行業
世尊悉知已　當轉无上輪
佛告諸比丘大通智勝佛得阿耨多羅三藐
三菩提時十方各五百万億諸佛世界六種
震動其國中間幽冥之處日月威光所不能
照而皆大明其中衆生各得相見咸作是言
此中云何忽生衆生又其國界諸天宮殿乃
至梵宮六種震動大光普照遍滿世界勝諸
天光尒時東方五百万億諸國土中梵天宮
殿光明照曜倍於常明諸梵天王各作是念
今者宮殿光明昔所未有以何因緣而現此
相是時諸梵天王即各相詣共議此事而彼
衆中有一大梵天王名救一切為諸梵衆而
說偈言
我等諸宮殿　光明昔未有　此是何因緣　宜各共求之

BD00605號　妙法蓮華經卷三　（21–10）

說偈言
我等諸宮殿 光明昔未有 此是何因緣 宜各共求之
為大德天生 為佛出世間 而此大光明 遍照於十方
尒時五百万億國土諸梵天王與宮殿俱各
以衣裓盛諸天華共詣西方推尋是相見大
通智勝如來處于道場菩提樹下坐師子座
諸天龍王乾闥婆緊那羅摩睺羅伽人非人
等恭敬圍遶及見十六王子請佛轉法輪即
時諸梵天王頭面礼佛遶百千匝即以天華
而散佛上其所散華如須弥山并以供養佛
菩提樹其菩提樹高十由旬華供養已各以
宮殿奉上彼佛而作是言唯見哀愍饒益我
等所獻宮殿願垂納處時諸梵天王即於佛
前一心同聲以偈頌曰
世尊甚希有 難可得值遇 具无量功德 能救護一切
天人之大師 哀愍於世間 十方諸衆生 普皆蒙饒益
我等所從來 五百万億國 捨深禪定樂 為供養佛故
我等先世福 宮殿甚嚴飾 今以奉世尊 唯願哀納受
尒時諸梵天王偈讚佛已各作是言唯願世
尊轉於法輪度脫衆生開涅槃道時諸梵
天王一心同聲而說偈言
世雄兩足尊 唯願演說法 以大慈悲力 度苦惱衆生
尒時大通智勝如來嘿然許之又諸比丘東
南方五百万億國土諸大梵王各自見宮殿
光明照曜昔所未有歡喜踊躍生希有心
即各相詣共議此事而彼衆中有一大梵天王
名曰大悲為諸梵衆而說偈言

BD00605號 妙法蓮華經卷三 （21–11）

即各相詣共議此事而彼衆中有一大梵天王
名曰大悲為諸梵衆而說偈言
是事何因緣 而現如此相 我等諸宮殿 光明昔未有
為大德天生 為佛出世間 未曾見此相 當共一心求
過千万億土 尋光共推之 多是佛出世 度脫苦衆生
尒時五百万億諸梵天王與宮殿俱各以衣
裓盛諸天華共詣西北方推尋是相見大通
智勝如來處于道場菩提樹下坐師子座諸
天龍王乾闥婆緊那羅摩睺羅伽人非人等
恭敬圍遶及見十六王子請佛轉法輪時諸
梵天王頭面礼佛遶百千匝即以天華而散
佛上所散之華如須弥山并以供養佛菩提
樹華供養已各以宮殿奉上彼佛而作是言
唯見哀愍饒益我等所獻宮殿願垂納處尒
時諸梵天王即於佛前一心同聲以偈頌曰
聖主天中天 迦陵頻伽聲 哀愍衆生者 我等今敬礼
世尊甚希有 久遠乃一現 一百八十劫 空過无有佛
三惡道充滿 諸天衆減少 今佛出於世 為衆生作眼
世間所歸趣 救護於一切 為衆生之父 哀愍饒益者
我等宿福慶 今得值世尊
尒時諸梵天王偈讚佛已各作是言唯願世
尊哀愍一切轉於法輪度脫衆生時諸梵天
王一心同聲而說偈言
大聖轉法輪 顯示諸法相 度苦惱衆生 令得大歡喜
衆生聞是法 得道若生天 諸惡道減少 忍善者增益
尒時大通智勝如來嘿然許之又諸比丘南
方五百万億國土諸大梵王各自見宮殿光

BD00605號 妙法蓮華經卷三 （21–12）

尒時大通智勝如來嘿然許之又諸比丘南
方五百万億國土諸大梵王各自見宮殿光
明照曜昔所未有歡喜踊躍生希有心即各
相詣共議此事以何因緣我等宮殿有此光
曜而彼衆中有一大梵天王名曰妙法為諸
梵衆而說偈言
我等諸宮殿　光明甚威曜　此非無因緣　是相宜求之
過於百千劫　未曾見此相　為大德天生　為佛出世間
尒時五百万億諸梵天王與宮殿俱各以衣
裓盛諸天華共詣北方推尋是相見大通智
勝如來處于道塲菩提樹下坐師子座諸天
龍王乾闥婆緊那羅摩睺羅伽人非人等恭
敬圍遶及見十六王子請佛轉法輪時諸梵
天王頭面礼佛遶百千匝即以天華而散佛
上所散之華如須弥山并以供養佛菩提樹
華供養已各以宮殿奉上彼佛而作是言唯
見哀愍饒益我等所獻宮殿願垂納處尒時
諸梵天王即於佛前一心同聲以偈頌曰
世尊甚難見　破諸煩惱者　過百三十劫　今乃得一見
諸飢渴衆生　以法雨充滿　昔所未曾覩　無量智慧者
如優曇鉢華　今日乃值遇　我等諸宮殿　蒙光故嚴飾
世尊大慈愍　唯願垂納受
尒時諸梵天王偈讃佛已各作是言唯願世
尊轉於法輪令一切世間諸天魔梵沙門婆
羅門皆獲安隱而得度脫時諸梵天王一
心同聲以偈頌曰
唯願天人尊　轉無上法輪　擊于大法鼓　而吹大法螺
普雨大法雨　度無量衆生　我等咸歸請　當演深遠音

BD00605 號　妙法蓮華經卷三　（21–13）

心同聲以偈頌曰
唯願天人尊　轉無上法輪　擊于大法鼓　而吹大法螺
普雨大法雨　度無量衆生　我等咸歸請　當演深遠音
尒時大通智勝如來嘿然許之西南方乃
至下方亦復如是
尒時上方五百万億國土諸大梵王皆悉自
覩所止宮殿光明威曜昔所未有歡喜踊躍
生希有心即各相詣共議此事以何因緣我
等宮殿有斯光明而彼衆中有一大梵天王
名曰尸棄為諸梵衆而說偈言
今以何因緣　我等諸宮殿　威德光明曜　嚴飾未曾有
如是之妙相　昔所未聞見　為大德天生　為佛出世間
尒時五百万億諸梵天王與宮殿俱各以衣
裓盛諸天華共詣下方推尋此相見大通智
勝如來處于道塲菩提樹下坐師子座諸天
龍王乾闥婆緊那羅摩睺羅伽人非人等恭
敬圍遶及見十六王子請佛轉法輪時諸梵
天王頭面礼佛遶百千匝即以天華而散佛
上所散之華如須弥山并以供養佛菩提樹
華供養已各以宮殿奉上彼佛而作是言唯
見哀愍饒益我等所獻宮殿願垂納處時諸
梵天王即於佛前一心同聲以偈頌曰
善哉見諸佛　救世之聖尊　能於三界獄　勉出諸衆生
普智天人尊　哀愍群萌類　能開甘露門　廣度於一切
於昔無量劫　空過無有佛　世尊未出時　十方常闇冥
三惡道增長　阿脩羅亦盛　諸天衆轉減　死多墮惡道
不從佛聞法　常行不善事　色力及智慧　斯等皆減少
罪業因緣故　失樂及樂想　住於邪見法　不識善儀則

BD00605 號　妙法蓮華經卷三　（21–14）

三惡道增長 阿脩羅亦盛 諸天眾轉減 死多墮惡道
不從佛聞法 常行不善事 色力及智慧 斯等皆減少
罪業因緣故 失樂及樂想 住於邪見法 不識善儀則
不蒙佛所化 常墮於惡道 佛為世間眼 久遠時乃出
哀愍諸眾生 故現於世間 超出成正覺 我等甚欣慶
及餘一切眾 喜歎未曾有 我等諸宮殿 蒙光故嚴飾
今以奉世尊 唯垂哀納受 願以此功德 普及於一切
我等與眾生 皆共成佛道
尒時五百万億諸梵天王偈讚佛已各白佛
言唯願世尊轉於法輪多所安隱多所度脫
時諸梵天王而說偈言
世尊轉法輪 擊甘露法鼓 度苦惱眾生 開示涅槃道
唯願受我請 以大微妙音 哀愍而敷演 无量劫集法
尒時大通智勝如來受十方諸梵天王及十
六王子請即時三轉十二行法輪若沙門婆
羅門若天魔梵及餘世間所不能轉謂是苦
是苦集是苦滅是苦滅道及廣說十二因緣
法无明緣行行緣識識緣名色名色緣六入
六入緣觸觸緣受受緣愛愛緣取取緣有有
緣生生緣老死憂悲苦惱无明滅則行滅行
滅則識滅識滅則名色滅名色滅則六入滅
六入滅則觸滅觸滅則受滅受滅則愛滅愛
滅則取滅取滅則有滅有滅則生滅生滅則
老死憂悲苦惱滅佛於天人大眾之中說是
法時六百万億那由他人以不受一切法故
而於諸漏心得解脫皆得深妙禪定三明六
通具八解脫第二第三第四說法時千万億

BD00605號　妙法蓮華經卷三　（21–15）

法時六百万億那由他人以不受一切法故
而於諸漏心得解脫皆得深妙禪定三明六
通具八解脫第二第三第四說法時千万億
恒河沙那由他等眾生亦以不受一切法故
而於諸漏心得解脫從是已後諸聲聞眾无
量无邊不可稱數尒時十六王子皆以童子
出家而為沙弥諸根通利智慧明了已曾供
養百千万億諸佛淨脩梵行求阿耨多羅三
藐三菩提俱白佛言世尊是諸无量千万億
大德聲聞皆已成就世尊亦當為我等說阿
耨多羅三藐三菩提法我等聞已皆共脩學
世尊我等志願如來知見深心所念佛自證
知尒時轉輪聖王所將眾中八万億人見十
六王子出家亦求出家王即聽許尒時彼佛
受沙弥請過二万劫已乃於四眾之中說是
大乘經名妙法蓮華教菩薩法佛所護念說
是經已十六沙弥為阿耨多羅三藐三菩提
故皆共受持諷誦通利說是經時十六菩薩
沙弥皆悉信受聲聞眾中亦有信解其餘眾
生千万億種皆生疑惑佛說是經於八千劫
未曾休廢說此經已即入靜室住於禪定八
万四千劫是時十六菩薩沙弥知佛入室寂
然禪定各昇法座亦於八万四千劫為四部
眾廣說分別妙法華經一一皆度六百万億
那由他恒河沙等眾生示教利喜令發阿耨
多羅三藐三菩提心大通智勝佛過八万四
千劫已從三昧起往詣法坐安詳而坐普告
大眾是十六菩薩沙弥甚為希有諸根通利
智慧明了已曾供養无量千万億數諸佛於

BD00605號　妙法蓮華經卷三　（21–16）

千劫已從三昧起往詣法坐安詳而坐普告
大衆是十六菩薩沙弥甚爲希有諸根通利
智慧明了已曾供養无量千万億數諸佛於
諸佛所常脩梵行受持佛智開示衆生令入
其中汝等皆當數數親近而供養之所以者
何若聲聞辟支佛及諸菩薩能信是十六菩
薩所説經法受持不毀者是人皆當得阿耨
多羅三藐三菩提如來之慧佛告諸比丘是
十六菩薩常樂説是妙法華經一一菩薩所
化六百万億那由他恒河沙等衆生世世所
生與菩薩俱從其聞法悉皆信解以此因緣
得值四万億諸佛世尊于今不盡諸比丘我
今語汝彼佛弟子十六沙弥今皆得阿耨多
羅三藐三菩提於十方國土現在説法有无
量百千万億菩薩聲聞以爲眷屬其二沙弥
東方作佛一名阿閦在歡喜國二名須弥頂
東南方二佛一名師子音二名師子相南方
二佛一名虛空住二名常滅西南方二佛一
名帝相二名梵相西方二佛一名阿弥陁二
名度一切世間苦惱西北方二佛一名多摩
羅跋栴檀香神通二名須弥相北方二佛一
名雲自在二名雲自在王東北方佛名壞一
切世間怖畏第十六我釋迦牟尼佛於娑婆
國土成阿耨多羅三藐三菩提諸比丘我等
爲沙弥時各各教化无量百千万億恒河沙
等衆生從我聞法爲阿耨多羅三藐三菩提
此諸衆生于今有住聲聞地者我常教化阿
耨多羅三藐三菩提是諸人等應以是法漸
入佛道所以者何如來智慧難信難解尒時

等衆生從我聞法爲阿耨多羅三藐三菩提
此諸衆生于今有住聲聞地者我常教化阿
耨多羅三藐三菩提是諸人等應以是法漸
入佛道所以者何如來智慧難信難解尒時
所化无量恒河沙等衆生者汝等諸比丘及
我滅度後未來世中聲聞弟子是也我滅度
後復有弟子不聞是經不知不覺菩薩所行
自於所得功德生滅度想當入涅槃我於餘
國作佛更有異名是人雖生滅度之想入於
涅槃而於彼土求佛智慧得聞是經唯以佛
乘而得滅度更无餘乘除諸如來方便説法
諸比丘若如來自知涅槃時到衆又清淨信
解堅固了達空法深入禪定便集諸菩薩及
聲聞衆爲説是經世間无有二乘而得滅度
唯一佛乘得滅度耳比丘當知如來方便深
入衆生之性知其志樂小法深著五欲爲是
等故説於涅槃是人若聞則便信受譬如五
百由旬險難惡道曠絶无人怖畏之處若有
多衆欲過此道至珎寶處有一導師聰慧明
達善知險道通塞之相將導衆人欲過此難
所將人衆中路懈退白導師言我等疲極而
復怖畏不能復進前路猶遠今欲退還導師
多諸方便而作是念此等可愍云何捨大珎
寶而欲退還作是念已以方便力於險道中
過三百由旬化作一城告衆人言汝等勿怖
莫得退還今是大城可於中止隨意所作若
入是城快得安隱若能前至寶所亦可得去
是時疲極之衆心大歡喜歎未曾有我等今
者免斯惡道快[illegible]

入是城快得安隱若能前至寶所亦可得去
是時疲極之衆心大歡喜歎未曾有我等今
者免斯惡道快得安隱於是衆人前入化城
生已度想生安隱想尒時導師知此人衆既
得止息无復疲惓即滅化城語衆人言汝等
去來寶處在近向者大城我所化作為止息
耳諸比丘如來亦復如是今為汝等作大導
師知諸生死煩惱惡道險難長遠應去應度
若衆生但聞一佛乘者則不欲見佛不欲親
近便作是念佛道長遠久受勤苦乃可得成
佛知是心怯弱下劣以方便力而於中道為
止息故說二涅槃若衆生住於二地如來尒
時即便為說汝等所作未辦汝所住地近於
佛慧當觀察籌量所得涅槃非真實也但是
如來方便之力於一佛乘分別說三如彼導
師為止息故化作大城既知息已而告之言
寶處在近此城非實我化作耳尒時世尊欲
重宣此義而說偈言
大通智勝佛　十劫坐道場　佛法不現前　不得成佛道
諸天神龍王　阿脩羅衆等　常雨於天華　以供養彼佛
諸天擊天鼓　并作衆伎樂　香風吹萎華　更雨新好者
過十小劫已　乃得成佛道　諸天及世人　心皆懷踊躍
彼佛十六子　皆與其眷屬　千万億圍遶　俱行至佛所
頭面禮佛足　而請轉法輪　聖師子法雨　充我及一切
世尊甚難值　久遠時一現　為覺悟群生　震動於一切
東方諸世界　五百万億國　梵宮殿光曜　昔所未曾有
諸梵見此相　尋來至佛所　散華以供養　并奉上宮殿
請佛轉法輪　以偈而讚歎　佛知時未至　受請默然坐
三方及四維　上下亦復尒　散華奉宮殿　請佛轉法輪

BD00605 號　妙法蓮華經卷三　（21–19）

東方諸世界　五百万億國　梵宮殿光曜　昔所未曾有
諸梵見此相　尋來至佛所　散華以供養　并奉上宮殿
請佛轉法輪　以偈而讚歎　佛知時未至　受請默然坐
三方及四維　上下亦復尒　散華奉宮殿　請佛轉法輪
世尊甚難值　願以大慈悲　廣開甘露門　轉无上法輪
无量慧世尊　受彼衆人請　為宣種種法　四諦十二緣
无明至老死　皆從生緣有　如是衆過患　汝等應當知
宣暢是法時　六百万億姟　得盡諸苦際　皆成阿羅漢
第二說法時　千万恒沙衆　於諸法不受　亦得阿羅漢
從是後得道　其數无有量　万億劫筭數　不能得其邊
時十六王子　出家作沙弥　皆共請彼佛　演說大乘法
我等及營從　皆當成佛道　願得如世尊　慧眼第一淨
佛知童子心　宿世之所行　以无量因緣　種種諸譬喻
說六波羅蜜　及諸神通事　分別真實法　菩薩所行道
說是法華經　如恒河沙偈　彼佛說經已　靜室入禪定
一心一處坐　八万四千劫　是諸沙弥等　知佛禪未出
為无量億衆　說佛无上慧　各各坐法座　說是大乘經
於佛宴寂後　宣揚助法化　一一沙弥等　所度諸衆生
有六百万億　恒河沙等衆　彼佛滅度後　是諸聞法者
在在諸佛土　常與師俱生　是十六沙弥　具足行佛道
今現在十方　各得成正覺　尒時聞法者　各在諸佛所
其有住聲聞　漸教以佛道　我在十六數　曾亦為汝說
是故以方便　引汝趣佛慧　以是本因緣　今說法華經
令汝入佛道　慎勿懷驚懼　譬如險惡道　迴絕多毒獸
又復无水草　人所怖畏處　无數千万衆　欲過此險道
其路甚曠遠　經五百由旬　時有一導師　強識有智慧
明了心決定　在險濟衆難　衆人皆疲惓　而白導師言
我等今頓乏　於此欲退還　導師作是念　此輩甚可愍

BD00605 號　妙法蓮華經卷三　（21–20）

令汝入佛道 慎勿懷驚懼 譬如險惡道 迥絕多毒獸
又復无水草 人所怖畏處 无數千万衆 欲過此險道
其路甚曠遠 經五百由旬 時有一道師 强識有智慧
明了心決定 在險濟衆難 衆人皆疲惓 而白道師言
我等今頓乏 於此欲退還 道師作是念 此輩甚可愍
如何欲退還 而失大珍寶 尋時思方便 當設神通力
化作大城郭 莊嚴諸舍宅 周匝有園林 渠流及浴池
重門高樓閣 男女皆充滿 即作是化已 慰衆言勿懼
汝等入此城 各可隨所樂 諸人既入城 心皆大歡喜
皆生安隱想 自謂已得度 導師知息已 集衆而告言
汝等當前進 此是化城耳 我見汝疲極 中道欲退還
故以方便力 權化作此城 汝今勤精進 當共至寶所
我亦復如是 為一切導師 見諸求道者 中路而懈廢
不能度生死 煩惱諸險道 故以方便力 為息說涅槃
言汝等苦滅 所作皆已辦 既知到涅槃 皆得阿羅漢
尒乃集大衆 為說真實法 諸佛方便力 分別說三乘
唯有一佛乘 息處故說二 今為汝說實 汝所得非滅
為佛一切智 當發大精進 汝證一切智 十力等佛法
具三十二相 乃是真實滅 諸佛之導師 為息說涅槃
既知是息已 引入於佛慧
妙法蓮華經卷第三

BD00605 號　妙法蓮華經卷三　（21–21）

七俱胝呪 那慕颯哆南 三藐三勃陁 俱胝南
怛姪他 唵 右餘 祖餘 准泥 莎婆訶
佛頂尊勝陁羅尼
南謨薄伽嚩帝 怛㘑路枳也 鉢囉底 尾室瑟
上㴥馱野 薄伽嚩帝 怛你也他 唵 微訖馱野
糝縵糝閦多 嚩婆婆 娑頗囉傳 薩嚩底虐
訶娜 娑嚩婆嚩微述逸 阿鼻詵者覩薹
素薩嚩路藥囉嚩插部 沒㗚多毗灑罽阿嗢
囉喝囉 揄散馱羅昵 訖馱野 訖馱野
識薩 娜尾述逸 嬾闍瑟尼沙微惹野 尾秫
逸素 賀薩囉囉嚕嗋番明沼衽諦 薩嚩怛他薩
多地瑟侘那 地瑟耻路麼訶沒怛㘑 摐啚囉餡
野僧荷丹 囊微戌逸 薩嚩難囉 尾術㘑
鉢囉底 你栿路夜揄述逸 糝縵耶地瑟耻諦
蒲你摩蒲你 怛他多慕路高胝鉢𠼝戌逸
尾塞普吒 㴥地述題 惹野 惹野 微惹野

BD00606 號　陀羅尼鈔（擬）　（5–1）

蒲你摩蒲你　妲他多慕跢高胝鉢𠺕式逆
尾塞普吒　澂地述題　惹野惹野　徽惹野
尾惹野　私麼囉　思麼羅　薩縛波馱　地瑟
恥跢　述逆縛尔絲曰羅　薩幹縛日豐麼薪覲
麼麼　薩縛薩埵難者歌野　尾述眹鐇鞢覲咩
薩耶　薩縛薩孛底撥𠺕秣地始者薩縛妲他薩孛
多始者謎𢹂摩涅縛娑滿覲𢹂摩　涅縛娑
地瑟恥諦　沒驗澂驗　徽尾馱野尾怛馱野
𢹂薯跢鉢　𠺕述逆　薩縛妲他薩孛　多地瑟
侘耶　地瑟恥跢　姥妲啰尔涉訶
如意輪陁羅尼呪
南謨囉怛娜怛羅耶野　娜麼阿唎耶　婆盧枳
諦濕婆羅耶　菩提薩埵耶　摩訶薩埵耶
摩訶迦嚕柅迦耶　怛姪他唵　斫羯囉䩭羅底
振哆麼柅　摩訶鉢頭謎　嚕嚕底瑟侘
入縛攞　阿迦唎沙野　虎𤙖抹　莎縛訶
唵鉢頭麼　振哆麼柅　摩訶入縛囉　虎𤙖
唵婆囉　娜鉢頭謎　虎𤙖
无垢淨光陁羅尼
[illegible]

唵婆囉　娜鉢頭謎　虎𤙖
无垢淨光陁羅尼
南謨颰哆颰怛底　鞞　三藐三仏陁俱胝喃
鉢唎式　陁摩㮈波　薄　質多鉢唎底瑟恥
哆喃　南謨薄伽跋底阿彌多喻殺寫怛他揭怛
寫　唵　怛他揭多式第　阿喻毗輸達你　僧嗷
羅僧嗷羅薩婆怛他揭多毗唎邪跋䫻娜　鉢唎
底僧嗷羅阿喻　薩羅薩囉　薩婆怛他揭多
三昧䫻　菩提菩提　勃地　毗勃地　菩陁也菩
馱也　薩婆播波　阿代唎夆　毗式第　毗揭多
末羅颯䫻　蘇勃馱勃第　虎嚕虎嚕　莎訶
唵　薩波怛他揭多毗補羅曳　瑟撥　末厓羯謨迦
昌唎折哆　毗菩瑟哆曳瑟撥　杜嚕杜嚕
三曼哆毗嚕吉帝　薩羅薩羅播䟦輸達尼
菩提尼三菩達尼　鉢囉代囉　曳瑟撥代䫻
末尼毗揩　鶻嚕心囉　末囉毗式第　吽吽莎訶
唵　薩婆怛他揭多　末羅毗輸達尼　健陁鞞黎
鉢娜代䫻　鉢唎底僧塞迦囉　珊達囉珊達囉
薩婆怛他揭多阿地瑟恥帝莎訶
南謨薄伽代帝䩭婆納底喃　三藐三仏陁俱胝耶

[illegible]
鉢娜代囕 鉢喇底僧塞迦囉 珊達羅珊達囉
薩婆怛他揭多阿地瑟恥帝莎訶
南謨薄伽代帝納婆納底南 三藐三仏陁俱胝那
庾多設多索訶薩囉喃 南謨婆薩你代囉孥
毗瑟紛阜尼 菩提薩埵也唵 都嚕都嚕 薩婆
阿代囉孥毗弐達尼 薩婆怛他揭多摩庾播刺尼
毗布囕 暱羊彌囕薩婆悉陁南摩塞訖栗帝 政羅
跋羅 薩婆薩埵婆盧羯尼 吽 薩婆尼代羅孥
毗瑟紛毗泥 薩婆播波毗燒達尼莎訶
南謨納婆納代底喃怛他揭多俱胝南 殑伽㭊地婆
盧迦三摩南唵 毗補囕毗末囕鉢囉代囕市那代囕 薩囉薩囉 薩婆怛他揭多馱都
揭鞞 薩底 地瑟恥帝莎訶 阿耶吐都飯尼莎訶
薩婆提婆那婆訶弭 勃陁阿地瑟侘那三摩也莎訶
南謨納婆納代底南怛他揭多 殑伽㭊地婆盧迦
俱胝那庾多設多索訶薩囉南唵 怖普哩 折里尼
折哩慕 哩忽哩 社邏跋 哩莎訶

BD00606號 陀羅尼鈔（擬） （5–4）

跋羅 薩婆薩埵婆盧羯尼 吽 薩婆尼代羅孥
毗瑟紛毗泥 薩婆播波毗燒達尼莎訶
南謨納婆納代底喃怛他揭多俱胝南 殑伽㭊地婆
盧迦三摩南唵 毗補囕毗末囕鉢囉代囕市那代囕 薩囉薩囉 薩婆怛他揭多馱都
揭鞞 薩底 地瑟恥帝莎訶 阿耶吐都飯尼莎訶
薩婆提婆那婆訶弭 勃陁阿地瑟侘那三摩也莎訶
南謨納婆納代底南怛他揭多 殑伽㭊地婆盧迦
俱胝那庾多設多索訶薩囉南唵 怖普哩 折里尼
折哩慕 哩忽哩 社邏跋 哩莎訶

BD00606號 陀羅尼鈔（擬） （5–5）

於意云何如來有所說法不須菩提白佛言
世尊如來无所說須菩提於意云何三千大
千世界所有微塵是為多不須菩提言甚多
世尊須菩提諸微塵如來說非微塵是名微
塵如來說世界非世界是名世界須菩提於
意云何可以三十二相見如來不不也世尊
不可以三十二相得見如來何以故如來說
三十二相即是非相是名三十二相須菩提
若有善男子善女人以恒河沙等身命布施
若復有人於此經中乃至受持四句偈等
為他人說其福甚多
尒時須菩提聞說是經深解義趣涕淚悲泣
而白佛言希有世尊佛說如是甚深經典我
從昔來所得慧眼未曾得聞如是之經世尊
若復有人得聞是經信心清淨則生實相當
知是人成就第一希有功德世尊是實相者
則是非相是故如來說名實相世尊我今得
聞如是經典信解受持不足為難若當來世
後五百歲其有衆生得聞是經信解受持是
人則為第一希有何以故此人无我相人相衆
生相壽者相所以者何我相即是非相人相
衆生相壽者相即是非相何以故離一切諸

BD00607 號　金剛般若波羅蜜經　（10–1）

後五百歲其有衆生得聞是經信解受持是
人則為第一希有何以故此人无我相人相衆
生相壽者相所以者何我相即是非相人相
衆生相壽者相即是非相何以故離一切諸
相則名諸佛
佛告須菩提如是如是若復有人得聞是經
不驚不怖不畏當知是人甚為希有何以故
須菩提如來說第一波羅蜜非第一波羅蜜
是名第一波羅蜜
須菩提忍辱波羅蜜如來說非忍辱波羅蜜
何以故須菩提如我昔為歌利王割截身體
我於尒時无我相无人相无衆生相无壽者
相何以故我於往昔節節支解時若有我相
人相衆生相壽者相應生瞋恨須菩提又念
過去於五百世作忍辱仙人於尒所世无我
相无人相无衆生相无壽者相是故須菩提
菩薩應離一切相發阿耨多羅三藐三菩提
心不應住色生心不應住聲香味觸法生心
應生无所住心若心有住則為非住是故佛
說菩薩心不應住色布施須菩提菩薩為利
益一切衆生應如是布施如來說一切諸相
即是非相又說一切衆生則非衆生須菩提
如來是真語者實語者如語者不誑語者不
異語者須菩提如來所得法此法无實无虛
須菩提若菩薩心住於法而行布施如人入
闇則无所見若菩薩心不住法而行布施如

BD00607 號　金剛般若波羅蜜經　（10–2）

異語者須菩提如來所得法此法无實无虛
須菩提若菩薩心住於法而行布施如人入
闇則无所見若菩薩心不住法而行布施如
人有目日光明照見種種色須菩提當來之
世若有善男子善女人能於此經受持讀誦
則為如來以佛智慧悉知是人悉見是人皆
得成就无量无邊功德
須菩提若有善男子善女人初日分以恒河
後日分亦以恒河沙等身布施如是无量百
千萬億劫以身布施若復有人聞此經典信
心不逆其福勝彼何況書寫受持讀誦為人
解說須菩提以要言之是經有不可思議不
可稱量无邊功德如來為發大乘者說為發
最上乘者說若有人能受持讀誦廣為人說
如來悉知是人悉見是人皆得成就不可量
不可稱无有邊不可思議功德如是人等則
為荷擔如來阿耨多羅三藐三菩提何以故
須菩提若樂小法者著我見人見衆生見壽
者見則於此經不能聽受讀誦為人解說須
菩提在在處處若有此經一切世間天人阿
脩羅所應供養當知此處則為是塔皆應恭
敬作禮圍繞以諸華香而散其處
復次須菩提善男子善女人受持讀誦此經
若為人輕賤是人先世罪業應墮惡道以今
世人輕賤故先世罪業則為消滅當得阿耨
多羅三藐三菩提須菩提我念過去无量阿

BD00607 號　金剛般若波羅蜜經　（10–3）

若為人輕賤是人先世罪業應墮惡道以今
世人輕賤故先世罪業則為消滅當得阿耨
多羅三藐三菩提須菩提我念過去无量阿
僧祇劫於然燈佛前得值八百四千萬億那
由他諸佛悉皆供養承事无空過者若復
有人於後末世能受持讀誦此經所得功德
於我所供養諸佛功德百分不及一千萬億
分乃至算數譬喻所不能及須菩提若善男
子善女人於後末世有受持讀誦此經所得功
德我若具說者或有人聞心則狂亂狐疑不
信須菩提當知是經義不可思議果報亦
不可思議
尒時須菩提白佛言世尊善男子善女人
發阿耨多羅三藐三菩提心云何應住云
何降伏其心佛告須菩提善男子善女人
發阿耨多羅三藐三菩提者當生如是心我
應滅度一切衆生滅度一切衆生已而无有
一衆生實滅度者何以故若菩薩有我相
人相衆生相壽者相則非菩薩所以者何須
菩提實无有法發阿耨多羅三藐三菩提者
須菩提於意云何如來於然燈佛所有法得
阿耨多羅三藐三菩提不不也世尊如我解
佛所說義佛於然燈佛无无有法得阿耨
多羅三藐三菩提佛言如是如是須菩提實
无有法如來得阿耨多羅三藐三菩提須菩
提若有法如來得阿耨多羅三藐三菩提者

BD00607 號　金剛般若波羅蜜經　（10–4）

提若有法如来得阿耨多羅三藐三菩提者
然燈佛則不與我受記汝於来世當得作佛
号釋迦牟尼以實无有法得阿耨多羅三藐
三菩提是故然燈佛與我受記作是言汝於
来世當得作佛号釋迦牟尼何以故如来者即
諸法如義若有人言如来得阿耨多羅三藐三
菩提須菩提實无有法佛得阿耨多羅三藐三
菩提須菩提如来所得阿耨多羅三藐三菩提
於是中无實无虚是故如来説一切法皆是佛
法須菩提所言一切法者即非一切法是故名
一切法須菩提譬如人身長大須菩提言世
尊如来説人身長大則為非大身是名大身
須菩提菩薩亦如是若作是言我當滅度无
量衆生則不名菩薩何以故須菩提實无
有法名為菩薩是故佛説一切法无我无人
无衆生无壽者須菩提若菩薩作是言我當
荘嚴佛土是不名菩薩何以故如来説荘嚴
佛土者即非荘嚴是名荘嚴須菩提若菩薩
通達无我法者如来説名真是菩薩
須菩提於意云何如来有肉眼不如是世尊
如来有肉眼須菩提於意云何如来有天眼
不如是世尊如来有天眼須菩提於意云何
如来有慧眼不如是世尊如来有慧眼須菩
提於意云何如来有法眼不如是世尊如来
有法眼須菩提於意云何如来有佛眼不如
是世尊如来有佛眼須菩提於意云何如恒河
中所有沙佛説是沙不如是世尊如来説是

BD00607號　金剛般若波羅蜜經　（10–5）

是世尊如来有佛眼須菩提於意云何如恒河
中所有沙佛説是沙不如是世尊如来説是
沙須菩提於意云何如一恒河中所有沙有
如是等恒河是諸恒河所有沙數佛世界如
是寧為多不甚多世尊佛告須菩提尒所國
土中所有衆生若干種心如来悉知何以故
如来説諸心皆為非心是名為心所以者何
須菩提過去心不可得現在心不可得未来
心不可得須菩提於意云何若有人滿三千
大千世界七寳以用布施是人以是因緣得
福多不如是世尊此人以是因緣得福甚多
須菩提若福德有實如来不説得福德多
以福德无故如来説得福德多
須菩提於意云何佛可以具足色身見不不
也世尊如来不應以具足色身見何以故如来
説具足色身即非具足色身是名具足色身
須菩提於意云何如来可以具足諸相見不
不也世尊如来不應以具足諸相見何以故如
来説諸相具足即非具足是名諸相具足須
菩提汝勿謂如来作是念我當有所説法莫
作是念何以故若人言如来有所説法即為
謗佛不能解我所説故須菩提説法者无法
可説是名説法須菩提白佛言世尊佛得
阿耨多羅三藐三菩提為无所得耶如是如是
須菩提我於阿耨多羅三藐三菩提乃至无

BD00607號　金剛般若波羅蜜經　（10–6）

可說是名說法須菩提白佛言世尊佛得
阿耨多羅三藐三菩提為无所得耶如是如是
須菩提我於阿耨多羅三藐三菩提乃至无
有少法可得是名阿耨多羅三藐三菩提復
次須菩提是法平等无有高下是名阿耨多
羅三藐三菩提以无我无人无衆生无壽者
脩一切善法則得阿耨多羅三藐三菩提須
菩提所言善法者如來說非善法是名善法
須菩提若三千大千世界中所有諸須弥山
王如是等七寶聚有人持用布施若人以此
般若波羅蜜經乃至四句偈等受持讀誦為
他人說於前福德百分不及一百千萬億分
乃至筭數譬喻所不能及
須菩提於意云何汝等勿謂如來作是念我
當度衆生須菩提莫作是念何以故實无有
衆生如來度者若有衆生如來度者如來則
有我人衆生壽者須菩提如來說有我者則
非有我而凡夫之人以為有我須菩提凡夫
者如來說則非凡夫須菩提於意云何可以
三十二相觀如來不須菩提言如是如是以三
十二相觀如來佛言須菩提若以三十二相觀
如來者轉輪聖王則是如來須菩提白佛
言世尊如我解佛所說義不應以三十二相
觀如來尒時世尊而說偈言
若以色見我 以音聲求我 是人行邪道 不能見如來
須菩提汝若作是念如來不以具足相故得

BD00607號　金剛般若波羅蜜經　（10–7）

觀如來尒時世尊而說偈言
若以色見我 以音聲求我 是人行邪道 不能見如來
須菩提汝若作是念如來不以具足相故得
阿耨多羅三藐三菩提須菩提莫作是念如
來不以具足相故得阿耨多羅三藐三菩提
須菩提汝若作是念發阿耨多羅三藐三菩
提者說諸法斷滅相莫作是念何以故發阿
耨多羅三藐三菩提者於法不說斷滅相須
菩提若菩薩以滿恒河沙等世界七寶布施
若復有人知一切法无我得成於忍此菩薩
勝前菩薩所得功德須菩提以諸菩薩不受
福德故須菩提白佛言世尊云何菩薩不受
福德須菩提菩薩所作福德不應貪着是
故佛說不受福德須菩提若有人言如來若
來若去若坐若卧是人不解我所說義何以
故如來者无所從來亦无所去故名如來
須菩提若善男子善女人以三千大千世界
碎為微塵於意云何是微塵衆寧為多不
甚多世尊何以故若是微塵衆實有者佛則
不說是微塵衆所以者何佛說微塵衆則非
微塵衆是名微塵衆世尊如來所說三千大
千世界則非世界是名世界何以故若世界實
有者則是一合相如來說一合相則非一合
相是名一合相須菩提一合相者則是不可
說但凡夫之人貪着其事須菩提若人言佛
說我見人見衆生見壽者見須菩提於意云

BD00607號　金剛般若波羅蜜經　（10–8）

說但凡夫之人貪著其事須菩提若人言佛
說我見人見衆生見壽者見須菩提於意云
何是人解我所說義不世尊是人不解如來
所說義何以故世尊說我見人見衆生見壽
者見即非我見人見衆生見壽者見是名我
見人見衆生見壽者見須菩提發阿耨多羅
三藐三菩提心者於一切法應如是知如是
見如是信解不生法相須菩提所言法相者
如來說即非法相是名法相須菩提若有人
以滿无量阿僧祇世界七寶持用布施若有
善男子善女人發菩薩心者持於此經乃至
四句偈等受持讀誦爲人演說其福勝彼
云何爲人演說不取於相如如不動何以故
一切有爲法　如夢幻泡影　如露亦如電　應作如是觀
佛說是經已長老須菩提及諸比丘比丘尼
優婆塞優婆夷一切世間天人阿脩羅聞佛
所說皆大歡喜信受奉行

金剛波若波羅蜜經

BD00607號　金剛般若波羅蜜經　(10–9)

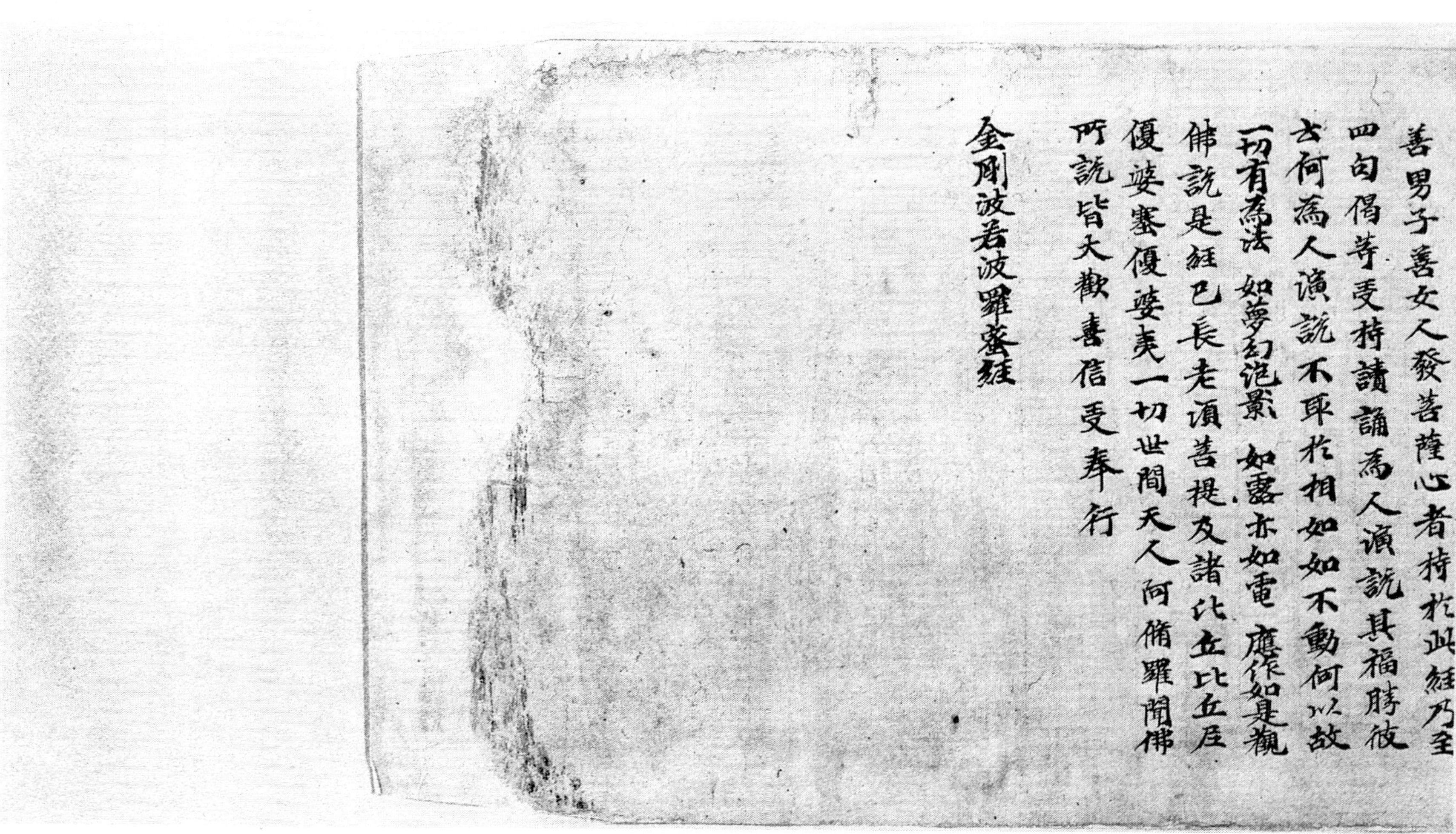

善男子善女人發菩薩心者持於此經乃至
四句偈等受持讀誦爲人演說其福勝彼
云何爲人演說不取於相如如不動何以故
一切有爲法　如夢幻泡影　如露亦如電　應作如是觀
佛說是經已長老須菩提及諸比丘比丘尼
優婆塞優婆夷一切世間天人阿脩羅聞佛
所說皆大歡喜信受奉行

金剛波若波羅蜜經

BD00607號　金剛般若波羅蜜經　(10–10)

智清淨若
二分无別▪
四神足五根
四正斷乃
淨故大悲清淨何以故若一
四正斷乃至八聖道支清淨
二无二分无別无斷故善現
故空解脫門清淨空解脫
淨何以故若一切智智清淨
淨若大悲清淨无二无▪
切智智清淨故无相无
无願解脫門清淨故大悲
切智智清淨若无相无願解
悲清淨无二无二分无別无斷故全
智智清淨故菩薩十地清淨菩薩
故大悲清淨何以故若一切智智清
薩十地清淨若大悲清淨无二无二分无別
无斷故善現一切智智清淨故五眼清淨五
眼清淨故大悲清淨何以故若一切智智清
淨若五眼清淨若大悲清淨无二无二分无
別无斷故一切智智清淨故六神通清淨六
神通清淨故大悲清淨何以故若一切智智
清淨若六神通清淨若大悲清淨无二无二
分无別无斷故善現一切智智清淨故佛十
力清淨佛十力清淨故大悲清淨何以故若

BD00608號　大般若波羅蜜多經卷二七七　（22–1）

神通清淨故大悲清淨何以故若一切智智
清淨若六神通清淨若大悲清淨无二无二
分无別无斷故善現一切智智清淨故佛十
力清淨佛十力清淨故大悲清淨何以故若
一切智智清淨若佛十力清淨若大悲
无二无二分无別无斷故一切智智清淨故
四无所畏四无礙解大慈大喜大捨十八佛
不共法清淨四无所畏乃至十八佛不共法
清淨故大悲清淨何以故若一切智智清淨
若四无所畏乃至十八佛不共法清淨若大
悲清淨无二无二分无別无斷故善現一切
智智清淨故无忘失法清淨无忘失法清淨
故大悲清淨何以故若一切智智清淨若无
忘失法清淨若大悲清淨无二无二分无別
无斷故一切智智清淨故恒住捨性清淨恒
住捨性清淨故大悲清淨何以故若一切智
智清淨若恒住捨性清淨若大悲清淨无二
无二分无別无斷故善現一切智智清淨故一
切智清淨一切智清淨故大悲清淨何以
故若一切智智清淨若一切智清淨若大悲
清淨无二无二分无別无斷故一切智智清
淨故道相智一切相智清淨道相智一切相
智清淨故大悲清淨何以故若一切智智清
淨若道相智一切相智清淨若大悲清淨无
二无二分无別无斷故善現一切智智清淨
故一切陁羅尼門清淨一切陁羅尼門清淨

BD00608號　大般若波羅蜜多經卷二七七　（22–2）

智清淨故大悲清淨何以故若一切智智清
淨若道相智一切相智清淨若大悲清淨无
二无二分无別无斷故善現一切智智清淨
故一切陀羅尼門清淨一切陀羅尼門清淨
故大悲清淨何以故若一切智智清淨若一
切陀羅尼門清淨若大悲清淨无二无二分
无別无斷故一切智智清淨故一切三摩地門
清淨一切三摩地門清淨故大悲清淨何以
故若一切智智清淨若一切三摩地門清淨
若大慈清淨无二无二分无別无斷故
善現一切智智清淨故預流果清淨預流果
清淨故大悲清淨何以故若一切智智清淨
若預流果清淨若大悲清淨无二无二分无
別无斷故一切智智清淨故一來不還阿羅
漢果清淨一來不還阿羅漢果清淨故大慈
清淨何以故若一切智智清淨若一來不還
阿羅漢果清淨若大悲清淨无二无二分无
別无斷故善現一切智智清淨故獨覺菩提
清淨獨覺菩提清淨故大悲清淨何以故若
一切智智清淨若獨覺菩提清淨若大悲清
淨无二无二分无別无斷故善現一切智智
清淨故一切菩薩摩訶薩行清淨一切菩薩
摩訶薩行清淨故大悲清淨何以故若一切
智智清淨若一切菩薩摩訶薩行清淨若大
悲清淨无二无二分无別无斷故善現一切
智智清淨故諸佛无上正等菩提清淨諸佛

BD00608號　大般若波羅蜜多經卷二七七　（22–3）

智智清淨若一切菩薩摩訶薩行清淨若大
悲清淨无二无二分无別无斷故善現一切
智智清淨故諸佛无上正等菩提清淨諸佛
无上正等菩提清淨故大悲清淨何以故若
一切智智清淨若諸佛无上正等菩提清淨
若大悲清淨无二无二分无別无斷故
復次善現一切智智清淨故色清淨色清淨
故大喜清淨何以故若一切智智清淨若色
清淨若大喜清淨无二无二分无別无斷故
一切智智清淨故受想行識清淨受想行識
清淨故大喜清淨何以故若一切智智清淨
若受想行識清淨若大喜清淨无二无二分
无別无斷故善現一切智智清淨故眼處清
淨眼處清淨故大喜清淨何以故若一切智
智清淨若眼處清淨若大喜清淨无二无二
分无別无斷故一切智智清淨故耳鼻舌身
意處清淨耳鼻舌身意處清淨故大喜清淨
何以故若一切智智清淨若耳鼻舌身意處
清淨若大喜清淨无二无二分无別无斷故
善現一切智智清淨故色處清淨色處清淨
故大喜清淨何以故若一切智智清淨若色
處清淨若大喜清淨无二无二分无別无斷
故一切智智清淨故聲香味觸法處清淨聲
香味觸法處清淨故大喜清淨何以故若一
切智智清淨若聲香味觸法處清淨若大喜
清淨无二无二分无別无斷故善現一切智

BD00608號　大般若波羅蜜多經卷二七七　（22–4）

香味觸法處清淨故大喜清淨何以故若一
切智智清淨若聲香味觸法處清淨若大喜
清淨无二无二分无別无斷故善現一切智
智清淨故眼界清淨眼界清淨故大喜清淨
何以故若一切智智清淨若眼界清淨若大
喜清淨无二无二分无別无斷故一切智智
清淨故色界眼識界及眼觸眼觸為緣所生
諸受清淨色界乃至眼觸為緣所生諸受清
淨故大喜清淨何以故若一切智智清淨若
色界乃至眼觸為緣所生諸受清淨若大喜
清淨无二无二分无別无斷故善現一切智
智清淨故耳界清淨耳界清淨故大喜清淨
何以故若一切智智清淨若耳界清淨若大
喜清淨无二无二分无別无斷故一切智智
清淨故聲界耳識界及耳觸耳觸為緣所生
諸受清淨聲界乃至耳觸為緣所生諸受清
淨故大喜清淨何以故若一切智智清淨若
聲界乃至耳觸為緣所生諸受清淨若大喜
清淨无二无二分无別无斷故善現一切智
智清淨故鼻界清淨鼻界清淨故大喜清淨
何以故若一切智智清淨若鼻界清淨若大
喜清淨无二无二分无別无斷故一切智智
清淨故香界鼻識界及鼻觸鼻觸為緣所生
諸受清淨香界乃至鼻觸為緣所生諸受清
淨故大喜清淨何以故若一切智智清淨若
香界乃至鼻觸為緣所生諸受清淨若大喜

BD00608號　大般若波羅蜜多經卷二七七　（22–5）

諸受清淨香界乃至鼻觸為緣所生諸受清
淨故大喜清淨何以故若一切智智清淨若
香界乃至鼻觸為緣所生諸受清淨若大喜
清淨无二无二分无別无斷故善現一切智
智清淨故舌界清淨舌界清淨故大喜清淨
何以故若一切智智清淨若舌界清淨若大
喜清淨无二无二分无別无斷故一切智智
清淨故味界舌識界及舌觸舌觸為緣所生
諸受清淨味界乃至舌觸為緣所生諸受清
淨故大喜清淨何以故若一切智智清淨若
味界乃至舌觸為緣所生諸受清淨若大喜
清淨无二无二分无別无斷故善現一切智
智清淨故身界清淨身界清淨故大喜清淨
何以故若一切智智清淨若身界清淨若大
喜清淨无二无二分无別无斷故一切智智
清淨故觸界身識界及身觸身觸為緣所生
諸受清淨觸界乃至身觸為緣所生諸受清
淨故大喜清淨何以故若一切智智清淨若
觸界乃至身觸為緣所生諸受清淨若大喜
清淨无二无二分无別无斷故善現一切智
智清淨故意界清淨意界清淨故大喜清淨
何以故若一切智智清淨若意界清淨若大
喜清淨无二无二分无別无斷故一切智智
清淨故法界意識界及意觸意觸為緣所生
諸受清淨法界乃至意觸為緣所生諸受清
淨故大喜清淨何以故若一切智智清淨若
觸為緣所生諸受清淨若大喜

BD00608號　大般若波羅蜜多經卷二七七　（22–6）

諸受清淨法界乃至意觸爲緣所生諸受清
淨故大喜清淨何以故若一切智智清淨若
法界乃至意觸爲緣所生諸受清淨若大喜
清淨无二无二分无別无斷故善現一切智
智清淨故地界清淨地界清淨故大喜清淨
何以故若一切智智清淨若地界清淨若大
喜清淨无二无二分无別无斷故一切智智
清淨故水火風空識界清淨水火風空識界
清淨故大喜清淨何以故若一切智智清淨
若水火風空識界清淨若大喜清淨无二无
二分无別无斷故善現一切智智清淨故无
明清淨无明清淨故大喜清淨何以故若一
切智智清淨若无明清淨若大喜清淨无二
无二分无別无斷故一切智智清淨故行識
名色六處觸受愛取有生老死愁歎苦憂惱
清淨行乃至老死愁歎苦憂惱清淨故大喜
清淨何以故若一切智智清淨若行乃至老
死愁歎苦憂惱清淨若大喜清淨无二无二
分无別无斷故

善現一切智智清淨故布施波羅蜜多清淨
布施波羅蜜多清淨故大喜清淨何以故若
一切智智清淨若布施波羅蜜多清淨若大
喜清淨无二无二分无別无斷故一切智智清
淨故淨戒安忍精進靜慮般若波羅蜜多
清淨淨戒乃至般若波羅蜜多清淨故大喜
清淨何以故若一切智智清淨若淨戒乃至

BD00608號　大般若波羅蜜多經卷二七七　（22–7）

淨故淨戒安忍精進靜慮般若波羅蜜多
清淨淨戒乃至般若波羅蜜多清淨故大喜
清淨何以故若一切智智清淨若淨戒乃至
般若波羅蜜多清淨若大喜清淨无二无二
分无別无斷故善現一切智智清淨故內空
清淨內空清淨故大喜清淨何以故若一切
智智清淨若內空清淨若大喜清淨无二无
二分无別无斷故一切智智清淨故外空內
外空空空大空勝義空有爲空无爲空畢
竟空无際空散空无變異空本性空自相空共
相空一切法空不可得空无性空自性空无
性自性空清淨外空乃至无性自性空清淨
故大喜清淨何以故若一切智智清淨若外
空乃至无性自性空清淨若大喜清淨无二
无二分无別无斷故善現一切智智清淨故
真如清淨真如清淨故大喜清淨何以故若
一切智智清淨若真如清淨若大喜清淨无
二无二分无別无斷故一切智智清淨故法
界法性不虛妄性不變異性平等性離生性
法定法住實際虛空界不思議界清淨法界
乃至不思議界清淨故大喜清淨何以故若
一切智智清淨若法界乃至不思議界清淨
若大喜清淨无二无二分无別无斷故善現
一切智智清淨故苦聖諦清淨苦聖諦清淨
故大喜清淨何以故若一切智智清淨若苦
聖諦清淨若大喜清淨无二无二分无別无

BD00608號　大般若波羅蜜多經卷二七七　（22–8）

故大喜清淨何以故若一切智智清淨若苦
聖諦清淨若大喜清淨无二无二分无別无
斷故一切智智清淨故集滅道聖諦清淨集
滅道聖諦清淨故大喜清淨何以故若一切
智智清淨若集滅道聖諦清淨若大喜清淨
无二无二分无別无斷故善現一切智智清
淨故四靜慮清淨四靜慮清淨故大喜清淨
何以故若一切智智清淨若四靜慮清淨若
大喜清淨无二无二分无別无斷故一切智智
清淨故四无量四无色定清淨四无量四无
色定清淨故大喜清淨何以故若一切智智
清淨若四无量四无色定清淨若大喜清淨
无二无二分无別无斷故善現一切智智清
淨故八解脫清淨八解脫清淨故大喜清淨
何以故若一切智智清淨若八解脫清淨若
大喜清淨无二无二分无別无斷故一切智
智清淨故八勝處九次第定十遍處清淨八
勝處九次第定十遍處清淨故大喜清淨何
以故若一切智智清淨若八勝處九次第定
十遍處清淨若大喜清淨无二无二分无別
无斷故善現一切智智清淨故四念住清淨
四念住清淨故大喜清淨何以故若一切智
智清淨若四念住清淨若大喜清淨无二无
二分无別无斷故一切智智清淨故四正斷
四神足五根五力七等覺支八聖道支清淨
四正斷乃至八聖道支清淨故大喜清淨何

BD00608號　大般若波羅蜜多經卷二七七　（22–9）

四神足五根五力七等覺支八聖道支清淨
四正斷乃至八聖道支清淨故大喜清淨何
以故若一切智智清淨若四正斷乃至八聖
道支清淨若大喜清淨无二无二分无別无
斷故善現一切智智清淨故空解脫門清淨空
解脫門清淨故大喜清淨何以故若一切
智智清淨若空解脫門清淨若大喜清淨无
二无二分无別无斷故一切智智清淨故无
相无願解脫門清淨无相无願解脫門清淨
故大喜清淨何以故若一切智智清淨若无
相无願解脫門清淨若大喜清淨无二无二
分无別无斷故善現一切智智清淨故菩薩
十地清淨菩薩十地清淨故大喜清淨何以
故若一切智智清淨若菩薩十地清淨若大
喜清淨无二无二分无別无斷故
善現一切智智清淨故五眼清淨五眼清淨
故大喜清淨何以故若一切智智清淨若五
眼清淨若大喜清淨无二无二分无別无斷
故一切智智清淨故六神通清淨六神通清
淨故大喜清淨何以故若一切智智清淨若
六神通清淨若大喜清淨无二无二分无別
无斷故善現一切智智清淨故佛十力清淨
佛十力清淨故大喜清淨何以故若一切智
智清淨若佛十力清淨若大喜清淨无二无
二分无別无斷故一切智智清淨故四无所
畏四无礙解大慈大悲大喜大捨十八佛不共法

BD00608號　大般若波羅蜜多經卷二七七　（22–10）

二分无別无斷故一切智智清淨故四无所
畏四无礙解大慈大悲大捨十八佛不共法
清淨四无所畏乃至十八佛不共法清淨故
大喜清淨何以故若一切智智清淨若四无
所畏乃至十八佛不共法清淨若大喜清淨
无二无二分无別无斷故善現一切智智清
淨故无忘失法清淨无忘失法清淨故大喜
清淨何以故若一切智智清淨若无忘失法
清淨若大喜清淨无二无二分无別无斷故
一切智智清淨故恒住捨性清淨恒住捨性
清淨故大喜清淨何以故若一切智智清淨
若恒住捨性清淨若大喜清淨无二无二分
无別无斷故善現一切智智清淨故一切智
清淨一切智清淨故大喜清淨何以故若一
切智智清淨若一切智清淨若大喜清淨无
二无二分无別无斷故一切智智清淨故道
相智一切相智清淨道相智一切相智清淨
故大喜清淨何以故若一切智智清淨若道
相智一切相智清淨若大喜清淨无二无二
分无別无斷故善現一切智智清淨故一切
陁羅尼門清淨一切陁羅尼門清淨故大喜
清淨何以故若一切智智清淨若一切陁羅
尼門清淨若大喜清淨无二无二分无別无
斷故一切智智清淨故一切三摩地門清淨
一切三摩地門清淨故大喜清淨何以故若

BD00608號　大般若波羅蜜多經卷二七七　（22–11）

尼門清淨若大喜清淨无二无二分无別无
斷故一切智智清淨故一切三摩地門清淨
一切三摩地門清淨故大喜清淨何以故若
一切智智清淨若一切三摩地門清淨若大
喜清淨无二无二分无別无斷故
善現一切智智清淨故預流果清淨預流果
清淨故大喜清淨何以故若一切智智清淨
若預流果清淨若大喜清淨无二无二分无
別无斷故一切智智清淨故一來不還阿羅
漢果清淨一來不還阿羅漢果清淨故大喜
清淨何以故若一切智智清淨若一來不還
阿羅漢果清淨若大喜清淨无二无二分无
別无斷故善現一切智智清淨故獨覺菩提
清淨獨覺菩提清淨故大喜清淨何以故若
一切智智清淨若獨覺菩提清淨若大喜清
淨无二无二分无別无斷故善現一切智智
清淨故一切菩薩摩訶薩行清淨一切菩薩
摩訶薩行清淨故大喜清淨何以故若一切
智智清淨若一切菩薩摩訶薩行清淨若大
喜清淨无二无二分无別无斷故善現一切
智智清淨故諸佛无上正等菩提清淨諸佛
无上正等菩提清淨故大喜清淨何以故若
一切智智清淨若諸佛无上正等菩提清淨
若大喜清淨无二无二分无別无斷故
復次善現一切智智清淨故色清淨色清淨

BD00608號　大般若波羅蜜多經卷二七七　（22–12）

若大喜清淨无二无二分无別无斷故
復次善現一切智智清淨故色清淨
故大捨清淨何以故若一切智智清淨若色
清淨若大捨清淨无二无二分无別无斷故
一切智智清淨故受想行識清淨受想行識
清淨故大捨清淨何以故若一切智智清淨
若受想行識清淨若大捨清淨无二无二分
无別无斷故善現一切智智清淨故眼處清
淨眼處清淨故大捨清淨何以故若一切智
智清淨若眼處清淨若大捨清淨无二无二
分无別无斷故一切智智清淨故耳鼻舌身
意處清淨耳鼻舌身意處清淨故大捨清淨
何以故若一切智智清淨若耳鼻舌身意處
清淨若大捨清淨无二无二分无別无斷故
善現一切智智清淨故色處清淨色處清淨
故大捨清淨何以故若一切智智清淨若色
處清淨若大捨清淨无二无二分无別无斷
故一切智智清淨故聲香味觸法處清淨聲
香味觸法處清淨故大捨清淨何以故若一
切智智清淨若聲香味觸法處清淨若大捨
清淨无二无二分无別无斷故
善現一切智智清淨故眼界清淨眼界清淨
故大捨清淨何以故若一切智智清淨若眼
界清淨若大捨清淨无二无二分无別无斷
故一切智智清淨故色界眼識界及眼觸眼
觸為緣所生諸受清淨色界乃至眼觸為緣

BD00608號　大般若波羅蜜多經卷二七七　（22–13）

故一切智智清淨故色界眼識界及眼觸眼
觸為緣所生諸受清淨色界乃至眼觸為緣
所生諸受清淨故大捨清淨何以故若一切
智智清淨若色界乃至眼觸為緣所生諸受
清淨若大捨清淨无二无二分无別无斷故
善現一切智智清淨故耳界清淨耳界清淨
故大捨清淨何以故若一切智智清淨若耳
界清淨若大捨清淨无二无二分无別无斷
故一切智智清淨故聲界耳識界及耳觸耳
觸為緣所生諸受清淨聲界乃至耳觸為緣
所生諸受清淨故大捨清淨何以故若一切
智智清淨若聲界乃至耳觸為緣所生諸受
清淨若大捨清淨无二无二分无別无斷故
善現一切智智清淨故鼻界清淨鼻界清淨
故大捨清淨何以故若一切智智清淨若鼻
界清淨若大捨清淨无二无二分无別无斷
故一切智智清淨故香界鼻識界及鼻觸鼻
觸為緣所生諸受清淨香界乃至鼻觸為緣
所生諸受清淨故大捨清淨何以故若一切
智智清淨若香界乃至鼻觸為緣所生諸受
清淨若大捨清淨无二无二分无別无斷故
善現一切智智清淨故舌界清淨舌界清淨
故大捨清淨何以故若一切智智清淨若舌
界清淨若大捨清淨无二无二分无別无斷
故一切智智清淨故味界舌識界及舌觸舌
觸為緣所生諸受清淨味界乃至舌觸為緣

BD00608號　大般若波羅蜜多經卷二七七　（22–14）

果清淨若大捨清淨无二无二分无別无斷
故一切智智清淨故味界舌識界及舌觸舌
觸為緣所生諸受清淨味界乃至舌觸為緣
所生諸受清淨故大捨清淨何以故若一切
智智清淨若味界乃至舌觸為緣所生諸受
清淨若大捨清淨无二无二分无別无斷故
善現一切智智清淨故身界清淨身界清淨
故大捨清淨何以故若一切智智清淨若身
界清淨若大捨清淨无二无二分无別无斷
故一切智智清淨故觸界身識界及身觸身
觸為緣所生諸受清淨觸界乃至身觸為緣
所生諸受清淨故大捨清淨何以故若一切
智智清淨若觸界乃至身觸為緣所生諸受
清淨若大捨清淨无二无二分无別无斷故
善現一切智智清淨故意界清淨意界清淨
故大捨清淨何以故若一切智智清淨若意
界清淨若大捨清淨无二无二分无別无斷
故一切智智清淨故法界意識界及意觸意
觸為緣所生諸受清淨法界乃至意觸為緣
所生諸受清淨故大捨清淨何以故若一切
智智清淨若法界乃至意觸為緣所生諸受
清淨若大捨清淨无二无二分无別无斷故
善現一切智智清淨故地界清淨地界清淨
故大捨清淨何以故若一切智智清淨若地
界清淨若大捨清淨无二无二分无別无斷

BD00608號　大般若波羅蜜多經卷二七七　（22–15）

善現一切智智清淨故地界清淨地界清淨
故大捨清淨何以故若一切智智清淨若地
界清淨若大捨清淨无二无二分无別无斷
故一切智智清淨故水火風空識界清淨水
火風空識界清淨故大捨清淨何以故若一
切智智清淨若水火風空識界清淨若大捨
清淨无二无二分无別无斷故善現一切智智
清淨故无明清淨无明清淨故大捨清淨
何以故若一切智智清淨若无明清淨若大
捨清淨无二无二分无別无斷故一切智智
清淨故行識名色六處觸受愛取有生老死
愁歎苦憂惱清淨行乃至老死愁歎苦憂惱
清淨故大捨清淨何以故若一切智智清淨
若行乃至老死愁歎苦憂惱清淨若大捨清
淨无二无二分无別无斷故
善現一切智智清淨故布施波羅蜜多清淨
布施波羅蜜多清淨故大捨清淨何以故若
一切智智清淨若布施波羅蜜多清淨若大
捨清淨无二无二分无別无斷故一切智智
清淨故淨戒安忍精進靜慮般若波羅蜜多
清淨淨戒乃至般若波羅蜜多清淨故大捨
清淨何以故若一切智智清淨若淨戒乃至
般若波羅蜜多清淨若大捨清淨无二无二
分无別无斷故善現一切智智清淨故內空
清淨內空清淨故大捨清淨何以故若一切
智智清淨若內空清淨若大捨清淨无二无

BD00608號　大般若波羅蜜多經卷二七七　（22–16）

清淨貳乃至般若波羅蜜多清淨故大捨
清淨何以故若一切智智清淨若淨貳乃至
般若波羅蜜多清淨若大捨清淨无二无二
分无別无斷故善現一切智智清淨故內空
清淨內空清淨故大捨清淨何以故若一切
智智清淨若內空清淨若大捨清淨无二无
二分无別无斷故一切智智清淨故外空內
外空空空大空勝義空有為空无為空畢竟
空无際空散空无變異空本性空自相空共相
空一切法空不可得空无性空自性空无
性自性空清淨外空乃至无性自性空清淨
故大捨清淨何以故若一切智智清淨若外
空乃至无性自性空清淨若大捨清淨无二
无二分无別无斷故善現一切智智清淨故
真如清淨真如清淨故大捨清淨何以故若
一切智智清淨若真如清淨若大捨清淨无
二无二分无別无斷故一切智智清淨故法
界法性不虛妄性不變異性平等性離生性
法定法住實際虛空界不思議界清淨法界
乃至不思議界清淨故大捨清淨何以故若
一切智智清淨若法界乃至不思議界清淨
若大捨清淨无二无二分无別无斷故善現
一切智智清淨故苦聖諦清淨苦聖諦清淨
故大捨清淨何以故若一切智智清淨若苦
聖諦清淨若大捨清淨无二无二分无別无
斷故一切智智清淨故集滅道聖諦清淨集

故大捨清淨何以故若一切智智清淨若苦
聖諦清淨若大捨清淨无二无二分无別无
斷故一切智智清淨故集滅道聖諦清淨集
滅道聖諦清淨故大捨清淨何以故若一切
智智清淨若集滅道聖諦清淨若大捨清淨
无二无二分无別无斷故善現一切智智清
淨故四靜慮清淨四靜慮清淨故大捨清淨
何以故若一切智智清淨若四靜慮清淨若
大捨清淨无二无二分无別无斷故一切智
智清淨故四无量四无色定清淨四无量四
无色定清淨故大捨清淨何以故若一切智
智清淨若四无量四无色定清淨若大捨清
淨无二无二分无別无斷故善現一切智智
清淨故八解脫清淨八解脫清淨故大捨清
淨何以故若一切智智清淨若八解脫清淨
若大捨清淨无二无二分无別无斷故一切
智智清淨故八勝處九次第定十遍處清淨
八勝處九次第定十遍處清淨故大捨清淨
何以故若一切智智清淨若八勝處九次第
定十遍處清淨若大捨清淨无二无二分无
別无斷故善現一切智智清淨四念住清
淨四念住清淨故大捨清淨何以故若一切
智智清淨若四念住清淨若大捨清淨无二
无二分无別无斷故一切智智清淨故四正
斷四神足五根五力七等覺支八聖道支清
淨四正斷乃至八聖道支清淨故大捨清淨

无二分无別无斷故一切智智清淨故四正
斷四神足五根五力七等覺支八聖道支清
淨四正斷乃至八聖道支清淨故大捨清淨
何以故若一切智智清淨若四正斷乃至八
聖道支清淨若大捨清淨无二无二分无別
无斷故善現一切智智清淨故空解脫門清
淨空解脫門清淨故大捨清淨何以故若一
切智智清淨若空解脫門清淨若大捨清淨
无二无二分无別无斷故一切智智清淨故
无相无願解脫門清淨无相无願解脫門清
淨故大捨清淨何以故若一切智智清淨若
无相无願解脫門清淨若大捨清淨无二无
二分无別无斷故善現一切智智清淨故菩
薩十地清淨菩薩十地清淨故大捨清淨何
以故若一切智智清淨若菩薩十地清淨若
大捨清淨无二无二分无別无斷故
善現一切智智清淨故五眼清淨五眼清淨
故大捨清淨何以故若一切智智清淨若五
眼清淨若大捨清淨无二无二分无別无斷
故一切智智清淨故六神通清淨六神通清
淨故大捨清淨何以故若一切智智清淨若
六神通清淨若大捨清淨无二无二分无別
无斷故善現一切智智清淨故佛十力清淨
佛十力清淨故大捨清淨何以故若一切智
智清淨若佛十力清淨若大捨清淨无二无
二分无別无斷故一切智智清淨故四无所

智清淨若佛十力清淨若大捨清淨无二无
二分无別无斷故一切智智清淨故四无所
畏四无礙解大慈大悲大喜十八佛不共法
清淨四无所畏乃至十八佛不共法清淨故
大捨清淨何以故若一切智智清淨若四无
所畏乃至十八佛不共法清淨若大捨清淨
无二无二分无別无斷故善現一切智智清
淨故无忘失法清淨无忘失法清淨故大捨
清淨何以故若一切智智清淨若无忘失法
清淨若大捨清淨无二无二分无別无斷故
一切智智清淨故恒住捨性清淨恒住捨性
清淨故大捨清淨何以故若一切智智清淨
若恒住捨性清淨若大捨清淨无二无二分
无別无斷故
善現一切智智清淨故一切智清淨一切智
清淨故大捨清淨何以故若一切智智清淨
若一切智清淨若大捨清淨无二无二分无
別无斷故一切智智清淨故道相智一切相
智清淨道相智一切相智清淨故大捨清淨
何以故若一切智智清淨若道相智一切相
智清淨若大捨清淨无二无二分无別无斷
故善現一切智智清淨故一切陁羅尼門清
淨一切陁羅尼門清淨故大捨清淨何以故
若一切智智清淨若一切陁羅尼門清淨若
大捨清淨无二无二分无別无斷故一切智
智清淨故一切三摩地門清淨一切三摩地

若一切智智清淨若一切陀羅尼門清淨若
大捨清淨无二无二分无別无斷故一切智
智清淨故一切三摩地門清淨一切三摩地
門清淨故大捨清淨何以故若一切智智清
淨若一切三摩地門清淨若大捨清淨无二
无二分无別无斷故善現一切智智清淨故
預流果清淨預流果清淨故大捨清淨何以
故若一切智智清淨若預流果清淨若大捨
清淨无二无二分无別无斷故一切智智清
淨故一來不還阿羅漢果清淨一來不還阿
羅漢果清淨故大捨清淨何以故若一切智
智清淨若一來不還阿羅漢果清淨若大捨
清淨无二无二分无別无斷故善現一切智
智清淨故獨覺菩提清淨獨覺菩提清淨故
大捨清淨何以故若一切智智清淨若獨覺
菩提清淨若大捨清淨无二无二分无別无
斷故善現一切智智清淨故一切菩薩摩訶
薩行清淨一切菩薩摩訶薩行清淨故大捨
清淨何以故若一切智智清淨若一切菩薩
摩訶薩行清淨若大捨清淨无二无二分无
別无斷故善現一切智智清淨故諸佛无上
正等菩提清淨諸佛无上正等菩提清淨故
大捨清淨何以故若一切智智清淨若諸佛
无上正等菩提清淨若大捨清淨无二无二
分无別无斷故

大般若波羅蜜多經卷第二百七十七

BD00608 號　大般若波羅蜜多經卷二七七　（22–21）

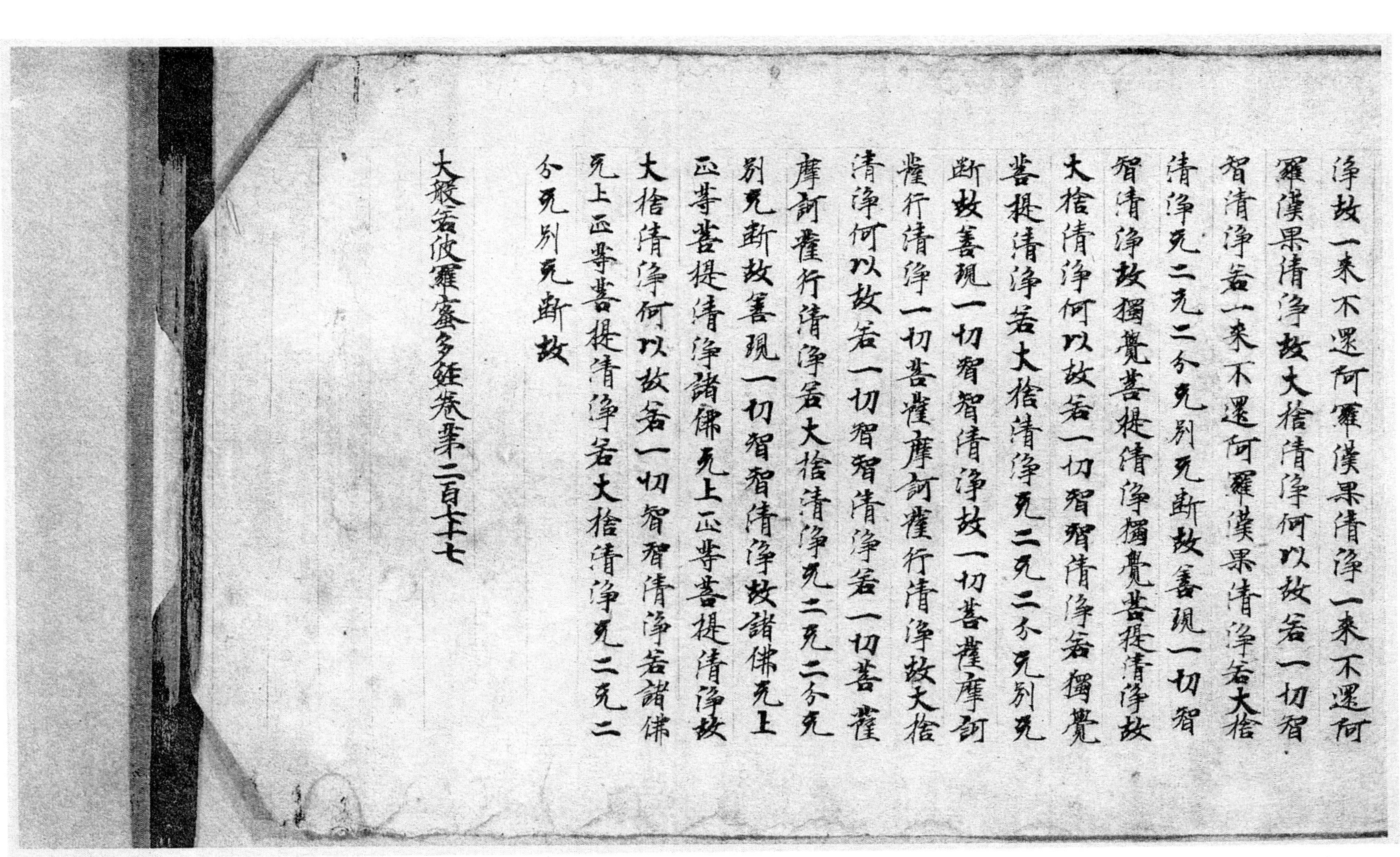

淨故一來不還阿羅漢果清淨一來不還阿
羅漢果清淨故大捨清淨何以故若一切智
智清淨若一來不還阿羅漢果清淨若大捨
清淨无二无二分无別无斷故善現一切智
智清淨故獨覺菩提清淨獨覺菩提清淨故
大捨清淨何以故若一切智智清淨若獨覺
菩提清淨若大捨清淨无二无二分无別无
斷故善現一切智智清淨故一切菩薩摩訶
薩行清淨一切菩薩摩訶薩行清淨故大捨
清淨何以故若一切智智清淨若一切菩薩
摩訶薩行清淨若大捨清淨无二无二分无
別无斷故善現一切智智清淨故諸佛无上
正等菩提清淨諸佛无上正等菩提清淨故
大捨清淨何以故若一切智智清淨若諸佛
无上正等菩提清淨若大捨清淨无二无二
分无別无斷故

大般若波羅蜜多經卷第二百七十七

BD00608 號　大般若波羅蜜多經卷二七七　（22–22）

成辯有大勢力精勤…
安隱豐樂人民熾盛一切衆生多受快樂應
心適意隨其所樂是諸衆生得是威德大勢力
已能供養是金光明經及恭敬供養受持經者
四部之衆我於尒時當往其所爲諸衆生受
快樂故請說法者廣令宣布如是妙典何以
故世尊是金光明若廣說時我及眷屬所得
功德倍過於常增長身力心進勇銳世尊我
服甘露无上味已閻浮提地縱廣七千由旬
豐壤倍常世尊如此大地衆生所依悉能增
長一切所須之物增長一切所須物已令諸衆
生隨意所用受於快樂種種飲食衣服臥
具宮殿屋宅樹木林藂河池泉井如是等物
因依於地悉皆具足是故世尊是諸衆生爲
知我恩應作是念我當畢定聽受是經供養
恭敬尊重讚嘆作是念已即從住處若城邑
聚落舍宅空地往法會所聽受是經即聽受
已還其所止各應相慶作如是言我等今者
聞此甚深无上妙法已爲攝取不可思議功
德之聚值遇无量无邊諸佛三惡道報已德
解脫於未來世常生天上人中受樂是諸衆
生各於住處若爲他人演說是經若說一喻
一品一緣若復稱嘆一佛菩薩一四句偈乃至
一句及稱是經首題名字世尊隨是衆生

BD00609號　金光明經卷二　（3–1）

聞此甚深…
德之聚值遇无量无邊諸佛三惡道報已德
解脫於未來世常生天上人中受樂是諸衆
生各於住處若爲他人演說是經若說一喻
一品一緣若復稱嘆一佛菩薩一四句偈乃至
一句及稱是經首題名字世尊隨是衆生
所住之處其地具足豐壤肥濃過於餘地凡
是因地所生之物悉得增長滋茂廣大悉令
衆生受於快樂多饒財寶好行惠施心常堅
固深信三寶尒時佛告地神堅牢若有衆生
乃至聞是金光明經一句之義人中命終隨
意往生三十三天地神若有衆生爲欲供養
是經典故莊嚴屋宅乃至張懸一幡一蓋或
以一衣欲界六天已有自然七寶宮殿是人
命終即往彼地神於諸七寶宮殿之中各各
自然有七天女共相娛樂日夜常受不可
思議微妙快樂尒時地神白佛言世尊以是
因緣說法比丘坐法座時我常晝夜衛護不
離隱蔽其形在其座下頂戴其足世尊若
有衆生於百千佛所種諸善根是說法者爲
是等故於閻浮提廣宣流布是妙經典不
令斷絕是諸衆生聽是經已未來世中无量
百千那由他劫於天上人中常受快樂值遇諸
佛疾成阿耨多羅三藐三菩提三惡道苦
悉斷无餘

金光明經卷第二

BD00609號　金光明經卷二　（3–2）

固深信三寶尒時佛告地神堅牢若有衆生
乃至聞是金光明經一句之義人中命終隨
意往生三十三天地神若有衆生為欲供養
是經典故莊嚴屋宅乃至張懸一幡一蓋或
以一衣欲界六天已有自然七寶宮殿是人
命終即往彼地神於諸七寶宮殿之中各各
自然有七天女共相娛樂日夜常受不可
思議微妙快樂尒時地神白佛言世尊以是
因緣說法比丘坐法座時我常晝夜衛護不
離隱蔽其形在其座下頂戴其足世尊若
有衆生於百千佛所種諸善根是說法者為
是等故於閻浮提廣宣流布是妙經典不
令斷絕是諸衆生聽是經已未來世中无量
百千那由他劫於天上人中常受快樂值遇諸
佛疾成阿耨多羅三藐三菩提三惡道苦
悉斷无餘

金光明經卷第二

BD00609號　金光明經卷二　（3–3）

[illegible]
空無相無願六波羅蜜多不可說於四念住
乃至八聖道支不可說於佛十力乃至一切相
智不可說於如幻乃至如變化事五取蘊等
不可說於寂靜遠離無生無滅無染無淨絕
諸戲論真如法界法性實際平等性離生性
不可說於常無常乃至屬生死屬涅槃法不
可說於過去未來現在乃至在內在外在兩
間法不可說於十方殑伽沙等世界若佛若
菩薩若聲聞僧等不可說何以故如上所說
諸法集散皆不可得不可見故
世尊如上所說五蘊等名無處可說如是菩
薩摩訶薩及般若波羅蜜多名亦無處可說
如戒定慧解脫解脫智見名無處可說如是
菩薩摩訶薩及般若波羅蜜多名亦無處可
說如預流一來不還阿羅漢獨覺如來及彼
諸法名無處可說如是菩薩摩訶薩及般若
波羅蜜多名亦無處可說世尊如一切若有
名若無名皆無處可說如是菩薩摩訶薩及
般若波羅蜜多名亦無處可說所以者何如
是諸法皆無所住亦非不住何以故是諸名
義既無所有故是諸名皆無所住亦非不住
世尊我依是義故於諸法不得不見若集若
散云何可言此名菩薩摩訶薩此名般若波
羅蜜多世尊我於此二若義若名既不得不

BD00610號　大般若波羅蜜多經卷三七　（3–1）

[illegible]
是諸法皆無所住亦非不住何以故是諸名
義既無所有故是諸名皆無所住亦非不住
世尊我依是義故於諸法不得不見名俱若
散云何可言此名菩薩摩訶薩此名般若波
羅蜜多世尊我於此二名義若名既不得不
見云何令我以般若波羅蜜多相應之法教
誡教授諸菩薩摩訶薩是故若以此法教誡
教授諸菩薩摩訶薩必當有悔世尊若菩薩
摩訶薩聞以如是相狀說般若波羅蜜多時
心不沉沒亦不憂悔其心不驚不恐不怖當
知是菩薩摩訶薩決定已得住不退地以無
所住方便而住尒時具壽善現復白佛言世
尊脩行般若波羅蜜多諸菩薩摩訶薩
不應住色不應住受想行識何以故世尊色色性
空受想行識受想行識性空世尊是色非色
空是色空非色色不離空空不離色色是
空空即是色受想行識亦復如是是故世尊
脩行般若波羅蜜多諸菩薩摩訶薩不應住
色不應住受想行識世尊脩行般若波羅蜜
多諸菩薩摩訶薩不應住眼處不應住耳鼻
舌身意處何以故世尊眼處眼處性空乃至
意處意處性空世尊是眼處非眼處空是眼
處空非眼處眼處不離空空不離眼處眼
處即是空空即是眼處耳鼻舌意處亦復如
是是故世尊脩行般若波羅蜜多諸菩薩摩
訶薩不應住眼處乃至不應住意處世尊脩
行般若波羅蜜多諸菩薩摩訶薩不應住

BD00610 號　大般若波羅蜜多經卷三七　（3–2）

摩訶薩聞以如是相狀說般若波羅蜜多時
心不沉沒亦不憂悔其心不驚不恐不怖當
知是菩薩摩訶薩決定已得住不退地以無
所住方便而住尒時具壽善現復白佛言世
尊脩行般若波羅蜜多諸菩薩摩訶薩
不應住色不應住受想行識何以故世尊色色性
空受想行識受想行識性空世尊是色非色
空是色空非色色不離空空不離色色是
空空即是色受想行識亦復如是是故世尊
脩行般若波羅蜜多諸菩薩摩訶薩不應住
色不應住受想行識世尊脩行般若波羅蜜
多諸菩薩摩訶薩不應住眼處不應住耳鼻
舌身意處何以故世尊眼處眼處性空乃至
意處意處性空世尊是眼處非眼處空是眼
處空非眼處眼處不離空空不離眼處眼
處即是空空即是眼處耳鼻舌意處亦復如
是是故世尊脩行般若波羅蜜多諸菩薩摩
訶薩不應住眼處乃至不應住意處世尊脩
行般若波羅蜜多諸菩薩摩訶薩不應住
色處不應住聲香味觸法處何以故世尊色
處色處性空乃至法處法處性空世尊是色
處非色處空是色處空非色處色處不離空
[illegible]色處色處即是空空即是色處聲香味
[illegible]脩行般若波羅

BD00610 號　大般若波羅蜜多經卷三七　（3–3）

懺悔滅罪金光明經冥報傳

昔溫州治中張居道滄州景城縣人未莅職
日因嫁女事屠宰諸命牛羊猪雞鵝鴨之類
未踰一旬卒得重病絕音不語因尒便死唯心
上暖家人即不葬送逕經三日却活起坐索食
諸親隣里遠近聞之大小奔赴居道具說因由
初見四人來一人把棒一人把索一人把袋一人
著青衣騎馬戴帽至門下馬喚居道向前
懷中擘出一紙文書令居道讀看並是猪
羊等同共作詞訟共訴居道其詞曰猪羊等
雖前身積罪合受畜生之身配在世間自有
年限限滿罪畢自合成人然猪等自計受
畜生身變時未到遂被張居道枉相屠宰
時限欠少更歸畜生一箇罪身再遭刀机在
於冥路理不可當裁後有判差司命追過使
人見居道看遍即唱三人近前一人把索繫居
道項反縛兩手將去有一人向北行至半路使
人即語居道吾被差來時撿你筭壽年元
未合死緣坐你煞尒許衆生被怨家言訟居道
即見俗世肉眼但知造罪不識善惡但見俗
人煞害无數不曾有驗現報居道當其凶首
緘口受死作何方便而得活路自各往悞悔難

BD00611 號 1　懺悔滅罪金光明經冥報傳　（20–1）

未合死緣坐你煞尒許衆生被怨家言訟居道
即見俗世肉眼但知造罪不識善惡但見俗
人煞害无數不曾有驗現報居道當其凶首
緘口受死作何方便而得活路自各往悞悔難
可及使人曰怨家債主卅餘頭專在閻羅王
門首懸精待至我輩入道當由其側非但王
法嚴峻但見怨家怨家何由免其蹤蹟之若
居道聞之弥增驚怕步步倒地前人擧繩撓
之後人以棒打之居道曰自計往悞誠難免脫
若為乞示余一計校且使逆逆怨家之面閻羅
王峻法當如之何使人語居道汝但能為所煞
衆生發心願造寫金光明經四卷當得免脫居
道承教連聲再唱願寫金光明經四卷盡形
供養願所煞怨家債主領受功德解怨釋
結于時使者引入向北見閻羅王廳前无數億人
問辯荅款著枷被鏁杻械鞭撻很藉哀聲苦
痛悲酸不可聽使者即過狀閻羅王案上即
唱名出王言此人甚是罪過何為捉來遲晚令
此猪羊再訴急喚詞主將來使人走出諸處
叫喚求覓所訴命者不得却來報王諸處尋
覓猪羊等不得王又更遣人散頭巡問曹府咸
悉並无王即又帖五道大神撿化形文案于時
有一判官將撿報狀來云依撿其日得司善
牒報世人張居道為煞生故願寫金光明經四
卷依科所煞衆生並合乘此功德隨業化形牒
至准法處分者其張居道怨家訴者以其日
准司善牒並引已從人道生天世界訖王見大

BD00611 號 1　懺悔滅罪金光明經冥報傳　（20–2）

養依科所遣煞生並合乘此功德隨業化形緣
至准法處分者其張居道惡家訴者以其日
准司善藤並判化從人道生於世界訖王既狀
極懷歡喜日居道雖煞衆生能設方計為其
發願修功德令此債主得生人路既无執對偏
詞不可懸信判放居道再歸生路當宜念善多
修功德断宍正煞勿復慳貪惜財不作橋梁專
為惡業於是出城如從夢歸居道當說此如因由
發心造經一百餘人断宍正煞不可計數此經天下
少本詢訪不獲躬歷諸方遂於衛州禪㝐寺
撿得目錄有此經本寫得隨身供養居 道
及至當官之日合家大小悉断酒宍其溫州
安固縣丞妻病經一年絶音不語獨自狂言口
中唱痛叩頭死罪狀似所訴居道聞之為其夫
說如此之狀多是惡家債命文案未断命故不
絶自當思村省悟已來因由所煞害生命急
急為寫金光明經分明懺唱此經側近无本
唯居道家有此經縣丞依遵其教請本雇
人抄寫未畢妻便醒悟狀如眠夢惛惛常有鷄
猪鵝鴨一日三迴覓來咬嚙痛不可當從來
應其到時遂乃不見唯有或猪或羊或牛或
鷄之類皆從人身来與別去雖是惡家遣
你屠害以你為我敬造功德所以令我得化形
成人令與惡家解散不相違情語訖即去
因尒不復如此病即輕差平復如故當此之時
溫州一郡所養鷄猪鵝鴨之類咸悉放生家
家斷宍人人念善不立屠行爰及比州隣里

BD00611 號 1　懺悔滅罪金光明經冥報傳　（20–3）

成人令與惡家解散不相違情語訖即去
因尒不復如此病即輕差平復如故當此之時
溫州一郡所養鷄猪鵝鴨之類咸悉放生家
家断宍人人念善不立屠行爰及比州隣里
聞並起淨行不止一家當今所煞无所徵効者
是衆生業滿合死故故无應報只是盡此身
還作畜生被他屠煞若衆生日限未足被遭
損煞者立被言訟令時有世人有卒死及瘦
病連年累月唱痛狂言或語並是衆生執注
文案一定然始命断一切衆罪懺悔皆滅唯有
煞生懺悔不除為有惡家專心訟對自非為
具修功德或放人所遣不已者當生慚愧為其
傷嘆所煞如割已身或衛賣與人取其財價以
為豊是一寫一本令此功德資益惡家早生
人道榜訟自休不復違善男女等明
當試之

金光明經序品第一
如是我聞一時佛在王舍城耆闍崛山是時
如來遊於无量甚深法性諸佛行處過諸
菩薩所行清淨是金光明諸經之王若有聞
者則能思惟无上微妙甚深之義如是經典
常為四方佛世尊之所護持東方阿閦南方
寶相西方无量壽北方微妙聲我今當說懺
悔等法所生功德為无有上能壞一切諸苦盡
不善業

BD00611 號 1　懺悔滅罪金光明經冥報傳　（20–4）
BD00611 號 2　金光明經卷一

悔等法所生功德　爲无有上能壞一切諸苦盡
不善業
一切種智　而爲根本　无量功德　之所莊嚴
滅除諸苦　與无量樂　諸根不具　壽命減損
貧窮困苦　諸天捨離　親厚鬪訟　王法所加
各各忿諍　財物損耗　愁憂恐怖　惡星災異
衆邪蠱道　變怪相續　卧見惡夢　晝夜愁惱
當淨洗浴　聽是經典　至心清淨　着淨潔衣
專聽諸佛　甚深行處　是經威德　能悉除滅
如是諸惡　令其寂滅　護世四王　將諸官屬
并及无量　夜叉之衆　悉來擁護　持是經者
大辯天神　尼連河神　鬼子母神　地神堅牢
大梵尊天　三十三天　大神龍王　緊那羅王
迦樓羅王　阿脩羅王　與其眷屬　悉共至彼
擁護是人　晝夜不離　我今所說　諸佛世尊
甚深秘密　微妙行處　億百千劫　甚難得值
若得聞經　若爲他說　若心隨喜　若設供養
如是之人　於无量劫　常爲諸天　八部所敬
如是脩行　生功德者　得不思議　无量福聚
亦爲十方　諸佛世尊　深行菩薩　之所護持
着淨衣服　以上妙香　慈心供養　常不遠離
身意清淨　无有垢穢　歡喜悅豫　深樂是典
若得聽聞　當知善德　人身人道　及以正命
若聞懺悔　執持在心　是上善根　諸佛所讚
金光明經壽量品第二
尒時王舍城中有菩薩摩訶薩名曰信相

BD00611 號 2　金光明經卷一　（20–5）

若聞懺悔　執持在心　是上善根　諸佛所讚
金光明經壽量品第二
尒時王舍城中有菩薩摩訶薩名曰信相
已曾供養過去无量億那由他百千諸佛種諸
善根是信相菩薩作是思惟何因緣釋迦
如來壽命短促方八十年復更念言如佛所
說有二因緣壽命得長何等爲二一者不煞
二者不盜而我世尊於无量百千億那由他
阿僧祇劫脩不煞戒具足十善飲食惠施不
可限量乃至已身骨髓肉血充足飽滿飢餓
衆生況餘飲食大士如是至心念佛思是義
時其室自然廣博嚴事天紺琉璃種種衆寶
雜廁間錯以成其地猶如如來所居淨土有妙
香氣過諸天香烟雲垂布遍滿其室其室
四面各有四寶上妙高座自然而出純以天衣
而爲敷其是妙坐上各有諸佛所受用華衆
寶合成於蓮華上有四如來東方名阿閦南方
名寶相西方名无量壽北方名微妙聲是四如
來自然而坐師子座上放大光明照王舍城及
此三千大千世界乃至十方恒河沙等諸佛
世界雨衆天華作天伎樂尒時三千大千世
界所有衆生以佛神力受天快樂諸根不具
即得具足舉要言之一切世間所有利益未
事悉得具足出現
尒時信相菩薩見是諸佛及希有事歡喜
踊躍恭敬合掌向諸世尊至心念佛作是思
惟釋迦如來无量功德唯壽命中心生疑惑

BD00611 號 2　金光明經卷一　（20–6）

踊躍恭敬合掌向諸世尊至心念佛作是思
惟釋迦如來无量功德唯壽命中心生疑惑
云何如來壽命如是方八十年尒時四佛以正
遍知告信相菩薩善男子汝今不應思量如
來壽命短促何以故善男子我等不見諸天
世人魔衆梵衆沙門婆羅門人及非人有能
思筭如來壽量如是齊限唯除如來時四如
來將欲宣暢釋迦文佛所得壽命欲色界天
諸龍鬼神乹闥婆阿脩羅迦樓羅緊那羅
摩睺羅伽及无量百千億那由他菩薩摩訶
薩以佛神力悉來聚集信相菩薩摩訶薩
室尒時四佛於大衆中略以偈喻說釋迦如來
所得壽量而作頌曰
一切諸水　可知幾渧　无有能數　釋尊壽命
諸須弥山　可知斤兩　无有能壽　一切大地
可知塵數　无有能筭　釋尊壽命　虛空分界
尚可盡邊　无有能計　釋尊壽命　不可計劫
億百千万　佛壽如是　无量无邊　以是因喻
故說二乘　不害物命　施食无量　是故大士
壽不可計　无量无邊　亦无限齊　是故汝今
不應於佛　无量壽命　而生疑惑
尒時信相菩薩摩訶薩聞是四佛宣說如
來壽命无量深心信解歡喜踊躍說是如來
壽命品時无量无邊阿僧祇衆生發阿耨多
羅三藐三菩提心時四如來忽然不現

金光明經懺悔品第四　二

羅三藐三菩提心時四如來忽然不現

金光明經懺悔品第四　二

尒時信相菩薩即於其夜夢見金鼓其狀姝
大其明普照喻如日光復於光中得見十方
无量无邊諸佛世尊衆寶樹下坐瑠璃座與
无量百千眷屬圍遶而為說法見有一人似
婆羅門以桴擊鼓出大音聲其聲演說懺悔
偈頌信相菩薩從夢寤已至心憶念夢中所
聞懺悔偈頌過夜至旦出王舍城尒時亦有
无量无邊百千衆生與菩薩俱往耆闍崛山
至於佛所至佛所已頂禮佛足右遶三帀却
坐一面叙心合掌瞻仰尊顏以其夢中所見金
鼓及懺悔偈向如來說
昨夜所夢　至心憶持　夢見金鼓　妙色晃耀
其光大盛　明踰於日　遍照十方　恒沙世界
又因此光　得見諸佛　衆寶樹下　坐瑠璃座
无量大衆　圍遶說法
見婆羅門　擊是金鼓　其鼓音中　說如是偈
是大金鼓　所出妙音　悉能滅除　三世諸苦
地獄餓鬼　畜生等苦　貧窮困厄　及諸有苦
是鼓所出　微妙之音　能除衆生　諸惱所逼
斷衆怖畏　令得无懼　猶如諸佛　得无所畏
諸佛聖人　所成功德　離於生死　到大智岸
如是衆生　所得功德　定及助道　猶如大海
是鼓所出　如是妙音　令衆生得　梵音深遠
證佛无上　菩提勝果　轉无上輪　微妙清淨

如是衆生　所得功德　定及助道　猶如大海
是鼓所出　如是妙音　令衆生得　梵音深遠
證佛无上　菩提勝果　轉无上輪　微妙清淨
任壽无量　不思議劫　演說正法　利益衆生
能害煩惱　消除諸苦　貪瞋癡等　悉令寂滅
若有衆生　處在地獄　大火熾然　燒炙其身
若聞金鼓　微妙音聲　所出言教　即尋礼佛
亦令衆生　得知宿命　百生千生　千万億生
令心正念　諸佛世尊　亦聞无上　微妙之言
是金鼓中　所出妙音　復令衆生　值遇諸佛
遠離一切　諸惡業等　善脩无量　白淨之業
諸天世人　及餘衆生　隨其所思　諸所願求
如是金鼓　所出之音　皆悉能令　成就具足
若有衆生　隨大地獄　猛火熾燃　焚燒其身
无有救護　流轉諸難　當令是等　悉滅諸苦
若有衆生　諸苦所切　三惡道報　及以人中
如是金鼓　所出之音　悉能滅除　一切諸苦
无依无歸　无有救護　我為是等　作歸依處
是諸世尊　今當證知　久已為我　生大悲心
在在處處　十方諸佛　現在世雄　兩足之尊
我本所作　惡不善業　今者懺悔　諸十力前
不識諸佛　及父母恩　不解善法　造作衆惡
自恃種姓　及諸財寶　盛年放逸　作諸惡行
心念不善　口作惡業　隨心所作　不見其過
凡夫愚行　无知闇覆　親近惡友　煩惱亂心
五欲因緣　心生忿恚　不知猒足　故作衆惡

BD00611號2　金光明經卷一　（20–9）

心念不善　口作惡業　隨心所作　不見其過
凡夫愚行　无知闇覆　親近惡友　煩惱亂心
五欲因緣　心生忿恚　不知猒足　故作衆惡
親近非聖　因生慳嫉　貧窮因緣　姧諂作惡
繫屬於他　常有怖畏　不得自在　而造諸惡
貪欲恚癡　擾動其心　渴愛所逼　造作衆惡
依因衣食　及以女色　諸結惱熱　造作衆惡
身口意惡　所集三業　如是衆罪　今悉懺悔
或不恭敬　佛法聖衆　如是衆罪　今悉懺悔
或不恭敬　緣覺菩薩　如是衆罪　今悉懺悔
以无智故　誹謗正法　不知恭敬　父母尊長
如是衆罪　今悉懺悔
愚惑所覆　憍慢放逸　因貪恚癡　造作衆惡
如是衆罪　今悉懺悔
我今供養　无量无邊　三千大千　世界諸佛
我當拔濟　十方一切　无量衆生　所有諸苦
我當安正　不可思議　阿僧祇衆　令住十地
已得安正　住十地者　悉令具足　如來正覺
為一衆生　億劫脩行　使无量衆　令度苦海
我當為是　諸衆生等　演說微妙　甚深悔法
所謂金光　滅除諸惡　千劫所作　極重惡業
若能至心　一懺悔者　如是衆罪　悉皆滅盡
今我已說　懺悔之法　是金光明　清淨微妙
速能除滅　一切業鄣
我當安止　住於十地　十種珎寶　以為脚足
成佛无上　功德光明　令諸衆生　度三有海

BD00611號2　金光明經卷一　（20–10）

令我已說　懺悔之法　是金光明　清淨微妙
速能除滅　一切業鄣
我當安止　住於十地　十種珎寶　以為脚足
成佛无上　功德光明　令諸衆生　度三有海
諸佛所有　甚深法藏　不可思議　无量功德
一切種智　願悉具足　百千禪定　根力覺道
不可思議　諸陁羅尼　十力世尊　我當成就
諸佛世尊　有大慈悲　當證微誠　哀受我悔
若我百劫　所作衆惡　以是因緣　生大憂苦
貧窮困乏　愁熱驚懼　怖畏惡業　心常怯劣
在在處處　暫无歡樂　十方現在　大悲世尊
能除衆生　一切怖畏　願當受我　誠心懺悔
令我恐懼　悉得消除　我之所有　煩惱業垢
唯願現在　諸佛世尊　以大悲水　洗除令淨
過去諸惡　今悉悔過　現所作業　誠心發露
所未作者　更不敢作　已作之業　不敢覆藏
身業三種　口業有四　意三業行　今悉懺悔
身口所作　及以意思　十種惡業　一切懺悔
遠離十惡　修行十善　安止十住　逮十力尊
所造惡業　應受惡報　今於佛前　誠心懺悔
若此國土　及餘世界　所有善法　悉以迴向
我所修行　身口意善　願於來世　證无上道
若在諸有　六趣險難　愚癡无智　造作衆惡
今於佛前　皆悉懺悔　世間所有　生死險難
種種婬欲　愚煩惱難　如是諸難　我今懺悔
心輕躁難　近惡友難　三有險難　及三毒難
遇无難難　值好時難　修功德難　值佛亦難

BD00611號2　金光明經卷一　（20–11）

今於佛前　皆悉懺悔　世間所有　生死險難
種種婬欲　愚煩惱難　如是諸難　我今懺悔
心輕躁難　近惡友難　三有險難　及三毒難
遇无難難　值好時難　修功德難　值佛亦難
如是諸難　今悉懺悔
諸佛世尊　我所依止　是故我今　敬礼佛海
金光晃耀　猶如須弥　是故我今　頂礼最勝
其色无上　猶如真金　眼目清淨　如紺琉璃
功德威神　名稱顯著　佛日大悲　滅一切闇
善淨无垢　離諸塵翳　无上佛日　大光普照
煩惱火熾　令心焦熱　唯佛能除　如月清涼
三十二相　八十種好　莊嚴其身　視之无猒
功德巍巍　明網顯曜　安住三界　如日照世
猶如琉璃　淨无瑕穢　妙色廣大　種種各異
其色紅赤　如日初出　頗棃白銀　校飾光網
如是種種　莊嚴佛日　三有之中　生死大河
老水波蕩　惱亂我心　其味苦毒　最為廝澀
如來網明　能令枯涸　妙身端嚴　相好殊特
金色光明　遍照一切　智慧大海　弥滿三界
是故我今　稽首敬礼　如大海水　其量難知
大地微塵　不可稱計　諸須弥山　難可度量
虛空邊際　亦不可得　諸佛亦尒　功德无量
一切有心　无能知者　於无量劫　極心思惟
不能得知　佛功德邊　大地諸山　尚可知量
毛渧海水　亦可知數　諸佛功德　无能知者
相好莊嚴　名稱讚歎　如是功德　令衆皆得

BD00611號2　金光明經卷一　（20–12）

不能得知 佛功德邊 大地諸山 尚可知量
毛渧海水 亦可知數 諸佛功德 无能知者
相好莊嚴 名稱讚歎 如是功德 令衆皆得
我以善業・諸因緣故 來世不久 成於佛道
講宣妙法 利益衆生 度脫一切 无量諸苦
摧伏諸魔 及其眷屬 轉於无上 清淨法輪
住壽无量 不思議劫 充足衆生 甘露法味
我當具足 六波羅蜜 猶如過佛 之所成就
斷諸煩惱 除一切苦 悉滅貪欲 及恚癡等
我當憶念 宿命之事 百生千生 千万億生
常當至心 正念諸佛 聞說微妙 无上之法
我因善業 常值諸佛 遠離諸惡 脩諸善業
一切世界 所有衆生 无量苦惱 我當悉滅
若有衆生 諸根毀壞 不具足者 令令具足
十方世界 所有疾苦 羸瘦頓乏 无救護者
悉令解脫 如是諸苦 還得勢力 平復如本
若犯王法 臨當刑戮 无量怖畏 愁憂苦惱
如是之人 悉令解脫 若受鞭撻 繫縛枷鎖
種種苦事 逼切其身 无量百千 愁憂驚畏
種種恐懼 擾亂其心 如是无邊 諸苦惱等
願使一切 悉得解脫
若有衆生 飢渴所惱 令得種種 甘美飲食
盲者得視 聾者得聽 瘂者能言 裸者得衣
貧窮之者、即得寶藏 倉庫盈溢 无所乏少
一切皆受 安隱快樂 乃至无有 一人受苦
衆生相視 和顏悅色 形貌端嚴 人所喜見

盲者得視 聾者得聽 瘂者能言 裸者得衣
貧窮之者、即得寶藏 倉庫盈溢 无所乏少
一切皆受 安隱快樂 乃至无有 一人受苦
衆生相視 和顏悅色 形貌端嚴 人所喜見
心常思念 他人善事 飲食飽滿 功德具足
隨諸衆生 之所思念 皆願令得 種種伎樂
箜篌箏笛 琴瑟鼓吹 如是種種 微妙音聲
江河池沼 流泉諸水 金華遍布 及優鉢羅
隨諸衆生 之所思念 即得種種 衣服飲食
錢財珍寶 金銀琉璃 真珠璧玉 雜廁瓔珞
願諸衆生 不聞惡聲 乃至无有 可惡見者
願諸衆生 色貌微妙 各各相於 共相愛念
世間所有 資生之具 隨其所念 悉令具足
願諸衆生 諸所求索 如其所須 應念即得
香華諸樹 常於三時 雨細末香 及塗身香
衆生受者 歡喜快樂
願諸衆生 常得供養 不可思議 十方諸佛
无上妙法 清淨无垢 及諸菩薩 聲聞大衆
願諸衆生 常得遠離 三惡八難 值无難處
覲覲諸佛 无上之王
願諸衆生 常生尊貴 多饒財寶 安隱豐樂
上妙色像 莊嚴其身 功德成就 有大名稱
願諸女人 皆成男子 具足智慧 精勤不懈
一切皆行 菩薩之道 勤心脩集 六波羅蜜
常見十方 无量諸佛 坐寶樹下 琉璃座上
安住禪定 自在快樂 演說正法 衆所樂聞
若我現在 及過去世 所作惡業 諸有險難

常見十方　无量諸佛　坐寶樹下　琉璃座上
安住禪定　自在快樂　演說正法　衆所樂聞
若我現在　及過去世　所作惡業　諸有險難
應得惡果　不適意者　願悉盡滅　令无有餘
若諸衆生　三有繫縛　生死羅網　弥蜜牢固
願以智刀　割斷破裂　除諸苦惱　早成菩提
若此閻浮　及餘他方　无量世界　所有衆生
所作種種　若巧功德　我今深心　隨其歡喜
我今以此　隨喜功德　及身口意　所作善業
願於來世　成无上道　得淨无垢　吉祥果報
若有敬礼　讚歎十方　信心清淨　无諸疑网
能作如是　所說懺悔　便得超越　六十劫罪
諸善男子　及善女人　諸王剎利　婆羅門等
若有恭敬　合掌向佛　稱讚如來　并讚此偈
在在處處　常識宿命　諸根具足　清淨瑠璃
種種功德　悉皆成就　在在處處　常為國王
輔相大臣　之所供養　非於一佛　五佛十佛
種種功德　聞是懺悔　若於无量　百千万億
諸佛如來　種諸善根　然後乃得　聞是懺悔

金光明經讚歎品第四

尒時佛告地神堅牢善女人過去有王名金
龍尊常以讚嘆去來現在諸佛
我今尊重　敬礼讚歎　去來現在　十方諸佛
諸佛清淨　微妙寂滅　色中上色　金光照曜
於諸聲中　佛聲最上　猶如大梵　深遠雷音
其髮紺黑　光螺炎起　蜂翠孔雀　色不得喻

尒時佛告地神堅牢善女人過去有王名金
龍尊常以讚嘆去來現在諸佛
我今尊重　敬礼讚歎　去來現在　十方諸佛
諸佛清淨　微妙寂滅　色中上色　金光照曜
於諸聲中　佛聲最上　猶如大梵　深遠雷音
其髮紺黑　光螺炎起　蜂翠孔雀　色不得喻
其齒鮮白　猶如珂雪　顯發金顔　分齊分明
舌相廣長　形色紅暉　光明照曜　如華初生
眉間毫相　白如軻月　右旋潤澤　如淨琉璃
鼻高圓直　如鑄金鋌　微妙細濡　過於蜂王
如是勝相　次第最上　得味真正　无與等者
一一毛孔　一毛旋生　濡細紺青　猶孔雀項
即於生時　身放大光　普照十方　无量國土
滅盡三界　一切諸苦　令諸衆生　悉受快樂
地獄畜生　及以餓鬼　諸天人等　安隱无患
悉滅一切　无量惡趣　身色微妙　如融金聚
面貌清淨　如月盛滿　佛身明曜　如日初出
進止威儀　猶如師子　脩臂下垂　立過于膝
猶如風動　婆羅樹枝　圓光一尋　能照无量
猶如聚集　百千日月　佛身淨妙　无諸垢穢
其明普照　一切佛剎　佛光巍巍　明炎大盛
能悉隱弊　无量日月　佛日燈炬　照无量界
皆令衆生　尋光見佛　本所脩集　百千行業
聚集功德　莊嚴佛身　臂膞纖圓　如象王鼻
手足淨濡　敬受无厭　去來諸佛　數如微塵
現在諸佛　亦復如是　如是如來　我今悉礼
身口清淨　意亦如是　以好華香　供養奉獻

手是淨濡 敬受无猒 去來諸佛 數如微塵
現在諸佛 亦復如是 如是如來 我今悉礼
身口清淨 意亦如是 以好華香 供養奉獻
百千功德 讃詠歌歎 設以百舌 於千劫中
歎佛功德 不能得盡 如來所有 現世功德
種種深固 微妙第一 設復歎羨 欲讃一佛
尚不能盡 功德少分 況欲歎羨 諸佛功德
大地及天 以為大海 乃至有頂 满月中水
尚以一毛 知其渧數 无有能知 佛一切德
我今以礼 讃歎諸佛 身口意業 悉皆清淨
一切所有 无量善業 與諸衆生 證无上道
如是人王 讃歎佛已 復作如是 无量誓願
若我來世 无量无邊 阿僧祇劫 在在生處
常於夢中 見妙金鼓 得聞懺悔 深奧之聲
令所讃歎 面貌清淨 願我來世 亦得如是
諸佛功德 不可思議 於百千劫 甚難得值
願於來世 无量之世 夜則夢見 晝則賫說
我當具足 脩行六度 濟拔衆生 越於苦海
然後我身 成无上道 令我世界 无與等者
奉責金鼓 讃佛因緣 以此果報 當來之世
值釋迦佛 得授記莂 并令二子 金龍金藏
常生我家 同共受記 若有衆生 无救護者
衆苦逼切 无所依止 我於來世 為是等輩
作大救護 及依止處 能除衆苦 悉令滅盡
施與衆生 諸善安樂 我未來世 行菩提道
不計劫數 如盡本際 以此金光 懺悔因緣

BD00611 號 2 金光明經卷一 (20–17)

衆苦逼切 无所依止 我於來世 為是等輩
作大救護 及依止處 能除衆苦 悉令滅盡
施與衆生 諸善安樂 我未來世 行菩提道
不計劫數 如盡本際 以此金光 懺悔因緣
使我惡海 及以業海 煩惱大海 悉竭无餘
我功德海 願悉成就 智慧大海 清淨具足
无量功德 助菩提道 猶如大海 弥寶具足
以此金光 懺悔力故 菩提功德 光明无㝵
慧光无垢 照徹清淨 我當來世 身光普照
功德威神 光明炎盛 於三界中 㝡勝殊特
諸功德力 无所減少 當度衆生 越於苦海
并復安置 功德大海 來世多劫 行菩提道
如昔諸佛 行菩提者 三世諸佛 淨妙國土
諸佛世尊 无量功德 令我來世 得此殊勝
功德淨土 如佛世尊 信相當知 尒時國王
金龍尊者 則汝身是 尒時二子 金龍金光
令汝二子 銀相等是

金光明經空品第五

无量餘經 已廣說空 是故此中 略而解脫
衆生根鈍 尠於智慧 不能廣知 无量空義
今此尊經 略而說之 異妙方便 種種因緣
為鈍根故 起大悲心 我今演說 此妙經典
如我所解 知衆生意 是身虛偽 猶如空聚
六入村落 結賊所止 一切自住 各不相知
眼根受色 耳分別聲 鼻嗅諸香 舌嗜於味
所有身根 貪愛於觸 意根分別 一切諸法
六情諸根 各各自緣 諸塵境界 不行他緣

BD00611 號 2 金光明經卷一 (20–18)

明相受色

所有身根　貪愛於單　意根分別　一切諸法
六情諸根　各各自緣　諸塵境界　不行他緣
心如幻化　馳騁六情　而常妄相　分別諸法
猶如世人　馳走空聚　六賊所害　愚不知避
心常依止　六根境界　各各自知　所伺之處
隨行色聲　香味觸法　心處六情　如鳥投網
其心在在　常處諸根　隨逐諸塵　无有暫捨
身空虛僞　不可長養　无有諍訟　亦无正主
從諸因緣　和合而有　无有堅實　妄相故起
業力機關　假僞空聚　地水火風　合集成立
隨時增長　共相殘害　猶如四虵　同處一篋
四大蚖虵　其性各異　二上二下　諸方亦二
如是虵大　悉滅无餘　地水二虵　其性沉水
風火二虵　性輕上昇　心識二性　躁動不停
隨業受報　天人諸趣　隨所作業　而墮三有
水火風動　散滅壞時　大小不淨　盈流於外
體生諸虫　无可愛樂　損弃塚間　如朽敗木
善女當觀　諸法如是　何處有人　及以衆生
本性不生　性无和合　以是因緣　我說諸大
從本不實　和合而有　无明體性　本亦不有
妄相因緣　和合而生　无所有故　假名无明
是故我說　名曰无明　行識名色　六入觸受
愛取有生　老死愁惱　衆苦行業　不可思議
生死无際　輪轉不息　本无有生　亦无和合
不善思惟　心行所造　我斷一切　諸見縛著
以智慧力　烈煩惱網　五陰舍宅　觀心空寂

BD00611 號 2　金光明經卷一　（20–19）

從本不實　和合而有　无明體性　本亦不有
妄相因緣　和合而生　无所有故　假名无明
是故我說　名曰无明　行識名色　六入觸受
愛取有生　老死愁惱　衆苦行業　不可思議
生死无際　輪轉不息　本无有生　亦无和合
不善思惟　心行所造　我斷一切　諸見縛著
以智慧力　烈煩惱網　五陰舍宅　觀心空寂
證无上道　微妙功德　開甘露門　示甘露器
入甘露城　處甘露堂　令諸衆生　食甘露味
吹大法蠡　擊大法鼓　燃大法燈　雨勝法雨
我今摧伏　一切怨結　竪立第一　微妙第一
度諸衆生　於生死海　永斷三惡　无量苦惱
煩惱熾然　燒諸衆生　无有救護　无所依止
我於甘露　清涼美味　充足是輩　令離燋熱
於无量劫　遵脩諸行　供養恭敬　諸佛世尊
堅牢脩集　菩提之道　求於如來　真實法身
捨諸所重　支節手足　頭目髓惱　所愛妻子
錢財珍寶　真珠瓔珞　金銀琉璃　種種異物

金光明經卷第一

BD00611 號 2　金光明經卷一　（20–20）

夜夢
處座端嚴如日輪
爾時彼王從夢覺
至天曉已出王宮
恭敬供養聖衆已
頗有法師名寶積
正念誦斯微妙典
爾時寶積大法師
時有苾芻引道王　至彼寶積所居處
見在室中端身坐　光明妙相遍其身
白王此即是寶積　能持甚深佛行處
所謂微妙金光明　諸經中王最第一
時王即便礼寶積
唯願滿月面端嚴
寶積法師受王請　許為說此金光明
周遍三千世界中　諸天大衆咸歡喜
王於廣博清淨處　奇妙珍寶而嚴飾
上妙香水灑塵埃　種種雜花皆散布
即於勝處敷高座
種種末香及塗香
天龍脩羅緊那羅
諸天悉雨曼陀花　咸來供養彼高座
復有千万億諸天　樂聞正法俱來集
法師初從本座起　咸悉供養以天花

BD00612 號　金光明最勝王經卷九　（18–1）

諸天悉雨曼陀花　咸來供養彼高座
復有千万億諸天　樂聞正法俱來集
法師初從本座起　咸悉供養以天花
是時寶積大法師　淨
詣彼大衆法座所　令
天王天衆及天女　悉
百千天樂難思議　住在空中出妙響
爾時寶積大法師　即昇高座跏趺坐
念彼十方諸刹土　百千万億大慈尊
遍及一切苦衆生　皆起平等慈悲念
為彼請主善生故　演
王即得聞如是法　合
聞法希有淚交流　身
于時國主善生王　為欲供養此經故
手持如意末尼寶　發願咸為諸衆生
今可於斯贍部洲　普雨七寶瓔珞具
所有遺乏資財者　皆得
即便遍雨於七寶　悉
瓔珞嚴身隨所須　衣服
爾時國主善生王　見此四洲雨珍寶
咸持供養寶髻佛　所有遺教苾芻僧
應知過去善生王　即我釋迦牟尼是
為於昔時捨大地　及諸
昔時寶積大法師　為
因彼開演經王故　東方
以我曾聽此經王　合掌一言稱隨喜
及施七寶諸功德　獲此最勝金剛身

BD00612 號　金光明最勝王經卷九　（18–2）

以我曾聽此經王　合掌一言稱隨喜
及施七寶諸功德　獲此最勝金剛身
金光百福相莊嚴　所有見者皆歡喜
一切有情無不愛　俱胝天人亦同然
過去曾經九十九　俱胝
亦於小國為人王　復經
於無量劫為帝釋　亦復曾為大梵王
供養十力大慈尊　彼之數量難窮盡
我昔聞經隨喜善　所有福聚量難知
由斯福故證菩提　獲得法身真妙智
尒時大衆聞是說已歎未曾有
光明經流通不絕

金光明最勝王經諸天藥叉護持品第廿二

尒時世尊告大吉祥天女曰若有淨信善男
子善女人欲於過去未來現在諸佛以不可
思議廣大微妙供養之具而為奉獻及欲解
了三世諸佛甚深行處是人應當
是經王所在之處城邑聚落
為衆生數演流布其聽法者應除亂想攝耳
用心世尊即為彼天及諸大衆說伽他曰
若欲於諸佛　不思議供養　復了諸如來　甚深境界者
若見演說此　最勝金光明　應親詣彼方　至其所住處
此經難思議　能生諸功德　無邊大苦
我觀此經王　初中後皆善　甚深不可
假使恒河沙　大地塵海水　虛空諸山石　無能喻少分
欲入深法界　應先聽是經　法性之制底　甚深善安住
於斯制底內　見我牟尼尊　悅意妙音聲　演說斯經典
由此俱胝劫　數量難思議　生在人天中　常受勝妙樂

BD00612號　金光明最勝王經卷九　（18-3）

於斯制底內　見我牟尼尊　悅意妙音聲　演說斯經典
由此俱胝劫　數量難思議　生在人天中　常受勝妙樂
若聽是經者　應作如是心　我得不思
假使大火聚　滿百踰繕那　為聽此經
既至彼住處　得聞如是經　能滅於罪業　及除諸惡夢
惡星諸變怪　蠱道邪魅等　得聞是經時　諸惡皆捨離
應嚴勝高座　淨妙若蓮花　法師處其上　猶如大龍坐
於斯安坐已　說此甚深經　書寫及誦持　并為解其義
法師捨此座　往詣餘方所　於此高座
或見法師像　猶在高座上　或時見世尊
或作普賢像　或如妙吉祥　或見慈氏尊　身處於高座
或見希奇相　及以諸天像　暫得覩容儀　忽然還不現
成就諸吉祥　所作皆隨意　功德悉圓滿　世尊如是說
最勝有名稱　能滅諸煩惱　他國賊皆除　戰時常得勝
惡夢悉皆無　及消諸毒害　所作三業罪
於此贍部洲　名稱咸充滿　所有諸怨
設有怨敵至　聞名便退散　不假動兵戈　兩陣生歡喜
梵王帝釋主　護世四天王　及金剛藥叉　正了知大將
無熱池龍王　及以娑羯羅　緊那羅樂神　蘇羅金翅王
大辯才天女　并大吉祥天　斯等上首天　各領諸天衆
常供養諸佛　法寶不思議　恒生歡喜
斯等諸天衆　皆悉共思惟　遍觀脩福
應觀此有情　咸是大福德　善根精進力　當來生我天
為聽甚深經　敬心來至此　供養法制底　尊重正法故
憐愍於衆生　而作大饒益　於此深經典　能為法寶器
入此法門者　能入於法性　於此金光明　至心應聽受
是人曾供養　無量百千佛　由彼諸善

BD00612號　金光明最勝王經卷九　（18-4）

入此法門者　能入於法性　於此金光明　至心應聽受
是人曾供養　無量百千佛　由彼諸ㄑ
如是諸天主　天女大辯才　并彼吉祥ㄑ　ㄑㄑ一ㄑ衆
無數藥叉衆　勇猛有神通　各於其四方　常來相擁護
日月天帝釋　風水火諸神　吠率怒大肩　閻羅辯才等
一切諸護世　勇猛具威神　擁護持經者　晝夜常不離
大力藥叉王　那羅延自在　正了知為首　二十八藥叉
餘藥叉百千　神通有大力　恒於恐怖ㄑ
金剛藥叉王　并五百眷屬　諸大菩薩并　常來護此人
寶王藥叉主　及以滿賢王　曠野金毗羅　賓度羅黃色
此等藥叉王　各五百眷屬　見聽此經者　皆來共擁護
彩軍健闥婆　善王常戰勝　珠頸及青頸　并勃里沙王
大最勝大黑　藍婆拏雞舍　半之迦羊ㄑ　ㄑ及大婆伽
小渠并護法　及以獼猴王　針毛及日ㄑ
大渠諸拘羅　旃檀欲中勝　舍羅及雪山　及以娑多山
皆有大神通　雄猛具大力　見持此經者　皆來相擁護
阿耨婆答多　及以娑揭羅　目真隣羅葉　難陁小難陁
於百千龍中　神通具威德　共護持經人　晝夜常不離
婆稚羅睺羅　毗摩質多羅　母旨苦欲ㄑ　ㄑㄑㄑ善
及餘蘇羅王　并無數天衆　大力有勇ㄑ　ㄑㄑㄑㄑ人
訶利底母神　五百藥叉衆　於彼人睡覺　常來相擁護
旃荼旃荼利　藥叉旃稚女　昆帝拘吒齒　吸衆生精氣
如是諸神衆　大力有神通　常護持經者　晝夜恒不離
上首辯才天　無量諸天女　吉祥天為首　ㄑ余諸眷屬
此大地神女　果實園林神　樹神江河ㄑ　寺
如是諸天神　心生大歡喜　彼皆來擁護　讀誦此經人
見有持經者　增壽命色力　威光及福德　妙相以莊嚴
星宿現災變　困厄當此人　夢見惡徵祥　皆悉令除滅

BD00612號　金光明最勝王經卷九　（18–5）

ㄑㄑ一ㄑㄑㄑ　寺
如是諸天神　心生大歡喜　彼皆來擁護　讀誦此經人
見有持經者　增壽命色力　威光及福德　妙相以莊嚴
星宿現災變　困厄當此人　夢見惡徵祥　皆悉令除滅
此大地神女　堅固有威勢　由此經力故　法味常充足
地肥若流下　過百踰繕那　地神令味ㄑ　ㄑ地
此地厚六十　八億踰繕那　乃至金剛ㄑ　ㄑㄑㄑㄑ上
由聽此經王　獲大功德蘊　能使諸天衆　悉蒙其利益
復令諸天衆　威力有光明　歡喜常安樂　捨離於衰相
於此南洲內　林果苗稼神　由此經威力　心常得歡喜
苗稼皆成就　處處有妙花　果實並滋繁　ㄑ滿於大地
所有諸果樹　及以衆園林　悉皆生妙ㄑ　ㄑ故
衆草諸樹木　咸出微妙花　及生甘美果　隨處皆充遍
於此贍部洲　無量諸龍女　心生大歡喜　皆共入池中
種植鉢頭摩　及以分陁利　青白二蓮花　池中皆遍滿
由此經威力　虛空淨無翳　雲霧皆除遣　冥闇悉光明
日出放千光　無垢燄清淨　由此經王ㄑ　ㄑ天
此經威德力　資助於天子　皆用贍部ㄑ　ㄑㄑㄑ宮殿
日天子初出　見此洲歡喜　常以大光明　周遍皆照耀
於斯大地內　所有蓮花池　日光照及時　無不盡開發
於此贍部洲　田疇諸果藥　悉皆令善熟　充滿於大地
由此經威力　日月所照處　星辰不失度　ㄑㄑ頁時
遍此贍部洲　國土咸豐樂　隨有此經處　ㄑㄑ倍ㄑ方
若此金光明　經典流布處　有能講誦者　悉得如上福
尒時大吉祥天女及諸天等聞佛所說皆大歡
喜於此經王及受持者一心擁護令無憂惱
常得安樂
金光明最勝王經授記品第廿三

BD00612號　金光明最勝王經卷九　（18–6）

金光明最勝王經授記品第廿三
尒時如來於大衆中廣說法已欲為妙幢菩薩
及其二子銀幢銀光授阿耨多羅三藐三菩提
記時有十千天子最勝光明而為上首俱從
三十三天來至佛所頂礼佛足却坐一面聽佛
說法尒時佛告妙幢菩薩言汝□□□□□九
量無數百千万億那庾多劫已於金光明
世界當成阿耨多羅三藐三菩提号金寶山
王如來應正遍知明行足善逝世間解无上
士調御丈夫天人師佛世尊出現於世時此
如來般涅槃後所有教法亦皆□□□□長
子名曰銀幢即於此界次補佛□□□□轉
名淨幢當得作佛名曰金幢光如來應正遍
知明行足善逝世間解无上士調御丈夫天
人師佛世尊時此如來般涅槃後所有教法
亦皆滅盡次子銀光即補佛處□□此界當
得作佛号曰金光明如來應正□□□之
善逝世間解無上士調御丈夫天人師佛世尊
是時十千天子聞三大士得授記已復聞如
是最勝王經心生歡喜清淨無垢猶如虛空
尒時如來知是十千天子善根□□□即便
與授大菩提記汝等天子於當□□□□量
無數百千万億那庾多劫於最勝因陁羅高
幢世界得成阿耨多羅三藐三菩提同一種
姓又同一名号曰面目清淨優鉢羅香山十
号具足如是次第十千諸佛□□□□世尒
時菩提樹神白佛言世尊是十□□□□十
三天為聽法故來詣佛所云何如來更與受

BD00612 號　金光明最勝王經卷九　（18–7）

号具足如是次第十千諸佛□□□□世尒
時菩提樹神白佛言世尊是十□□□□十
三天為聽法故來詣佛所云何如來便與授
記當得成佛世尊我未曾聞是諸天子具足
脩習六波羅蜜多難行苦行捨於手足頭目
髓腦眷屬妻子象馬車乘奴婢□□宮殿
園林金銀琉璃硨磲碼碯珊瑚□□□珂
貝飲食衣服臥具醫藥如餘無量百千菩薩
以諸供具供養過去无數百千万億那庾多
佛如是菩薩各經無量無邊劫數然後方得
受菩提記世尊是諸天子以何□□脩何勝
行種何善根從彼天來蹔時聞□□授記
唯願世尊為我解說斷除疑網佛告地神善
女天如汝所說皆從勝妙善根因緣勤苦脩
已方得授記此諸天子於妙天宮捨五欲樂
故來聽是金光明經既聞法已□□是經中心
生慇重如淨琉璃無諸瑕穢復□□三大
菩薩授記之事亦由過去久脩正行誓願因
緣是故我今皆與授記於未來世當成阿耨多
羅三藐三菩提時彼樹神聞佛說已歡喜信
受

金光明最勝王經除病品第廿四
佛告菩提樹神善女天諦聽諦聽善思念之
是十千天子本願因緣今為汝說善女天過去
无量不可思議阿僧企耶劫尒時有佛出現於
世名曰寶髻如來應正遍知明□□逝世
間解無上士調御丈夫天人師佛世尊善女
天時彼世尊般涅槃後正法滅已於像法中

BD00612 號　金光明最勝王經卷九　（18–8）

世名曰寶髻如來應正遍知明　逝世
間解無上士調御丈夫天人師佛世尊善女
天時彼世尊般涅槃後正法滅已於像法中
有王名曰天自在光常以正法化於人民猶
如父母是王國中有一長者名曰持水善解
醫明妙通八術衆生病苦四大　眂救
療善女天尒時持水長者唯有一子名曰流
水顏容端正人所樂觀受性聰敏妙閑諸
論書畫算印無不通達時王國內有無量百
千諸衆生類皆遇疫病衆苦所逼乃至無有
歡樂之心善女天尒時長者子　延元
量百千衆生受諸病苦起大悲心作如是念
無量衆生為諸極苦之所逼迫我父長者雖
善醫方妙通八術能療衆病四大增損然已
衰邁老耄虛羸要假扶策方能〻〻不復能
往城邑聚落救諸病苦今有無量百千衆生
皆遇重病無能救者我今當至大醫父所諮
問治病醫方秘法若得解已當往城邑聚落之
所救諸衆生種種疾病令於長夜得受安樂
時長者子作是念已即詣父所〻　〻足合
掌恭敬却住一面即以伽他請其父曰
慈父當哀愍　我欲救衆生　今請諸醫方　幸願為我說
云何身衰壞　諸大有增損　復在何時中　能生諸疾病
云何噉飲食　得受於安樂　能使內身中　〻不衰損
衆生有四病　風黃熱痰癊　及以總集病　云何而療治
何時風病起　何時熱病發　何時動痰癊　何時總集生
時彼長者聞子請已復以伽他而答之曰
我今依古仙　所有療病法　次第為汝說　善聽救衆生

何時風病起　何時熱病發　何時動痰癊　何時總集生
時彼長者聞子請已復以伽他而答之曰
我今依古仙　所有療病法　次第為汝說　善聽救衆生
三月是春時　三月名為夏　三月名秋〻　〻冬時
此據一年中　三三而別說　二二為一節　便成歲六時
初二是花時　三四名熱際　五六名雨際　七八謂秋時
九十是寒時　後二名氷雪　既知如是別　授藥勿令差
當隨此時中　調息於飲食　入腹令消散　〻病則不生
節氣若變改　四大有推移　此時無藥資　必生於病苦
醫人解四時　復知其六節　明閑身七界　食藥使無差
謂味界血肉　膏骨及髓腦　病入此中時　知其可療不
病有四種別　謂風熱痰癊　及以總集病　應知發動時
春中痰癊動　夏內風病生　秋時黃熱〻　〻三俱起
春食澀熱辛　夏膩熱鹹醋　秋時冷甜膩　冬酸澀膩甜
於此四時中　服藥及飲食　若依如是味　衆病無由生
食後病由癊　食消時由熱　消後起由風　准時須識病
既識病源已　隨病而設藥　假令患狀殊　〻須療其本
風病服油膩　患熱利為良　癊病應變吐　總集須三藥
風熱癊俱有　是名為總集　雖知病起時　應觀其本性
如是觀知已　順時而授藥　飲食藥無差　斯名善醫者
復應知八術　總攝諸醫方　於此若明閑　可療衆生病
謂針刺傷破　身疾并鬼神　惡毒及孩〻　〻增氣力
先觀彼形色　語言及性行　然後問其夢　知風熱癊殊
乾瘦少頭髮　其心無定住　多語夢飛行　斯人是風性
少年生白髮　多汗及多瞋　聰明夢見火　斯人是熱性
心定身平整　慮審頭津膩　夢見水白物　〻性應知
總集性俱有　或二或具三　隨有一偏增　應知是其性
既知本性已　准病而授藥　驗其無死相　方名可救人

心定身平勲　癔審頭津膩　夢見水白物　元性應知
惣集性俱有　或二或具三　隨有一偏增　應知是其性
既知本性已　准病而受藥　驗其無死相　方名可救人
諸根倒取境　尊醫人起慢　親友生瞋恚　是死相應知
左眼白色變　舌黑鼻梁攲　耳輪與舊異　丁垂向下
訶梨勒一種　具足有六味　能除一切病　无忌藥中王
又三果三辛　諸藥中易得　沙糖蜜蘇乳　此能療衆療
自餘諸藥物　隨病可增加　先起慈愍心　莫規於財利
我已為汝說　療疾中要事　以此救衆生　當獲无邊果
善女天尒時長者子流水親問其父八術之要
四大增損時節不同餌藥方法既善了知自付
堪能救療衆病即便遍至城邑聚落所在之處
隨有百千万億病苦衆生皆至其所善言慰
喻作如是語我是醫人是我醫人善〻〻藥今為
汝等療治衆病悉令除愈善女天尒時衆人聞長者
子善言慰喻許為治病時有无量百千衆生遇
極重病聞是語已身心踊躍得未曾有以此因緣
所有病苦悉得蠲除氣力充實平〻本善女
天尒時復有无量百千衆生病苦深重難療治
即共往詣長者所重請醫療時長者子即以妙
藥令服皆蒙除差善女天是長者子於此國內
百千万億衆生病苦悉得除差
金光明最勝王經長者子流水品第廿五
尒時佛告菩提樹神善女天尒時長者子流
水於往昔時在天自在光王國內療諸衆生
所有病苦令得平復受安隱樂時　衆生以
病除故多脩福業廣行惠施以自歡娛即共
往詣長者子所咸生尊敬作如是言善哉善

BD00612號　金光明最勝王經卷九　（18–11）

所有病苦令得平復受安隱樂時　衆生以
病除故多脩福業廣行惠施以自歡娛即共
往詣長者子所咸生尊敬作如是言善哉善
哉大長者子善能滋長福德之事增益我等
安隱壽命仁今實是大力醫王慈〻菩薩妙
閑醫藥善療衆生無量病苦如是稱歎周遍
城邑善女天時長者子妻名水肩藏有其二
子一名水滿二名水藏是時流水將其二子
漸次遊行城邑聚落過空澤中〻〻之處見
諸禽獸犲狼狐玃鵰鷲之屬食血肉者皆悉
奔飛一向而去時長者子作如是念此諸禽
獸何因緣故一向飛走我當隨後暫往觀之即
便隨去見有大池名曰野生其〻〻盡於此
池中多有衆魚流水見已生大悲心時有樹
神示現半身作如是語善哉善哉善男子汝
有實義名流水者可愍此魚應與其水有二
因緣名為流水一能流水二能〻〻汝今應
當隨名而作是時流水問樹神言此魚頭數
為有幾何樹神答曰數滿十千善女天時長
者子聞是數已倍益悲心時此大池為日所
暴餘水無幾是十千魚將入死〻旋身婉轉
見是長者心有所希隨逐瞻視目未曾捨時
長者子見是事已馳趣四方欲覓於水竟不
能得復望一邊見有大樹即便昇上折取枝
葉為作蔭涼復更推求是池中〻〻何處來
尋覓不已見一大河名曰水生時此河邊有
漁人為取魚故於河上流懸險之處決棄其
水不令下過於所決處卒難脩補便作是念

BD00612號　金光明最勝王經卷九　（18–12）

漁人為取魚故於河上流懸險之處決棄其
水不令下過於所決處卒難修補便作是念
此崖深峻設百千人時經三月亦不能斷況
我一身而堪濟辦時長者子速還本城至
大王所頭面礼足却住一面合掌恭敬作如
是言我為大王國土人民治種種病悉令安
隱漸次遊行至其空澤見有一池名曰野生
其水欲涸有十千魚為日所暴將死不久唯
願大王慈悲愍念與二十大象暫往負水濟
彼魚命如我與諸病人壽命尒時大王即勅
大臣速疾與此醫王大象時彼大臣奉王勅
已白長者子善哉大士仁今自可至象廐中
隨意選取二十大象利益衆生令得安樂是時
流水及其二子將二十大象又從酒家多借
皮囊往決水處以囊盛水象負至池瀉置池
中水即弥滿還復如故善女天時長者子
於池四邊周旋而視時彼衆魚亦復隨逐循
岸而行時長者子復作是念衆魚何故隨我
而行必為飢火之所惱逼復欲從我求索於
食我今當與尒時長者子告其子言汝
取一象最大力者速至家中啓父長者家中
所有可食之物乃至父母食噉之分及以妻
子奴婢之分悉皆收取即可持來尒時二子受
父教已乘最大象速往家中至祖父所說如
上事收取家中可食之物置於象上疾還父
所至彼池邊是時流水見其子來身心喜
躍遂取餅食遍散池中魚得食已悉皆飽
足便作是念我今施食令魚得命了於來世

BD00612 號　金光明最勝王經卷九

（18–13）

所至彼池邊是時流水見其子來身心喜
躍遂取餅食遍散池中魚得食已悉皆飽
足便作是念我今施食令魚得命了於來世
當施法食充濟無邊復更思惟我先曾於
空閑林處見一苾芻讀大乘經說十二緣生甚
深法要又經中說若有衆生臨命終時得聞
寶髻如來名者即生天上我今當為是十千
魚演說甚深十二緣起亦當稱說寶髻佛名
然贍部洲有二種人一者深信大乘二者不
信毀呰亦當為彼增長信心時長者子作如
是念我入池中可為衆魚說深妙法作是念
已即便入水唱言南謨過去寶髻如來應正
遍知明行足善逝世間解無上士調御丈夫
天人師佛世尊此佛往昔修菩薩行時作是
誓願於十方界所有衆生臨命終時聞我名
者命終之後得生三十三天尒時流水復為
池魚演說如是甚深妙法此有故彼有此生
故彼生所謂無明緣行行緣識識緣名色名
色緣六處六處緣觸觸緣受受緣愛愛緣
取取緣有有緣生生緣老死憂悲苦惱此滅
故彼滅所謂無明滅則行滅行滅則識滅識
滅則名色滅名色滅則六處滅六處滅則觸
滅觸滅則受滅受滅則愛滅愛滅則取滅取
滅則有滅有滅則生滅生滅則老死滅老死
滅則憂悲苦惱滅如是純極苦蘊悉皆除滅
說是法已復為宣說十二緣起相應陁羅
尼曰

BD00612 號　金光明最勝王經卷九

（18–14）

說是法已復為宣說十二緣起相應陀羅
尼曰
怛姪他　毗折你毗折你　毗折你
僧塞枳你　僧塞枳你　僧塞枳你
毗尒你　毗尒你　毗尒你莎訶
怛姪他　那瑚你那瑚你　那瑚你
颯鉢哩設你　颯鉢哩設你　颯鉢哩設你莎訶
怛姪他　薜達你薜達你　薜達你
窒里瑟你你　窒里瑟你你　窒里瑟你你
鄔波地你　鄔波地你　鄔波地你莎訶
怛姪他　婆毗你婆毗你　婆毗你
闍底你　闍底你　闍底你
闍摩你你　闍摩你你　闍摩你你莎訶
尒時世尊為諸大眾說長者子昔緣之時諸
人天眾歎未曾有時四大天王各於其處異
口同音作如是說
善哉釋迦尊　說妙法明呪　生福除眾惡　十二支相應
我等亦說呪　擁護如是法　若有生違逆　不善隨順者
頭破作七分　猶如蘭香梢　我等於佛前　共說其呪曰
怛姪他　呬里　謎　揭睇　健陀　哩
旃荼里　地㘑　賂伐㘑　石呬　伐㘑
補囉布㘑　㮈㮈末底　嶠囉末底　達地　目羿
窶嚕婆毋嚕婆　具荼毋嚕　健　提
杜嚕杜嚕毗㘑　瞖涅恚泥沓（徒洽下同）娓
達沓娓鄔恚怛哩　烏率吒　囉　伐　底
頞剌婆伐底　鉢杜摩伐底
俱穌摩伐底　莎訶
佛告善女天尒時長者子流水及其二子為

BD00612號　金光明最勝王經卷九　（18-15）

俱穌摩伐底　莎訶
佛告善女天尒時長者子流水及其二子為
彼池魚施水施食并說法已俱共還家是長
者子流水復於後時因有聚會設眾伎樂醉
酒而卧時十千魚同時命過生三十三天起
如是念我等以何善業因緣生此天中便相
謂曰我等先於贍部洲內墮傍生中共受魚
身長者子流水施我等水及以餅食復為我
等說甚深法十二緣起及陀羅尼復稱寶髻
如來名号以是因緣能令我等得生此天是
故我今咸應詣彼長者子所報恩供養命時
十千天子即於天沒至贍部洲大醫王所時
長者子在高樓上安隱而睡時十千天子共
以十千真珠瓔珞置其頭邊復以十千置其
足處復以十千置於右脅復以十千置右脅
邊雨曼陀羅花摩訶曼陀羅花積至于膝光
明普照種種天樂出妙音聲令贍部洲有睡眠者
皆悉覺悟長者子流水亦從睡寤是時十千
天子為供養已即於空中飛騰而去於天自
在光王國內處處皆雨天妙蓮花是諸天子
復至本處空澤池中雨眾天花便於此沒
還天宮殿隨意自在受五欲樂天自在光王
至天曉已問諸大臣昨夜何緣忽現如是希有
瑞相放大光明大臣荅言大王當知有諸天
眾於長者子流水家中雨四十千真珠瓔珞
及天曼陀羅花積至于膝王告臣曰詣長者
家喚取其子大臣受勑即至其家奉宣王命
喚長者子時長者子即至王所王曰何緣昨

BD00612號　金光明最勝王經卷九　（18-16）

家殃取其子大臣受勅即至其家奉宣王命
殃長者子時長者子即至王所王曰何緣昨
夜示現如是希有瑞相長者子言如我思忖
定應是彼池內衆魚如經所說命終之後得
生三十三天彼來報恩故現如是希奇之相
王曰何以得知流水答曰王可遣使并我二
子往彼池所驗其虛實彼十千魚為死為活
王聞是語即便遣使及子向彼池邊見其池
中多有曼陁羅花積成大聚諸魚並死見已
馳還為王廣說王聞是已心生歡喜歎未曾
有尒時佛告菩提樹神善女天汝今當知昔
時長者子流水者即我身是持水長者即妙
幢是彼之二子長子水滿即銀幢是次子水
藏即銀光是彼天自在光王者即汝菩提樹
神是十千魚者即十千天子是因我往昔以
水濟魚與食令飽為說甚深十二緣起并此
相應陁羅尼呪又為稱彼寶髻佛名因此善
根得生天上今來我所歡喜聽法我皆當為
授於阿耨多羅三藐三菩提記說其名号善
女天如我往昔於生死中輪迴諸有廣為利
益令無量衆生悉令次第成無上覺與其授
記汝等皆應勤求出離勿為放逸尒時大衆
聞說是已悉皆悟解由大慈悲救護一切勤
脩苦行方能證獲无上菩提咸發深心信受
歡喜

BD00612 號　金光明最勝王經卷九　　（18–17）

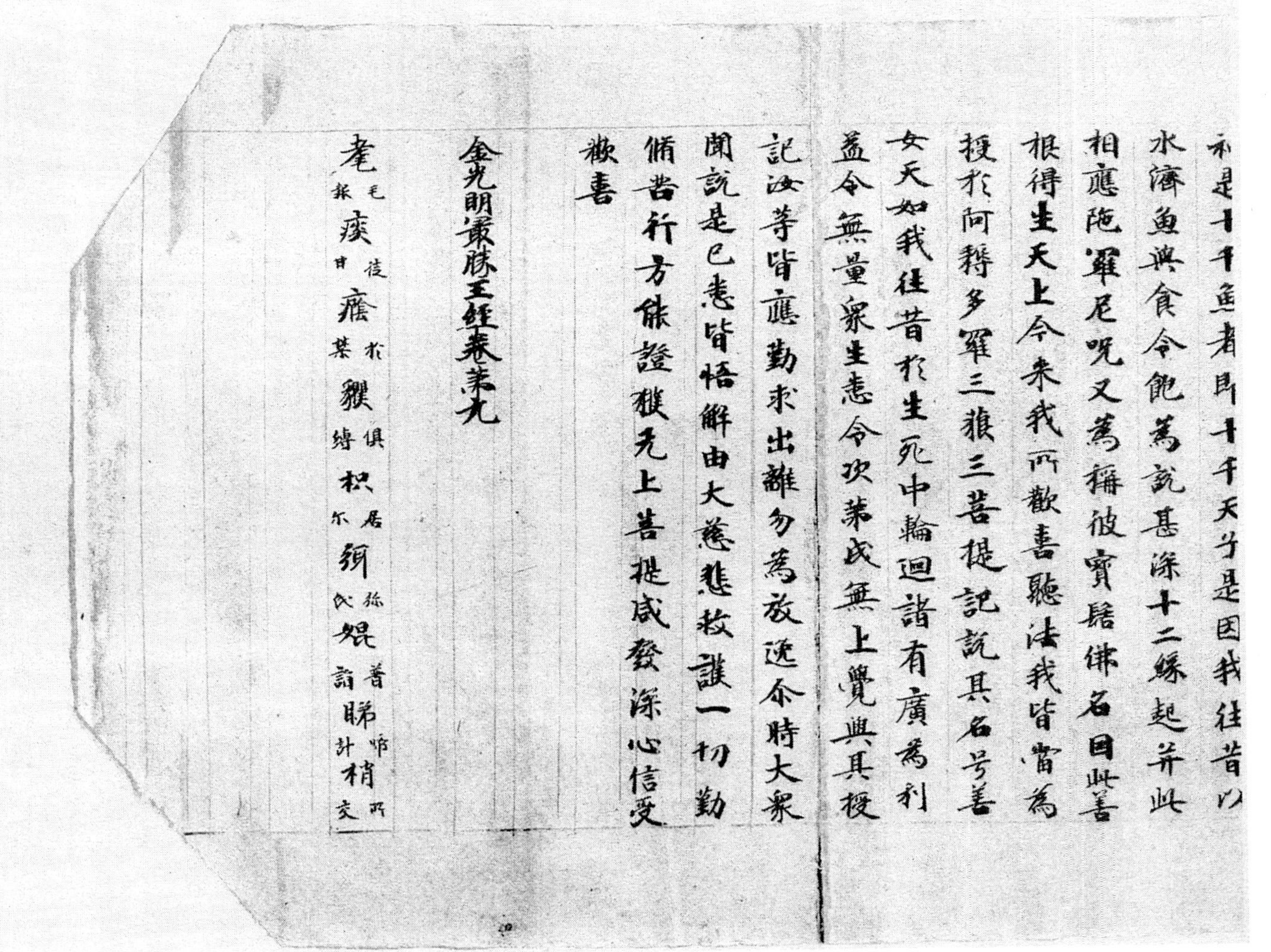
神是十千魚者即十千天子是因我往昔以
水濟魚與食令飽為說甚深十二緣起并此
相應陁羅尼呪又為稱彼寶髻佛名因此善
根得生天上今來我所歡喜聽法我皆當為
授於阿耨多羅三藐三菩提記說其名号善
女天如我往昔於生死中輪迴諸有廣為利
益令無量衆生悉令次第成無上覺與其授
記汝等皆應勤求出離勿為放逸尒時大衆
聞說是已悉皆悟解由大慈悲救護一切勤
脩苦行方能證獲无上菩提咸發深心信受
歡喜

金光明最勝王經卷第九

耄毛報　痰徒甘　瘖於禁　貗俱縛　枳居尔　獮孫伐　婫善詣　睇帝計　梢所交

BD00612 號　金光明最勝王經卷九　　（18–18）

為過去未來現在諸佛護念
訶薩行空解脫門時觀空解脫門不可得故
為過去未來現在諸佛護念行无相无願解
脫門時觀无相无願解脫門不可得故為過
去未來現在諸佛護念善現是菩薩摩訶薩
行五眼時觀五眼不可得故為過去未來現
在諸佛護念行六神通時觀六神通不可得
故為過去未來現在諸佛護念善現是菩薩
摩訶薩行佛十力時觀佛十力不可得故為
過去未來現在諸佛護念行四无所畏四无
礙解大慈大悲大喜大捨十八佛不共法時
觀四无所畏乃至十八佛不共法不可得故
為過去未來現在諸佛護念善現是菩薩摩
訶薩行无忘失法時觀无忘失法不可得故
為過去未來現在諸佛護念行恒住捨性時
觀恒住捨性不可得故為過去未來現在諸
佛護念善現是菩薩摩訶薩行一切陁羅尼
門時觀一切陁羅尼門不可得故為過去未
來現在諸佛護念行一切三摩地門時觀一
切三摩地門不可得故為過去未來現在諸
佛護念善現是菩薩摩訶薩行一切智時
觀一切智不可得故為過去未來現在諸佛
護念行道相智一切相智時觀道相智一切相
智不可得故為過去未來現在諸佛護念
復次善現過去未來現在諸佛如色不可得

BD00614 號　大般若波羅蜜多經卷三五六　(3–1)

觀一切智不可得故為過去未來現在諸佛
護念行道相智一切相智時觀道相智一切相
智不可得故為過去未來現在諸佛護念
復次善現過去未來現在諸佛如色不可得
故護念是菩薩摩訶薩如受想行識不可得
故護念是菩薩摩訶薩善現過去未來現在
諸佛如眼處不可得故護念是菩薩摩訶薩
如耳鼻舌身意處不可得故護念是菩薩摩
訶薩善現過去未來現在諸佛如色處不可
得故護念是菩薩摩訶薩如聲香味觸法處
不可得故護念是菩薩摩訶薩善現過去未
來現在諸佛如眼界不可得故護念是菩薩
摩訶薩如耳鼻舌身意界不可得故護念是
菩薩摩訶薩善現過去未來現在諸佛如色
界不可得故護念是菩薩摩訶薩如聲香味
觸法界不可得故護念是菩薩摩訶薩善現
過去未來現在諸佛如眼識界不可得故護
念是菩薩摩訶薩如耳鼻舌身意識界不可
得故護念是菩薩摩訶薩善現過去未來現
在諸佛如眼觸不可得故護念是菩薩摩訶
薩如耳鼻舌身意觸不可得故護念是菩薩
摩訶薩善現過去未來現在諸佛如眼觸為
緣所生諸受不可得故護念是菩薩摩訶薩
如耳鼻舌身意觸為緣所生諸受不可得故
護念是菩薩摩訶薩善現過去未來現在諸
佛如地界不可得故護念是菩薩摩訶薩如
水火風空識界不可得故護念是菩薩摩訶

BD00614 號　大般若波羅蜜多經卷三五六　(3–2)

佛如地界不可得故護念是菩薩摩訶薩如
水火風空識界不可得故護念是菩薩摩訶
薩善現過去未來現在諸佛如无明不可得
故護念是菩薩摩訶薩如行識名色六處觸
受愛取有生老死愁歎苦憂惱不可得故護
念是菩薩摩訶薩善現過去未來現在諸佛
如布施波羅蜜多不可得故護念是菩薩摩
訶薩如淨戒安忍精進靜慮般若波羅蜜多
不可得故護念是菩薩摩訶薩善現過去未
來現在諸佛如内空不可得故護念是菩薩摩
訶薩如外空内外空空空大空勝義空有
為空无為空畢竟空无際空散空无變異空
本性空自相空共相空一切法空不可得空
无性空自性空无性自性空不可得故護念
是菩薩摩訶薩善現過去未來現在諸佛如
真如不可得故護念是菩薩摩訶薩如法界
法性不虛妄性不變異性平等性離生性法
定法住實際虛空界不思議界不可得故護
念是菩薩摩訶薩善現過去未來現在諸佛
如苦聖諦不可得故護念是菩薩摩訶薩如
集滅道聖諦不可得故護念是菩薩摩訶薩
善現過去未來現在諸佛如四靜慮不可得
故護念是菩薩摩訶薩如四无量四无色定
不可得故護念是菩薩摩訶薩善現過去未

BD00614 號　大般若波羅蜜多經卷三五六　　（3–3）

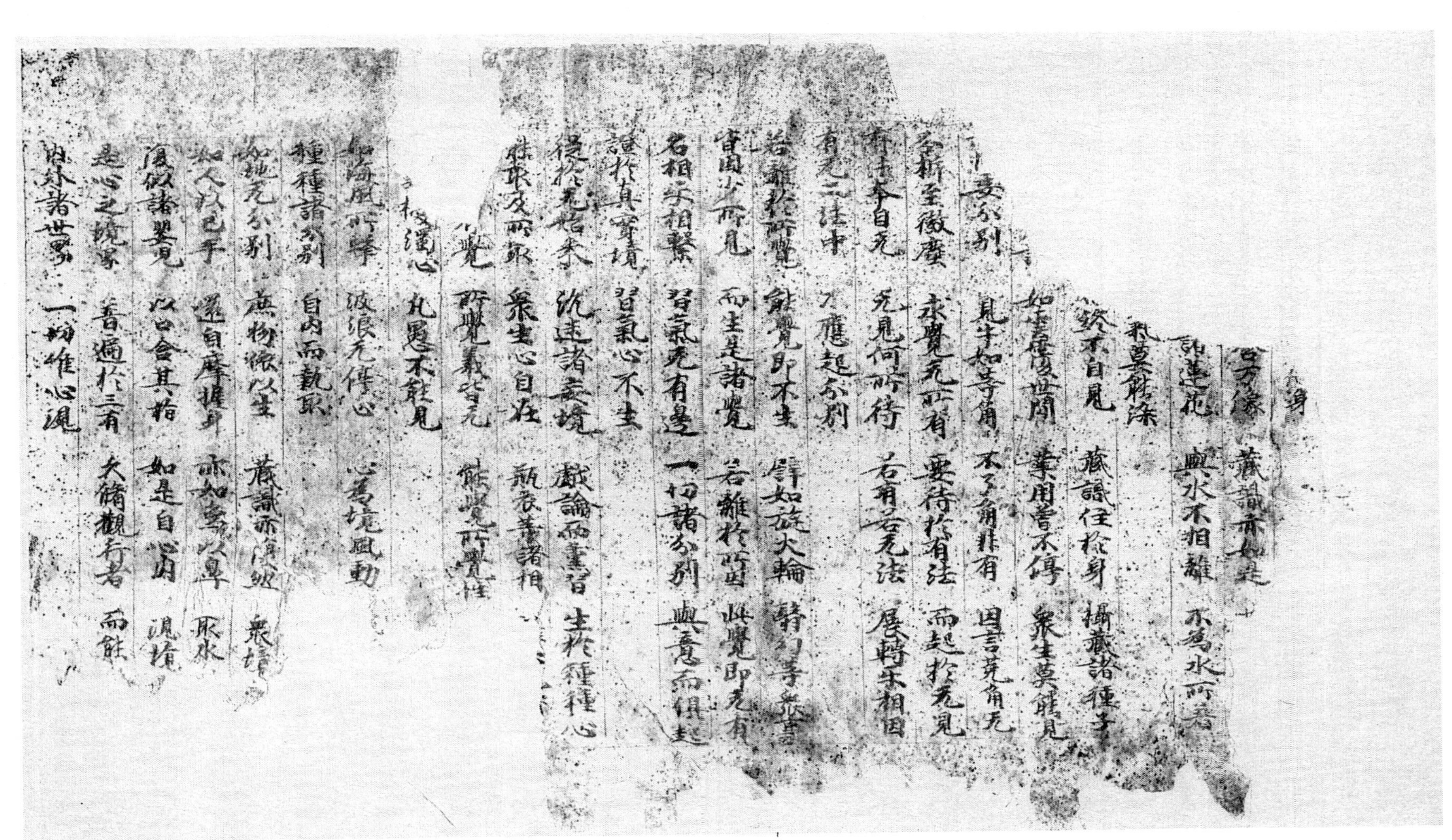
[illegible]身
[illegible]方緣　藏識亦如是
[illegible]蓮花　與水不相離　不為水所著
[illegible]莫能除
[illegible]不自見　藏識住於身　攝藏諸種子
如[illegible]世間　業用曾不停　衆生莫能見
[illegible]妄分別　見牛如等角　不了角非有　因言莵角无
分析至微塵　求覺无所有　要待於有法　而起於无見
析牛本自无　无見何所待　若有若无法　展轉互相因
有无二法中　不應起分別
若離於所覺　能覺即不生　譬如旋火輪　翳幻等衆色
[illegible]所見　而生是諸覺　若離於所因　此覺即无有
名相互相繫　習氣无有邊　一切諸分別　與意而俱起
證於真實境　習氣心不生
從於无始來　流迷諸妄境　戲論而熏習　生於種種心
[illegible]及所取　衆生心自在　執著諸相
[illegible]覺　所覺義皆无　能覺所覺性
[illegible]識心　凡愚不能見
如海風所擊　波浪无停息　心為境風動
種種諸分別　自內而執取
如地无分別　庶物依以生　藏識亦復然　衆境
如人以己手　還自摩其身　亦如象以鼻　取水
復似諸嬰兒　以口含其指　如是自心內　現境
是心之境界　普遍於三有　久修觀行者　而能
內外諸世間　一切唯心現

BD00615 號　大乘密嚴經（地婆訶羅本）卷中　　（10–1）

[illegible]
是心之境界　普遍於三有　久脩觀行者　而能
内外諸世界　一切唯心現
尒時金剛藏菩薩摩訶薩說此語竟默
坐住无處所徹妙之禪遊法界門入諸
見有无量佛子當來此國住循行[illegible]
起放大光明其光普照欲色无色[illegible]
是光明中復現无量殊勝佛土有无量[illegible]
好莊嚴隨諸世間之所欲樂而為[illegible]
受持密嚴名号被諸佛子生相[illegible]
言密嚴佛土能淨衆福滅一切
所住之處於諸佛國最上无比我[illegible]
咸悅樂可共俱往時諸佛子各從所住
此國尒時淨居諸天與阿迦尼吒螺髻梵王
同會一處咸於此土佛及菩薩生希有心請
梵王言天主我等今者咸興是念何時當得
陪侍天王詣密嚴土尒時梵王聞是語已與
諸天衆還即同行中路迷向罔知所適梵王
先悟作是思惟密嚴佛國觀行之境若非其
人何階可至非是欲色无色諸天及外道神
通所能往詣我今云何而來至此復自念言
咸天中天假吾威力而能亟往作是念已發
聲歸命即時見有无量諸佛在於道中威光
照曜時螺髻梵王即白佛言世尊我等今者
當何所作而能速詣密嚴佛土佛告之言汝
可退還所以者何密嚴佛國觀行之境得正
定人之所住處於諸佛剎最勝无比非有色
[illegible]

BD00615 號　大乘密嚴經（地婆訶羅本）卷中　（10–2）

[illegible]
可退還所以者何密嚴佛國觀行之境得正
定人之所住處於諸佛剎最勝无比非有色
者所能往詣時螺髻梵王聞佛記已與諸天
衆尋還天宮尒時淨居諸天共相議言螺髻
梵王有大威力而不能往當知此土最為殊
勝但是得如幻三昧諸觀行人所行之境如是
稱揚密嚴功德其讚展轉靡不傳聞尒時諸
佛子衆來此會者聞是語已盡加欽敬白金
剛藏菩薩摩訶薩言我等於法深懷渴慕
惟願大明為我宣說金剛藏言佛所說法誰
能具演唯除如來之所護念如來者於觀
行中最勝自在所有境界不可思議云何可
為非觀行人開示演說時持進菩薩及須夜
摩諸佛子等復共同聲請言速說尒時神通
王菩薩文殊師利菩薩慈氏菩薩堅鄢羅菩
薩及餘无量諸菩薩衆復作是言善哉仁者
願速為說是時復有无量諸天於虛空中作
天妓樂同心勸請當尒之時螺髻梵王承佛
威力而來此會向金剛藏菩薩摩訶薩而說
偈言
今此諸大會　嚴飾未曾有　悉是尊弟子　聽慧无等倫
皆於尊者處　渴仰而求法　我今猶未知　所問為何等
為問憍羅娑　勝隨及頂生　乃至盛年馬　轉輪王所作
為問甘蔗種　十弓持國王　欲色无色中　人天等之法
為問菩薩行　獨覺及聲聞　乃至阿脩羅　星像等衆論
惟願如其事　次第而演說　我等及天人　一心咸聽受

BD00615 號　大乘密嚴經（地婆訶羅本）卷中　（10–3）

唯願如其事　次第而演說　我等及天人　一心咸聽受　豈不
聞螺髻梵王淨居天衆及諸佛子勤心請法
尒時解脫月菩薩无盡意菩薩虛空王菩薩
持世菩薩得大勢菩薩觀自在菩薩陁羅尼
自在菩薩寶髻菩薩天冠菩薩金剛手菩薩
寂靜慧菩薩寶手菩薩及餘无量諸億土中
俱來佛子咸共瞻仰金剛藏尊而說偈言
過去及未來　如來清淨智　尊於佛親受　明了心不疑
此衆皆樂聞　願尊時演說
尒時金剛藏三昧王普觀大衆以偈問曰
如來所說法　非我其能演　唯除佛菩薩　威神之所護
我今至心礼　自在清淨音　摩尼寶藏殿　佛及諸佛子
我以敬心說　如來清淨智　紹隆佛種姓　汝等應聽受
非說過去尊　最勝諸妙法　但示於密嚴　如來之種姓
佛智甚微妙　无有勝功德　正觀之所行　離諸心妄計
是故非我力　能演此甚深　但以佛威神　從佛而聽受
此智最微妙　是諸三昧花　佛在密嚴中　正受而開演
遠離諸言說　及以一切見　若有菩薩等　如是四種邊
是名最清淨　中道之妙理　密嚴諸定者　於此能觀察
離著而轉依　速入如來地
尒時會中諸佛子衆聞金剛藏菩薩摩訶薩
說是偈已稽首恭敬而白之言我等於法深
生愛樂如渴思漿如蜂念蜜今此會中諸佛
子衆於深定智皆得自在有大神力王諸世
界願聞如來所說之法唯願尊者以梵音聲

BD00615號　大乘密嚴經（地婆訶羅本）卷中　（10–4）

生愛樂如渴思漿如蜂念蜜今此會中諸佛
子衆於深定智皆得自在有大神力王諸世
界願聞如來所說之法唯願尊者以梵音聲
因陁羅聲及以如來衆所稱可深遠之音演
殊勝義令得顯了金剛藏菩薩言如來所說
語義真實希有難見譬如空中无樹華物而
見其影甚爲希有如來所說希有亦然如空
中風及以鳥跡无能見者牟尼所說種種義
趣難可得見亦復如是世間之法有智慧者
能以譬喻分明顯說佛口所宣過諸譬喻非
言所及我之所見譬如夢境乾闥婆城今此
會中諸觀行者有大智慧於真實義已得明
了我今云何能爲是人說不思議諸佛境界
雖然當承如來威神之力爲衆宣述汝諸佛
子咸應諦聽如來所說文義相應出過心意
非喻所及譬如妙花衆蜂競採先至之者取
其精粹後來至者但味其餘如是如來得法
精粹我味其餘爲衆說耳即說偈言
天中天境界　增悅諸明智　非心口所能　度量分別說
爲欲善降伏　世間燋惕心　示同人之形　佛相爲嚴飾
圓光及輪輻　種種皆成就　遊處諸宮殿　人天具所瞻
如來四時中　常應密嚴住　而於諸世界　現生及涅槃
淨善少戒時　惡生及濁亂　隨諸衆生類　所應而利益
業用无暫停　密嚴恒不動
密嚴无垢處　觀行者所依　惡生濁亂時　顯示如來相
譬如淨滿月　影遍於衆水　如是諸色像　普現於世間
如來淨智境　智者所觀見　以諸衆生類　所樂各不同
佛及種種身　隨宜而應化

BD00615號　大乘密嚴經（地婆訶羅本）卷中　（10–5）

譬如淨滿月　影現於眾水　如是諸色像　普現於世間
如來淨智鏡　智者所觀見　以諸眾生類　所樂各不同
佛以種種身　隨宜而變化
或見大自在　或見毗紐天　或見迦毗羅　住空而說法
或見所隨者　或復見常行　或見娑旦那　嬌摩及尸棄
羅侯敕部等　乃至緊那羅　甘蔗月種王　一切所瞻仰
金剛著眾寶　乃至於鈺錫　皆由佛威力　隨應而出生
天女及龍女　乾闥婆之女　給婆而進趣　不能惑其心
欲界中諸境　如來已降伏　色無色亦然　無有能迷動
無相諸定者　未離於惑纏　非妄非清淨　退墮而流轉
有身者所生　非如密嚴國
密嚴微妙土　清淨稱為嚴　解脫知見人　最勝之依處
十種大自在　力通三昧法　如佛而嚴飾　意生之妙身
修行於十地　施等波羅蜜　眾相以莊嚴　其身具清淨
遠離於分別　亦非無覺了　無有我意根　慧根常悅樂
施等諸功德　繞業悉圓滿　得佛勝所依　密嚴之淨國
此土最微妙　不以日為明　諸佛及菩薩　舒光而普照
其光甚映曜　逾於百千日　無有晝夜時　亦無老死患
密嚴最勝處　諸天所希仰　最上修行者　地地而進修
了知一切法　皆以心為性　善說阿賴耶　三性法無我
其身轉清淨　而來生此國
大乘密嚴經胎生品第三
爾時金剛藏菩薩摩訶薩復告螺髻梵天王
言天主當知眾生之身九物為性有為眾相
恒共遷動大種諸色微塵之聚以諸不淨精
血合成為無量業常所纏覆譬如毒樹枝條
蓊鬱貪恚及癡而共增長經於九月或十月
餘業力驅馳生機運動從於產門倒首而出

BD00615 號　大乘密嚴經（地婆訶羅本）卷中　（10–6）

蓊鬱貪恚及癡而共增長經於九月或十月
餘業力驅馳生機運動從於產門倒首而出
煩冤逼迫受無量苦天主此諸眾生或從人
中或從畜生餓鬼羅剎阿脩羅等而來生此
或有昔作轉輪聖王乃至天中威力自在或
是持呪外道仙人并其眷屬或脩禪者退失
禪定從如是等處而生此中既生之已諸根
長大隨所親近宿習因緣而造諸業復因此
業輪迴諸趣若有智者遇善知識聞法思惟
而得解悟不著文字離諸分別入三解脫門見
法真理最上清淨最上上清淨而來住此密
嚴佛國於無量億諸佛土中隨宜應現天主
如是生者永得解脫生死險趣名為丈夫名
為智者亦復說名天中之天諸佛眾所共
圍遶天主胎藏之身虛偽不實非自性生亦
非無明愛業所生何以故無明愛業因相而有
若能了達悉滅無餘亦無名字及以分別
斯人即生密嚴佛土天主若諸定者住於三
昧心有攀緣即為色聲之所誑惑而生取著
不能除因此即名為散動之道是三昧力生
於欲界及色無色乃至無想眾生之處是人
即為三昧所縛若住三昧善調其心離能所
取離二取已心即不生是名真實觀行之者
若欲生於密嚴佛國常當住此真實三昧
大乘密嚴經顯示自作品第四
爾時金剛藏菩薩摩訶薩復告螺髻梵天王
言天主心有八種或復有九與無明俱為世
間因世間悉是心心法現是心心法及以諸

BD00615 號　大乘密嚴經（地婆訶羅本）卷中　（10–7）

金剛藏菩薩摩訶薩復告螺髻梵天王
言天王心有八種或復有九與无明俱為世
間因世間悉是心心法現是心心法支以諸
根生識流轉為无明等之所變異其根本心
堅固不動天王世間因緣有十二分若根若境
能生所生剎那壞滅從於梵世至非非想
皆因緣起唯有如來離諸因緣天王內外世
間動不動法皆如瓶等壞滅為相天王諸識
微細遷流速疾是佛境界非諸世間仙人外
道所能知見衆仙外道為愛所纏不能了知
心相差別天王假使有人勉意觀行歌讚祠
祀毗陀之法而祭於火經於一月或滿四月
如是一歲至于千歲生於梵境終亦退還天
王汝不知耶三毗陀行所得之果譬如芭蕉
性不堅固天王密嚴佛土是諸如來解脫之
處從智定得若樂解脫應善修行天王密嚴
中人免有眷屬生死之患其心不為諸業習
氣之所染著如蓮花出水如虛空无塵如日
月高昇淨无雲翳一切諸佛恒共稱受沐淨
或流飲智慧液得真實解度生死岸天主衆
生身中諸界五蘊識等衆法皆无所有眼色
為緣而生於識譬如因木火得熾然天王一
切境界隨妄識轉如鐵動移逐於慈石又如
陽焰乾闥婆城是諸渴鹿愚幼所取此中无
有能造等物但是凡夫心之變異天王如乾
城之中人衆往來馳騖所作見而非實衆生
之身進止云為亦復如是如夢中所見寤即非
有世間之人見蘊等法覺心明照本來寂

BD00615號　大乘密嚴經（地婆訶羅本）卷中　　（10–8）

城之中人衆往來馳騖所作見而非實衆生
之身進止云為亦復如是如夢中所見寤即非
有世間之人見蘊等法覺心明照本來寂
靜天王地等和合微塵之聚若離於心即无
所得世間諸物可持舉等熟非大種之所合
成譬如風淡病緣或亂見種種物又如起屍
无能作者世間諸法悉亦如是汝諸佛子應
勤觀察天王一切世間動植之物譬如水沫
共聚成形執為等想同於陽焰皆樂諸受
猶如浮泡行如芭蕉中无有堅識如幻事虛偽
不實天王三界之中動不動法同於夢境速
心所現亦如幻事乾闥婆城但誑愚夫若諸
佛子於如是法能正覺知无所畏以智慧
火焚燒一切諸患因緣即生妙樂密嚴之土
天王一切世間皆无有相相為繫縛无相即
解相是心境心境不實真實之法是智境界
遠離衆相非心所行天王一切諸相是三界
法色聲等法名之為相諸根境界一切衆生
繫縛之因若能於相而不貪著衆縛悉除安
樂自在
爾時寶髻菩薩摩訶薩在大衆中坐殊妙座
向金剛藏菩薩摩訶薩而作是言尊者於諸
億佛國菩薩衆中最為上首成最上智了所
知法无量悉檀皆已明見在瑜祇衆能淨彼
疑著知衆生身之本起能於一劫或一劫餘
以妙音詞演而不倦何故不為諸仁等說離
諸違順似非似因真實之法令諸智者心淨

BD00615號　大乘密嚴經（地婆訶羅本）卷中　　（10–9）

尒時寶語菩薩摩訶薩在大衆中坐殊妙座
向金剛藏菩薩摩訶薩而作是言尊者於諸
億佛國菩薩衆中最為上首成最上智了所
知法无量悉擅皆已明見在瑜祇衆能淨彼
疑善知衆生身之本起能於一劫或一劫餘
以妙音詞演而不倦何故不為諸仁等說離
諸違順似非似因真實之法令諸智者心淨
无疑捨蘊因緣疾得解脫法與非法是蘊因
緣生於此身及後身故智能脫苦愛為堅縛
尊者衆生之心因色與明作意等緣馳散於
境其心速疾難可覺知无明愛業以之濁亂
尊者衆生身中種種諸法意為先導意最
速疾意為殊勝隨所有法與意相應彼法皆以
意為其性如摩尼珠顯現衆彩如是之義仁
何不說又如衆色摩尼之寶隨所相應種種
明現仁亦如是具如來像住自在宮諸佛子
衆所共圍遶亦應如是隨宜說法
尒時金剛藏菩薩摩訶薩言密嚴佛土是
最寂靜是大涅槃是妙解脫是淨法界亦是
智慧及以神通諸觀行者所止之處本來常住
不壞不滅水不能濡風不能燥非如瓶等勤
力所成尋復破壞非諸似因及不似因之所成
立何以故宗及諸分是不定法諸宗及因各
差別故密嚴佛土是轉依識起分別心非諸
妄情所行之境密嚴佛土是[illegible]心處无始

BD00615號　大乘密嚴經（地婆訶羅本）卷中　　（10–10）

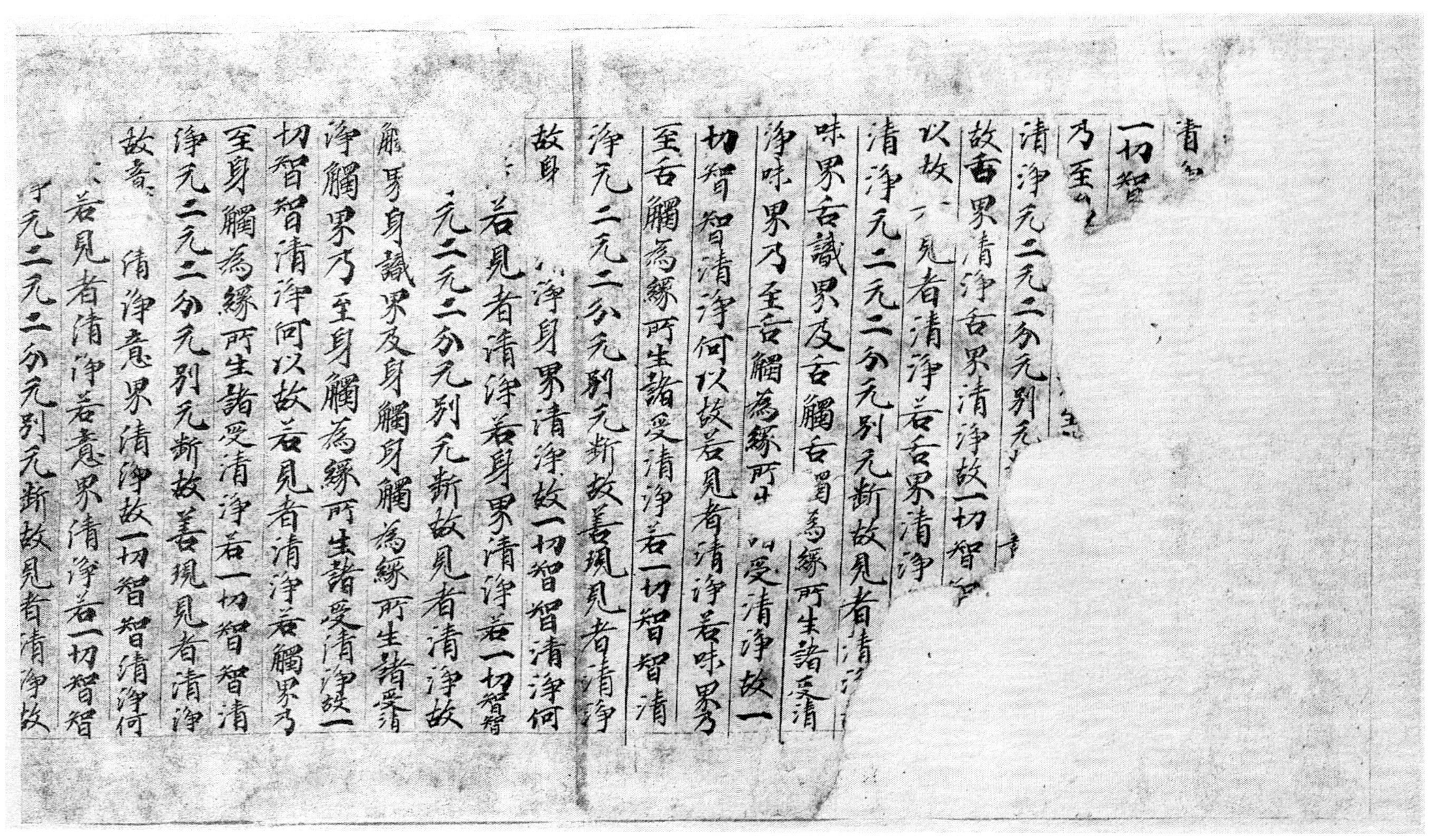

書[illegible]
一切智[illegible]
乃至[illegible]
清淨无二无二分无別无[illegible]
故香界清淨舌界清淨故一切智[illegible]
以故[illegible]見者清淨若舌界清淨[illegible]
清淨无二无二分无別无斷故見者清[illegible]
味界舌識界及舌觸舌觸為緣所生諸受清
淨味界乃至舌觸為緣所[illegible]受清淨故一
切智智清淨何以故若見者清淨若味界乃
至舌觸為緣所生諸受清淨若一切智智清
淨无二无二分无別无斷故善現見者清淨
故身
[illegible]淨身界清淨故一切智智清淨何
若見者清淨若身界清淨若一切智智
无二无二分无別无斷故見者清淨故
觸界身識界及身觸身觸為緣所生諸受清
淨觸界乃至身觸為緣所生諸受清淨故一
切智智清淨何以故若見者清淨若觸界乃
至身觸為緣所生諸受清淨若一切智智清
淨无二无二分无別无斷故善現見者清淨
故意
清淨意界清淨故一切智智清淨何
若見者清淨若意界清淨若一切智智
[illegible]无二无二分无別无斷故見者清淨故

BD00616號　大般若波羅蜜多經卷二〇一　　（17–1）

故善、 清淨意界清淨故一切智智清淨何
善見者清淨若意界清淨若一切智智
淨无二无二分无別无斷故見者清淨故
法界意識界及意觸意觸為緣所生諸受清
淨法界乃至意觸為緣所生諸受清淨故一
切智智清淨何以故若見者清淨若法界乃
至意觸為緣所生諸受清淨若一切智智清
淨无二无二分无別无斷故善現見者清淨
故地、 清淨地界清淨故一切智智清淨何
以若見者清淨若地界清淨若一切智智
淨无二无二分无別无斷故見者清淨故
水火風空識界清淨水火風空識界清淨故
一切智智清淨何以故若見者清淨若水火
風空識界清淨若一切智智清淨无二无二
分无別无斷故善現見者清淨故无明清淨
无明清淨故一切智智清淨何以故若見者
清淨若无明清淨若一切智智清淨无二无
分无別无斷故見者清淨故行識名色六
處觸受愛取有生老死愁歎苦憂惱清淨行
乃至老死愁歎苦憂惱清淨故一切智 智
清淨何以故若見者清淨若行乃至老死愁
歎苦憂惱清淨若一切智智清淨无二无二
分无別无斷故
善現見者清淨故布施波羅蜜多清淨布施
羅蜜多清淨故一切智智清淨何以故若
有清淨若布施波羅蜜多清淨若一切智
智清淨无二无二分无別无斷故見者清淨

BD00616號　大般若波羅蜜多經卷二〇一　（17–2）

有清淨若布施波羅蜜多清淨若一切智
智清淨无二无二分无別无斷故見者清淨
故淨戒安忍精進靜慮般若波羅蜜多清淨
淨戒乃至般若波羅蜜多清淨故一切智智
清淨何以故若見者清淨若淨戒乃至般若
波羅蜜多清淨若一切智智清淨无二无二
分无別无斷故善現見者清淨故內空清淨
空清淨故一切智智清淨何以故若見者
清淨若內空清淨若一切智智清淨无二无
二分无別无斷故見者清淨故外空內外空
空空大空勝義空有為空无為空畢竟空无
際空散空无變異空本性空自相空共相空
一切法空不可得空无性空自性空无性自
性空清淨外空乃至无性自性空清淨故一
切智智清淨何以故若見者清淨若外空乃
至无性自性空清淨若一切智智清淨无二
无二分无別无斷故善現見者清淨故真如
清淨真如清淨故一切智智清淨何以故若
見者清淨若真如清淨若一切智智清淨无
二无二分无別无斷故見者清淨故法界法
性不虛妄性不變異性平等性離生性法定
法住實際虛空界不思議界清淨法界乃至
不思議界清淨故一切智智清淨何以故若
見者清淨若法界乃至不思議界清淨若一
切智智清淨无二无二分无別无斷故 善現
見者清淨故苦聖諦清淨苦聖諦清淨故一
切智智清淨何以故若見者清淨若苦聖諦

BD00616號　大般若波羅蜜多經卷二〇一　（17–3）

見者清淨故苦聖諦清淨苦聖諦清淨故一
切智智清淨何以故若見者清淨若苦聖諦
清淨若一切智智清淨无二无二分无別无斷
故見者清淨故集滅道聖諦清淨集滅道
聖諦清淨故一切智智清淨何以故若見者
清淨若集滅道聖諦清淨若一切智智清淨
无二无二分无別无斷故善現見者清淨故
四靜慮清淨四靜慮清淨故一切智智清淨
何以故若見者清淨若四靜慮清淨若一切
智智清淨无二无二分无別无斷故見者清淨
故四无量四无色定清淨四无量四无色
定清淨故一切智智清淨何以故若見者清
淨若四无量四无色定清淨若一切智智清
淨无二无二分无別无斷故善現見者清淨
故八解脫清淨八解脫清淨故一切智智清
淨何以故若見者清淨若八解脫清淨若一
切智智清淨无二无二分无別无斷故見者
清淨故八勝處九次第定十遍處清淨八勝
處九次第定十遍處清淨故一切智智清淨
何以故若見者清淨若八勝處九次第定十
遍處清淨若一切智智清淨无二无二分无
別无斷故善現見者清淨故四念住清淨四
念住清淨故一切智智清淨何以故若見者清
淨若四念住清淨若一切智智清淨无二
无二分无別无斷故見者清淨故四正斷四
神足五根五力七等覺支八聖道支清淨四

BD00616號　大般若波羅蜜多經卷二〇一　（17–4）

无二分无別无斷故見者清淨故四正斷四
神足五根五力七等覺支八聖道支清淨四
正斷乃至八聖道支清淨故一切智智清淨
何以故若見者清淨若四正斷乃至八聖道
支清淨若一切智智清淨无二无二分无別
无斷故善現見者清淨故空解脫門清淨空
解脫門清淨故一切智智清淨何以故若見
者清淨若空解脫門清淨若一切智智清淨
无二无二分无別无斷故見者清淨故无相
无願解脫門清淨无相无願解脫門清淨故
一切智智清淨何以故若見者清淨若无相
无願解脫門清淨若一切智智清淨无二无
二分无別无斷故善現見者清淨故菩薩十
地清淨菩薩十地清淨故一切智智清淨何
以故若見者清淨若菩薩十地清淨若一切
智智清淨无二无二分无別无斷故
善現見者清淨故五眼清淨五眼清淨故一
切智智清淨何以故若見者清淨若五眼清
淨若一切智智清淨无二无二分无別无斷故
見者清淨故六神通清淨六神通清淨故
一切智智清淨何以故若見者清淨若六通神
清淨若一切智智清淨无二无二分无別无
斷故善現見者清淨故佛十力清淨佛十
力清淨故一切智智清淨何以故若見者清
淨若佛十力清淨若一切智智清淨无二无
二分无別无斷故見者清淨故四无所畏四
无礙解大慈大悲大喜大捨十八佛不共法

BD00616號　大般若波羅蜜多經卷二〇一　（17–5）

淨若佛十力清淨若一切智智清淨无二无
二分无別无斷故見者清淨故四无所畏四
无礙解大慈大悲大喜大捨十八佛不共法
清淨四无所畏乃至十八佛不共法清淨故
一切智智清淨何以故若見者清淨若四无
所畏乃至十八佛不共法清淨若一切智智
清淨无二无二分无別无斷故善現見者清
淨故无忘失法清淨无忘失法清淨故一切
智智清淨何以故若見者清淨若无忘失法
清淨若一切智智清淨无二无二分无別无
斷故見者清淨故恒住捨性清淨恒住捨性
清淨故一切智智清淨何以故若見者清淨
若恒住捨性清淨若一切智智清淨无二无
二分无別无斷故善現見者清淨故一切智
清淨一切智智清淨故一切智智清淨何以故
若見者清淨若一切智清淨若一切智智清
淨无二无二分无別无斷故見者清淨故道
相智一切相智清淨道相智一切相智清淨
故一切智智清淨何以故若見者清淨若道
相智一切相智清淨若一切智智清淨无二
无二分无別无斷故善現見者清淨故一切
陁羅尼門清淨一切陁羅尼門清淨故一切智
智清淨何以故若見者清淨若一切陁羅尼
門清淨若一切智智清淨无二无二分无別无
斷故見者清淨故一切三摩地門清淨一
切三摩地門清淨故一切智智清淨何以故
若見者清淨若一切三摩地門清淨若一切
智智清淨无二无二分无別无斷故

切三摩地門清淨故一切智智清淨何以故
若見者清淨若一切三摩地門清淨若一切
智智清淨无二无二分无別无斷故
善現見者清淨故預流果清淨預流果清淨
故一切智智清淨何以故若見者清淨若預
流果清淨若一切智智清淨无二无二分无別无
斷故見者清淨故一來不還阿羅漢果
清淨一來不還阿羅漢果清淨故一切智智
清淨何以故若見者清淨若一來不還阿羅漢
果清淨若一切智智清淨无二无二分无
別无斷故善現見者清淨故獨覺菩提清淨
獨覺菩提清淨故一切智智清淨何以故若
見者清淨若獨覺菩提清淨若一切智智清
淨无二无二分无別无斷故善現見者清淨
故一切菩薩摩訶薩行清淨一切菩薩摩訶
薩行清淨故一切智智清淨何以故若見者
清淨若一切菩薩摩訶薩行清淨若一切智
智清淨无二无二分无別无斷故善現見者
清淨故諸佛无上正等菩提清淨諸佛无上
正等菩提清淨故一切智智清淨何以故若
見者清淨若諸佛无上正等菩提清淨若一
切智智清淨无二无二分无別无斷故
復次善現貪清淨即色清淨色清淨即貪清
淨何以故是貪清淨與色清淨无二无二分
无別无斷故貪清淨即受想行識清淨受
想行識清淨即貪清淨何以故是貪清淨
與受想行識清淨无二无二分无別无斷故

想行識清淨即貪清淨何以故是貪清淨
與受想行識清淨无二无二分无別无斷故
善現貪清淨即眼處清淨眼處清淨即
貪清淨何以故是貪清淨與眼處清淨无二
无二分无別无斷故貪清淨即耳鼻舌身意
處清淨耳鼻舌身意處清淨即貪清淨何以
故是貪清淨與耳鼻舌身意處清淨无二无
二分无別无斷故善現貪清淨即色處清淨
色處清淨即貪清淨何以故是貪清淨與色
處清淨无二无二分无別无斷故貪清淨即
聲香味觸法處清淨聲香味觸法處清淨即
貪清淨何以故是貪清淨與聲香味觸法 處
清淨无二无二分无別无斷故善現貪清 淨
即眼界清淨眼界清淨即貪清淨何以故是貪
清淨與眼界清淨无二无二分无別无斷 故
貪清淨即色界眼識界及眼觸眼觸為緣所
生諸受清淨色界乃至眼觸為緣所生諸受
清淨即貪清淨何以故是貪清淨與色界乃
至眼觸為緣所生諸受清淨无二无二分 无
別无斷故善現貪清淨即耳界清淨耳界清
淨即貪清淨何以故是貪清淨與耳界清淨
无二无二分无別无斷故貪清淨即聲界耳
識界及耳觸耳觸為緣所生諸受清淨聲界
乃至耳觸為緣所生諸受清淨即貪清淨何
以故是貪清淨與聲界乃至耳觸為緣所生
諸受清淨无二无二分无別无斷故善現貪

以故是貪清淨與聲界乃至耳觸為緣所生
諸受清淨无二无二分无別无斷故善現貪
清淨即鼻界清淨鼻界清淨即貪清淨何以
故是貪清淨與鼻界清淨无二无二分无別
无斷故貪清淨即香界鼻識界及鼻觸鼻
觸為緣所生諸受清淨香界乃至鼻觸為緣
生諸受清淨即貪清淨何以故是貪清淨 與
香界乃至鼻觸為緣所生諸受清淨无二无
二分无別无斷故善現貪清淨即舌界清淨舌
界清淨即貪清淨何以故是貪清淨與舌界
清淨无二无二分无別无斷故貪清淨即味
界舌識界及舌觸舌觸為緣所生諸受清淨
味界乃至舌觸為緣所生諸受清淨即貪清
淨何以故是貪清淨與味界乃至舌觸為緣
所生諸受清淨无二无二分无別无斷 故
善現貪清淨即身界清淨身界清淨即貪清淨
何以故是貪清淨與身界清淨无二无二 分
无別无斷故貪清淨即觸界身識界及身觸
身觸為緣所生諸受清淨觸界乃至身觸為
緣所生諸受清淨即貪清淨何以故是貪 清
淨與觸界乃至身觸為緣所生諸受清淨无
二无二分无別无斷故善現貪清淨即意界
清淨意界清淨即貪清淨何以故是貪清淨
與意界清淨无二无二分无別无斷故貪清
淨即法界意識界及意觸意觸為緣所生諸
受清淨法界乃至意觸為緣所生諸受清淨
即貪清淨何以故是貪清淨與法界乃至意

受清淨法界乃至意觸為緣所生諸受清淨
即貪清淨何以故是貪清淨與法界乃至意
觸為緣所生諸受清淨无二无二分无別无
斷故善現貪清淨即地界清淨地界清淨即
貪清淨何以故是貪清淨與地界清淨无二
无二分无別无斷故貪清淨即水火風空識
界清淨水火風空識界清淨即貪清淨何以
故是貪清淨與水火風空識界清淨无二无
二分无別无斷故善現貪清淨即无明清淨
无明清淨即貪清淨何以故是貪清淨與无
明清淨无二无二分无別无斷故貪清淨即
行識名色六處觸受愛取有生老死愁歎苦
憂惱清淨行乃至老死愁歎苦憂惱清淨即
貪清淨何以故是貪清淨與行乃至老死愁
歎苦憂惱清淨无二无二分无別无斷故善
現貪清淨即布施波羅蜜多清淨布施波羅
蜜多清淨即貪清淨何以故是貪清淨與布
施波羅蜜多清淨无二无二分无別无斷故
貪清淨即淨戒安忍精進靜慮般若波羅
蜜多清淨淨戒乃至般若波羅蜜多清淨即貪
清淨何以故是貪清淨與淨戒乃至般若波
羅蜜多清淨无二无二分无別无斷故善現
貪清淨即內空清淨內空清淨即貪清淨何
以故是貪清淨與內空清淨无二无二分无別
无斷故貪清淨即外空內外空空空大空
勝義空有為空无為空畢竟空无際空散
空无變異空本性空自相空共相空一切法空

BD00616號　大般若波羅蜜多經卷二〇一　（17–10）

无斷故貪清淨即外空內外空空空大空
勝義空有為空无為空畢竟空无際空散
空无變異空本性空自相空共相空一切法空
不可得空无性空自性空无性自性空清淨
外空乃至无性自性空清淨即貪清淨何以
故是貪清淨與外空乃至无性自性空清淨
无二无二分无別无斷故善現貪清淨即真
如清淨真如清淨即貪清淨何以故是貪清
淨與真如清淨无二无二分无別无斷故貪
清淨即法界法性不虛妄性不變異性平等
性離生性法定法住實際虛空界不思議界
清淨法界乃至不思議界清淨即貪清淨何
以故是貪清淨與法界乃至不思議　界
清淨无二无二分无別无斷故善現貪清淨
即苦聖諦清淨苦聖諦清淨即貪清淨何以
故是貪清淨與苦聖諦清淨无二无二分无
別无斷故貪清淨即集滅道聖諦清淨集滅
道聖諦清淨即貪清淨何以故是貪清淨與
集滅道聖諦清淨无二无二分无別无斷故
善現貪清淨即四靜慮清淨四靜慮清淨即
貪清淨何以故是貪清淨與四靜慮清淨无
二无二分无別无斷故貪清淨即四无量四
无色定清淨四无量四无色定清淨即貪清
淨何以故是貪清淨與四无量四无色定清
淨无二无二分无別无斷故善現貪清淨即
八解脫清淨八解脫清淨即貪清淨何以故
是貪清淨與八解脫清淨无二无二分无別

BD00616號　大般若波羅蜜多經卷二〇一　（17–11）

淨无二无二分无別无斷故善現貪清淨即
八觧脫清淨八觧脫清淨即貪清淨何以故
是貪清淨與八觧脫清淨无二无二分无別
无斷故貪清淨即八勝處九次第定十遍處
清淨八勝處九次第定十遍處清淨即貪清
淨何以故是貪清淨與八勝處九次第定十
遍處清淨无二无二分无別无斷故善現貪
清淨即四念住清淨四念住清淨即貪清淨
何以故是貪清淨與四念住清淨无二无二
分无別无斷故貪清淨即四正斷四神足五
根五力七等覺支八聖道支清淨四正斷乃
至八聖道支清淨即貪清淨何以故是貪清
淨與四正斷乃至八聖道支清淨无二无二
分无別无斷故善現貪清淨即空觧脫門清
淨空觧脫門清淨即貪清淨何以故是貪清
淨與空觧脫門清淨无二无二分无別无斷
故貪清淨即无相无願觧脫門清淨无相无
願觧脫門清淨即貪清淨何以故是貪清淨
與无相无願觧脫門清淨无二无二分无別无
斷故善現貪清淨即菩薩十地清淨菩薩
十地清淨即貪清淨何以故是貪清淨與 菩
薩十地清淨无二无二分无別无斷故
善現貪清淨即五眼清淨五眼清淨即貪清
淨何以故是貪清淨與五眼清淨无二无二分
无別无斷故貪清淨即六神通清淨六神
通清淨即貪清淨何以故是貪清淨與六神
通清淨无二无二分无別无斷故善現貪清

通清淨无二无二分无別无斷故善現貪清
淨即佛十力清淨佛十力清淨即貪清淨何
以故是貪清淨與佛十力清淨无二无二分
无別无斷故貪清淨即四无所畏四无礙觧
大慈大悲大喜大捨十八佛不共法清淨四
无所畏乃至十八佛不共法清淨即貪清淨
何以故是貪清淨與四无所畏乃至十八佛
不共法清淨无二无二分无別无斷故善現
貪清淨即无忘失法清淨无忘失法清淨即
貪清淨何以故是貪清淨與无忘失法清淨
无二无二分无別无斷故貪清淨即恒住捨
性清淨恒住捨性清淨即貪清淨何以故是
貪清淨與恒住捨性清淨无二无二分无別
无斷故善現貪清淨即一切智清淨一切智
清淨即貪清淨何以故是貪清淨與一切智
清淨无二无二分无別无斷故貪清淨即道
相智一切相智清淨道相智一切相智清淨
即貪清淨何以故是貪清淨與道相智一切
相智清淨无二无二分无別无斷故善現貪
清淨即一切陁羅尼門清淨一切陁羅尼門
清淨即貪清淨何以故是貪清淨與一切陁
羅尼門清淨无二无二分无別无斷故貪清
淨即一切三摩地門清淨一切三摩地門清
淨即貪清淨何以故是貪清淨與一切三摩
地門清淨无二无二分无別无斷故
善現貪清淨即預流果清淨預流果清淨即
貪清淨何以故是貪清淨與預流果清淨无

貪清淨何以故是貪清淨與預流果清淨无
二无二分无別无斷故貪清淨即一來不還
阿羅漢果清淨一來不還阿羅漢果清淨即
貪清淨何以故是貪清淨與一來不還阿羅
漢果清淨无二无二分无別无斷故善現貪
清淨即獨覺菩提清淨獨覺菩提清淨即貪
清淨何以故是貪清淨與獨覺菩提清淨无
二无二分无別无斷故善現貪清淨即一切
菩薩摩訶薩行清淨一切菩薩摩訶薩行清
淨即貪清淨何以故是貪清淨與一切菩薩
摩訶薩行清淨无二无二分无別无斷故善
現貪清淨即諸佛无上正等菩提清淨諸佛
无上正等菩提清淨即貪清淨何以故是貪
清淨與諸佛无上正等菩提清淨无二无二
分无別无斷故
復次善現瞋清淨即色清淨色清淨即瞋清淨
何以故是瞋清淨與色清淨无二无二分无
別无斷故瞋清淨即受想行識清淨
受想行識清清淨即瞋清淨何以故是瞋清
淨與受想行識清淨无二无二分无別无
斷故善現瞋清淨即眼處清淨眼處清淨
即瞋清淨何以故是瞋清淨與眼處清淨无
二无二分无別无斷故瞋清淨即耳鼻舌
身意處清淨耳鼻舌身意處清淨即瞋清
淨何以故是眼清淨與耳鼻舌身意處清淨
无二无二分无別无斷故善現瞋清淨即色
處清淨色處清淨即瞋清淨何以故是瞋清

BD00616號　大般若波羅蜜多經卷二〇一　（17–14）

身意處清淨耳鼻舌身意處清淨即瞋清
淨何以故是眼清淨與耳鼻舌身意處清淨
无二无二分无別无斷故善現瞋清淨即色
處清淨色處清淨即瞋清淨何以故是瞋清
淨與色處清淨无二无二分无別无斷故瞋
清淨即瞋清淨何以故是瞋清淨與聲香味
清淨即聲香味觸法處清淨聲香味觸法
處清淨即瞋清淨何以故是瞋清淨與聲香味
觸法處清淨无二无二分无別无斷故善現
瞋清淨即眼界清淨眼界清淨即瞋清淨何
以故是瞋清淨與眼界清淨无二无二分无別
无斷故瞋清淨即色界眼識界及眼觸眼
觸為緣所生諸受清淨色界乃至眼觸為緣
所生諸受清淨即瞋清淨何以故是瞋清淨
與色界乃至眼觸為緣所生諸受清淨无二
无二分无別无斷故善現瞋清淨即耳界清
淨耳界清淨即瞋清淨何以故是瞋清淨與
耳界清淨无二无二分无別无斷故瞋清淨
即聲界耳識界及耳觸耳觸為緣所生諸受
清淨聲界乃至耳觸為緣所生諸受清淨即
瞋清淨何以故是瞋清淨與聲界乃至耳觸
為緣所生諸受清淨无二无二分无別无斷
故善現瞋清淨即鼻界清淨鼻界清淨
即瞋清淨何以故是瞋清淨與鼻界清淨无二无
二分无別无斷故嗔清淨即香界鼻識界及
鼻觸鼻觸為緣所生諸受清淨香界乃至鼻
觸為緣所生諸受清淨即瞋清淨何以故是

BD00616號　大般若波羅蜜多經卷二〇一　（17–15）

二分无別无斷故嗔清淨即香界鼻識界及
鼻觸鼻觸為緣所生諸受清淨香界乃至鼻
觸為緣所生諸受清淨即瞋清淨何以故是
瞋清淨與香界乃至鼻觸為緣所生諸受清
淨无二无二分无別无斷故善現瞋清淨即
舌界清淨舌界清淨即瞋清淨何以故是瞋
清淨與舌界清淨无二无二分无別无斷故
瞋清淨即味界舌識界及舌觸舌觸為緣所
生諸受清淨味界乃至舌觸為緣所生諸受
清淨即瞋清淨何以故是瞋清淨與味界乃
至舌觸為緣所生諸受清淨无二无二分无別
无斷故善現嗔清淨即身界清淨身界清
淨即瞋清淨何以故是瞋清淨與身界清淨
无二无二分无別无斷故瞋清淨即觸界身
識界及身觸身觸為緣所生諸受清淨觸界
乃至身觸為緣所生諸受清淨即瞋清淨何以
故是瞋清淨與觸界乃至身觸為緣所生諸受
清淨无二无二分无別无斷故善現瞋 清
淨即意界清淨意界清淨即瞋清淨何以故
是瞋清淨與意界清淨无二无二分无別无
斷故瞋清淨即法界意識界及意觸意觸為
緣所生諸受清淨法界乃至意觸為緣所生諸
受清淨即瞋清淨何以故是瞋清淨與法 界
乃至意觸為緣所生諸受清淨无二无二 分
无別无斷故善現瞋清淨即地界清淨地界
清淨即瞋清淨何以故是瞋清淨與地界清
淨无二无二分无別无斷故瞋清淨即水火

BD00616號　大般若波羅蜜多經卷二〇一　(17–16)

无別无斷故善現瞋清淨即地界清淨地界
清淨即瞋清淨何以故是瞋清淨與地界清
淨无二无二分无別无斷故瞋清淨即水火
風空識界清淨水火風空識界清淨即瞋清
淨何以故是瞋清淨與水火風空識界清淨
无二无二分无別无斷故善現瞋清淨即无
明清淨无明清淨即瞋清淨何以故是瞋清
淨與无明清淨无二无二分无別无 斷 故
瞋清淨即行識名色六處觸受愛取有生老死
愁歎苦憂惱清淨行乃至老死愁歎苦憂惱
清淨即瞋清淨何以故是瞋清淨與行乃至
老死愁歎苦憂惱清淨无二无二分无別无斷
故

大般若波羅蜜多經卷第二百一

BD00616號　大般若波羅蜜多經卷二〇一　(17–17)

五眼清淨何以故若一切智智清淨若外空
乃至无性自性空清淨若五眼清淨无二无
二分无別无斷故
善現一切智智清淨故真如清淨真如清淨
故五眼清淨何以故若一切智智清淨若真
如清淨若五眼清淨无二无二分无別无斷故
一切智智清淨故法界法性不虛妄性不
變異性平等性離生性法定法住實際虛
空界不思議界清淨法界乃至不思議界清淨
故五眼清淨何以故若一切智智清淨若法
界乃至不思議界清淨若五眼清淨无二无
二分无別无斷故善現一切智智清淨故苦
聖諦清淨苦聖諦清淨故五眼清淨何以故
若一切智智清淨若苦聖諦清淨若五眼清
淨无二无二分无別无斷故一切智智清淨
故集滅道聖諦清淨集滅道聖諦清淨故五
眼清淨何以故若一切智智清淨若集滅
道聖諦清淨若五眼清淨无二无二分无別
无斷故善現一切智智清淨故四靜慮清淨
四靜慮清淨故五眼清淨何以故若一切智
智清淨若四靜慮清淨若眼清淨无二无
二分无別无斷故一切智智清淨故四无量
四无色定清淨四无量四无色定清淨故五眼
清淨何以故若一切智智清淨若四无量四

BD00618號　大般若波羅蜜多經卷二七四　（5–1）

二分无別无斷故一切智智清淨故四无量
四无色定清淨四无量四无色定清淨故五眼
清淨何以故若一切智智清淨若四无量四
无色定清淨若五眼清淨无二无二分无
別无斷故善現一切智智清淨故八解脫
清淨八解脫清淨故五眼清淨何以故若一
切智智清淨若八解脫清淨若五眼清淨无
五眼清淨无二无二分无別无斷故
善現一切智智清淨故預流果清淨預流果
清淨故五眼清淨何以故若一切智智清淨
若預流果清淨若五眼清淨无二无二分无
別无斷故一切智智清淨故一來不還阿羅
漢果清淨一來不還阿羅漢果清淨故五眼
清淨何以故若一切智智清淨若一來不還
阿羅漢果清淨若五眼清淨无二无二分无
別无斷故善現一切智智清淨故獨覺菩提
清淨獨覺菩提清淨故五眼清淨何以故若
一切智智清淨若獨覺菩提清淨若五眼
清淨无二无二分无別无斷故善現一切
智智清淨故一切菩薩摩訶薩行清淨
一切菩薩摩訶薩行清淨故五眼清淨何
以故若一切智智清淨若一切菩薩摩訶薩
行清淨若五眼清淨无二无二分无別无斷
故善現一切智智清淨故諸佛无上正等菩
提清淨諸佛无上正等菩提清淨故五眼清
淨何以故若一切智智清淨若諸佛无上正

BD00618號　大般若波羅蜜多經卷二七四　（5–2）

提清淨諸佛无上正等菩提清淨故五眼清
淨何以故若一切智智清淨若諸佛无上正
等菩提清淨若五眼清淨无二无二分无別
无斷故
復次善現一切智智清淨故色清淨色清淨
故六神通清淨何以故若一切智智清淨若
色清淨若六神通清淨无二无二分无別无
斷故一切智智清淨故受想行識清淨受想
行識清淨故六神通清淨何以故若一切智
智清淨若受想行識清淨若六神通清
淨无二无二分无別无斷故善現一切智
智清淨故眼處清淨眼處清淨故六神通清
淨何以故若一切智智清淨若眼處清淨若
六神通清淨无二无二分无別无斷故一切
智智清淨故耳鼻舌身意處清淨耳鼻舌身
意處清淨故六神通清淨何以故若一切
智智清淨若耳鼻舌身意處清淨若六神
通清淨无二无二分无別无斷故善現一切
智智清淨故色處清淨色處清淨故六神通
清淨何以故若一切智智清淨若色處清
淨若六神通清淨无二无二分无別无斷故
一切智智清淨故聲香味觸法處清淨聲香
味觸法處清淨故六神通清淨何以故若
一切智智清淨若聲香味觸法處清淨若六
神通清淨无二无二分无別无斷故善現一
切智智清淨故眼界清淨眼界清淨故六
神通清淨何以故若一切智智清淨若眼界

BD00618 號　大般若波羅蜜多經卷二七四　（5–3）

神通清淨无二无二分无別无斷故善現一
切智智清淨故眼界清淨眼界清淨故六
神通清淨何以故若一切智智清淨若眼界
清淨若六神通清淨无二无二分无別无斷
故一切智智清淨故色界眼識界及眼觸眼
觸為緣所生諸受清淨色界乃至眼觸為
緣所生諸受清淨故六神通清淨何以故若
一切智智清淨若色界乃至眼觸為緣所生
諸受清淨若六神通清淨无二无二分无別
无斷故善現一切智智清淨故耳界清淨耳
界清淨故六神通清淨何以故若一切智智
清淨若耳界清淨若六神通清淨无二无二
分无別无斷故一切智智清淨故聲界耳識
界及耳觸耳觸為緣所生諸受清淨聲界乃
至耳觸為緣所生諸受清淨故六神通清淨
二无二分无別无斷故一切智智清淨故八解
勝處九次第定十遍處清淨八勝處九次第
定十遍處清淨故五眼清淨何以故若一切
智智清淨若八勝處九次第定十遍處清淨
若五眼清淨无二无二分无別无斷故善現
一切智智清淨故四念住清淨四念住清淨
故五眼清淨何以故若一切智智清淨若四
念住清淨若五眼清淨无二无二分无別无
斷故一切智智清淨故四正斷四神足五根
五力七等覺支八聖道支清淨四正斷乃至
八聖道支清淨故五眼清淨何以故若一切

BD00618 號　大般若波羅蜜多經卷二七四　（5–4）

故五眼清淨何以故若一切智智清淨若四
念住清淨若五眼清淨无二无二分无别无
斷故一切智智清淨故四正斷四神足五根
五力七等覺支八聖道支清淨四正斷乃至
八聖道支清淨故五眼清淨何以故若一切
智智清淨若四正斷乃至八聖道支清淨若
五眼清淨无二无二分无别无斷故善現一
切智智清淨故空解脫門清淨空解脫門清
淨故五眼清淨何以故若一切智智清淨若
空解脫門清淨若五眼清淨无二无二分无
别无斷故一切智智清淨故无相无願解脫
門清淨无相无願解脫門清淨故五眼清淨
何以故若一切智智清淨若无相无願解脫
門清淨若五眼清淨无二无二分无别无斷
故善現一切智智清淨故菩薩十地清淨菩
薩十地清淨故五眼清淨何以故若一切智
智清淨若菩薩十地清淨若五眼清淨无二
无二分无别无斷故善現一切智智清淨故
六神通清淨六神通清淨故五眼清淨何以
故若一切智智清淨若六神通清淨若五眼
清淨无二无二分无别无斷故善現一切智
智清淨故佛十力清淨佛十力清淨故五眼

BD00618 號　大般若波羅蜜多經卷二七四　（5–5）

猶處門外　止宿草菴　自念貧事　我无此物
父知子心　漸已曠大　欲與財物　即聚親族
國王大臣　剎利居士　於此大衆　說是我子
捨我他行　經五十歲　自見子來　已二十年
昔於某城　而失是子　周行求索　遂來至此
凡我所有　舍宅人民　悉以付之　恣其所用
子念昔貧　志意下劣　今於父所　大獲珍寶
并及舍宅　一切財物　甚大歡喜　得未曾有
佛亦如是　知我樂小　未曾說言　汝等作佛
而說我等　得諸无漏　成就小乘　聲聞弟子
佛勑我等　說最上道　脩習此者　當得成佛
我承佛教　為大菩薩　以諸因緣　種種譬喻
若干言辭　說无上道　諸佛子等　從我聞法
日夜思惟　精勤脩習　是時諸佛　即授其記
汝於來世　當得作佛　一切諸佛　秘藏之法
但為菩薩　演其實事　而不為我　說斯真要
如彼窮子　得近其父　雖知諸物　心不希取
我等雖說　佛法寶藏　自无志願　亦復如是
我等內滅　自謂為足　唯了此事　更无餘事
我等若聞　淨佛國土　教化衆生　都无欣樂
所以者何　一切諸法　皆悉空寂　无生无滅
无大无小　无漏无為　如是思惟　不生喜樂
我等長夜　於佛智慧　无貪无著　无復志願

BD00621 號　妙法蓮華經卷二　（3–1）

所以者何　一切諸法　皆悉空寂　无生无滅
无大无小　无漏无為　如是思惟　不生喜樂
我等長夜　於佛智慧　无貪无著　无復志願
而自於法　謂是究竟　我等長夜　脩習空法
得脫三界　苦惱之患　住㝡後身　有餘涅槃
佛所教化　得道不虛　則為以得　報佛之恩
我等雖為　諸佛子等　說菩薩法　以求佛道
而於是法　永无願樂　導師見捨　觀我心故
初不勸進　說有實利　如富長者　知子志劣
以方便力　柔伏其心　然後乃付　一切財寶
佛亦如是　現希有事　知樂小者　以方便力
調伏其心　乃教大智　我等今日　得未曾有
非先所望　而今自得　如彼窮子　得无量寶
世尊我今　得道得果　於无漏法　得清淨眼
我等長夜　持佛淨戒　始於今日　得其果報
法王法中　久脩梵行　今得无漏　无上大果
我等今者　真是聲聞　以佛道聲　令一切聞
我等今者　真阿羅漢　於諸世間　天人魔梵
普於其中　應受供養　世尊大恩　以希有事
憐愍教化　利益我等　无量億劫　誰能報者
手足供給　頭頂礼敬　一切供養　皆不能報
若以頂戴　兩肩荷負　於恒沙劫　盡心恭敬
又以美膳　无量寶衣　及諸臥具　種種湯藥
牛頭栴檀　及諸珎寶　以起塔廟　寶衣布地
如斯等事　以用供養　於恒沙劫　亦不能報
諸佛希有　无量无邊　不可思議　大神通力

BD00621 號　妙法蓮華經卷二　（3–2）

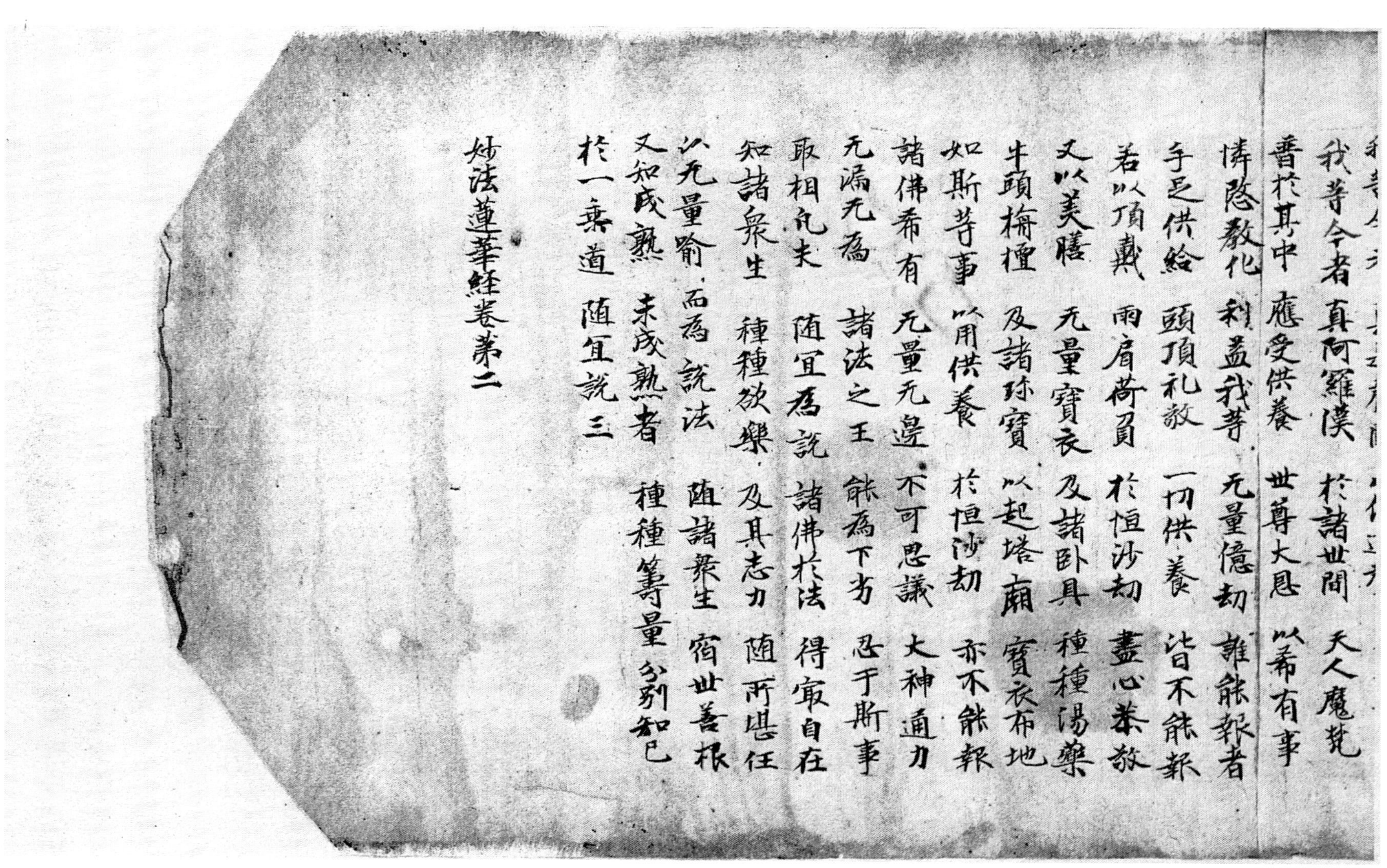
我等今者　真阿羅漢　於諸世間　天人魔梵
普於其中　應受供養　世尊大恩　以希有事
憐愍教化　利益我等　无量億劫　誰能報者
手足供給　頭頂礼敬　一切供養　皆不能報
若以頂戴　兩肩荷負　於恒沙劫　盡心恭敬
又以美膳　无量寶衣　及諸臥具　種種湯藥
牛頭栴檀　及諸珎寶　以起塔廟　寶衣布地
如斯等事　以用供養　於恒沙劫　亦不能報
諸佛希有　无量无邊　不可思議　大神通力
无漏无為　諸法之王　能為下劣　忍于斯事
取相凡夫　隨宜為說　諸佛於法　得㝡自在
知諸眾生　種種欲樂　及其志力　隨所堪任
以无量喻　而為說法　隨諸眾生　宿世善根
又知成熟　未成熟者　種種籌量　分別知已
於一乘道　隨宜說三

妙法蓮華經卷第二

BD00621 號　妙法蓮華經卷二　（3–3）

大般若波羅蜜多經卷第五百八十五

第十二淨戒波羅蜜多分之二　三藏法師玄奘奉　詔譯

時舍利子復告具壽滿慈子言若諸菩薩隨
行淨戒波羅蜜多見有少法若為作者當知
雖住菩薩法中而名棄捨諸菩薩法是為菩
薩非理作意若起如是非理作意應知名為
犯戒菩薩時滿慈子便白具壽舍利子言若
諸菩薩不見少法若為作者是諸菩薩受持
淨戒波羅蜜多无所違犯何法於此菩薩淨
戒波羅蜜多為益為損舍利子言无法於此
菩薩淨戒波羅蜜多為益為損若見少法於

BD00622號　大般若波羅蜜多經卷五八五　（3–1）

淨戒波羅蜜多无所違犯何法於此菩薩淨
戒波羅蜜多為益為損舍利子言无法於此
菩薩淨戒波羅蜜多為益為損若見少法於
此淨戒波羅蜜多為益為損當知執取菩薩
淨戒若諸菩薩見有少法於此淨戒波羅蜜
多為益為損是諸菩薩不能攝受菩薩淨戒
波羅蜜多若諸菩薩不見少法若為作者是
諸菩薩能正攝受菩薩淨戒波羅蜜多若諸
菩薩受持淨戒迴向趣求一切智智乃名淨
戒波羅蜜多若諸菩薩受持淨戒不能迴求
一切智智應知此戒雖得戒名而非淨戒波
羅蜜多或求二乘世間果故
又滿慈子若諸菩薩隨所行施无不皆用大
悲為首常能發起隨順迴向一切智智相應
之心應知是名具戒菩薩又滿慈子若諸菩
薩隨所護戒无不皆用大悲為首常能發起
隨順迴向一切智智相應之心應知名為具
戒菩薩又滿慈子若諸菩薩於諸有情若打
若罵誹謗凌辱輕弄蚩事隨所修忍无不
皆用大悲為首常能發起隨順迴向一切智智
相應之心應知是名具戒菩薩又滿慈子若
諸菩薩為欲拔濟一切有情惡趣生死種種
苦惱隨行精進无不皆用大悲為首常能發
起隨順迴向一切智智相應之心應知是名
具戒菩薩又滿慈子若諸菩薩隨起靜慮作
是思惟我應引發殊勝靜慮由斯發起殊勝
神通知諸有情心行差別說授法藥令脫惡

BD00622號　大般若波羅蜜多經卷五八五　（3–2）

具戒菩薩又滿慈子若諸菩薩隨起靜慮作
是思惟我應引發殊勝靜慮由斯發起殊勝
神通知諸有情心行差別說授法藥令脫惡
趣生死衆苦又爲調伏自身煩惱與有情類
作淨福田堪任引發一切智智如是思惟隨
脩靜慮一切皆用大悲爲首常能發起隨順
迴向一切智智相應之心應知是名具戒菩
薩又滿慈子若諸菩薩隨所脩行甚深妙慧
皆爲於法遠離顛倒得諸善巧謂蘊善巧若
界善巧若處善巧若諦善巧若緣起善巧若
是處非處善巧
云何名爲於蘊善巧謂諸菩薩如實了知所
有色蘊種種自相如實了知所有受想行識
蘊種種自相如是名爲於蘊善巧又諸菩薩
如實了知所有色蘊種種自相皆不可得如
實了知所有受想行識蘊種種自相皆不可
得如是名爲於蘊善巧又諸菩薩如實了知
所有色蘊種種共相如實了知所有受想行
識蘊種種共相如是名爲於蘊善巧又諸菩
薩如實了知所有色蘊種種共相皆不可得
如實了知所有受想行識蘊種種共相皆不
可得如是名爲於蘊善巧又諸菩薩如實了

BD00622號　大般若波羅蜜多經卷五八五　（3–3）

普爲四恩三有法界衆生斷除三鄣歸命懺悔
至心懺悔我於三時求罪性內外中間心實无以无心故
三毒四倒慈皆无懺悔已无心无識礼无爲
至心勸請一切諸法自不生已无生故不生不滅性常
住唯願諸佛莫涅槃勸請已无心无識礼无爲
至心隨喜法本不貪亦不恚物我不一亦不異同觀
一實悟无生无緣菩提盡隨喜隨喜已无心无識礼无爲
至心迴向迷於一實隨名相名相執故我塵生今照我塵
无自性迴向无住涅槃城迴向已无心无識礼无爲
至心發願願諸衆生防六賊悲智智照現前行不斷不
常理如量非空非有非行行發願已无心无識礼无爲
一切恭敬　自歸无爲法性身能救衆生无量苦普勸
含靈同悟此无心无識礼无爲　自歸无爲波若法能
爲衆生越苦海普勸含靈同悟此无心无識礼无爲
自歸无爲法性僧能与衆生爲福田普勸含靈同悟此
无心无識礼无爲　願諸衆生諸惡莫造諸善奉行
自淨其意順諸佛教如同一切賢聖

BD00623號　為皇帝祈福文（擬）　（6–1）

自歸无為法性僧能与衆生爲福田普勸含靈同悟此
无心无識礼无為　願諸衆生諸惡莫造諸善奉行
自静其意順諸仏教和南一切賢聖
一切恭敬　敬礼常住三寶　十二光礼
是諸衆等人各胡跪嚴持香華如法供養願此香華
雲遍滿十方界供養一切仏化仏并真法菩薩聲聞衆受
此香花雲以起光明臺廣於无邊界无邊无量作仏事
供養一切恭敬普誦讃歎如來妙色身　世間无与等
无比不思議　是故今敬礼　如來色无盡　智慧亦復然
一切法常住　是故我歸依　敬礼常住三寶一　歎仏相好
天上天下无如仏十方世界亦无比世界所有我盡見一切
无有如仏者然今衆等依時焚香行道礼拜所脩功德
上資四恩下霑三有同出苦原齊登仏果
南无清淨法身毗盧遮那仏　南无圓滿報身盧舍那仏
南方千百億化身釋迦牟尼仏　南无西方極樂世界阿弥陀仏
南无无量光仏　南无无邊光仏　南无无导光仏　南无无對光仏
南无光炎王仏　南无清淨光仏　南无歡喜光仏　南无智惠光仏
南无不斷光仏　南无難思光仏　南无无稱光仏　南无超日月光仏
南无盡虛空遍法界微塵剎土中十方三世一切諸仏
南无大悲觀世音菩薩　南无大勢至菩薩　南无妙吉祥菩
南无普賢菩薩　南无藥王菩薩　南无藥上菩薩
南无諸菩薩摩訶薩清淨大海衆願共諸衆生咸歸命故
我頂礼生彼國　普為釋梵四王龍天八部帝主人王師僧父
母信施檀越及無邊法界衆生斷除三障歸命懺悔
至心懺悔一切業障海皆從妄想生若欲求除滅端坐觀實相

BD00623 號　為皇帝祈福文（擬）　（6–2）

毋信施檀越及無邊法界衆生斷除三障歸命懺悔
至心懺悔一切業障海皆從妄想生若欲求除滅端坐觀實相
衆罪如霜露慧日能消除是故應至心懃懺六根罪懺悔以至
心歸命礼西方阿弥陀仏　至心發願〻臨命終時見无量受仏
无邊功德身我及与信者已見彼仏以願得離垢眼往生安樂
國成无上菩提發願以至心歸命礼西方阿弥陀仏　普誦
處世界　如虛空　如蓮花　不著水　心清淨　超於彼　稽首礼无上尊
說偈發願　願以功德　普及於一切　我等与衆生　皆共成仏道
一切恭敬歸依仏願發菩提心道心恒不退歸依法藏般若入大揔
持門歸依僧息爭論歸依和合海　願諸衆生諸惡莫造諸
善奉行自淨其意順諸仏教和南一切賢聖
白衆等聽說辰朝清淨偈欲求寂滅樂當學沙門法衣食支
身命精麤隨衆等諸衆共今日辰朝各記六念
第一念仏願作仏身　第二念法願轉法輪　第三念僧頭陀共行
第四念施〻[illegible]貪　第五念戒〻根具足　第六念天大般涅槃常得清淨
諸行无常　是生滅法　生滅滅以　寂滅為樂　如來入涅槃
永斷於生死　若能至心聽　常受无量樂
一切恭敬自歸依仏當願衆生體解正覺發菩提意
自歸依法當願衆生深入經藏智惠如海
自歸依僧當願衆生統領大衆一切無导
願諸衆生諸惡莫作諸善奉行自淨其意順諸仏教和南一切賢聖
歎仏相好　足下安平如奩底千輻輪相甚分明踝骨不現眼
圓直手足柔軟網縵成雙腨緊腨伊尼鹿兩手過膝立能
平十指纖長皆妙好馬音藏相合拳形其身圓滿真金色
毫毛上靡有旋生圓光一尋膚細軟臂肘臃轉七處盈滿
骨平滿師子臆四十齒具身臃傳齒白齊密得上味方頰廣舌
梵音聲完聽無能見頂者不瞬牛王目紺青眉間白毫相罩

BD00623 號　為皇帝祈福文（擬）　（6–3）

骨平滿師子臆四十齒具身體傳處白齊密得上味方頰廣舌
梵音聲宍髻無能見頂者不瞬牛王目紺青眉間白毫相眾
勝條念觀時罪清垢百福莊嚴相具足唯願時光照有情佛有
卅二相八十種好歎莫能盡然今眾等依時焚香行道礼拜所
脩功德上報四恩下霑三有同出苦原齊登仏果
歎仏功德　我大師薄伽梵神功自在威儀不測妙力難思
演般若於菩多林闡權益者競伽沙眾說涅槃於拔提河側
迴向者八十億百千故得一十六國之大王遂使飡風而五道二十八天
之聖主咸悲復道以傾心真濟實濟傾無不攝天上天下惟仏
獨尊外空內空善權之力難思神濟之功漢側仏功德海難可測
量然今眾等依時行道礼懺所脩功德上為天龍八部帝主
人王師僧父母信施檀越及無法界有情同出勝因齊登仏果
七階礼　南无東方須彌燈光明如來十方佛等一切諸仏
南无毗婆尸如來過去七仏等一切諸仏　南无普光如來五十三仏等一切諸仏
南无善德如來十方仏等一切諸仏　南无俱那提如來賢劫千仏等一切諸仏
南无釋迦牟尼如來三十五仏等一切諸仏　南无阿閦如來一万五千仏等一切諸仏
南无寶集如來廿五仏等一切諸仏　南无眾香世界香積如來
南无極樂世界阿彌陀仏　南无當下下生彌勒世尊
南无十二願藥師琉璃光仏　南无虛空功德清淨微塵等目
端政功德相光明華波頭摩琉璃光寶體香最上香供養訖種種
莊嚴頂髻无量无邊日月光明願力莊嚴變化莊嚴法界出
生无障导王如來　南无豪相日月光明華寶蓮花堅如金剛
身毗盧遮那无障导眼圓滿十方放光照一切仏剎相王如來
南无過現未來十方三世一切諸仏普為法界眾生斷除三障歸命懺悔
至心懺悔南无仏南无法南无賢聖比丘僧如是等一切世界諸仏世
尊常住在世是諸世尊當慈念我當憶念我當證智我若
我此生若我前生從无始生死已來所作眾罪若自作若交他作見

BD00623號　為皇帝祈福文（擬）　（6–4）

至心懺悔南无仏南无法南无賢聖比丘僧如是等一切世界諸仏世
尊常住在世是諸世尊當慈念我當憶念我當證智我若
我此生若我前生從无始生死已來所作眾罪若自作若交他作見
作隨喜若塔若僧若四方僧物若自取若教人取見取隨喜或
作五逆无間重罪若自作若教他作見作隨喜十不善道自作教他
見作隨喜所作罪障或有覆藏或無覆藏應墮地獄餓鬼畜
生諸餘惡趣邊地下賤及彌戾車如是等處所作罪障今皆懺悔
今諸仏世尊當證知我當憶念我又復於諸仏世尊前作如是言若
我此生若於餘生曾行布施或守淨戒乃至施与畜生一團之食或修
淨行所有善根求无上智所有善根一切合集計校籌量悉皆迴向
耨多羅三藐三菩提如未來現在諸佛所作迴向我亦如是迴向
眾罪皆懺悔　諸福盡隨喜　及淨仏功德　願成无上智　於眾生最勝
无量功德海　歸依合掌礼　一切普誦　處世界　如虛空　如蓮花
不著水　心清淨　超於彼　稽首礼　无上尊
一切恭敬敬依仏願發菩提心道心恒不退敬依法薩般若入大總
持門敬依僧息爭論歸依和合海　願諸眾生諸惡莫造諸善
奉行自淨其意恒順諸仏教和南一切賢聖
諸眾等聽說黃昏无常偈　此日已過命即咸少當觀此身念
念衰老一念之間五何可賴是故眾等懃心行道
諸行无常　是生滅法　生滅滅已　寂滅為樂　如來入涅槃永斷於生死
若能至心聽　常受无量樂　　太上皇讚文
今身菓是前身種　未來菓是今身修　今身聞種不種菓
園中菓熟定難求　急急修道莫悠悠　園中菓熟豈堪收
無明花晚發　未及園滿即逢秋　普勸共同仏性因
道莫辭貧　縱使無衣被百納　不見貧僧拜貴人
乘車騎馬馳　不久終成一聚塵　但看陽春桃李樹
聞能得幾時新　開元　皇帝讚文
自己來宜落託　爭此閻浮為逆樂　年歲俙惶不辞勞

BD00623號　為皇帝祈福文（擬）　（6–5）

来車駕驅馳　不久終歸一壙塵　但看陌上松柏樹
開能得幾時新　開元　皇帝讚文
朕自从来恒落託　将此閻浮為快樂　年歲栖惶不辭勞
地獄因緣没頭住　近始迴心自懺悔　不覺愁湲千行落
今時結意學無為　世間万事休貪着　竊見衆生世間人
觔将富貴自榮身　積聚錢財以為寶　誰知練行是其珎
身強不種衹園藥　阿耨池中誰共親　石火流星飛陽焰
三春柳色暫時新
一切恭敬　敬禮常住三寶　是諸衆等人各䠒跪嚴持香花如
法供養　願此香花雲遍滿十方界供養一切仏化仏并真法菩
薩無數聲聞衆受此香香花雲以起光明臺廣於无量界
无邊无量作仏事　供養已訖　梵音讚唄
如来妙色身　世間无与等　无比不思議　是故今敬礼
如来色无盡　智恵亦復然　一切法常住　是故我歸依
敬礼常住三寶　嘆仏相好
仏法僧寶　衆上福田　但使有心　理須迴向　然今衆等
依時行道　礼拜念誦　所修功德　上為天龍八部　帝主人王
師僧父母　信施檀越　下及無邊法界有情同此勝因一時作仏
敬礼維衛仏盡虚空法界无量諸仏　敬礼式仏盡虚空法界无量諸仏
敬礼随葉仏盡虚空法界无量諸仏　敬礼拘留秦仏盡虚空法界无量諸仏
敬礼拘那含牟尼仏盡虚空法界无量諸仏　敬礼迦葉仏盡虚空法界无量仏

BD00623號　為皇帝祈福文（擬）　（6–6）

尼揵子等
及路伽耶陀逆路
有凶戲相扠相撲及那
不親近旃陀羅及畜
惡律儀如是人等或
悕望又不親近求聲
優婆夷亦不問訊若
講堂中不共住止或時來
悕求文殊師利又菩薩摩訶
身取能生欲想相而為說法
他家不與小女處女寡女等共語亦復不近
五種不男之人以為親厚不獨入他家若有
因緣須獨入時但一心念佛若為女人說法
不露齒笑不現胸臆乃至為法猶不親厚況
復餘事不樂畜年少弟子沙弥小兒亦不樂
與同師常好坐禪在於閑處脩攝其心文殊
師利是名初親近處復次菩薩摩訶薩觀一
切法空如實相不顛倒不動不退不轉如虛
空无所有性一切語言道斷不生不出不起
无名无相實无所有无量无邊无礙无障但
以因緣有從顛倒生故說常樂觀如是法相
是名菩薩摩訶薩第二親近處尒時世尊欲
重宣此義而說偈言
若有菩薩

BD00624號　妙法蓮華經卷五　（25–1）

以因緣有從顛倒生故說常樂觀如是法相
是名菩薩摩訶薩第二親近處尒時世尊欲
重宣此義而說偈言
若有菩薩　於後惡世　无怖畏心　欲說是經
應入行處　及親近處　常離國王　及國王子
大臣官長　凶險戲者　及旃陀羅　外道梵志
亦不親近　增上慢人　貪著小乘　三藏學者
破戒比丘　名字羅漢　及比丘尼　好戲咲者
深著五欲　求現滅度　諸優婆夷　皆勿親近
若是人等　以好心來　到菩薩所　為聞佛道
菩薩則以　无所畏心　不懷悕望　而為說法
寡女處女　及諸不男　皆勿親近　以為親厚
亦莫親近　屠兒魁膾　畋獵魚捕　為利殺害
販肉自活　衒賣女色　如是之人　皆勿親近
凶險相撲　種種嬉戲　諸婬女等　盡勿親近
莫獨屏處　為女說法　若說法時　无得戲咲
入里乞食　將一比丘　若无比丘　一心念佛
是則名為　行處近處　以此二處　能安樂說
又復不行　上中下法　有為无為　實不實法
亦不分別　是男是女　不得諸法　不知不見
是則名為　菩薩行處　一切諸法　空无所有
无有常住　亦无起滅　是名智者　所親近處
顛倒分別　諸法有无　是實非實　是生非生
在於閑處　脩攝其心　安住不動　如須弥山
觀一切法　皆无所有　猶如虛空　无有堅固
不生不出　不動不退　常住一相　是名近處
若有比丘　於我滅後　入是行處　及親近處
說斯經時　无有怯弱　菩薩有時　入於靜室

若有比丘　於我滅後　入是行處　及親近處
說斯經時　无有怯弱　菩薩有時　入於靜室
以正憶念　隨義觀法　從禪定起　為諸國王
王子臣民　婆羅門等　開化演暢　說斯經典
其心安隱　无有怯弱　文殊師利　是名菩薩
安住初法　能於後世　說法華經
又文殊師利如來滅後於末法中欲說是經
應住安樂行若口宣說若讀經時不樂說人
及經典過亦不輕慢諸餘法師不說他人好
惡長短於聲聞人亦不稱名說其過惡亦不
稱名讚歎其美又亦不生怨嫌之心善脩如
是安樂心故諸有聽者不逆其意有所難問
不以小乘法荅但以大乘而為解說令得一
切種智尒時世尊欲重宣此義而說偈言
菩薩常樂　安隱說法　於清淨地　而施牀座
以油塗身　澡浴塵穢　著新淨衣　內外俱淨
安處法座　隨問為說　若有比丘　及比丘尼
諸優婆塞　及優婆夷　國王王子　群臣士民
以微妙義　和顏為說　若有難問　隨義而荅
因緣譬喻　敷演分別　以是方便　皆使發心
漸漸增益　入於佛道　除嬾墯意　及懈怠想
離諸憂惱　慈心說法　晝夜常說　无上道教
以諸因緣　无量譬喻　開示衆生　咸令歡喜
衣服卧具　飲食醫藥　而於其中　无所悕望
但一心念　說法因緣　願成佛道　令衆亦尒
是則大利　安樂供養　我滅度後　若有比丘
能演說斯　妙法華經　心无嫉恚　諸惱障礙
亦无憂愁　及罵詈者　又无怖畏　加刀杖等

能演說斯　妙法華經　心无嫉恚　諸惱障礙
亦无憂愁　及罵詈者　又无怖畏　加刀杖等
亦无擯出　安住忍故　智者如是　善脩其心
能住安樂　如我上說　其人功德　千万億劫
筭數譬喻　說不能盡
又文殊師利菩薩摩訶薩於後末世法欲滅
時受持讀誦斯經典者无懷嫉妬諂誑之心
亦勿輕罵學佛道者求其長短若比丘比丘
尼優婆塞優婆夷求聲聞者求辟支佛者求
菩薩道者无得惱之令其疑悔語其人言汝
等去道甚遠終不能得一切種智所以者何
汝是放逸之人於道懈怠故又亦不應戲論
諸法有所諍競當於一切衆生起大悲想於
諸如來起慈父想於諸菩薩起大師想於十
方諸大菩薩常應深心恭敬礼拜於一切衆
生平等說法以順法故不多不少乃至深愛
法者亦不為多說文殊師利是菩薩摩訶薩
於後末世法欲滅時有成就是第三安樂行
者說是法時无能惱亂得好同學共讀誦是
經亦得大衆而來聽受聽已能持持已能誦
誦已能說說已能書若使人書供養經卷恭
敬尊重讚歎尒時世尊欲重宣此義而說偈
言
若欲說是經　當捨嫉恚慢　諂誑邪偽心　常脩質直行
不輕蔑於人　亦不戲論法　不令他疑悔　云汝不得佛
是佛子說法　常柔和能忍　慈悲於一切　不生懈怠心
十方大菩薩　愍衆故行道　應生恭敬心　是則我大師
於諸佛世尊　生无上父想　破於憍慢心　說法无障礙

BD00624號　妙法蓮華經卷五　（25-4）

於諸佛世尊　生无上父想　破於憍慢心　說法无障礙
第三法如是　智者應守護　一心安樂行　无量衆所敬
又文殊師利菩薩摩訶薩於後末世法欲滅
時有持法華經者於在家出家人中生大慈
心於非菩薩人中生大悲心應作是念如是
之人則為大失如來方便隨宜說法不聞不
知不覺不問不信不解其人雖不問不信不
解是經我得阿耨多羅三藐三菩提時隨在
何地以神通力智慧力引之令得住是法中
文殊師利是菩薩摩訶薩於如來滅後有成
就此第四法者說是法時无有過失常為比
丘比丘尼優婆塞優婆夷國王王子大臣人
民婆羅門居士等供養恭敬尊重讚歎虛空
諸天為聽法故亦常隨侍若在聚落城邑空
閑林中有人來欲難問者諸天晝夜常為法
故而衛護之能令聽者皆得歡喜所以者何
此經是一切過去未來現在諸佛神力所護
故文殊師利是法華經於无量國中乃至名
字不可得聞何況得見受持讀誦文殊師利
譬如強力轉輪聖王欲以威勢降伏諸國而
諸小王不順其命時轉輪王起種種兵而往
討伐王見兵衆戰有功者即大歡喜隨功賞
賜或與田宅聚落城邑或與衣服嚴身之具
或與種種珍寶金銀琉璃車𤦲馬瑙珊瑚虎
珀象馬車乘奴婢人民唯髻中明珠不以與
之所以者何獨王頂上有此一珠若以與之
王諸眷屬必大驚怪文殊師利如來亦復如
是以禪定智慧力得法國土王於三界而諸

BD00624號　妙法蓮華經卷五　（25-5）

王諸眷屬亦大驚怪文殊師利如来亦復如
是以禪定智慧力得法國土王於三界而諸
魔王不肯順伏如来賢聖諸将與之共戰其
有功者心亦歡喜於四衆中為說諸經令其
心說賜以禪定解脱无漏根力諸法之財又
復賜與涅槃之城言得滅度引導其心令皆
歡喜而不為說是法華經文殊師利如轉輪
王見諸兵衆有大功者心甚歡喜以此難信
之珠久在髻中不妄與人而今與之如来亦
復如是於三界中為大法王以法教化一切
衆生見賢聖軍與五陰魔煩惱魔死魔共戰
有大功勳滅三毒出三界破魔網尒時如来
亦大歡喜此法華經能令衆生至一切智一
切世間多怨難信先所未說而今說之文殊
師利此法華經是諸如来第一之說於諸說
中最為甚深末後賜與如彼強力之王久護
明珠今乃與之文殊師利此法華經諸佛如
来秘密之藏於諸經中最在其上長夜守護
不妄宣說始於今日乃與汝等而敷演之尒
時世尊欲重宣此義而說偈言
常行忍辱 哀愍一切 乃能演說 佛所讚經
後末世時 持此經者 於家出家 及非菩薩
應生慈悲 斯等不聞 不信是經 則為大失
我得佛道 以諸方便 為說此法 令住其中
譬如強力 轉輪之王 兵戰有功 賞賜諸物
象馬車乘 嚴身之具 及諸田宅 聚落城邑
或與衣服 種種珍寶 奴婢財物 歡喜賜與
如有勇健 能為難事 王解髻中 明珠賜之

或與衣服 種種珍寶 奴婢財物 歡喜賜與
如有勇健 能為難事 王解髻中 明珠賜之
如来亦尒 為諸法王 忍辱大力 智慧寶藏
以大慈悲 如法化世 見一切人 受諸苦惱
欲求解脱 與諸魔戰 為是衆生 說種種法
以大方便 說此諸經 既知衆生 得其力已
末後乃為 說是法華 如王解髻 明珠與之
此經為尊 衆經中上 我常守護 不妄開示
今正是時 為汝等說 我滅度後 求佛道者
欲得安隱 演說斯經 應當親近 如是四法
讀是經者 常无憂惱 又无病痛 顔色鮮白
不生貧窮 卑賤醜陋 衆生樂見 如慕賢聖
天諸童子 以為給使 刀杖不加 毒不能害
若人惡罵 口則閉塞 遊行无畏 如師子王
智慧光明 如日之照 若於夢中 但見妙事
見諸如来 坐師子座 諸比丘衆 圍繞說法
又見龍神 阿脩羅等 數如恒沙 恭敬合掌
自見其身 而為說法 又見諸佛 身相金色
放无量光 照於一切 以梵音聲 演說諸法
佛為四衆 說无上法 見身處中 合掌讚佛
聞法歡喜 而為供養 得陁羅尼 證不退智
佛知其心 深入佛道 即為授記 成最正覺
汝善男子 當於来世 得无量智 佛之大道
國土嚴淨 廣大无比 亦有四衆 合掌聽法
又見自身 在山林中 脩習善法 證諸實相
深入禪定 見十方佛
諸佛身金色 百福相莊嚴 聞法為人說 常有是好夢
又夢作國王 捨宮殿眷屬 及上妙五欲 行詣於道場
在菩提樹下 而處師子座 求道過七日 得諸佛之智

諸佛身金色　百福相莊嚴　聞法為人說　常有是好夢
又夢作國王　捨宮殿眷屬　及上妙五欲　行詣於道場
在菩提樹下　而處師子座　求道過七日　得諸佛之智
成无上道已　起而轉法輪　為四眾說法　經千万億劫
說无漏妙法　度无量眾生　後當入涅槃　如烟盡燈滅
若後惡世中　說是第一法　是人得大利　如上諸功得

妙法蓮華經從地踊出品第十五

尒時他方國土諸來菩薩摩訶薩過八恒河
沙數於大眾中起合掌作礼而白佛言世尊
若聽我等於佛滅度後在此娑婆世界勤加
精進護持讀誦書寫供養是經典者當於此土
而廣說之尒時佛告諸菩薩摩訶薩眾止善
男子不須汝等護持此經所以者何我娑婆
世界自有六万恒河沙等菩薩摩訶薩一一
菩薩各有六万恒河沙眷屬是諸人等能於
我滅後護持讀誦廣說此經佛說是時娑婆
世界三千大千國土地皆震裂而於其中有
无量千万億菩薩摩訶薩同時踊出是諸菩
薩身皆金色三十二相无量光明先盡在此
娑婆世界之下此界虛空中住是諸菩薩聞
釋迦牟尼佛所說音聲從下發來一一菩薩
皆是大眾唱導之首各將六万恒河沙眷屬
況將五万四万三万二万一万恒河沙等眷
屬者況復乃至一恒河沙半恒河沙四分之
一乃至千万億那由他分之一況復千万億
那由他眷屬況復億万眷屬況復千万百万
乃至一万況復一千一百乃至一十況復將
五四三二一弟子者況復單己樂遠離行如

乃至一万況復一千一百乃至一十況復將
五四三二一弟子者況復單己樂遠離行如
是等比无量无邊筭數譬喻所不能知是諸
菩薩從地出已各詣虛空七寶妙塔多寶如
來釋迦牟尼佛所到已向二世尊頭面礼足
乃至諸寶樹下師子座上佛所亦皆作礼右
繞三帀合掌恭敬以諸菩薩種種讚法而以
讚歎住在一面欣樂瞻仰於二世尊是諸菩
薩摩訶薩從初踊出以諸菩薩種種讚法而
讚於佛如是時間經五十小劫是時釋迦牟
尼佛嘿然而坐及諸四眾亦皆嘿然五十小
劫佛神力故令諸大眾謂如半日尒時四眾
亦以佛神力故見諸菩薩遍滿无量百千万
億國土虛空是菩薩眾中有四導師一名上
行二名无邊行三名淨行四名安立行是四
菩薩於其眾中冣為上首唱導之師在大眾
前各共合掌觀釋迦牟尼佛而問訊言世尊
少病少惱安樂行不所應度者受教易不不
令世尊生疲勞耶尒時四大菩薩而說偈言
世尊安樂　少病少惱　教化眾生　得无疲惓
又諸眾生　受化易不　不令世尊　生疲勞耶
尒時世尊於菩薩大眾中而作是言如是如
是諸善男子如來安樂少病少惱諸眾生等
易可化度无有疲勞所以者何是諸眾生世
世已來常受我化亦於過去諸佛供養尊重
種諸善根此諸眾生始見我身聞我所說即
皆信受入如來慧除先脩習學小乘者如是
之人我今亦令得聞是經入於佛慧尒時諸

世已來常受我化，亦於過去諸佛供養尊重
種諸善根。此諸衆生始見我身，聞我所說，即
皆信受入如來慧，除先脩習學小乘者。如是
之人，我今亦令得聞是經，入於佛慧。尒時諸
大菩薩而說偈言：
善哉善哉　大雄世尊　諸衆生等　易可化度
能問諸佛　甚深智慧　聞已信行　我等隨喜
於時世尊讚歎上首諸大菩薩：善哉善哉！善
男子！汝等能於如來發隨喜心。尒時弥勒菩
薩及八千恒河沙諸菩薩衆皆作是念：我等
從昔已來不見不聞如是大菩薩摩訶薩衆
從地踊出，住世尊前，合掌供養，問訊如來。時
弥勒菩薩摩訶薩知八千恒河沙諸菩薩等
心之所念，并欲自決所疑，合掌向佛以偈問
曰：
无量千万億　大衆諸菩薩　昔所未曾見　願兩足尊說
是從何所來　以何因緣集　巨身大神通　智慧叵思議
其志念堅固　有大忍辱力　衆生所樂見　為從何所來
一一諸菩薩　所將諸眷屬　其數无有量　如恒河沙等
或有大菩薩　將六万恒沙　如是諸大衆　一心求佛道
是諸大師等　六万恒河沙　俱來供養佛　及護持此經
將五万恒沙　其數過於是　四万及三万　二万至一万
一千一百等　乃至一恒沙　半及三四分　億万分之一
千万那由他　万億諸弟子　乃至於半億　其數復過上
百万至一万　一千及一百　五十與一十　乃至三二一
單已无眷屬　樂於獨處者　俱來至佛所　其數轉過上
如是諸大衆　若人行籌數　過於恒沙劫　猶不能盡知
是諸大威德　精進菩薩衆　誰為其說法　教化而成就

BD00624 號　妙法蓮華經卷五　（25–10）

如是諸大衆　若人行籌數　過於恒沙劫　猶不能盡知
是諸大威德　精進菩薩衆　誰為其說法　教化而成就
從誰初發心　稱揚何佛法　受持行誰經　脩習何佛道
如是諸菩薩　神通大智力　四方地震裂　皆從中踊出
世尊我昔來　未曾見是事　願說其所從　國土之名号
我常遊諸國　未曾見是衆　我於此衆中　乃不識一人
忽然從地出　願說其因緣　今此之大會　无量百千億
是諸菩薩等　皆欲知此事　是諸菩薩衆　本末之因緣
无量德世尊　唯願決衆疑
尒時釋迦牟尼佛分身諸佛，從无量千万億
他方國土來者，在於八方諸寶樹下師子座
上結跏趺坐。其佛侍者各各見是菩薩大衆
於三千大千世界四方從地踊出，住於虛空，
各白其佛言：世尊！此諸无量无邊阿僧祇菩
薩大衆從何所來？尒時諸佛各告侍者：諸善
男子！且待須臾，有菩薩摩訶薩名弥勒，釋迦
牟尼佛之所授記，次後作佛，已問斯事，佛今
答之，汝等自當因是得聞。尒時釋迦牟尼佛
告弥勒菩薩：善哉善哉！阿逸多！乃能問佛如
是大事。汝等當共一心，被精進鎧，發堅固意。
如來今欲顯發宣示諸佛智慧、諸佛自在神
通之力、諸佛師子奮迅之力、諸佛威猛大勢
之力。尒時世尊欲重宣此義而說偈言：
當精進一心　我欲說此事　勿得有疑悔　佛智叵思議
汝今出信力　住於忍善中　昔所未聞法　今皆當得聞
我今安慰汝　勿得懷疑懼　佛无不實語　智慧不可量
所得第一法　甚深叵分別　如是今當說　汝等一心聽
尒時世尊說此偈已，告弥勒菩薩：我今於此
大衆宣告汝等。阿逸多！是諸大菩薩摩訶薩

BD00624 號　妙法蓮華經卷五　（25–11）

所得第一法　甚深叵分別　如是今當說　汝等一心聽
尒時世尊說此偈已告弥勒菩薩我今於此
大眾宣告汝等阿逸多是諸大菩薩摩訶薩
无量无數阿僧祇從地踊出汝等昔所未見
者我於是娑婆世界得阿耨多羅三藐三菩
提已教化示導是諸菩薩調伏其心令發道
意此諸菩薩皆於是娑婆世界之下此界虛
空中住於諸經典讀誦通利思惟分別正憶
念阿逸多是諸善男子等不樂在眾多有所
說常樂靜處勤行精進未曾休息亦不依止
人天而住常樂深智无有障礙亦常樂於諸
佛之法一心精進求无上慧尒時世尊欲重
宣此義而說偈言
阿逸汝當知　是諸大菩薩　從无數劫來　脩習佛智慧
悉是我所化　令發大道心　此等是我子　依止是世界
常行頭陀事　志樂於靜處　捨大眾憒閙　不樂多所說
如是諸子等　學習我道法　晝夜常精進　為求佛道故
在娑婆世界　下方空中住　志念力堅固　常勤求智慧
說種種妙法　其心无所畏　我於伽耶城　菩提樹下坐
得成最正覺　轉无上法輪　尒乃教化之　令初發道心
今皆住不退　悉當得成佛　我今說實語　汝等一心信
我從久遠來　教化是等眾
尒時弥勒菩薩摩訶薩及无數諸菩薩等心
生疑惑怪未曾有而作是念云何世尊於少
時間教化如是无量无邊阿僧祇諸大菩薩
令住阿耨多羅三藐三菩提即白佛言世尊
如來為太子時出於釋宮去伽耶城不遠坐
於道場得成阿耨多羅三藐三菩提從是已

BD00624號　妙法蓮華經卷五　（25–12）

如來為太子時出於釋宮去伽耶城不遠坐
於道場得成阿耨多羅三藐三菩提從是已
來始過四十餘年世尊云何於此少時大作
佛事以佛勢力以佛功德教化如是无量大
菩薩眾當成阿耨多羅三藐三菩提世尊此
大菩薩眾假使有人於千万億劫數不能盡
不得其邊斯等久遠已來於无量无邊諸佛
所殖諸善根成就菩薩道常脩梵行世尊如
此之事世所難信譬如有人色美髮黑年二
十五指百歲人言是我子其百歲人亦指年
少言是我父生育我等是事難信佛亦如是
得道已來其實未久而此大眾諸菩薩等已
於无量千万億劫為佛道故勤行精進善入
出住无量百千万億三昧得大神通久脩梵
行善能次第習諸善法巧於問荅心中之寶
一切世間甚為希有今日世尊方云得佛道
時初令發心教化示導令向阿耨多羅三藐
三菩提世尊得佛未久乃能作此大功德事
我等雖復信佛隨宜所說佛所出言未曾虛
妄佛所知者皆悉通達然諸新發意菩薩於
佛滅後若聞是語或不信受而起破法罪業
因緣唯然世尊願為解說除我等疑及未來
世諸善男子聞此事已亦不生疑尒時弥勒
菩薩欲重宣此義而說偈言
佛昔從釋種　出家近伽耶　坐於菩提樹　尒來尚未久
此諸佛子等　其數不可量　久已行佛道　住神通智力
善學菩薩道　不染世間法　如蓮華在水　從地而踊出
皆起恭敬心　住於世尊前　是事難思議　云何而可信

BD00624號　妙法蓮華經卷五　（25–13）

善學菩薩道　不染世間法　如蓮華在水　從地而踊出
皆起恭敬心　住於世尊前　是事難思議　云何而可信
佛得道甚近　所成就甚多　願為除衆疑　如實分別說
譬如少壯人　年始二十五　示人百歲子　髮白而面皺
是等我所生　子亦說是父　父少而子老　舉世所不信
世尊亦如是　得道来甚近　是諸菩薩等　志固无怯弱
從无量劫来　而行菩薩道　巧於難問荅　其心无所畏
忍辱心決定　端正有威德　十方佛所讚　善能分別說
不樂在人衆　常好在禪定　為求佛道故　於下空中住
我等從佛聞　於此事無疑　願佛為未来　演說令開解
若有於此經　生疑不信者　即當墮惡道　願今為解說
是无量菩薩　云何於少時　教化令發心　而住不退地

妙法蓮華經如来壽量品第十六

尒時佛告諸菩薩及一切大衆諸善男子汝
等當信解如来誠諦之語復告大衆汝等當
信解如来誠諦之語又復告諸大衆汝等當
信解如来誠諦之語是時菩薩大衆弥勒為
首合掌白佛言世尊唯願說之我等當信受
佛語如是三白已復言唯願說之我等當信
受佛語尒時世尊知諸菩薩三請不止而告
之言汝等諦聽如来秘密神通之力一切世
間天人及阿脩羅皆謂今釋迦牟尼佛出釋
氏宮去伽耶城不遠坐於道場得阿耨多羅
三藐三菩提然善男子我實成佛已来无量
无邊百千万億那由他劫譬如五百千万億
那由他阿僧祇三千大千世界假使有人末
為微塵過於東方五百千万億那由他阿僧
祇國乃下一塵如是東行盡是微塵諸善男

為微塵過於東方五百千万億那由他阿僧
祇國乃下一塵如是東行盡是微塵諸善男
子於意云何是諸世界可得思惟挍計知其
數不弥勒菩薩等俱白佛言世尊是諸世界
无量无邊非筭數所知亦非心力所及一切
聲聞辟支佛以无漏智不能思惟知其限數
我等住阿惟越致地於是事中亦所不達世
尊如是諸世界无量无邊
尒時佛告大菩薩衆諸善男子今當分明宣
語汝等是諸世界若著微塵及不著者盡以
為塵一塵一劫我成佛已来復過於此百千
万億那由他阿僧祇劫自從是来我常在此
娑婆世界說法教化亦於餘處百千万億那
由他阿僧祇國道利衆生諸善男子於是中
間我說然燈佛等又復言其入於涅槃如是
皆以方便分別諸善男子若有衆生来至我
所我以佛眼觀其信等諸根利鈍隨所應度
處處自說名字不同年紀大小亦復現言當
入涅槃又以種種方便說微妙法能令衆生
發歡喜心諸善男子如来見諸衆生樂於小
法德薄垢重者為是人說我少出家得阿耨
多羅三藐三菩提然我實成佛已来久遠若
斯但以方便教化衆生令入佛道作如是說
諸善男子如来所演經典皆為度脫衆生或
說己身或說他身或示己身或示他身或示
己事或示他事諸所言說皆實不虛所以者
何如来如實知見三界之相无有生死若退
若出亦无在世及滅度者非實非虛非如非

何如來如實知見三界之相无有生死若退
若出亦无在世及滅度者非實非虛非如非
異不如三界見於三界如斯之事如來明見
无有錯謬以諸衆生有種種性種種欲種種
行種種憶想分別故欲令生諸善根以若干
因緣譬喻言辭種種說法所作佛事未曾暫
廢如是我成佛已來甚大久遠壽命无量阿
僧祇劫常住不滅諸善男子我本行菩薩道
所成壽命今猶未盡復倍上數然今非實滅
度而便唱言當取滅度如來以是方便教化
衆生所以者何若佛久住於世薄德之人不
種善根貧窮下賤貪著五欲入於憶想妄見
網中若見如來常在不滅便起憍恣而懷厭
怠不能生難遭之想恭敬之心是故如來以
方便說比丘當知諸佛出世難可值遇所以
者何諸薄德人過无量百千万億劫或有見
佛或不見者以此事故我作是言諸比丘如
來難可得見斯衆生等聞如是語必當生於
難遭之想心懷戀慕渴仰於佛便種善根是
故如來雖不實滅而言滅度又善男子諸佛
如來法皆如是為度衆生皆實不虛譬如良
醫智慧聰達明練方藥善治衆病其人多諸
子息若十二十乃至百數以有事緣遠至餘
國諸子於後飲他毒藥藥發悶亂宛轉于地
是時其父還來歸家諸子飲毒或失本心或
不失者遙見其父皆大歡喜拜跪問訊善安
隱歸我等愚癡誤服毒藥願見救療更賜壽
命父見子等苦惱如是依諸經方求好藥草

BD00624號　妙法蓮華經卷五　（25–16）

不失者遙見其父皆大歡喜拜跪問訊善安
隱歸我等愚癡誤服毒藥願見救療更賜壽
命父見子等苦惱如是依諸經方求好藥草
色香美味皆悉具足擣篩和合與子令服而
作是言此大良藥色香美味皆悉具足汝等
可服速除苦惱无復衆患其諸子中不失心
者見此良藥色香俱好即便服之病盡除愈
餘失心者見其父來雖亦歡喜問訊求索治
病然與其藥而不肯服所以者何毒氣深入
失本心故於此好色香藥而謂不美父作是
念此子可愍為毒所中心皆顛倒雖見我喜
求索救療如是好藥而不肯服我今當設方
便令服此藥即作是言汝等當知我今衰老
死時已至是好良藥今留在此汝可取服勿
憂不差作是教已復至他國遣使還告汝父
已死是時諸子聞父背喪心大憂惱而作是
念若父在者慈愍我等能見救護今者捨我
遠喪他國自惟孤露无復恃怙常懷悲感心
遂醒悟乃知此色味香美即取服之毒病皆
愈其父聞子悉已得差尋便來歸咸使見之
諸善男子於意云何頗有人能說此良醫虛
妄罪不不也世尊佛言我亦如是成佛已來
无量无邊百千万億那由他阿僧祇劫為衆
生故以方便力言當滅度亦无有能如法說
我虛妄過者尒時世尊欲重宣此義而說偈
言
自我得佛來　所經諸劫數　无量百千万　億載阿僧祇
常說法教化　无數億衆生　令入於佛道　尒來无量劫

BD00624號　妙法蓮華經卷五　（25–17）

我虚妄過者 尒時世尊欲重宣此義而說偈
言
自我得佛来 所經諸劫數 无量百千万 億載阿僧祇
常說法教化 无數億衆生 令入於佛道 尒来无量劫
為度衆生故 方便現涅槃 而實不滅度 常住此說法
我常住於此 以諸神通力 令顛倒衆生 雖近而不見
衆見我滅度 廣供養舍利 咸皆懷戀慕 而生渴仰心
衆生既信伏 質直意柔軟 一心欲見佛 不自惜身命
時我及衆僧 俱出靈鷲山 我時語衆生 常在此不滅
以方便力故 現有滅不滅 餘國有衆生 恭敬信樂者
我復於彼中 為說无上法 汝等不聞此 但謂我滅度
我見諸衆生 沒在於苦惱 故不為現身 令其生渴仰
因其心戀慕 乃出為說法 神通力如是 於阿僧祇劫
常在靈鷲山 及餘諸住處 衆生見劫盡 大火所燒時
我此土安隱 天人常充滿 園林諸堂閣 種種寶莊嚴
寶樹多華菓 衆生所遊樂 諸天擊天鼓 常作衆伎樂
雨曼陁羅華 散佛及大衆 我淨土不毀 而衆見燒盡
憂怖諸苦惱 如是悉充滿 是諸罪衆生 以惡業因緣
過阿僧祇劫 不聞三寶名 諸有脩功德 柔和質直者
則皆見我身 在此而說法 或時為此衆 說佛壽无量
久乃見佛者 為說佛難值 我智力如是 慧光照无量
壽命无數劫 久脩業所得 汝等有智者 勿於此生疑
當斷令永盡 佛語實不虚 如醫善方便 為治狂子故
實在而言死 无能說虚妄 我亦為世父 救諸苦患者
為凡夫顛倒 實在而言滅 以常見我故 而生憍恣心
放逸著五欲 墮於惡道中 我常知衆生 行道不行道
隨應所可度 為說種種法 每自作是意 以何令衆生
得入无上道 速成就佛身

BD00624號　妙法蓮華經卷五　(25–18)

隨應所可度 為說種種法 每自作是意 以何令衆生
得入无上道 速成就佛身

妙法蓮華經分別功德品第十七
尒時大會聞佛說壽命劫數長遠如是无量
无邊阿僧祇衆生得大饒益 於時世尊告弥
勒菩薩摩訶薩 阿逸多 我說是如来壽命長
遠時 六百八十万億那由他恒河沙衆生得
无生法忍 復千倍菩薩摩訶薩得聞持陁羅
尼門 復有一世界微塵數菩薩摩訶薩得樂
說无礙辯才 復有一世界微塵數菩薩摩訶
薩得百千万億无量旋陁羅尼 復有三千大千
世界微塵數菩薩摩訶薩能轉不退法輪 復
有二千中國土微塵數菩薩摩訶薩能轉清
淨法輪 復有小千國土微塵數菩薩摩訶薩
八生當得阿耨多羅三藐三菩提 復有四四
天下微塵數菩薩摩訶薩四生當得阿耨多
羅三藐三菩提 復有三四天下微塵數菩薩
摩訶薩三生當得阿耨多羅三藐三菩提 復
有二四天下微塵數菩薩摩訶薩二生當得
阿耨多羅三藐三菩提 復有一四天下微塵
數菩薩摩訶薩一生當得阿耨多羅三藐三
菩提 復有八世界微塵數衆生皆發阿耨多
羅三藐三菩提心 佛說是諸菩薩摩訶薩得
大法利時 於虚空中雨曼陁羅華 摩訶曼陁
羅華 以散无量百千万億寶樹下師子座上
諸佛 并散七寶塔中師子座上釋迦牟尼佛
及久滅度多寶如来 亦散一切諸大菩薩及
四部衆 又雨細末栴檀沉水香等 於虚空中

BD00624號　妙法蓮華經卷五　(25–19)

及久滅度多寶如来 亦散一切諸大菩薩及
四部衆又雨細末栴檀 沉水香等於虛空中
天鼓自鳴妙聲深遠 又雨千種天衣垂諸瓔
珞真珠瓔珞摩尼珠瓔珞如意珠瓔珞遍於
九方衆寶香爐燒无價香自然周至供養大
會一一佛上有諸菩薩執持幡蓋次第而上
至於梵天是諸菩薩以妙音聲歌无量頌讚
歎諸佛 尒時弥勒菩薩從座而起偏袒右肩
合掌向佛而說偈言
佛說希有法 昔所未曽聞 世尊有大力 壽命不可量
无數諸佛子 聞世尊分別 說得法利時 歡喜充遍身
或住不退地 或得陁羅尼 或无礙樂說 万億旋摠持
或有大千界 微塵數菩薩 各各皆能轉 不退之法輪
或有中千界 微塵數菩薩 各各皆能轉 清淨之法輪
復有小千界 微塵數菩薩 餘各八生在 當得成佛道
復有四三二 如是四天下 微塵諸菩薩 隨數生成佛
或一四天下 微塵數菩薩 餘有一生在 當成一切智
如是等衆生 聞佛壽長遠 得无量无漏 清淨之果報
復有八世界 微塵數衆生 聞佛說壽命 皆發无上心
世尊說无量 不可思議法 多有所饒益 如虛空无邊
雨天曼陁羅 摩訶曼陁羅 釋梵如恒沙 无數佛土來
雨栴檀沉香 繽紛而亂墜 如鳥飛空下 供散於諸佛
天鼓虛空中 自然出妙聲 天衣千万種 旋轉而來下
衆寶妙香爐 燒无價之香 自然悉周遍 供養諸世尊
其大菩薩衆 執七寶幡蓋 高妙万億衆 次第至梵天
一一諸佛前 寶幢懸勝幡 亦以千万偈 歌詠諸如來
如是種種事 昔所未曽有 聞佛壽无量 一切皆歡喜
佛名聞十方 廣饒益衆生 一切具善道 以助无上心

一一諸佛前 寶幢懸勝幡 亦以千万偈 歌詠諸如來
如是種種事 昔所未曽有 聞佛壽无量 一切皆歡喜
佛名聞十方 廣饒益衆生 一切具善道 以助无上心
尒時佛告弥勒菩薩摩訶薩阿逸多 其有衆
生聞佛壽命長遠如是 乃至能生一念信解
所得功德无有限量 若有善男子善女人為
阿耨多羅三藐三菩提故 於八十万億那由
他劫行五波羅蜜 檀波羅蜜尸羅波羅蜜羼
提波羅蜜毗梨耶波羅蜜禪波羅蜜 除般若
波羅蜜 以是功德比前功德 百分千分百千
万億分不及其一 乃至筭數譬喻不不能知
若善男子有如是功德 於阿耨多羅三藐三
菩提退者 无有是處 尒時世尊欲重宣此
義而說偈言
若人求佛慧 於八十万億 那由他劫數 行五波羅蜜
於是諸劫中 布施供養佛 及緣覺弟子 并諸菩薩衆
珍異之飲食 上服與卧具 栴檀立精舍 以園林莊嚴
如是等布施 種種皆微妙 盡此諸劫數 以迴向佛道
若復持禁戒 清淨无缺漏 求於无上道 諸佛之所歎
若復行忍辱 住於調柔地 設衆惡來加 其心不傾動
諸有得法者 懷於增上慢 為此所輕惱 如是亦能忍
若復勤精進 志念常堅固 於无量億劫 一心不懈息
又於无數劫 住於空閑處 若坐若經行 除睡常攝心
以是因緣故 能生諸禪定 八十億万劫 安住心不亂
持此一心福 願求无上道 我得一切智 盡諸禪定際
是人於百千 万億劫數中 行此諸功德 如上之所說
有善男子等 聞我說壽命 乃至一念信 其福過於彼
若人悉无有 一切諸疑悔 深心須臾信 其福為如此

若人悉无有　一切諸疑悔　深心須臾信　其福為如此
其有諸菩薩　无量劫行道　聞我說壽命　是則能信受
如是諸人等　頂受此經典　願我於未來　長壽度衆生
如今日世尊　諸釋中之王　道場師子吼　說法无所畏
我等未來世　一切所尊敬　坐於道場時　說壽亦如是
若有深心者　清淨而質直　多聞能總持　隨義解佛語
如是之人等　於此无有疑

又阿逸多若有聞佛壽命長遠解其言趣是人所得功德无有限量能起如来无上之慧何況廣聞是經若教人聞若自持若教人持若自書若教人書若以華香瓔珞幢幡繒蓋香油酥燈供養經卷是人功德无量无邊能生一切種智阿逸多若善男子善女人聞我說壽命長遠深心信解則為見佛常在耆闍崛山共大菩薩諸聲聞衆圍遶說法又見此娑婆世界其地瑠璃坦然平正閻浮檀金以界八道寶樹行列諸臺樓觀皆悉寶成其菩薩衆咸處其中若有能如是觀者當知是為深信解相又復如来滅後若聞是經而不毀呰起隨喜心當知已為深信解相何況讀誦受持之者斯人則為頂戴如来阿逸多是善男子善女人不須為我復起塔寺及作僧坊以四事供養衆僧所以者何是善男子善女人受持讀誦是經典者為已起塔造立僧坊供養衆僧則為以佛舍利起七寶塔高廣漸小至于梵天懸諸幡蓋及衆寶鈴華香瓔珞末香塗香燒香衆鼓伎樂蕭笛箜篌種種儛戲以妙音聲歌唄讚頌則為於无量千万億

BD00624號　妙法蓮華經卷五　（25–22）

末香塗香燒香衆鼓伎樂蕭笛箜篌種種儛戲以妙音聲歌唄讚頌則為於无量千万億劫作是供養已阿逸多若我滅後聞是經典有能受持若自書若教人書則為起立僧坊以赤栴檀作諸殿堂三十有二高八多羅樹高廣嚴好百千比丘於其中止園林浴池經行禪窟衣服飲食牀褥湯藥一切樂具充滿其中如是僧坊堂閣若干百千万億其數无量以此現前供養於我及比丘僧是故我說

如来滅後若有受持讀誦為他人說若自書若教人書供養經卷不須復起塔寺及造僧坊供養衆僧況復有人能持是經兼行布施持戒忍辱精進一心智慧其德最勝无量无邊譬如虛空東西南北四維上下无量无邊是人功德亦復如是无量无邊疾至一切種智若人讀誦受持是經為他人說若自書若教人書復能起塔及造僧坊供養讚歎聲聞衆僧亦以百千万億讚歎之法讚歎菩薩功德又為他人種種因緣隨義解說此法華經復能清淨持戒與柔和者而共同止忍辱无瞋志念堅固常貴坐禪得諸深定精進勇猛攝諸善法利根智慧善答問難阿逸多若我滅後諸善男子善女人受持讀誦是經典者復有如是諸善功德當知是人已趣道場近阿耨多羅三藐三菩提坐道樹下阿逸多是善男子若坐若立若行處此中使應起塔一切天人皆應供養如佛之塔尒時世尊欲重宣此義而說偈言

BD00624號　妙法蓮華經卷五　（25–23）

切天人皆應供養如佛之塔尒時世尊欲重
宣此義而說偈言
若我滅度後　能奉持此經　斯人福无量　如上之所說
是則為具足　一切諸供養　以舍利起塔　七寶而莊嚴
表刹甚高廣　漸小至梵天　寶鈴千万億　風動出妙音
又於无量劫　而供養此塔　華香諸瓔珞　天衣眾伎樂
然香油蘇燈　周迊常照明
惡世法末時　能持是經者　則為已如上　具足諸供養
若能持此經　則如佛現在　以牛頭栴檀　起僧坊供養
堂有三十二　高八多羅樹　上饌妙衣服　牀卧皆具足
百千眾住處　園林諸流池　經行及禪窟　種種皆嚴好
若有信解心　受持讀誦書　若復教人書　及供養經卷
散華香末香　以須曼瞻蔔　阿提目多伽　薰油常然之
如是供養者　得无量功德　如虛空无邊　其福亦如是
況復持此經　兼布施持戒　忍辱樂禪定　不瞋不惡口
恭敬於塔廟　謙下諸比丘　遠離自高心　常思惟智慧
有問難不瞋　隨順為解說　若能行是行　功德不可量
若見此法師　成就是功德　應以天華散　天衣覆其身
頭面接足礼　生心如佛想　又應作是念　不久詣道樹
得无漏无為　廣利諸天人
其所住止處　經行若坐卧　乃至說一偈　是中應起塔
莊嚴令妙好　種種以供養　佛子住此地　則是佛受用
常在於其中　經行及坐卧

妙法蓮華經卷第五

BD00624號　妙法蓮華經卷五　（25–24）

恭敬於塔廟　謙下諸比丘　遠離自高心　常思惟智慧
有問難不瞋　隨順為解說　若能行是行　功德不可量
若見此法師　成就是功德　應以天華散　天衣覆其身
頭面接足礼　生心如佛想　又應作是念　不久詣道樹
得无漏无為　廣利諸天人
其所住止處　經行若坐卧　乃至說一偈　是中應起塔
莊嚴令妙好　種種以供養　佛子住此地　則是佛受用
常在於其中　經行及坐卧

妙法蓮華經卷第五

BD00624號　妙法蓮華經卷五　（25–25）

為種八邪法為種九惱處為種十不善法為
種以要言之六十二見及一切煩惱皆是
佛種曰何謂也荅曰若見无為入正位者不
能復發阿耨多羅三藐三菩提心譬如高原
陸地不生蓮華卑濕淤泥乃生此華如是見无
為法入正位者終不復能生於佛法煩惱泥
中乃有衆生起佛法耳又如殖種於空終
不得生糞壤之地乃能滋茂如是入无為正
位者不生佛法起於我見如須弥山猶能發
于阿耨多羅三藐三菩提心生佛法矣是故
當知一切煩惱為如來種譬如不下巨海不
能得无價寶珠如是不入煩惱大海則不能
得一切智寶
尒時大迦葉嘆言善哉善哉文殊師利快說
此語誠如所言塵勞之疇為如來種我等今
者不復堪任發阿耨多羅三藐三菩提心乃
至五无間罪猶能發意生於佛法而今我等
永不能發譬如根敗之士其於五欲不能復
利如是聲聞諸結斷者於佛法中无所復益
永不志願是故文殊師利凡夫於佛法有反
復而聲聞无也所以者何凡夫聞佛法能起
无上道心不斷三寶正使聲聞終身聞佛法
力无畏等永不能發无上道意

BD00625 號　維摩詰所說經卷中　（3–1）

復而聲聞无也所以者何凡夫聞佛法能起
无上道心不斷三寶正使聲聞終身聞佛法
力无畏等永不能發无上道意
尒時會中有菩薩名普現色身問維摩詰言
居士父母妻子親戚眷屬吏民知識悉為是
誰奴婢僮僕象馬車乘皆何所在於是維摩
詰以偈荅曰
知度菩薩母　方便以為父　一切衆導師　无不由是生
法喜以為妻　慈悲心為女　善心誠實男　畢竟空寂舍
弟子衆塵勞　随意之所轉　道品善知識　由是成正覺
諸度法等侶　四攝為伎女　歌詠誦法言　以此為音樂
摠持之園苑　无漏法林樹　覺意淨妙花　解脫智慧果
八解之浴池　定水湛然滿　布以七淨華　浴此无垢人
象馬五通馳　大乘以為車　調御以一心　遊於八正路
相具以嚴容　衆好飾其姿　慚愧之上服　深心為華鬘
富有七財寶　教授以滋息　如所說脩行　迴向為大利
四禪為牀坐　從於淨命生　多聞增智慧　以為自覺音
甘露法之食　解脫味為漿　淨心以澡浴　戒品為塗香
摧滅煩惱賊　勇健无能踰　降伏四種魔　勝幡建道場
雖知无起滅　示彼故有生　悉現諸國土　如日无不見
供養於十方　无量億如來　諸佛及己身　无有分別想
雖知諸佛國　及與衆生空　而常脩淨土　教化於群生
諸有衆生類　形聲及威儀　无畏力菩薩　一時能盡現
覺知衆魔事　而示隨其行　以善方便智　随意皆能現
或示老病死　成就諸群生　了知如幻化　通達无有礙
或見劫盡燒　天地皆同然　衆人有常想　照令知无常

BD00625 號　維摩詰所說經卷中　（3–2）

相具以嚴容　衆好飾其姿　慚愧之上服　深心為華鬘
富有七財寶　教授以滋息　如所説脩行　迴向為大利
四禪為牀坐　從於淨命生　多聞增智慧　以為自覺音
甘露法之食　解脱味為漿　淨心以澡浴　戒品為塗香
摧滅煩惱賊　勇健无能踰　降伏四種魔　勝幡建道場
雖知无起滅　示彼故有生　悉現諸國土　如日无不見
供養於十方　无量億如來　諸佛及已身　无有分別想
雖知諸佛國　及與衆生空　而常脩淨土　教化於群生
諸有衆生類　形聲及威儀　无畏力菩薩　一時能盡現
覺知衆魔事　而示隨其行　以善方便智　隨意皆能現
或示老病死　成就諸群生　了知如幻化　通達无有礙
或現劫盡燒　天地皆烔然　衆人有常想　照令知无常
无數億衆生　俱來請菩薩　一時到其舍　化令向佛道
經書禁呪術　工巧諸伎藝　盡現行此事　饒益諸群生
世間衆道法　悉於中出家　因以解人惑　而不墮邪見
或作日月天　梵王世界主　或時作地水　或復作風火
劫中有疾疫　現作諸藥草　若有服之者　除病消衆毒
劫中有飢饉　現身作飲食　先救彼飢渴　却以法語人
劫中有刀兵　為之起慈悲　化彼諸衆生　令住无諍地
若有大戰陣　立之以等力　菩薩現威勢　降伏使和安
[illegible]到于彼　勉濟其苦惱

BD00625號　維摩詰所説經卷中　（3–3）

度[illegible]
生得滅度者何以故須菩提若菩薩有我
人相衆生相壽者相即非菩薩
復次須菩提菩薩於法應无所住行於布施
所謂不住色布施不住聲香味觸法布施須
菩提菩薩應如是布施不住於相何以故若
菩薩不住相布施其福德不可思量須菩提
於意云何東方虛空可思量不不也世尊須菩
提南西北方四維上下虛空可思量不不也
世尊須菩提菩薩无住相布施福德亦復如
是不可思量須菩提菩薩但應如所教住須
菩提於意云何可以身相見如來不不也世
尊不可以身相得見如來何以故如來所説
身相即非身相佛告須菩提凡所有相皆是
虛妄若見諸相非相則見如來
須菩提白佛言世尊頗有衆生得聞如是言
説章句生實信不佛告須菩提莫作是説如
來滅後後五百歲有持戒脩福者於此章句
能生信心以此為實當知是人不於一佛二
佛三四五佛而種善根已於无量千万佛所
種諸善根聞是章句乃至一念生淨信者須
菩提如來悉知悉見是諸衆生得如是无量
福德何以故是諸衆生无復我相人相衆生
相壽者相无法相亦无非法相何以故是諸

BD00626號　金剛般若波羅蜜經　（3–1）

菩提如来悉知悉見是諸衆生得如是无量
福德何以故是諸衆生无復我相人相衆生
相壽者相无法相亦无非法相何以故是諸
衆生若心取相則為著我人衆生壽者若取
法相即著我人衆生壽者何以故若取非法
相即著我人衆生壽者是故不應取法不應
取非法以是義故如来常說汝等比丘知我
說法如筏喻者法尚應捨何況非法
須菩提於意云何如来得阿耨多羅三藐三
菩提耶如来有所說法耶須菩提言如我解
佛所說義无有定法名阿耨多羅三藐三菩
提亦无有定法如来可說何以故如来所說
法皆不可取不可說非法非非法所以者何
一切賢聖皆以无為法而有差別須菩提於
意云何若人滿三千大千世界七寶以用布
施是人所得福德寧為多不須菩提言甚多
世尊何以故是福德即非福德性是故如来
說福德多若復有人於此經中受持乃至四
句偈等為他人說其福勝彼何以故須菩提
一切諸佛及諸佛阿耨多羅三藐三菩提法
皆從此經出須菩提所謂佛法者即非佛法
須菩提於意云何須陁洹能作是念我得須
陁洹果不須菩提言不也世尊何以故須陁
洹名為入流而无所入不入色聲香味觸法
是名須陁洹須菩提於意云何斯陁含能作
是念我得斯陁含果不須菩提言不也世尊

BD00626號　金剛般若波羅蜜經　（3–2）

是名須陁洹須菩提於意云何斯陁含能作
是念我得斯陁含果不須菩提言不也世尊
何以故斯陁含名一往来而實无往来是名
斯陁含須菩提於意云何阿那含能作是念
我得阿那含果不須菩提言不也世尊何以故
阿那含名為不来而實无来是故名阿那含
須菩提於意云何阿羅漢能作是念我得阿
羅漢道不須菩提言不也世尊何以故實无
有法名阿羅漢世尊若阿羅漢作是念我得
阿羅漢道即為著我人衆生壽者世尊佛說
我得无諍三昧人中最為第一是第一離欲
阿羅漢我不作是念我是離欲阿羅漢世尊
我若作是念我得阿羅漢道世尊則不說須
菩提是樂阿蘭那行者以須菩提實无所行
而名須菩提是樂阿蘭那行
佛告須菩提於意云何如来昔在然燈佛所
於法有所得不世尊如来在然燈佛所於法
實无所得須菩提於意云何菩薩莊嚴佛土
不不也世尊何以故莊嚴佛土者則非莊嚴

BD00626號　金剛般若波羅蜜經　（3–3）

……行精進慈……
故行禪定慈不受味故行智慧慈无不知時
故行方便慈一切示現故行无隱慈直心清
淨故行深心慈无雜行故行无誑慈不虛假故
行安樂慈令得佛樂故菩薩之慈為若此也
文殊師利又問何謂為悲答曰菩 薩所作功
德皆與一切衆生共之何謂為喜答曰有所
饒益歡喜无悔何謂為捨答曰所作福祐无
所悕望文殊師利又問生死有畏菩薩當
何所依維摩詰言菩薩於生死畏中當依如
来功德之力文殊師利又問菩薩欲依如来
功德之力當於何住答曰菩薩欲依如来功
德力者當住度脫一切衆生又問欲度衆生
當何所除答曰欲度衆生除其煩惱又問欲
除煩惱當何所行答曰當行正念又問云何
行於正念答曰當行不生不滅又問何法不
生何法不滅答曰不善不生善法不滅又問
善不善孰為本答曰身為本又問身
孰為本答曰欲貪為本又問欲貪孰為本
答曰虛妄分別為本又問虛妄分別孰為本答
曰顛倒想為本又問顛倒想孰為本答曰无
住為本又問无住孰為本答曰无住則无本文
殊師利從无住本立一切法
時維摩詰室有一天女見諸大人聞所說法

BD00627 號　維摩詰所說經卷中　（3–1）

殊師利從无住本立一切法
時維摩詰室有一天女見諸大人聞所說法
便現其身即以天華散諸菩薩大弟子上
華至諸菩薩即皆墮落至大弟子便著不墮
一切弟子神力去華不能令去尒時天問舍利
弗何故去華答曰此華不如法是以去之天
曰勿謂此華為不如法所以者何是華无所分
別仁者自生分別想耳若於佛法出家有所
分別為不如法若无所分別是則如法觀諸
菩薩華不著者以斷一切分別想故譬如
人畏時非人得其便如是弟子畏生死故色
聲香味觸得其便也已離畏者一切五欲无能
為也結習未盡華著身耳結習盡者華不
著也舍利弗言天止此室其已久如答曰我止
此室如耆年解脫舍利弗言止此久耶天曰
耆年解脫亦何如久舍利弗嘿然不答天曰
如何耆舊大智而嘿答曰解脫者无所言說
故吾於是不知所云天曰言說文字皆解脫
相所以者何解脫者不內不外不在兩間文
字亦不內不外不在兩間是故舍利弗无離
文字說解脫也所以者何一切諸法是解脫
相舍利弗言不復以離婬怒癡為解脫乎天
曰佛為增上慢人說離婬怒癡為解脫耳若
无增上慢者佛說婬怒癡性即是解脫舍利
弗言善哉善哉天女汝何所得以何為證辯
乃如是天曰我无得无證故辯如是所以者何

BD00627 號　維摩詰所說經卷中　（3–2）

舍利弗言不[illegible]
曰佛為增上慢人說離婬怒癡為解脫耳若
无增上慢者佛說婬怒癡性即是解脫舍利
弗言善哉善哉天女汝何所得以何為證辯
乃如是天曰我无得无證故辯如是所以者何
若有得有證者則於佛法為增上慢舍利
弗問天汝於三乘為何志求天曰以聲聞法
化衆生故我為聲聞以因緣法化衆生故我
為辟支佛以大悲法化衆生故我為大乘舍
利弗如人入瞻蔔林唯嗅瞻蔔不嗅餘香如
是若入此室但聞佛功德之香不樂聞聲聞
辟支佛功德香也舍利弗其有釋梵四天王
諸天龍鬼神等入此室者聞斯上人講說正
法皆樂佛功德之香發心而出舍利弗吾止
此室十有二年初不聞說聲聞辟支佛法但
聞菩薩大慈大悲不可思議諸佛之法舍利
弗此室常現八未曾有難得之法何謂為八
此室常以金色光照晝夜无異不以日月所
照為明是為一未曾有難得之法此室入者
不為諸垢之所惱也是為二未曾有難得之
法此室常有釋梵四天王他方菩薩來會不
絕是為三未曾有難得之法此室常說六波

BD00627號　維摩詰所說經卷中　（3–3）

大乘无量壽經
如是我聞一時薄伽梵在舍衛國祇樹給孤獨園與大苾芻僧
衆俱同會　尒時世尊告曼殊室利童子曼殊上方
号无量壽智決定王如來阿耨多羅三藐三菩提現為衆生開示說法曼
南閻浮提人皆短壽大限百年於中殀枉横死者衆曼殊如是无量壽如來
稱法要若有衆生得聞名号若自書或使人書為經卷受持讀誦於舍宅所住
種種花鬘瓔珞塗香末香而為供養如其命盡復得延年滿足一百[illegible]
得聞是无量壽智決定王如來一百八名号者益其長壽若有衆生大命將
来名号更得增壽如是曼殊若有善男子善女人欲求長壽於是无量壽如來
有得聞者或自書使人書受持讀誦得如是等果報福德具足陀羅尼曰
南謨薄伽勃底一阿波唎蜜多二阿喻紇硯娜三須毗你尸指多四囉佐耶五怛他羯他耶六怛姪
他唵七薩婆桑悉迦囉八波唎輸底九達磨底十伽迦娜十一莎訶其持迦底十二薩婆毗
輸底十三摩訶娜耶十四波唎輸底九達磨底十伽迦娜十一莎訶其持
世尊復告曼殊室利如是如來一百八名号若有自書或使人書為經卷受持讀誦如壽盡
復滿百年壽終此身後得往生无量福智世界无量壽淨土陀羅尼曰
南謨薄伽勃底一阿波唎蜜多二阿喻紇硯娜三須毗你尸指多四囉佐耶五怛他羯他耶六
怛姪他唵七薩婆桑悉迦囉八波唎輸底九達磨底十伽迦娜十一莎訶其持迦底十二薩婆婆
毗輸底十三摩訶娜耶十四波唎婆囉莎訶十五
尒時復有九十九殑伽等一時同聲說是无量壽宗要經陀羅尼曰
南謨薄伽勃底一阿波唎蜜多二阿喻紇硯娜三須毗你尸指多四囉佐耶五怛他羯他耶六
怛姪他唵七薩婆桑悉迦囉八波唎輸底九達磨底十伽迦娜十一莎訶其持迦底十二薩婆婆
毗輸底十三摩訶娜耶十四波唎婆囉莎訶十五
尒時復有一百四殑伽等一時同聲說是无量壽宗要經陀羅尼曰
南謨薄伽勃底一阿波唎蜜多二阿喻紇硯娜三須毗你尸指多四囉佐耶五怛他羯他耶六怛
姪他唵七薩婆桑悉迦囉八波唎輸底九達磨底十伽迦娜十一莎訶其持迦底十二薩婆婆
毗輸底十三摩訶娜耶十四波唎婆囉莎訶十五
尒時復有七殑伽等一時同聲說是无量壽宗要經陀羅尼曰

BD00628號　無量壽宗要經　（6–1）

尒時復有一百四姟佛等一時同聲說是无量壽宗要經陁羅尼曰
南謨薄伽勃底一阿波唎蜜多二阿喻紇硯娜三須毗你尸栺多四羅佐耶五怛他羯他耶六怛
姪他唵七薩婆桒悉迦囉八波唎輸底九達磨底十伽迦娜十一莎訶其持迦底十二薩婆婆
毗輸底十三摩訶娜耶十四波唎婆黳莎呵十五
尒時復有七姟佛等一時同聲說是无量壽宗要經陁羅尼曰
南謨薄伽勃底一阿波唎蜜多二阿喻紇硯娜三須毗你尸栺多四羅佐耶五怛他羯他耶六
怛姪他唵七薩婆桒悉迦羅八波唎輸底九達磨底十伽迦娜十一莎呵其持迦底十二薩
婆婆毗輸底十三摩訶娜耶十四波唎婆黳莎呵十五
尒時復有五十五姟佛一時同聲說是无量壽宗要經陁羅尼曰
南謨薄伽勃底一阿波唎蜜多二阿喻紇硯娜三須毗你尸栺多四羅佐耶五怛他羯他耶六
怛姪他唵七薩婆桒悉迦囉八波唎輸底九達磨底十伽迦娜十一莎呵其持迦底十二薩
婆婆毗輸底十三摩訶娜耶十四波唎婆黳莎呵十五
尒時復有六十五姟佛一時同聲說是无量壽宗要經陁羅尼曰
南謨薄伽勃底一阿波唎蜜多二阿喻紇硯娜三須毗你尸栺多四羅佐耶五怛他羯他耶六
怛姪他唵七薩婆桒悉迦囉八波唎輸底九達磨底十伽迦娜十一莎呵其持迦底十二薩
婆婆毗輸底十三摩訶娜耶十四波唎婆黳莎呵十五
尒時復有四十五姟佛一時同聲說是无量宗要經陁羅尼曰
南謨薄伽勃底一阿波唎蜜多二阿喻紇硯娜三須毗你尸栺多四囉佐耶五怛他羯他耶六
怛姪他唵七薩婆桒悉迦囉八波唎輸底九達磨底十伽迦娜十一莎呵其持迦底十二薩
婆婆毗輸底十三摩訶娜耶十四波唎婆黳莎呵十五
尒時復有三十六姟佛一時同聲說是无量壽宗要經陁羅尼曰
南謨薄伽勃底一阿波唎蜜多二阿喻紇硯娜三須毗你尸栺多四羅佐耶五怛他羯
他耶六怛姪他唵七薩婆桒悉迦囉八波唎輸底九達磨底十伽迦娜十一莎呵其持迦底十二
薩婆婆毗輸底十三摩訶娜耶十四波唎婆黳莎呵十五
尒時復有二十五姟佛一時同聲說是无量壽宗要經陁羅尼曰
南謨薄伽勃底一阿波唎蜜多二阿喻紇硯娜三須毗你尸栺多四羅佐耶五怛他羯
他耶六怛姪他唵七薩婆桒悉迦囉八波唎輸底九達磨底十伽迦娜十一莎呵其持迦底十二
薩婆婆毗輸底十三摩訶娜耶十四波唎婆黳莎呵十五
尒時復有恒河沙姟佛一時同聲說是无量壽宗要經陁羅尼曰
南謨薄伽勃底一阿波唎蜜多二阿喻紇硯娜三須毗你尸栺多四羅佐耶五怛姪他
羯他耶六怛姪他唵七薩婆桒悉迦囉八波唎輸底九達磨底十伽迦娜十一莎呵其持

BD00628號　無量壽宗要經　（6–2）

羯他耶六怛姪他唵七薩婆桒悉迦羅八波唎輸底九達磨底十伽迦娜十一莎呵其持
迦底十二薩婆婆毗輸底十三摩訶娜耶十四波唎婆黳莎呵十五
善男子若有自書寫教人書寫是无量壽宗要經如其命盡復得長壽滿年陁羅尼曰
南謨薄伽勃底一阿波唎蜜多二阿喻紇硯娜三須毗你尸栺多四羅佐耶五怛他羯他耶六
怛姪他唵七薩婆桒悉迦囉八波唎輸底九達磨底十伽迦娜十一莎呵其持迦底十二薩
婆婆毗輸底十三摩訶娜耶十四波唎婆黳莎呵十五
若有自書寫教人書寫是无量壽宗要經讀誦受持畢竟不墮地獄在在所生得宿命
智陁羅尼曰　南謨薄伽勃底一阿波唎蜜多二阿喻紇硯娜三須毗你尸栺多四羅
佐耶五怛他羯他耶六怛姪他唵七薩婆桒悉迦羅八波唎輸底九達磨底十伽迦娜十一
莎呵其持迦底十二薩婆婆毗輸底十三摩訶娜耶十四波唎婆黳莎呵十五
若有自書寫教人書寫是无量壽宗要經受持讀誦如同書寫八万四千一切經典陁羅尼曰
南謨薄伽勃底一阿波唎蜜多二阿喻紇硯娜三須毗你尸栺多四羅佐耶五怛他羯他耶六
怛姪他唵七薩婆桒悉迦囉八婆唎輸底九達磨底十伽迦娜十一莎呵其持迦底十二
薩婆婆毗輸底十三摩訶娜耶十四波唎婆黳莎呵十五
若有自書寫教人書寫是无量壽宗要經受持讀誦即是書寫八万四千部建立塔廟陁羅尼曰
南謨薄伽勃底一阿波唎蜜多二阿喻紇硯娜三須毗你尸栺多四羅佐耶五怛他羯他
耶六怛姪他唵七薩婆桒悉迦囉八波唎輸底九達磨底十伽迦娜十一莎呵其持迦底十二
薩婆婆毗輸底十三摩訶娜耶十四波唎婆黳莎呵十五
若有自書寫教人書寫是无量壽宗要經能消五无間等一切重罪陁羅尼曰
南謨薄伽勃底一阿波唎蜜多二阿喻紇硯娜三須毗你尸栺多四羅佐耶五怛他羯他耶六
怛姪他唵七薩婆桒悉迦囉八波唎輸底九達磨底十伽迦娜十一莎呵其持迦底十二薩
婆婆毗輸底十三摩訶娜耶十四波唎婆黳莎呵十五
若有自書寫教人書寫是无量壽宗要經受持讀誦設有重罪猶如須弥盡能除滅陁羅尼曰
南謨薄伽勃底一阿波唎蜜多二阿喻紇硯娜三須毗你尸栺多四羅佐耶五怛他羯他耶六
怛姪他唵七薩婆桒悉迦囉八波唎輸底九達磨底十伽迦娜十一莎呵其持迦底十二薩婆
婆婆毗輸底十三摩訶娜耶十四波唎婆黳莎呵十五
若有自書寫教人書寫是无量壽宗要經受持讀誦若魔魔之眷屬夜叉羅剎不得其便終无
枉死陁羅尼曰　南謨薄伽勃底一阿波唎蜜多二阿喻紇硯娜三須毗你尸栺多四羅佐
耶五怛他羯他耶六怛姪他唵七薩婆桒悉迦囉八波唎婆底九達磨底十伽迦娜十一莎呵其
持迦底十二薩婆婆毗輸底十三摩訶娜耶十四波唎婆黳莎呵十五

BD00628號　無量壽宗要經　（6–3）

耶五怛他羯他耶六怛姪他唵七薩婆桒悉迦羅八波唎婆底九達磨底十伽迦娜十一莎呵其
持迦底十二薩婆婆毗輸底十三摩訶娜耶十四波唎婆羅莎呵十五
若有自書寫教人書寫是无量壽宗要經受持讀誦當命終時有九十九俱胝佛現其人前豪千
佛救手能遊一切佛剎莫於此經生疑惑陀羅尼曰
南謨薄伽勃底一阿波唎蜜多二阿喻紇硯娜三須毗你尸揞多四囉佐耶五怛他羯他耶六怛姪
他唵七薩婆桒悉迦羅八波唎輸底九達磨底十伽迦娜十一莎呵其持迦底十二薩婆婆毗輸
底十三摩訶娜耶十四波唎婆羅莎呵十五
若有自書寫教人書寫是无量壽宗要經受持讀誦常得四天大王隨其衛護陀羅尼曰
南謨薄伽勃底一阿波唎蜜多二阿喻紇硯娜三須毗你尸揞多四囉佐耶五怛他羯他耶六
怛姪他唵七薩婆桒悉迦羅八波唎輸底九達磨底十伽迦娜十一莎呵其持迦底十二薩
婆婆毗輸底十三摩訶娜耶十四波唎婆羅莎呵十五
若有自書寫教人書寫是无量壽宗要經受持讀誦當得往生西方極樂世界阿弥陀淨土陀羅
尼曰　南謨薄伽勃底一阿波唎蜜多二阿喻紇硯娜三須毗你尸揞多四囉佐耶五怛他
羯他耶六怛姪他唵七薩婆達悉迦羅八波唎輸底九達磨底十伽迦娜十一莎呵其持迦
底十二薩婆婆毗輸底十三摩訶娜耶十四婆唎婆羅莎呵十五
若有方所自書寫使人書寫是无量壽經典之處則為是塔皆應恭敬作礼若是畜生或為
鳥獸得聞是經如是等類皆當不久得成一切種智陀羅尼曰
南謨薄伽勃底一阿波唎蜜多二阿喻紇硯娜三須毗你尸揞多四囉佐耶五怛他羯他耶六
怛姪他唵七薩婆桒悉迦羅八波唎輸底九達磨底十伽迦娜十一莎呵其持迦底十二薩婆
婆毗輸底十三摩訶娜耶十四波唎婆羅莎呵十五
若有於是无量壽經自書寫使人書畢竟不墮女人身陀羅尼曰
南謨薄伽勃底一阿波唎蜜多二阿喻紇硯娜三須毗你尸揞多四囉佐耶五怛他羯他耶六
怛姪他唵七薩婆桒悉迦羅八波唎輸底九達磨底十伽迦娜十一莎呵其持迦底十二薩
婆婆毗輸底十三摩訶娜耶十四波唎婆羅莎呵十五
若有能於是經少分能惠施者等於三千大千世界滿中七寶布施陀羅尼曰
南謨薄伽勃底一阿波唎蜜多二阿喻紇硯娜三須毗你尸揞多四囉佐耶五怛他羯他耶六
怛姪他唵七薩婆桒悉迦羅八波唎輸底九達磨底十伽迦娜十一莎呵其持迦底十二薩婆
婆毗輸底十三摩訶娜耶十四波唎婆羅莎呵十五
若有能供養是經者則是供養一切諸經等无有異陀羅尼曰
南謨薄伽勃底一阿波唎蜜多二阿喻紇硯娜三須毗你尸揞多四囉佐耶五怛他羯他耶六

BD00628 號　無量壽宗要經　（6–4）

婆毗輸底十三摩訶娜耶十四波唎婆羅莎呵十五
若有能供養是經者則是供養一切諸經等无有異陀羅尼曰
南謨薄伽勃底一阿波唎蜜多二阿喻紇硯娜三須毗你尸揞多四囉佐耶五怛他羯他耶六
怛姪他唵七薩婆桒悉迦羅八波唎輸底九達磨底十伽迦娜十一莎呵其持迦底十二薩婆
婆毗輸底十三摩訶娜耶十四波唎婆羅莎呵十五
如是毗婆尸佛　尸弃佛　毗舍浮佛　俱留孫佛　俱那含牟尼佛　迦葉佛　釋迦牟尼佛
若有人以七寶供養如是七佛其福有限書寫受持是无量壽經典所有功德不可數量陀羅尼曰
南謨薄伽勃底一阿波唎蜜多二阿喻紇硯娜三須毗你尸揞多四囉佐耶五怛他羯他耶六怛
姪他唵七薩婆桒悉迦羅八波唎輸底九達磨底十伽迦娜十一莎呵其持迦底十二薩
婆婆毗輸底十三摩訶娜耶十四波唎婆羅莎呵十五
若有七寶等於須弥以用布施其福上能知其限量是无量壽經典其福不可稱數陀羅尼曰
南謨薄伽勃底一阿波唎蜜多二阿喻紇硯娜三須毗你尸揞多四囉佐耶五怛他羯他耶六
怛姪他唵七薩婆桒悉迦羅八波唎輸底九達磨底十伽迦娜十一莎呵其持迦底十二
薩婆婆毗輸底十三摩訶娜耶十四波唎婆羅莎呵十五
如是四大海水可知滴數是无量壽經典所生果報不可數量陀羅尼曰
南謨薄伽勃底一阿波唎蜜多二阿喻紇硯娜三須毗你尸揞多四囉佐耶五怛他羯他耶六
怛姪他唵七薩婆桒悉迦羅八波唎輸底九達磨底十伽迦娜十一莎呵其持迦底十二薩婆
婆毗輸底十三摩訶娜耶十四波唎婆羅莎呵十五
若有自書使人書寫是无量壽經典又能護持供養即如恭敬供養一切十方佛土如來无有別異
陀羅尼曰　南謨薄伽勃底一阿波唎蜜多二阿喻紇硯娜三須毗你尸揞多四囉佐耶五怛他
羯他耶六怛姪他唵七薩婆桒悉迦羅八波唎輸底九達磨底十伽迦娜十一莎呵其持迦
底十二薩婆婆毗輸底十三摩訶娜耶十四波唎婆羅莎呵十五
布施力能成正覺　悟布施力人師子　布施力能聲普聞　慈悲階漸最能入
持戒力能成正覺　悟持戒力人師子　持戒力能聲普聞　慈悲階漸最能入
忍辱力能成正覺　悟忍辱力人師子　忍辱力能聲普聞　慈悲階漸最能入
精進力能成正覺　悟精進力人師子　精進力能聲普聞　慈悲階漸最能入
禪定力能成正覺　悟禪定力人師子　禪定力能聲普聞　慈悲階漸最能入
智慧力能成正覺　悟智慧力人師子　智慧力能聲普聞　慈悲階漸最能入
尒時如來說是經已一切世間天人阿脩羅揵闥婆等聞佛所說皆大歡喜信受奉行
佛說无量壽宗要經

BD00628 號　無量壽宗要經　（6–5）

若有自書使人書寫是无量壽經典又能護持供養即如恭敬供養一切十方佛土如來无有別異
陁羅尼曰　南謨薄伽勃底一阿波唎蜜多二阿瑜紇硯孃三蘇毗你室指多四囉佐耶五怛他
羯他耶六怛侄他唵七薩婆桑悉迦囉八波唎輸底九達摩底十伽迦那十一莎可其持迦
底十二薩婆娑毗輸底十三摩訶娜耶十四波唎婆嚟莎訶十五
布施力能成正覺　悟布施力人師子　布施力能聲普聞　慈悲階漸最能入
持戒力能成正覺　悟持戒力人師子　持戒力能聲普聞　慈悲階漸最能入
忍辱力能成正覺　悟忍辱力人師子　忍辱力能聲普聞　慈悲階漸最能入
精進力能成正覺　悟精進力人師子　精進力能聲普聞　慈悲階漸最能入
禪定力能成正覺　悟禪定力人師子　禪定力能聲普聞　慈悲階漸最能入
智慧力能成正覺　悟智慧力人師子　智慧力能聲普聞　慈悲階漸最能入
尒時如來說是經已一切世間天人阿脩羅揵闥婆等聞佛所說皆大歡喜信受奉行

佛說无量壽宗要經

宋慎言

BD00628號　無量壽宗要經　　（6–6）

饒安隱豐樂天人熾盛琉璃為地有八交道
黃金為繩以界其側其傍各有七寶行樹常
有華菓華光如來亦以三乘教化眾生
舍利弗彼佛出時雖非惡世以本願故說三
乘法其劫名大寶莊嚴何故名曰大寶莊嚴
其國中以菩薩為大寶故彼諸菩薩无量无
邊不可思議筭數[illegible]所不能及非佛智力
无能知者若欲行[illegible]之此諸菩薩非
初發意皆久殖德本於无量百千万億佛所
淨脩梵行恒為諸佛之所稱嘆常脩佛慧具
大神通善知一切諸法之門質直无偽志念
堅固如是菩薩充滿其國舍利弗華光佛壽
十二小劫除為王子未作佛時其國人民壽
八小劫華光如來過十二小劫授堅滿菩薩
阿耨多羅三藐三菩提記告諸比丘是堅滿
菩薩次當作佛號曰華足安行多陁阿伽度
阿羅呵三藐三佛陁其佛國土亦復如是舍利
弗是華光佛滅度之後正法住世三十二小
劫像法住世亦三十二小劫尒時世尊欲重
宣此義而說偈言
舍利弗來世　成佛普智尊　號名曰華光　當度无量眾

BD00629號　妙法蓮華經卷二　　（25–1）

劫像法住世亦三十二小劫尒時世尊欲重
宣此義而說偈言
舍利弗來世　成佛普智尊　号名曰華光　當度无量衆
供養无數佛　具足菩薩行　十力等功德　證於无上道
過无量劫已　劫名大寶嚴　世界名離垢　清淨无瑕穢
以瑠璃為地　金繩界其道　七寶雜色樹　常有華菓實
彼國諸菩薩　志念常堅固　神通波羅蜜　皆已悉具足
於无數佛所　善學菩薩道　如是等大士　華光佛所化
佛為王子時　棄國捨世榮　於最末後身　出家成佛道
華光佛住世　壽十二小劫　其國人民衆　壽命八小劫
佛滅度之後　正法住於世　三十二小劫　廣度諸衆生
正法滅盡已　像法三十二　舍利廣流布　天人普供養
華光佛所為　其事皆如是　其兩足聖尊　最勝无倫匹
彼即是汝身　宜應自欣慶
尒時四部衆比丘比丘尼優婆塞優婆夷天
龍夜叉乾闥婆阿脩羅迦樓羅緊那羅摩睺
羅伽等大衆見舍利弗於佛前受阿耨多羅
三藐三菩提記心大歡喜踊躍无量各各脫
身所著上衣以供養佛釋提桓因梵天王等
與无數天子亦以天妙衣天曼陀羅華摩訶
曼陀羅華等供養於佛所散天衣住虛空中
而自迴轉諸天伎樂百千万種於虛空中一
時俱作雨衆天華而作是言佛昔於波羅㮈
初轉法輪今乃復轉无上最大法輪尒時諸
天子欲重宣此義而說偈言

BD00629號　妙法蓮華經卷二

（25-2）

初轉法輪今乃復轉无上最大法輪尒時諸
天子欲重宣此義而說偈言
昔於波羅㮈　轉四諦法輪　分別說諸法　五衆之生滅
今復轉最妙　无上大法輪　是法甚深奧　少有能信者
我等從昔來　數聞世尊說　未曾聞如是　深妙之上法
世尊說是法　我等皆隨喜　大智舍利弗　今得受尊記
我等亦如是　必當得作佛　於一切世間　最尊无有上
佛道叵思議　方便隨宜說　我所有福業　今世若過世
及見佛功德　盡迴向佛道
尒時舍利弗白佛言世尊我今无復疑悔親
於佛前得受阿耨多羅三藐三菩提記是諸
千二百心自在者昔住學地佛常教化言我
法能離生老病死究竟涅槃是學无學人亦
各自以離我見及有无見等謂得涅槃而今
於世尊前聞所未聞皆墮疑惑善哉世尊願
為四衆說其因緣令離疑悔尒時佛告舍利
弗我先不言諸佛世尊以種種因緣譬喻言
辭方便說法皆為阿耨多羅三藐三菩提耶
是諸所說皆為化菩薩故然舍利弗今當復
以譬喻更明此義諸有智者以譬喻得解舍
利弗若國邑聚落有大長者其年衰邁財富
无量多有田宅及諸僮僕其家廣大唯有一
門多諸人衆一百二百乃至五百人止住其
中堂閣朽故墻壁頽落柱根腐敗梁棟傾危
周匝俱時欻然火起焚燒舍宅長者諸子若
十二十或至三十在此宅中長者見是大火從

BD00629號　妙法蓮華經卷二

（25-3）

周匝俱時欻然火起焚燒舍宅長者諸子若
十二十或至三十在此宅中長者見是大火從
四面起即大驚怖而作是念我雖能於此
所燒之門安隱得出而諸子等於火宅內樂
著嬉戲不覺不知不驚不怖火來逼身苦
痛切己心不猒患无求出意
舍利弗是長者作是思惟我身手力當以
衣裓若以机案從舍出之復更思惟是舍唯
有一門而復狹小諸子幼稚未有所識戀著
戲處或當墮落為火所燒我當為說怖畏之
事此舍已燒宜時疾出无令為火之所燒害
作是念已如所思惟具告諸子汝等速出父
雖憐愍善言誘喻而諸子等樂著嬉戲不肯
信受不驚不畏了无出心亦復不知何者是
火何者為舍云何為失但東西走戲視父而
已尒時長者即作是念此舍已為大火所燒
我及諸子若不時出必為所焚我今當設方
便令諸子等得免斯害父知諸子先心各有
所好種種珍玩奇異之物情必樂著而告之
言汝等所可玩好希有難得汝若不取後必
憂悔如此種種羊車鹿車牛車今在門外可
以遊戲汝等於此火宅宜速出來隨汝所欲
皆當與汝尒時諸子聞父所說珍玩之物適
其願故心各勇銳互相推排競共馳走爭出
火宅是時長者見諸子等安隱得出皆於四

其願故心各勇銳互相推排競共馳走爭出
火宅是時長者見諸子等安隱得出皆於四
衢道中路地而坐无復鄣閡其心泰然歡喜
踊躍時諸子等各白父言父先所許玩好之
具羊車鹿車牛車願時賜與
舍利弗尒時長者各賜諸子等一大車其車
高廣衆寶莊校周匝欄楯四面懸鈴又於其
上張設幰蓋亦以珍奇雜寶而嚴飾之寶繩
絞絡垂諸華瓔重敷綩綖安置丹枕駕以白
牛膚色充潔形體姝好有大筋力行步平正
其疾如風又多僕從而侍衛之所以者何是
長者財富无量種種諸藏悉皆充溢而作是
念我財物无極不應以下劣小車與諸子等
今此幼童皆是吾子愛无偏黨我有如是七
寶大車其數无量應當等心各各與之不宜
差別所以者何以我此物周給一國猶尚不
匱何況諸子是時諸子各乘大車得未曾
有非本所望舍利弗於汝意云何是長者
諸子珍寶大車寧有虛妄不舍利弗言不也
世尊是長者但令諸子得免火難全其軀命
非為虛妄何以故若全身命便為已得玩好
之具況復方便於彼火宅而拔濟之世尊若
是長者乃至不與最小一車猶不虛妄何以
故是長者先作是意我以方便令子得出以
是因緣无虛妄也何況長者自知財富无量

是因緣无虚妄也何况長者自知財富无量
欲饒益諸子等與大車
佛告舍利弗善哉善哉如汝所言舍利弗如
来亦復如是則為一切世間之父於諸怖畏
衰惱憂患无明闇蔽永盡无餘而悉成就无
量知見力无所畏有大神力及智慧力具足
方便智慧波羅蜜大慈大悲无懈惓恒求
善事利益一切而生三界朽故火宅為度衆
生生老病死憂悲苦惱愚癡闇蔽三毒之火
教化令得阿耨多羅三藐三菩提見諸衆生
為生老病死憂悲苦惱之所燒煑亦以五欲
財利故受種種苦又以貪著追求故現受衆
苦後受地獄畜生餓鬼之苦若生天上及在
人間貧窮困苦愛別離苦怨憎會苦如是等
種種諸苦衆生沒在其中歡喜遊戲不覺不
知不驚不怖亦不生猒不求解脫於此三界
火宅東西馳走雖遭大苦不以為患舍利弗
佛見此已便作是念我為衆生之父應拔其
苦難與无量无邊佛智慧樂令其遊戲
舍利弗如来復作是念若我但以神力及智
慧力捨於方便為諸衆生讚如来知見力无
所畏者衆生不能以是得度所以者何是諸
衆生未免生老病死憂悲苦惱而為三界火
宅所燒何由能解佛之智慧舍利弗如彼長
者雖復身手有力而不用之但以慇勤方便

宅所燒何由能解佛之智慧舍利弗如彼長
者雖復身手有力而不用之但以慇勤方便
勉濟諸子火宅之難然後各與珍寶大車如
来亦復如是雖有力无所畏而不用之但以
智慧方便於三界火宅拔濟衆生為說三乘
聲聞辟支佛佛乘而作是言汝等莫得樂住
三界火宅勿貪麁弊色聲香味觸也若貪著生
愛則為所燒汝速出三界當得三乘聲聞辟支
佛佛乘我今為汝保任此事終不虛也汝等但
當勤脩精進如来以是方便誘進衆生復作是
言汝等當知此三乘法皆是聖所稱歎自在无
繫无所依求乘是三乘以无漏根力覺道禪定
解脫三昧等而自娛樂便得无量安隱快樂
舍利弗若有衆生內有智性從佛世尊聞法
信受慇勤精進欲速出三界自求涅槃是名
聲聞乘如彼諸子為求羊車出於火宅若有
衆生從佛世尊聞法信受慇勤精進求自然
慧樂獨善寂深知諸法因緣是名辟支佛乘
如彼諸子為求鹿車出於火宅若有衆生從
佛世尊聞法信受勤脩精進求一切智佛智
自然智无師智如来知見力无所畏愍念安
樂无量衆生利益天人度脫一切是名大乘
菩薩求此乘故名為摩訶薩如彼諸子為求
牛車出於火宅舍利弗如彼長者見諸子等
安隱得出火宅到无畏處自惟財富无量等
以大車而賜諸子如来亦復如是為一切衆

生界出於火宅舍利弗如彼長者見諸子等
安隱得出火宅到无畏處自惟財富无量等
以大車而賜諸子如來亦復如是為一切衆
生之父若見无量億千衆生以佛教門出三
界苦怖畏險道得涅槃樂
如來尒時便作是念我有无量无邊智慧力
无畏等諸佛法藏是諸衆生皆是我子等與
大乘不令有人獨得滅度皆以如來滅度而
滅度之是諸衆生脫三界者悉與諸佛禪定
解脫等娛樂之具皆是一相一種聖所稱歎
能生淨妙第一之樂舍利弗如彼長者初以
三車誘引諸子然後但與大車寶物莊嚴安
隱第一然彼長者无虛妄之咎如來亦復如
是无有虛妄初說三乘引導衆生然後但以
大乘而度脫之何以故如來有无量智慧力
无所畏諸法之藏能與一切衆生大乘之法
但不盡能受舍利弗以是因緣當知諸佛方
便力故於一佛乘分別說三佛欲重宣此義
而說偈言
譬如長者 有一大宅 其宅久故 而復頓弊
堂舍高危 柱根摧朽 梁棟傾斜 基陛頹毀
墻壁圮坼 泥塗褫落 覆苫亂墜 椽梠差脫
周障屈曲 雜穢充遍 有五百人 止住其中
鵄梟鵰鷲 烏鵲鳩鴿 蚖蛇蝮蠍 蜈蚣蚰蜒
守宮百足 狖狸鼷鼠 諸惡虫輩 交橫馳走
屎尿臭處 不淨流溢 蜣蜋諸虫 而集其上

守宮百足 狖狸鼷鼠 諸惡虫輩 交橫馳走
屎尿臭處 不淨流溢 蜣蜋諸虫 而集其上
狐狼野干 咀嚼踐蹋 嚌齧死屍 骨肉狼藉
由是群狗 競來搏撮 飢羸慞惶 處處求食
鬪諍摣掣 嘊喍嘷吠 其舍恐怖 變狀如是
處處皆有 魑魅魍魎 夜叉惡鬼 食噉人肉
毒虫之屬 諸惡禽獸 孚乳產生 各自藏護
夜叉競來 爭取食之 食之既飽 惡心轉熾
鬪諍之聲 甚可怖畏 鳩槃荼鬼 蹲踞土埵
或時離地 一尺二尺 往返遊行 縱逸嬉戲
捉狗兩足 撲令失聲 以腳加頸 怖狗自樂
復有諸鬼 其身長大 裸形黑瘦 常住其中
發大惡聲 叫呼求食 復有諸鬼 其咽如針
復有諸鬼 首如牛頭 或食人肉 或復噉狗
頭髮蓬亂 殘害兇險 飢渴所逼 叫喚馳走
夜叉餓鬼 諸惡鳥獸 飢急四向 窺看窗牖
如是諸難 恐畏无量
是朽故宅 屬于一人 其人近出 未久之間
於後舍宅 忽然火起 四面一時 其炎俱熾
棟梁椽柱 爆聲震裂 摧折墮落 墻壁崩倒
諸鬼神等 揚聲大叫 鵰鷲諸鳥 鳩槃荼等
周章惶怖 不能自出 惡獸毒虫 藏竄孔穴
毗舍闍鬼 亦住其中 薄福德故 為火所逼
共相殘害 飲血噉肉 野干之屬 並已前死
諸大惡獸 競來食噉 臭烟熢㶿 四面充塞
蜈蚣蚰蜒 毒蛇之類 為火所燒 爭走出穴

共相殘害 飲血噉肉 野干之屬 並已前死
諸大惡獸 競來食噉 臰烟熢㶿 四面充塞
蜈蚣蚰蜒 毒蛇之類 為火所燒 爭走出穴
鳩槃荼鬼 隨取而食 又諸餓鬼 頭上火燃
飢渴熱惱 周慞悶走 其宅如是 甚可怖畏
毒害火災 衆難非一 是時宅主 在門外立
聞有人言 汝諸子等 先因遊戲 來入此宅
稚小无知 歡娛樂著
長者聞已 驚入火宅 方宜救濟 令无燒害
告喻諸子 說衆患難 惡鬼毒虫 災火蔓莚
衆苦次第 相續不絕 毒蛇蚖蝮 及諸夜叉
鳩槃荼鬼 野干狐狗 鵰鷲鵄梟 百足之屬
飢渴惱急 甚可怖畏 此苦難處 況復大火
諸子无知 雖聞父誨 猶故樂著 嬉戲不已
是時長者 而作是念 諸子如是 益我愁惱
今此舍宅 无一可樂 而諸子等 耽湎嬉戲
不受我教 將為火害 即便思惟 設諸方便
告諸子等 我有種種 珍玩之具 妙寶好車
羊車鹿車 大牛之車 今在門外 汝等出來
吾為汝等 造作此車 隨意所樂 可以遊戲
諸子聞說 如此諸車 即時奔競 馳走而出
到於空地 離諸苦難
長者見子 得出火宅 住於四衢 坐師子座
而自慶言 我今快樂 此諸子等 生育甚難
愚小无知 而入險宅 多諸毒虫 魑魅可畏
大火猛炎 四面俱起 而此諸子 貪樂嬉戲

而自慶言 我今快樂 此諸子等 生育甚難
愚小无知 而入險宅 多諸毒虫 魑魅可畏
大火猛炎 四面俱起 而此諸子 貪樂嬉戲
我已救之 令得脫難 是故諸人 我今快樂
尒時諸子 知父安坐 皆詣父所 而白父言
願賜我等 三種寶車 如前所許 諸子出來
當以三車 隨汝所欲 今正是時 唯垂給與
長者大富 庫藏衆多 金銀瑠璃 車𤦲馬瑙
以衆寶物 造諸大車 莊校嚴飾 周匝欄楯
四面懸鈴 金繩交絡 真珠羅網 張施其上
金華諸瓔 處處垂下 衆綵雜飾 周匝圍繞
柔濡繒纊 以為茵蓐 上妙細疊 價直千億
鮮白淨潔 以覆其上 有大白牛 肥壯多力
形體姝好 以駕寶車 多諸儐從 而侍衛之
以是妙車 等賜諸子
諸子是時 歡喜踊躍 乘是寶車 遊於四方
嬉戲快樂 自在无閡 告舍利弗 我亦如是
衆聖中尊 世間之父 一切衆生 皆是吾子
深著世樂 无有慧心 三界无安 猶如火宅
衆苦充滿 甚可怖畏 常有生老 病死憂患
如是等火 熾燃不息 如來已離 三界火宅
寂然閑居 安處林野 今此三界 皆是我有
其中衆生 悉是吾子 而今此處 多諸患難
唯我一人 能為救護 雖復教詔 而不信受
於諸欲染 貪著深故 是以方便 為說三乘
令諸衆生 知三界苦 開示演說 出世間道

唯我一人　能為救護　雖復教詔　而不信受
於諸欲染　貪着深故　是以方便　為說三乘
令諸衆生　知三界苦　開示演說　出世間道
是諸子等　若心决定　具足三明　及六神通
有得緣覺　不退菩薩　汝舍利弗　我為衆生
以此譬喻　說一佛乘　汝等若能　信受是語
一切皆當　成得佛道
是乘微妙　清淨第一　於諸世間　為无有上
佛所悅可　一切衆生　所應稱讚　供養礼拜
得如是乘　令諸子等　日夜劫數　常得遊戲
與諸菩薩　及聲聞衆　乘此寶車　直至道場
以是因緣　十方諦求　更无餘乘　除佛方便
告舍利弗　汝諸人等　皆是吾子　我則是父
汝等累劫　衆苦所燒　我皆濟拔　令出三界
我雖先說　汝等滅度　但盡生死　而實不滅
今所應作　唯佛智慧
若有菩薩　於是衆中　能一心聽　諸佛實法
諸佛世尊　雖以方便　所化衆生　皆是菩薩
若人小智　深着愛欲　為此等故　說於苦諦
衆生心喜　得未曾有　佛說苦諦　真實无異
若有衆生　不知苦本　深着苦因　不能暫捨
為是等故　方便說道　諸苦所因　貪欲為本
若滅貪欲　无所依止　滅盡諸苦　名第三諦
為滅諦故　脩行於道　離諸苦縛　名得解脫
是人於何　而得解脫　但離虛妄　名為解脫

是人於何　而得解脫　但離虛妄　名為解脫
其實未得　一切解脫　佛說是人　未實滅度
斯人未得　无上道故　我意不欲　令至滅度
我為法王　於法自在　安隱衆生　故現於世
汝舍利弗　我此法印　為欲利益　世間故說
在所遊方　勿妄宣傳　若有聞者　隨喜頂受
當知是人　阿鞞跋致　若有信受　此經法者
是人已曾　見過去佛　恭敬供養　亦聞是法
若人有能　信汝所說　則為見我　亦見於汝
及比丘僧　并諸菩薩
斯法華經　為深智說　淺識聞之　迷惑不解
一切聲聞　及辟支佛　於此經中　力所不及
汝舍利弗　尚於此經　以信得入　況餘聲聞
其餘聲聞　信佛語故　隨順此經　非己智分
又舍利弗　憍慢懈怠　計我見者　莫說此經
凡夫淺識　深着五欲　聞不能解　亦勿為說
若人不信　毀謗此經　則斷一切　世間佛種
或復顰蹙　而懷疑惑　汝當聽說　此人罪報
若佛在世　若滅度後　其有誹謗　如斯經典
見有讀誦　書持經者　輕賤憎嫉　而懷結恨
此人罪報　汝今復聽
其人命終　入阿鼻獄　具足一劫　劫盡更生
如是展轉　至无數劫　從地獄出　當墮畜生
若狗野干　其形頟瘦　黧黮疥癩　人所觸嬈
又復為人　之所惡賤　常困飢渴　骨肉枯竭

又復為人 之所惡賤 常困飢渴 骨肉枯竭
生受楚毒 死被瓦石 斷佛種故 受斯罪報
若作駱駝 或生驢中 身常負重 加諸杖捶
但念水草 餘无所知 謗斯經故 獲罪如是
有作野干 來入聚落 身體疥癩 又无一目
為諸童子 之所打擲 受諸苦痛 或時致死
於此死已 更受蟒身 其形長大 五百由旬
聾騃无足 宛轉腹行 為諸小虫 之所唼食
晝夜受苦 无有休息 謗斯經故 獲罪如是
若得為人 諸根闇鈍 矬陋攣躄 盲聾背傴
有所言說 人不信受 口氣常臭 鬼魅所著
貧窮下賤 為人所使 多病痟瘦 无所依怙
雖親附人 人不在意
若有所得 尋復忘失 若脩醫道 順方治病
更增他疾 或復致死 若自有病 无人救療
設服良藥 而復增劇 若他反逆 抄劫竊盜
如是等罪 橫羅其殃 如斯罪人 永不見佛
眾聖之王 說法教化 如斯罪人 常生難處
狂聾心亂 永不聞法 於无數劫 如恒河沙
生輒聾瘂 諸根不具 常處地獄 如遊園觀
在餘惡道 如己舍宅 駝驢猪狗 是其行處
謗斯經故 獲罪如是 若得為人 聾盲瘖瘂
貧窮諸衰 以自莊嚴 水腫乾痟 疥癩癰疽
如是等病 以為衣服 身常臭處 垢穢不淨
深著我見 增益瞋恚 婬欲熾盛 不擇禽獸
謗斯經故 獲罪如是

BD00629號　妙法蓮華經卷二　（25–14）

如是等病 以為衣服 身常臭處 垢穢不淨
深著我見 增益瞋恚 婬欲熾盛 不擇禽獸
謗斯經故 獲罪如是
告舍利弗 謗斯經者 若說其罪 窮劫不盡
以是因緣 我故語汝 无智人中 莫說此經
若有利根 智慧明了 多聞強識 求佛道者
如是之人 乃可為說 若人曾見 億百千佛
殖諸善本 深心堅固 如是之人 乃可為說
若人精進 常脩慈心 不惜身命 乃可為說
若人恭敬 无有異心 離諸凡愚 獨處山澤
如是之人 乃可為說 又舍利弗 若見有人
捨惡知識 親近善友 如是之人 乃可為說
若見佛子 持戒清潔 如淨明珠 求大乘經
如是之人 乃可為說
若人无瞋 質直柔軟 常愍一切 恭敬諸佛
如是之人 乃可為說 復有佛子 於大眾中
以清淨心 種種因緣 譬喻言辭 說法无閡
如是之人 乃可為說 若有比丘 為一切智
四方求法 合掌頂受 但樂受持 大乘經典
乃至不受 餘經一偈 如是之人 乃可為說
如人至心 求佛舍利 如是求經 得已頂受
其人不復 志求餘經 亦未曾念 外道典籍
如是之人 乃可為說 告舍利弗 我說是相
求佛道者 窮劫不盡 如是等人 則能信解
汝當為說 妙法華經

BD00629號　妙法蓮華經卷二　（25–15）

求佛道者　窮劫不盡　如是等人　則能信解
汝當為說　妙法華經

妙法蓮華經信解品第四

尒時慧命須菩提摩訶迦旃延摩訶迦葉摩
訶目揵連從佛所聞未曾有法世尊授舍利
弗阿耨多羅三藐三菩提記發希有心歡喜
踊躍即從座起整衣服偏袒右肩右膝著地
一心合掌曲躬恭敬瞻仰尊顏而白佛言我等
居僧之首年並朽邁自謂已得涅槃无所
堪任不復進求阿耨多羅三藐三菩提世尊
往昔說法既久我時在座身體疲懈但念空
无相无作於菩薩法遊戲神通淨佛國土成
就眾生心不喜樂所以者何世尊令我等出
於三界得涅槃證又今我等年已朽邁於佛
教化菩薩阿耨多羅三藐三菩提不生一念
好樂之心我等今於佛前聞授聲聞阿耨多
羅三藐三菩提記心甚歡喜得未曾有不謂
於今忽然得聞希有之法深自慶幸獲大善
利无量珍寶不求自得
世尊我等今者樂說譬喻以明斯義譬若有
人年既幼稚捨父逃逝久住他國或十二十
至五十歲年既長大加復窮困馳騁四方以
求衣食漸漸遊行遇向本國其父先來求子
不得中止一城其家大富財寶无量金銀琉
璃珊瑚虎珀頗梨珠等其諸倉庫悉皆盈溢

求衣食漸漸遊行遇向本國其父先來求子
不得中止一城其家大富財寶无量金銀琉
璃珊瑚虎珀頗梨珠等其諸倉庫悉皆盈溢
多有僮僕臣佐吏民象馬車乘牛羊无數出
入息利乃遍他國商估賈客亦甚眾多時貧
窮子遊諸聚落經歷國邑遂到其父所止之
城父每念子與子離別五十餘年而未曾向
人說如此事但自思惟心懷悔恨自念老朽
多有財物金銀珍寶倉庫盈溢无有子息一
旦終沒財物散失无所委付是以慇懃每憶
其子復作是念我若得子委付財物坦然快
樂无復憂慮世尊尒時窮子傭賃展轉遇到
父舍住立門側遙見其父踞師子牀寶机承
足諸婆羅門剎利居士皆恭敬圍繞以真珠
瓔珞價直千万莊嚴其身吏民僮僕手執白
拂侍立左右覆以寶帳垂諸華幡香水灑地
散眾名華羅列寶物出內取與有如是等種
種嚴飾威德特尊窮子見父有大力勢即懷
恐怖悔來至此竊作是念此或是王或是王
等非我傭力得物之處不如往至貧里肆力
有地衣食易得若久住此或見逼迫強使我
作作是念已疾走而去時富長者於師子座
見子便識心大歡喜即作是念我財物庫藏
今有所付我常思念此子无由見之而忽自
來甚適我願我雖年朽猶故貪惜即遣傍
人急追將還

來甚適我願我雖年朽猶故貪惜即遣傍
人急追將還
尒時使者疾走往捉窮子驚愕稱怨大喚我
不相犯何為見捉使者執之愈急強牽將還
于時窮子自念无罪而被囚執此必定死轉
更惶怖悶絕躃地父遙見之而語使言不須
此人勿強將來以冷水灑面令得醒悟莫復
與語所以者何父知其子志意下劣自知豪
貴為子所難審知是子而以方便不語他人
云是我子使者語之我今放汝隨意所趣窮
子歡喜得未曾有從地而起往至貧里以求
衣食尒時長者將欲誘引其子而設方便密
遣二人形色憔悴无威德者汝可詣彼徐語
窮子此有作處倍與汝直窮子若許將來使
作若言欲何所作便可語之雇汝除糞我等
二人亦共汝作時二使人即求窮子既已得之
具陳上事尒時窮子先取其價尋與除糞
其父見子愍而怪之又以他日於窓牖中遙
見子身羸瘦顦顇糞土塵坌汙穢不淨即脫
瓔珞細軟上服嚴飾之具更著麁弊垢膩之
衣塵土坌身右手執持除糞之器狀有所畏
語諸作人汝等勤作勿得懈息以方便故得
近其子後復告言咄男子汝常此作勿復餘
去當加汝價諸有所須瓫器米麵塩酢之屬
莫自疑難亦有老弊使人須者相給好自安

去當加汝價諸有所須瓫器米麵塩酢之屬
莫自疑難亦有老弊使人須者相給好自安
意我如汝父勿復憂慮所以者何我年老大
而汝少壯汝常作時无有欺怠瞋恨怨言都
不見汝有此諸惡如餘作人自今已後如所
生子即時長者更與作字名之為兒
尒時窮子雖欣此遇猶故自謂客作賤人由
是之故於二十年中常令除糞過是已後心
相體信入出无難然其所止猶在本處世尊
尒時長者有疾自知將死不久語窮子言我
今多有金銀珎寶倉庫盈溢其中多少所應
取與汝悉知之我心如是當體此意所以者
何今我與汝便為不異宜加用心无令漏失
尒時窮子即受教勑領知衆物金銀珎寶及
諸庫藏而无悕取一飡之意然其所止故在
本處下劣之心亦未能捨復經少時父知子
意漸已通泰成就大志自鄙先心臨欲終時
而命其子并會親族國王大臣剎利居士皆
悉已集即自宣言諸君當知此是我子我之
所生於某城中捨吾逃走跉跰辛苦五十餘
年其本字某我名某甲昔在本城懷憂推覓
忽於是間遇會得之此實我子我實其父今
吾所有一切財物皆是子有先所出內是子
所知世尊是時窮子聞父此言即大歡喜得
未曾有而作是念我本无心有所悕求今此

所知世尊是時窮子聞父此言即大歡喜得
未曾有而作是念我本无心有所悕求今此
寶藏自然而至
世尊大富長者則是如來我等皆似佛子如
來常說我等為子世尊我等以三苦故於生
死中受諸熱惱迷惑无知樂著小法今日世
尊令我等思惟蠲除諸法戲論之糞我等於
中勤加精進得至涅槃一日之價既得此已心
大歡喜自以為足便自謂於佛法中勤精
進故所得弘多然世尊先知我等心著弊欲
樂於小法便見縱捨不為分別汝等當有如
來知見寶藏之分世尊以方便力說如來智
慧我等從佛得涅槃一日之價以為大得於
此大乘无有志求我等又因如來智慧為諸
菩薩開示演說而自於此无有志願所以者
何佛知我等心樂小法以方便力隨我等說
而我等不知真是佛子今我等方知世尊於
佛智慧无所悋惜所以者何我等昔來真是
佛子而但樂小法若我等有樂大之心佛則
為我說大乘法此經中唯說一乘而昔於菩
薩前毀呰聲聞樂小法者然佛實以大乘教
化是故我等說本无心有所悕求今法王大
寶自然而至如佛子所應得者皆已得之尒
時摩訶迦葉欲重宣此義而說偈言
我等今日　聞佛音教　歡喜踊躍　得未曾有
佛說聲聞　當得作佛　无上寶聚　不求自得

時摩訶迦葉欲重宣此義而說偈言
我等今日　聞佛音教　歡喜踊躍　得未曾有
佛說聲聞　當得作佛　无上寶聚　不求自得
譬如童子　幼稚无識　捨父逃逝　遠到他土
周流諸國　五十餘年　其父憂念　四方推求
求之既疲　頓止一城　造立舍宅　五欲自娛
其家巨富　多諸金銀　車璖馬瑙　真珠瑠璃
象馬牛羊　輦輿車乘　田業僮僕　人民衆多
出入息利　乃遍他國　商估賈人　无處不有
千万億衆　圍繞恭敬　常為王者　之所愛念
羣臣豪族　皆共宗重　以諸緣故　往來者衆
豪富如是　有大力勢　而年朽邁　益憂念子
夙夜惟念　死時將至　癡子捨我　五十餘年
庫藏諸物　當如之何　尒時窮子　求索衣食
從邑至邑　從國至國　或有所得　或无所得
飢餓羸瘦　體生瘡癬　漸次經歷　到父住城
傭賃展轉　遂至父舍　尒時長者　於其門內
施大寶帳　處師子座　眷屬圍繞　諸人侍衛
或有計筭　金銀寶物　出內財產　注記券疏
窮子見父　豪貴尊嚴　謂是國王　若是王等
驚怖自怪　何故至此
覆自念言　我若久住　或見逼迫　強驅使作
思惟是已　馳走而去　借問貧里　欲往傭作
長者是時　在師子座　遙見其子　默而識之
即勅使者　追捉將來　窮子驚喚　迷悶躃地
是人執我　必當見殺　何用衣食　使我至此

長者是時　在師子座　遥見其子　嘿而識之
即勑使者　追捉將來　窮子驚喚　迷悶躃地
是人執我　必當見煞　何用衣食　使我至此
長者知子　愚癡狹劣　不信我言　不信是父
即以方便　更遣餘人　眇目矬陋　无威德者
汝可語之　云當相雇　除諸糞穢　倍與汝價
窮子聞之　歡喜隨來　為除糞穢　淨諸房舍
長者於牖　常見其子　念子愚劣　樂為鄙事
於是長者　著弊垢衣　執除糞器　往到子所
方便附近　語令勤作
既益汝價　并塗足油　飲食充足　薦席厚煖
如是苦言　汝當勤作　又以軟語　若如我子
長者有智　漸令出入　經二十年　執作家事
示其金銀　真珠頗梨　諸物出入　皆使令知
猶處門外　止宿草庵　自念貧事　我无此物
父知子心　漸已曠大　欲與財物　即聚親族
國王大臣　剎利居士　於此大眾　說是我子
捨我他行　經五十歲　自見子來　已二十年
昔於某城　而失是子　周行求索　遂來至此
凡我所有　舍宅人民　悉以付之　恣其所用
子念昔貧　志意下劣　今於父所　大獲珎寶
并及舍宅　一切財物　甚大歡喜　得未曾有
佛亦如是　知我樂小　未曾說言　汝等作佛
而說我等　得諸无漏　成就小乘　聲聞弟子
佛勑我等　說最上道　脩習此者　當得成佛
我承佛教　為大菩薩　以諸因緣　種種譬喻

佛勑我等　說最上道　脩習此者　當得成佛
我承佛教　為大菩薩　以諸因緣　種種譬喻
若干言辭　說无上道
諸佛子等　從我聞法　日夜思惟　精勤脩習
是時諸佛　即授其記　汝於來世　當得作佛
一切諸佛　祕藏之法　但為菩薩　演其實事
而不為我　說斯真要　如彼窮子　得近其父
雖知諸物　心不悕取　我等雖說　佛法寶藏
自无志願　亦復如是　我等內滅　自謂為足
唯了此事　更无餘事　我等若聞　淨佛國土
教化眾生　都无欣樂　所以者何　一切諸法
皆悉空寂　无生无滅　无大无小　无漏无為
如是思惟　不生喜樂　我等長夜　於佛智慧
无貪无著　无復志願　而自於法　謂是究竟
我等長夜　脩習空法　得脫三界　苦惱之患
住最後身　有餘涅槃　佛所教化　得道不虛
則為已得　報佛之恩　我等雖為　諸佛子等
說菩薩法　以求佛道　而於是法　永无願樂
導師見捨　觀我心故　初不勸進　說有實利
如富長者　知子志劣　以方便力　柔伏其心
然後乃付　一切財寶
佛亦如是　現希有事　知樂小者　以方便力
調伏其心　乃教大智　我等今日　得未曾有
非先所望　而今自得　如彼窮子　得无量寶
世尊我今　得道得果　於无漏法　得清淨眼

非先所望　而今自得　如彼窮子　得无量寶
世尊我今　得道得果　於无漏法　得清淨眼
我等長夜　持佛淨戒　始於今日　得其果報
法王法中　久脩梵行　今得无漏　无上大果
我等今者　真是聲聞　以佛道聲　令一切聞
我等今者　真阿羅漢　於諸世間　天人魔梵
普於其中　應受供養　世尊大恩　以希有事
憐愍教化　利益我等　无量億劫　誰能報者
手足供給　頭頂礼敬　一切供養　皆不能報
若以頂戴　兩肩荷負　於恒沙劫　盡心恭敬
又以美饍　无量寶衣　及諸卧具　種種湯藥
牛頭栴檀　及諸珎寶　以起塔廟　寶衣布地
如斯等事　以用供養　於恒沙劫　亦不能報
諸佛希有　无量无邊　不可思議　大神通力
无漏无為　諸法之王　能為下劣　忍于斯事
取相凡夫　隨宜為說　諸佛於法　得冣自在
知諸衆生　種種欲樂　及其志力　隨所堪任
以无量喻　而為說法　隨諸衆生　宿世善根
又知成熟　未成熟者　種種籌量　分別知已
於一乘道　隨宜說三

妙法蓮華經卷第二

BD00629 號　妙法蓮華經卷二　（25–24）

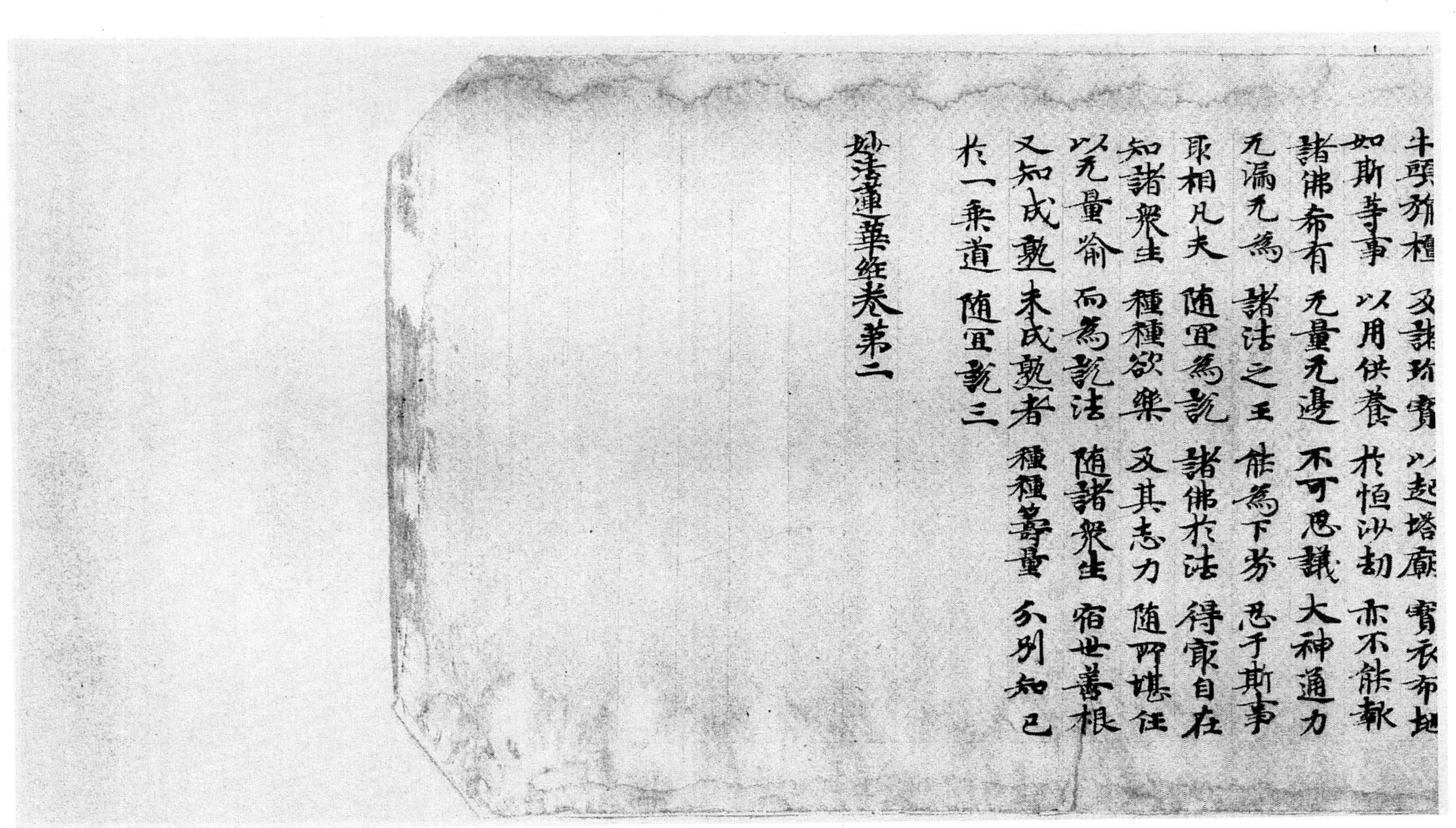
牛頭栴檀　及諸珎寶　以起塔廟　寶衣布地
如斯等事　以用供養　於恒沙劫　亦不能報
諸佛希有　无量无邊　不可思議　大神通力
无漏无為　諸法之王　能為下劣　忍于斯事
取相凡夫　隨宜為說　諸佛於法　得冣自在
知諸衆生　種種欲樂　及其志力　隨所堪任
以无量喻　而為說法　隨諸衆生　宿世善根
又知成熟　未成熟者　種種籌量　分別知已
於一乘道　隨宜說三

妙法蓮華經卷第二

BD00629 號　妙法蓮華經卷二　（25–25）

菩薩名□□□從坐起繞佛三
匝一面五體投地悲泣流淚而白佛
尊如来欲入涅槃時欲将至若滅
百歲五濁衆生多作惡業專行十惡
生福德力薄於佛所説十二部經甚
多文廣義意趣難解於其法中
願佛慈悲為説大乘決定真實令此□
少藥療[illegible]為悲令得愈佛讚虚
空善哉善哉善男子汝能為諸衆
事无大利益不可思議我當為汝分□
實大乘決定了義何以故度衆生故令諸衆
生離煩惱故出地獄苦生淨土故必定解
脱超生死故汝等皆當一心為汝宣説尒時
大衆皆大歡喜踊躍異口同音俱發聲言願
佛慈悲為我宣説佛言諸善男子欲求解脱
當斷攀緣一心无二捨有心相心性體空於
□性中无染无捨若无取捨即无所得若无
□即名菩提何以故衆多煩惱皆一心生心
若不生煩惱不生於諸境智即无取捨若
无取捨則離諸著若離諸著即无攀緣虚
空藏菩薩白佛言世尊衆生境智能生善惡
是緣起處内外二邊諸法相入云何於中而不

BD00630號　法王經　(21-1)

无取捨則離諸著若離諸著即无攀緣虚
空藏菩薩白佛言世尊衆生境智能生善惡
是緣起處内外二邊諸法相入云何於中而不
取捨佛告虚空藏菩薩言善男子入一禪聚
觀諸内外必竟不有何以故觀内顧内真性不
生觀外顧外无明不起无生无起即无涅槃
是為清淨是妙良藥虚空藏菩薩白佛言
世尊如来所説大乘實相甚深微妙无上良
藥入一乘諦而後衆生三業不淨作十惡業
行闡提行根基狹劣難可心藥病差别作
何方便令入大乘佛告虚空藏菩薩言我有
方便令入大乘虚空藏菩薩白佛言世尊我
從昔聞如来為大乘人説六波羅蜜法為中
乘人説十二因緣法為小乘人説四諦法為
闡提人説十善法皆對病根為説良藥云何
今日説一乘法以救四人佛告虚空藏菩薩言
我説一乘道法猶如一地能生万物長養
一切猶如法雨普潤一切在地生者皆得潤
澤猶如一米一味之飯在世衆生人及非人
皆以為食食者悉能長身命譬如藥王善
合妙丹衆生病熱服者清涼衆生病冷服者
温熱諸下痢者服之即斷諸下閇者服之即
通无病不愈我説一乘法於彼四人療諸疾
病亦復如是虚空藏菩薩白佛言世尊以何
方便令彼十惡一闡提衆生入一乘道佛告
虚空藏菩薩言善男子我一乘法即具三乘
更无别説而作三乘汝當諦聽為汝宣説善

BD00630號　法王經　(21-2)

方便令彼十惡一闡提衆生入一乘道佛告
虚空藏菩薩言善男子我一乘法即具三乘
更无別説而作三乘汝當諦聽爲汝宣説善
男子妙道玄基一性无二以方便故而説三
乘諸法三乘皆符一觀一切衆生雖有四種而於
佛性亦无有二何以故一切諸佛一切衆生皆同一性
一相一體无異衆生之心自起分別佛是衆生
衆生是佛一切衆生皆有佛性佛性衆生性一
皆同一性一性平等等諸法故我有方便令
入一乘善男子令彼衆生牢固心城勿令賊
入六識大門金剛守護觀心住處知心住
處於心住處即不住心若不住心心則不住
不住諸惡及以境界即无攀緣離攀緣故
心即无求心若无求心則无住若无住處即名
住心善男子衆生之心作諸煩惱皆爲心神
所起不住故其心若住即无煩惱若无煩惱
即是菩提虚空藏菩薩白佛言世尊一切衆
生作諸煩惱其心不住從何力起而作攀緣
願佛慈悲爲衆宣説佛言一切衆生諸緣
起有二性力何等爲二一者緣外境界起是
緣性力二者不緣境界起自心自起是自性
力善男子令諸衆生不起性則无煩惱則无
菩提若无煩惱若无菩提入真實處是真
菩提汝等菩薩若化衆生當令心住虚空藏
菩薩白佛言世尊若化衆生令其心住住在何
處而得菩提佛讚虚空藏菩薩言善哉善

菩提汝等菩薩若化衆生當令心住虚空藏
菩薩白佛言世尊若化衆生令其心住住在何
處而得菩提佛讚虚空藏菩薩言善哉善
哉善男子汝能善問如是心義是大菩薩摩
訶薩不可思議汝當諦聽爲汝宣説善男子若
化衆生令其心住不在内住不在外住不在中
間住諸佛乘法亦不在内亦不在外亦不在
中間住一心神於无住處故得菩提若得菩
提亦无菩提可得是名如如何以故煩惱妄
生爲妄空故諸法不生法亦空故此心但
有空名心亦不可得心亦空故諸善男子
若知心空不應於一空心中妄見一切若見一
切即名心垢心垢若无即名遍盡眼色與
心三空常淨虚空藏菩薩白佛言世尊諸
法若然一切衆生應於一身一心一世界能入
一佛世界一佛世界能入遍滿虚空一切佛
法世界佛告虚空藏菩薩言善男子如是
是一切世界入一世界一一世界有一一蓮華座
一一蓮華中各有一如來座一一如來身充
滿一切世界示現一切世界皆悉虚空諸
佛莊嚴一切世界有一一菩薩一一菩薩身
充滿一切世界有大神力於一毛孔中安置
一切世界一切世界入一衆生身一一衆生身
一一世界數一一世界即是一佛世界一佛
道場一菩提樹一菩提樹下各有一佛座一
一佛身亦充滿一切世界一一佛妙聲亦充
滿一切世界一切世界皆隨所應无不聞
解皆爲歡喜者[illegible]

一佛身亦充滿一切世界一一佛妙聲亦充
滿一切世界一切世界皆隨所應无不聞
解皆為歡喜諸行者等知法在其身中不
應而於他方一切世界之處而求佛身應於一
心一身一世界處而求佛身於一身中能生
一切身於一切身中能生一身何以故一身
一佛身故一切衆身衆生身及諸佛身皆
從一心生一心若善諸法善盡一心若惡諸法
惡盡若作惡業則生惡衆生之身若作善業
則生人天諸身若於一心離一心想於心想中
空无所得復離空心界於无取地能生佛身
於佛身中一身无二一佛性故一佛性中即
一心性於一心外更无他求若作他求即為
顛倒何以故一切心法无由外請於外請
處即名為他若求他處即為虛妄虛空
藏菩薩白佛言世尊於一心中而得佛者一切
心中皆有佛性一切衆生皆有佛性若各各能
定身心即得成佛離此之外更无求佛處佛
告虛空藏菩薩言善男子如是如是如汝
所言一切衆生皆有佛性諸佛如來皆以一心
法令諸一切衆生之心於一心中而求佛法而
得佛身虛空藏菩薩白佛言世尊若諸衆
生有佛性者於佛性中而求得佛一切衆生
皆亦有心亦有佛性是為可得是為可見佛
告虛空藏菩薩言善男子入佛妙性實相之
際亦不可得非不可得亦不可見非不可見何
何以故菩薩若說佛性有即名謗佛說佛性无

際亦不可得非不可得亦不可見非不可見何
何以故菩薩若說佛性有即名謗佛說佛性无
亦為謗佛說佛性亦有亦无亦為謗佛說佛
性非有非无亦為謗佛何以故菩薩衆生佛
性非有如虛空非无如兔角兔角无故虛空
常故非有非无空相離諸形相无所著
故不在生處是故不垢不住滅處是故不
斷衆生佛性妙相如是說佛性有即增益謗
說佛性无損減謗說佛性非有非无戲論謗
說佛性似有似无相為謗虛空藏菩薩白佛
言世尊衆生佛性若妙如是離諸境界則无
所係由如虛空體性常淨云何衆生作諸煩
惱若作煩惱心則是垢是心之垢從何而生
唯願世尊為衆宣說令諸衆生皆悉聞知令
諸衆生破諸煩惱除蕩心垢永離蓋纏佛
即嬉怡微咲以左手掌摩菩薩頂放大光明普
照一切尒時大衆一切衆生皆大歡喜踊躍佛
言菩薩為諸衆生所作如是問是名正問是
度衆生若作他問是名耶問是滅衆生菩薩
汝能正問是度衆生汝等衆生皆當一心專
念諦聽散乱除想无營物外坐性澂志為汝
宣說若聞說者一切十惡衆生皆得解脫
虛空藏菩薩白佛言世尊我等大衆一切衆
生皆以一心无餘乱想唯願世尊為衆宣說
佛告菩薩大衆等一切煩惱從顛倒生一切顛
倒從妄想生一切妄想從有我生一切有我
從无本生一切无本即是无住无住无本
即為不有有則為后无則為爭[illegible]

倒從妄想生一切妄想從有我生一切有我
從无本生一切无本即是无住无住无本
即爲不有有則爲垢无則爲淨於其淨處
是常波羅蜜是樂波羅蜜是我波羅蜜是
淨波羅蜜若作是見名爲正見若作餘見名爲
邪見如是見者是人有恵作他見者是人无恵
若有恵者則方便解若无恵者則方便縛虛
空藏菩薩白佛言世尊於其淨處若有衆生
常起常想常起樂想常起我想常起淨想
即是有恵即非顛倒也佛言菩薩若有衆生
如是想者則名正想是人正見是人有恵何以
故如来法身常波羅蜜樂波羅蜜我波羅
蜜淨波羅蜜於清淨處是佛法身作是見者
是人是佛真一弟子從正法生從法化生從佛
口生得佛四依雖日凡夫是四依菩薩 善男
子於我滅後若五百歲若千歲若五千百歲
後若復有人能於此經受持讀誦如說脩行
於常樂我淨處信心正見復以此法教一衆
生則名菩薩雖是凡夫得受供養是名出家
人虛空藏菩薩白佛言世尊夫是出家之人
剃除鬚髮而披法服受持具戒不係於俗是
名出家得受供養如来今者說凡夫人是爲
出家得受供養不了其義願佛慈悲爲我宣
說佛告虛空藏菩薩言善男子剃除鬚髮者
剃除名相伏身无我而披法服者直心无諂
欲離俗故持具戒者不毀禁故我說彼人是
名出家雖是凡夫能伏身心不起我慢不係

BD00630號　法王經　（21–7）

欲離俗故持具戒者不毀禁故我說彼人是
名出家雖是凡夫能伏身心不起我慢不係
塵垢久離於俗心如金剛不壞戒性雖是凡
夫是真出家復於此教大乘經中脩行如說
信佛語故見常樂我淨爲衆生宣說雖日
凡夫是四依人是行菩薩行得受供養名日行
者得恵方便說大乘法如是法性皆不離心
從心化生湛然常一一想无二於一相中亦
无內外亦无中間離一切故若離一切即无
生滅若无生滅即是真如真如常住法僧不
滅三界衆生自生自滅善男子是故我說衆
生无我諸佛如来是真實我能破生死係故
汝等衆生若求常住當離諸欲作无生行虛
空藏菩薩白佛言世尊作何行業名无生行
佛言諸善男子我不生他則他不生我何以
故體性清淨空非有非无境界常空清淨非
无非不斷菩薩諸佛如来恒以一味一性之香
熏諸衆生一心性淨而諸智者得會空解而
諸愚者入迷執縛何以故智者衆生无有疑
故於有覺性覺諸无明不起无覺不空不空入一
清淨永離諸惱愚者衆生爲有疑故於有覺
性不覺无明即起无覺作諸塵惱若悟有覺
則无无覺若无无覺則病不生若病不生則
无有覺若无有覺若无无覺即无疑心何以
故一疑心中有二意故若无疑心即不生病
若有生處即入空舍一性真空有爲无相逢

BD00630號　法王經　（21–8）

故一疑心中有二意故若无疑心即不生病
若有生處即入空舍一性真空有為无相逢
境緣起如空幻化菩薩令諸衆生當斷疑心
而作心師不師於心離諸可欲无令放逸若
生念處即須當斷若无念心前念後念不相
違背即得順理不起无明不定有覺本不動故
若起念時止念前起虛空藏菩薩白佛言世尊
念若起作何法覺而能止之佛言菩薩令
諸行者每覺心住處知心住處即不住心以
是覺故覺則止之念若不起即无止觀若有
起處安住虛空一性空中染淨俱滅自性清淨
不取不捨念亦不生无生无行身行處滅
言語道斷一佛性覺更无餘覺妙性常存
猶如虛空不著一切菩薩若行此行猶如執杖
以杖虛空不染而義是名法行若有染處即
入方外遊行淨地一心无二入定正性觀一
實諦而以懺悔尒時衆中有一闡提名曰
多欲從昔以来多作惡業專行十惡為增悪
疾妬四蛇牽引為諸妄想二鼠噬斷心根猶
有如人繩懸在樹四蛇在下吐毒向之樹上二
鼠噬繩欲斷若心滅即三業淨心若不滅
眼色與心俱為妄想為見所縛将墮獄尒
時闡提因佛聞法於一念中心生慚愧欲問
如来懺悔之法心懷慚愧不能發問於時如
来以神通力即知其意欲令是離諸苦惱

BD00630號　法王經

如来懺悔之法心懷慚愧不能發問於時如
来以神通力即知其意欲令是離諸苦惱
出地獄苦語虛空藏菩言善男子於我滅
後若有一闡提之人多作惡業滅佛三寶謗
正法作五逆重罪如是人等命終之後必當
墮落於諸地獄乃至十二大劫由不得出汝
等菩薩當發慈心令此衆生發露懺悔令
其心垢清淨心垢既淨即得解脫虛空藏菩薩
白佛言世尊作何法悔而得罪除願佛慈悲為
分別說佛言菩薩若欲懺悔當觀實諦
若見實諦諸罪悉除佛說語已尒時衆中百千
万億一切衆生人及非人皆悉一心觀一實
諦觀見見已罪垢皆滅唯闡提人不見實諦
其多欲即從座起五體投地而白佛言世尊
我心无明極重雖復學觀不見實諦從无始
以来乃至今日純行十惡作何方便令我得見
實諦罪垢消除佛告多欲汝等一闡提皆悉
一心為汝分別解說多欲汝等衆生當觀身
心一佛性法法身佛性即一无二若此二種能
作一觀是名正觀亦名一相正見若見有
二即名為邪若作邪見煩惱即生若无耶見
煩惱不生煩惱若斷即名清淨汝等衆生皆
當一心觀一佛性佛性之外更无所見若有
所見皆為虛妄作是虛妄則為顛倒多欲一
心淨則多法淨一心垢則多法垢垢則為罪
淨則為真心若離垢罪即不生多欲白佛言

BD00630號　法王經

所見皆爲虛妄作是虛妄則爲顛倒多欲一
心淨則多法淨一心垢則多法垢垢則爲罪
淨則爲真心若離垢罪即不生多欲白佛言
世尊我從昔来乃至今日作諸悪業无量
无邊歷千万劫今日發心觀一實諦无邊之
罪悉除不顧佛世尊爲我解說令我无疑
佛言多欲若觀實諦諸罪悉除何以故多欲
昔日垢心今日淨心一心无二更无別心今日
淨心昔心亦淨是故當知從无數劫来所有
諸罪盡滅譬如千年塵鏡以衣一拂其鏡
即明諸塵皆盡无有遺餘又如千年闇室
然一炬燈諸闇皆盡汝等衆生常應一心觀
一實諦於諸法内作諸法行去離世間一切
諸法皆以无常何以故多欲世間動不動法皆
是敗壞其法若壞行亦无常行若无常法則生
滅離生滅法即名真諦多欲譬如瓦師作諸
瓦器隨心所欲其器无定其器相皃及以名字
皆悉生滅唯有瓦性一性是常諸餘體叚悉
皆生滅是生滅體即不自生若不自生即是
不有多欲佛性如瓦衆生性如器是生滅法
若離諸業即是佛身觀一佛身即无他業多
欲白佛言世尊我觀實諦諸罪已滅復作何
業而生法身佛告多欲若觀實諦諸病不起
罪垢俱息心如金剛心竟不壞善能持戒心
如虛空内外清淨善入禪聚心如風火諸行
悉散善依智惠即名解脫以解脫故則能知
見多欲汝能脩行是事即得五分法身多欲

悉散善依智惠即名解脫以解脫故則能知
見多欲汝能脩行是事即得五分法身多欲
白佛言世尊五分法身有何因果佛言多
欲佛性常因法身常果何以故囙心佛性緣法
得果離囙離果則无囙果若无囙果是佛真
身多欲於心淨國當住寂靜當觀實念則此
念中即生淨國可爲衆生如如說法入心真
空離諸動說三識一性金剛不壞
尒時衆中復有菩薩名曰无行即從座起偏
袒右肩右膝著地合掌向佛而白佛言世尊
若佛滅後五百歲若千歲若千五百歲後若
爲衆生說法當何法說願佛慈悲爲衆宣
說令我无疑佛告无行菩薩善男子若一千五百
歲後爲衆生說法者說體不說相說義不說
文如是說者是真說法若說文相動口動心
皆是誹謗善男子若於一切衆生處說法當
如如相說平等相說何以故當時一切衆生
皆同一病一心一佛性一性平等等諸法故於
中若說高下即名耶說其口當破其舌當
烈何以故一切衆生心垢同一垢一切衆生心
淨同一淨何以故一切衆生一心淨則同一
十善法淨一切衆生一心垢則同一十悪
垢衆生若病應同一病衆生須藥應須一
藥若說多法即名顛倒何以故爲妄分別善悪
法故破一切法故隨機說法斷佛道故菩薩
若當說法當如如相說无行菩薩白佛言世
尊云何如如相說佛告无行菩薩言善男子

若當說法當如如相說无行菩薩白佛言世
尊云何如如相說佛告无行菩薩言善男子
說一體真法是如如說直心具說是如如說
无偏執說是如如說无分別說是如如說住
心一淨處說是如如說諸說不可說是如如
說尒時无行菩薩欲令大衆一切衆生悉皆
明了重白佛言世尊云何說不可說是如如
說佛告无行菩薩言善男子說一切諸法自
相空故即不可說一切諸法无相說即不可
說一切諸法无作說即不可說善男子若如
是說者即不可說是如如說无行菩薩白佛
言世尊法若如是云何直心具說佛告无
行菩薩言善男子直心者直以心信如来義說
不以自心說具者具十善義具四諦義具十
二因緣義具六波羅蜜義具三解脫門義
具如是等法於一心中佛性地等一淨說是
名具說是如如說何以故一切諸法俱為一
故菩薩等我此一淨法猶如一大海水水性
一味種種珍寶所有求者隨心即得猶如一
神丹種種諸雜藥和合而以成之療治一切
病服者一一除愈等一淨法一心淨一佛性
一性淨法亦復如是等諸法故如是說者是
名淨說若別說者是名識說何以故一切衆
生皆有佛性无无佛性分但覺有遠近无无
法身分者若定根機為小乘人說小乘法為
一闡提人說一闡提法若如是說即名不說
佛道法是斷佛性是滅佛身是說法人當

一闡提人說一闡提法若如是說即名不說
佛道法是斷佛性是滅佛身是說法人當
歷百千万劫墮諸地獄縱佛出世由不得出縱
令得出若生人中即生邊地下賤无有三寶
歎脣无舌獳如是報何以故菩薩衆生之性
則是法性法性常淨即具一切諸寶相好從
本以来无得无失无出无沒性常真實亦无
虛妄亦无煩惱亦无涅槃亦无增減究竟清淨
一性清淨即是菩提清淨性菩提性一性无二
平等清淨言語道斷猶如虛空內外清淨
是一清淨亦不處內外亦不處中間无言无
說云何於中分別病藥若无分別是无分別
智善男子離一心外一清淨外一佛性外即
无佛可求即无法可說即无僧可得何以故
佛是法故法是僧故僧是无為故无為即是
佛性故佛性則是法身故是故我說此經唯
說一衆生身一心一清淨一佛性一佛道場
一菩提樹光滿一切世界入一切衆生身善
男子一切佛從此經生一切法從此經出一
切僧從此經見受持是經者即名受持三寶
念此經者即名念三寶供養此經者即名供
養三寶无行菩薩白佛言世尊云何念三寶
若念三寶得幾多福佛告无行菩薩言善男
子若念三寶猶如虛空其福无量不可思議
若念三寶安住虛空心中乃至不見佛法僧
是則不見諸法若不見諸法則於法中不生
疑惑於清淨處念一實相一體三寶是念三

是則不見諸法若不見諸法則於法中不生
疑惑於清淨處念一實相一體三寶是念三
寶无行菩薩白佛言世尊於三寶中一心正念
念於煩惱處自心不起對緣不起於諸善法
亦復如是住一淨心依一佛性不動不住不
違法體救諸衆生如救己身化諸衆生如化
己身受諸衆生由如護眼是菩薩行非菩薩
行願佛世尊為我宣說佛告无行菩薩言是
菩薩行若化衆生當令衆生持心不持語持行不
持法若為說法說人不說字說義不說文何
以故佛性是義故何以故離文相故若取文
文相是為虛妄若捨佛性是為失本善男子若
失佛性而求佛者由如影中為人治病由如
攢氷而以求火由如无翼鳥意欲高飛終无
得法善男子於此經中調心取義不得隨文
當取其理若不取理即名虛妄亦復不得於
其理上惡取空相而化衆生即名空見一闡
提但令衆生於一心中一佛性相觀知實有
是實有相亦不在有亦不在无觀此妙有如
如實相當即住心依此相處若住相處即名
清淨是清淨處住即无本住即是動是故諸
佛如來從无本處建立一切法尒時无行菩
薩欲重宣此義而說偈言
大聖大佛尊　欲入涅槃寂　為度衆生故　說實一乘經
我住慈悲地　怜愍衆生故　於諸了義處　問佛一乘心
如來所說法　皆離於世間　入實說佛性　諸法皆清淨
離文離相處　亦不中內外　說即不可說　故名說如如

我住慈悲地　怜愍衆生故　於諸了義處　問佛一乘心
如來所說法　皆離於世間　入實說佛性　諸法皆清淨
離文離相處　亦不中內外　說即不可說　故名說如如
是故平等法　住在於一性　一性清淨法　本來不生滅
於空不空中　妙性常无體　解脫非解脫　本淨不染故
諸染本不著　妄著如淫污　是淫自為污　妙性常淨故
淨即无所淨　污亦无所污　淫性是為垢　垢性本相空
垢性似狂花　落樹還如故　樹性无生滅　狂花自來去
佛性本无生　離諸生滅處　无有動不動　性本常尒故
一一不一一　不名不可說　亦復離諸見　不見處可見
常樂我淨故　見則是菩提　菩提妙覺性　不動无所覺
即是衆生身　一心一佛性　一佛道一場　一大菩提樹
能滿虛空界　普入衆生身　於真三寶中　同一无有二
不住實形處　亦不住空邊　入於妄有所　必竟空寂舍
本來无本處　建立一切法　教化諸衆生　使入如來藏
尒時佛見无行菩薩說偈語訖即以神力放
大光明遍照三千大千世界其光明中現十
方淨土其諸國土皆悉嚴淨具有一切園林池
水其池水中皆有五色蓮華臺坐其一一蓮華
上各有一大城其一一大城內皆有一清淨
大摩尼寶其一一摩尼寶內有一如來座及
一千二百五十人俱其諸佛等皆為大衆說
一乘法悉令衆生於一身中一佛一性一清
淨處住心不動不緣諸境不入諸智心如虛
空不染一切心如金剛不壞諸戒心如海水
恒流智惠皆悉解脫解脫智見得五分法身
尒時无行菩薩及諸大衆一切衆生見是事
已心大歡喜皆住一心不緣一切入青淨處

空不染一切心如金剛不壞諸戒心如海水
恒流智惠皆悉解脫解脫知見得五分法身
尒時无行菩薩及諸大衆一切衆生見是事
已心大歡喜皆住一心不緣一切入清淨處
佛即放光語諸大衆言諸行者等我欲入
涅槃寂時欲將至若我滅後五濁惡世於此經
中如說脩行觀一身心不住諸惡不離菩提
心得解脫得一乘道佛告无行菩薩言若我
滅後五濁惡世得見此經得聞此義其人即
如值佛若我滅後若有一人能於此經受持
讀誦如說脩行其心不動諸塵不觸遇无
塵跡復以此經令諸衆生受持讀誦復說其
義而以教之是人雖是凡夫即是菩薩如師子
吼尒時衆中復有菩薩名曰法王即從座起
繞佛三帀却住一面五體投地而白佛言世
尊我於如來滅後五濁惡世閻浮提中教化
衆生說此良藥療治衆病悉令除愈復以此
經金剛惠刀剪諸衆生无明之意復以此經
清淨法杖鞭除衆生三毒之垢復以此經大
智力士解脫衆生十纏之縛復以此經大智
法船運度衆生令至彼岸復以此經一性清
淨法令諸衆生皆得一身一心一佛一性一清
淨決定入一乘決定出地獄世尊若我不
能救度衆生令諸衆生入諸地獄即爲是我
滅沒佛身唯願世尊以此佛法付囑於我爲
我更說廣度衆生之法令諸衆生少聞多解
少見多知不求多文以取證義於少法中必定

我更說廣度衆生之法令諸衆生少聞多解
少見多知不求多文以取證義於少法中必定
解脫无餘疑問願佛慈悲爲我宣說佛告大衆
是法王菩薩已曾供養百千万億劫諸佛善
能方便救度衆生是菩薩能以一味甘露樓
續衆生之命汝等衆生及未來者若當受持
是菩薩名者復令大善知識轉讀此經廣說
其義若有疾病皆悉得除諸惡獸神无能
近者菩薩汝有如是利益衆生我以此經付囑
於汝亦爲汝說救度衆生之法少聞多解少
見多知不求多文以取證義汝等菩薩皆悉
一心諦聽爲汝宣說一切衆生皆一心一佛
一性一切煩惱皆一心生皆從境智二處緣
起何以故以緣性自性二種性力起二種力
性從一念妄心生是妄心无本若一念動時
煩惱即起當觀此念知念妄心妄心无本无
本即无住若知无住即覺心生由於本覺淨
心无念若心无念心即不動心若不動亦无
住心是名清淨清淨空心體性清淨无淨可
證離諸清淨故說清淨菩薩於清淨心中无
作无起无垢无淨无增无減必竟不染不在
一處離名數故常尒不尒由如金剛不壞一
性猶如虛空客受一切由如蓮華不著愛水
若行此行必定解脫越生死流出地獄菩
薩此一心法一名懺悔解脫見實諦故二名
法行解脫住一處故三名无行解脫无住着
故此三解脫皆一心生一切衆生无二〻故一

若行此行必定解脫超生死流出地獄菩
薩此一心法一名懺悔解脫見實諦故二名
法行解脫住一處故三名无行解脫无住着
故此三解脫皆一心生一切衆生无二心故一
切衆生皆一乘故佛告法王菩薩言善男
子能知一法即知一切法一法不知一切法亦
不知何以故諸法无不一相故菩薩聞是一
者即是少聞无法不知是名多解何以故一
切法性歸一淨故見是一者即見一切佛身
何以故一切佛身從一清淨處生一淨之地是
一切佛身一切佛道場一切佛菩提樹善
男子於此法中斷諸煩惱由如伐樹唯斷一
根不斷枝葉何以故譬如有人身着毒箭爲
毒箭故身受楚痛當即拔箭其痛即除若
不拔箭痛則不除待問箭毛羽是何鳥翼復
問其竹是何山出復問其箭是誰之射是人若
痛其命已終然拔其箭終知无益善男子心
若有垢當即淨心心若在淨即名清淨諸說
清淨離諸有取能入无取何以故无本无住處
常樂我淨故无本无住真如真實不離一切
本離離故性不離道處住无住故与心等一无
異不共故不在常處本不斷故不動不住性
常一故一亦不一離名數故善男子六風不動
大樹恒安一性金剛二見不起有无不在住
妙常空无生惠劒剪諸煩惱空解无导降
伏自心魔王不生惡賊不起善男子於经此

BD00630號　法王經　（21–19）

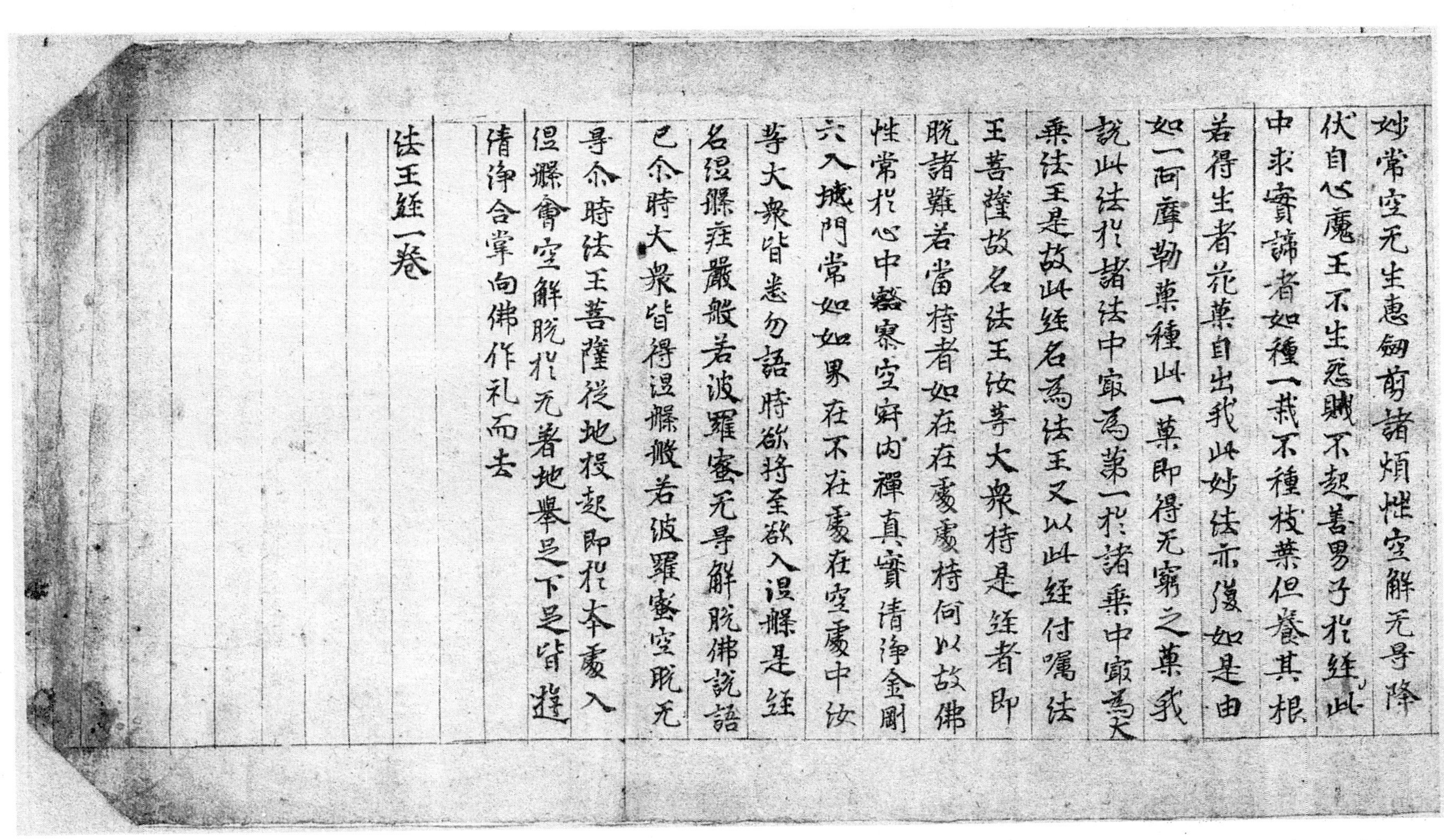

妙常空无生惠劒剪諸煩惱空解无导降
伏自心魔王不生惡賊不起善男子於经此
中求實諦者如種一栽不種枝葉但養其根
若得生者花葉自出我此妙法亦復如是由
如一阿摩勒菓種此一菓即得无窮之菓我
說此法於諸法中最爲第一於諸乘中最爲大
乘法王是故此经名爲法王又以此经付囑法
王菩薩故名法王汝等大衆持是经者即
脫諸難若當持者如在在處處持何以故佛
性常於心中密寂空竅内禪真實清淨金剛
六入城門常如如果在不在處在空處中汝
等大衆皆悉勿語時欲將至欲入涅槃是经
名涅槃莊嚴般若波羅蜜无导解脫佛說語
已尒時大衆皆得涅槃般若波羅蜜空既无
导尒時法王菩薩從地投起即於本處入
涅槃會空解脫於无著地舉足下足皆遊
清淨合掌向佛作礼而去

法王经一卷

BD00630號　法王經　（21–20）

BD00630號　法王經　（21–21）

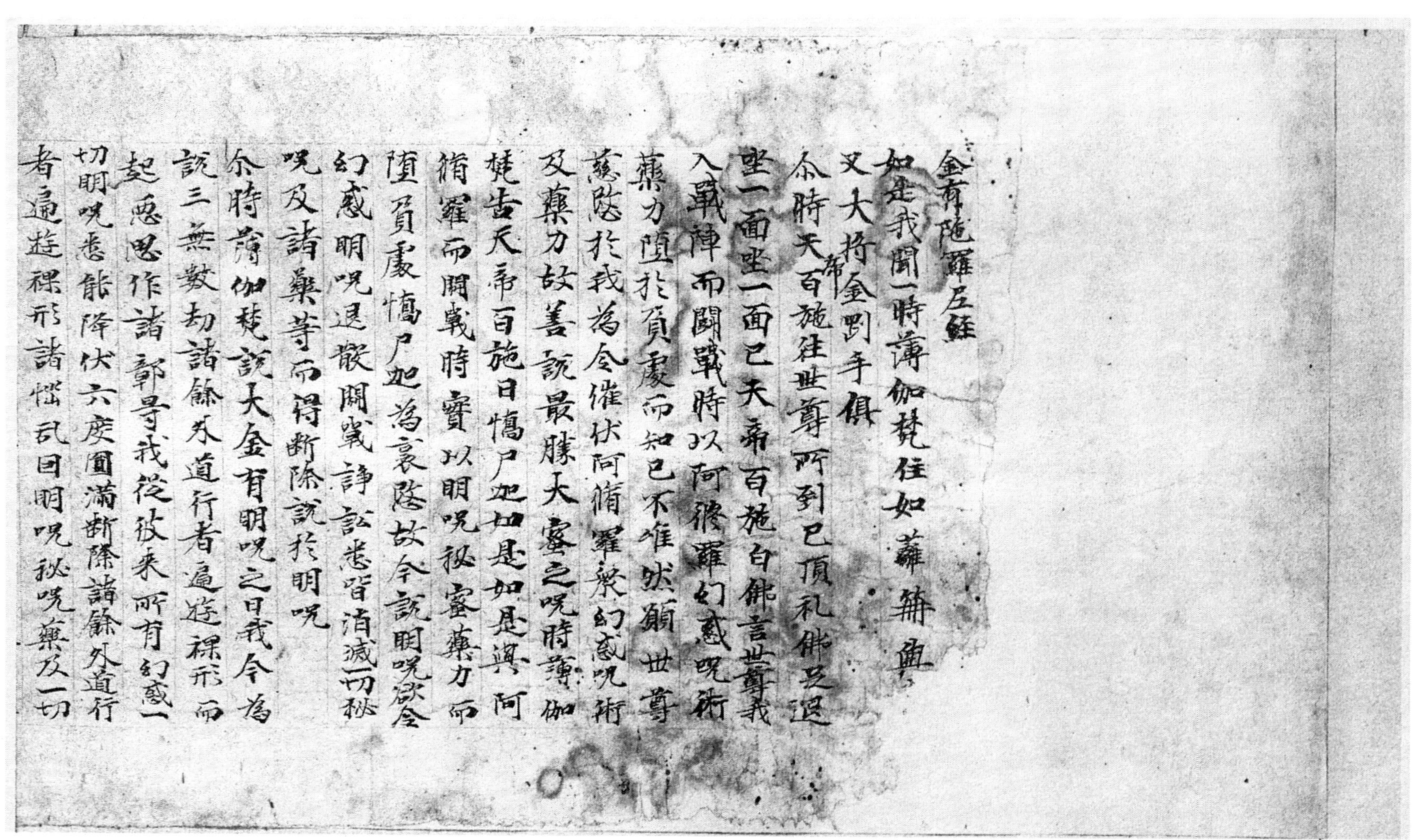

BD00631號　金有陀羅尼經　（4–1）

諸[illegible]
起惡思作諸鄣㝵我從彼來所有幻惑一
切明呪悉能降伏六度圓滿斷除諸餘外道行
者邊趂裸形諸惱武因明呪秘呪藥及一切
諸魔明黨大明之呪憍尸迦汝當攝受
諸有情故受持最勝大秘密呪天帝白言
如是世尊唯然受教尒時世尊即說金有大
明呪曰
怛也他唵　希你希你　希離希離　命離命離
希明離　你希你希　你希囉秘你　乾佐耶放鞁
哺鞁抱哆滿怛囉阿地訖梨鴇　閉鞁閉鞁
閉哆滿怛囉　阿地迦囉鞁　訶耶訶耶　訶婆訶婆
飄馱飄馱　頻耶頻耶　薄伽跋鞁　佐曳秘佐曳
攢婆你　悉談婆你　畔馱你　牟訶你　阿牟
伽爍鞁　馱囉你　訖梨耶訖梨耶　如[illegible]耶婆
攢婆也　攢婆也　畔佐也畔佐也悉嗷婆也　畔馱也畔
馱也　牟訶也　牟訶也
所有一切若天幻惑　若龍幻惑若藥叉
幻惑若羅剎幻惑若緊那羅幻惑若乾闥
婆幻惑若阿循羅幻惑若莫呼洛迦幻惑若大
腹行幻惑若持明呪幻惑若持明呪成就王
幻惑若仙幻惑若持一切明呪幻惑若犀訏
惑若一切幻惑　羅羅囉羅　囉佐也囉佐也　始
麼始麼　始始麼　囉婆囉婆　羅婆耶　作割蘭單
伽蘭他你　訶耶訶耶　薩婆鞞哆　奢咄盧難
悉談婆也　婆尸悉談婆也　秀迮悉談婆也
㨗南悉談婆也　婆盧難悉談婆也　惡你蜜悉談

伽蘭他你　訶耶訶耶　薩婆鞞哆　奢咄盧難
悉談婆也　婆尸悉談婆也　秀迮悉談婆也
㨗南悉談婆也　婆盧難悉談婆也　惡你蜜悉談
婆也　韉乾哆梨哆　梨馱囉鞁惟　馱羅亭波
奢訶悉鞁　嚩奢他也婆世耶　若有於我能
為惡敵諸賊嗔恚具極惡心鬪諍極諍欲作
一切无利益者　訶耶訶耶　哆訶哆訶　波佐波
佐　半佐也半佐也　攢婆也攢婆也　悉談婆也悉
談婆也　半馱也　半馱也　牟訶也　牟訶也　摩訶
牟訶你　薄伽跋鞁　婆訶
於一切怖畏嬈惱疾疫願守護我叭馱婆訶
憍尸迦若善男子若善女人若王若王大臣餘
億此金有明呪者彼无他怖畏於彼部黨他
所敵軍不能役惱亦非天亦非龍亦非藥叉
亦非乾闥婆亦非阿修羅亦非緊那羅亦非莫
呼洛迦亦非持明呪者亦非飛癲母等亦不
非時而橫壽命明呪秘呪一切諸藥不能為害
他所敵軍不能很遠他所敵軍而不傷命刀
不能害水火毒藥明呪秘呪一切諸藥而不
能侵還著於彼自作教他隨喜造罪彼
之處所憍尸迦是淨故信芻苾芻尼烏波
索迦烏波斯迦善男子善女人等以此明呪
水七遍自洗其身能護於身若有欲令於
一切怖畏一切嬈惱一切疾疫一切明呪一切秘呪
一切諸藥一切獸蠱而超過者當念此金有
明呪若王若王大臣若欲催他軍衆伏他軍
衆亦當念此金有明呪若呪線七遍作七結已
繫於身上若呪水七遍灑浴自身[illegible]

水七遍自洗其身能護於身若有欲令於
一切怖畏一切燒惱一切疾疫一切明呪一切秘呪
一切諸藥一切獸蠱而超過者當念此金有
明呪若王若王大臣若欲摧他軍衆於他軍
衆亦當念此金有明呪若呪線七遍作七結已
繫於身上若呪水七遍能護自身若有書
寫於一切怖畏无鄣㝵陁羅尼或能受持或
繫咽下若置高幢入軍陣者善安得脫以此
明呪威神之力内族眷屬善安超過未成能成
若欲摧伏諸明呪者於白線上呪七遍已作七
結者能繫摧伏若欲摧伏諸幻惑者取擣
聞王呪七遍已而散擲者能摧幻惑論議之
時欲禁其口取秦荻蘇呪七遍已而噉嚼者
一切言論悉能對答受持讀誦而稱讚者
一切諸罪悉皆消滅却往於彼造作之者及
思惟所或繫於繩及水自護者於彼身上一切明
呪秘呪諸藥不能害爲未成辦者悉能成辦
彼所求事一切順從時薄伽梵說是語已天帝
百施聞佛所說信受奉行

金有陁羅尼經一卷

BD00631號　金有陀羅尼經　（4–4）

菩提
心所有一切衆生之類
生若化生若有色若无
非有想若非无想我皆
度之如是滅度无量无數无
生得滅度者何以故須菩提若菩薩有我相
人相衆生相壽者相即非菩薩
復次須菩提菩薩於法應无所住行於布施
所謂不住色布施不住聲香味觸法布施須
菩提菩薩應如是布施不住於相何以故若
菩薩不住相布施其福德不可思量須菩提
於意云何東方虛空可思量不不也世尊須
菩提南西北方四維上下虛空可思量不不
也世尊須菩提菩薩无住相布施福德亦復
如是不可思量須菩提菩薩但應如所教住
須菩提於意云何可以身相見如來不不也
世尊不可以身相得見如來何以故如來所
說身相即非身相佛告須菩提凡所有相
皆是虛妄若見諸相非相則見如來
須菩提白佛言世尊頗有衆生得聞如是
言說章句生實信不佛告須菩提莫作是說如
來滅後後五百歲有持戒脩福者於此章句

BD00632號　金剛般若波羅蜜經　（9–1）

須菩提白佛言世尊頗有衆生得聞如是
言說章句生實信不佛告須菩提莫作是說如
來滅後後五百歲有持戒脩福者於此章句
能生信心以此為實當知是人不於一佛二
佛三四五佛而種善根已於无量千万佛所
種諸善根聞是章句乃至一念生淨信者須
菩提如來悉知悉見是諸衆生得如是无量
福德何以故是諸衆生无復我相人相衆生
相壽者相无法相亦无非法相何以故是諸
衆生若心取相則為著我人衆生壽者若取
法相即著我人衆生壽者何以故若取非法
相即著我人衆生壽者是故不應取法不應
取非法以是義故如來常說汝等比丘知我
說法如筏喻者法尚應捨何況非法
須菩提於意云何如來得阿耨多羅三藐三
菩提耶如來有所說法耶須菩提言如我解
佛所說義无有定法名阿耨多羅三藐三菩
提亦无有定法如來可說何以故如來所說
法皆不可取不可說非法非非法所以者何
一切賢聖皆以无為法而有差別
須菩提於意云何若人滿三千大千世界七
寶以用布施是人所得福德寧為多不須菩
提言甚多世尊何以故是福德即非福德性
是故如來說福德多若復有人於此經中受
持乃至四句偈等為他人說其福勝彼何以

BD00632號　金剛般若波羅蜜經　（9–2）

提言甚多世尊何以故是福德即非福德性
是故如來說福德多若復有人於此經中受
持乃至四句偈等為他人說其福勝彼何以
故須菩提一切諸佛及諸佛阿耨多羅三藐
三菩提法皆從此經出須菩提所謂佛法者
即非佛法
須菩提於意云何須陁洹能作是念我得須
陁洹果不須菩提言不也世尊何以故須陁
洹名為入流而无所入不入色聲香味觸法
是名須陁洹須菩提於意云何斯陁含能作
是念我得斯陁含果不須菩提言不也世尊
何以故斯陁含名一往來而實无往來是名
斯陁含須菩提於意云何阿那含能作是念
我得阿那含果不須菩提言不也世尊何以
故阿那含名為不來而實无來是故名阿那
含須菩提於意云何阿羅漢能作是念我得
阿羅漢道不須菩提言不也世尊何以故實
无有法名阿羅漢世尊若阿羅漢作是念我
得阿羅漢道即為著我人衆生壽者世尊佛
說我得无諍三昧人中最為第一是第一離
欲阿羅漢我不作是念我是離欲阿羅漢世
尊我若作是念我得阿羅漢道世尊則不說
須菩提是樂阿蘭那行者以須菩提實无所
行而名須菩提是樂阿蘭那行
佛告須菩提於意云何如來昔在然燈佛所

BD00632號　金剛般若波羅蜜經　（9–3）

須菩提是樂阿蘭那行者以須菩提實无所
行而名須菩提是樂阿蘭那行
佛告須菩提於意云何如來昔在然燈佛所
於法有所得不世尊如來在然燈佛所於法
實无所得須菩提於意云何菩薩莊嚴佛土
不不也世尊何以故莊嚴佛土者則非莊嚴
是名莊嚴是故須菩提諸菩薩摩訶薩應如
是生清淨心不應住色生心不應住聲香味
觸法生心應无所住而生其心須菩提譬如
有人身如須弥山王於意云何是身爲大不
須菩提言甚大世尊何以故佛說非身是名
大身須菩提如恒河中所有沙數如是沙等
恒河於意云何是諸恒河沙寧爲多不須菩
提言甚多世尊但諸恒河尚多无數何況其
沙須菩提我今實言告汝若有善男子善女
人以七寶滿尒所恒河沙數三千大千世界
以用布施得福多不須菩提言甚多世尊佛
告須菩提若善男子善女人於此經中乃至
受持四句偈等爲他人說而此福德勝前福
德復次須菩提隨說是經乃至四句偈等當
知此處一切世間天人阿脩羅皆應供養如
佛塔廟何況有人盡能受持讀誦須菩提當
知是人成就最上第一希有之法若是經典
所在之處則爲有佛若尊重弟子
尒時須菩提白佛言世尊當何名此經我等
云何奉持佛告須菩提是經名爲金剛般若

BD00632號　金剛般若波羅蜜經　（9–4）

所在之處則爲有佛若尊重弟子
尒時須菩提白佛言世尊當何名此經我等
云何奉持佛告須菩提是經名爲金剛般若
波羅蜜以是名字汝當奉持所以者何須菩
提佛說般若波羅蜜則非般若波羅蜜須菩
提於意云何如來有所說法不須菩提白佛
言世尊如來无所說須菩提於意云何三千
大千世界所有微塵是爲多不須菩提言甚
多世尊須菩提諸微塵如來說非微塵是名
微塵如來說世界非世界是名世界須菩提於意
云何可以三十二相見如來不不也世尊不可以三十二
相得見如來何以故如來說三十二相即是非相
是名三十二相須菩提若有善男子善女人以
恒河沙等身命布施若復有人於此經中乃
至受持四句偈等爲他人說其福甚多
尒時須菩提聞說是經深解義趣涕淚悲泣
而白佛言希有世尊佛說如是甚深經典我
從昔來所得慧眼未曾得聞如是之經世尊
若復有人得聞是經信心清淨則生實相當
知是人成就第一希有功德世尊是實相者
則是非相是故如來說名實相世尊我今得
聞如是經典信解受持不足爲難若當來世
後五百歲其有衆生得聞是經信解受持是
人則爲第一希有何以故此人无我相人相
衆生相壽者相所以者何我相即是非相人

BD00632號　金剛般若波羅蜜經　（9–5）

後五百歲其有衆生得聞是經信解受持是
人則爲弟一希有何以故此人无我相人相
衆生相壽者相所以者何我相卽是非相人
相衆生相壽者相卽是非相何以故離一切
諸相則名諸佛
佛告須菩提如是如是若復有人得聞是經
不驚不怖不畏當知是人甚爲希有何以故
須菩提如來說弟一波羅蜜非弟一波羅蜜
是名弟一波羅蜜
須菩提忍辱波羅蜜如來說非忍辱波羅蜜
何以故須菩提如我昔爲歌利王割截身體
我於尒時无我相无人相无衆生相无壽者
相何以故我於往昔節節支解時若有我相
人相衆生相壽者相應生瞋恨須菩提又念
過去於五百世作忍辱仙人於尒所世无我
相无人相无衆生相无壽者相是故須菩提
菩薩應離一切相發阿耨多羅三藐三菩提
心不應住色生心不應住聲香味觸法生心
應生无所住心若心有住則爲非住是故佛
說菩薩心不應住色布施須菩提菩薩爲利
益一切衆生應如是布施如來說一切諸相
卽是非相又說一切衆生則非衆生須菩提
如來是眞語者實語者如語者不誑語者不
異語者須菩提如來所得法此法无實无虛
須菩提若菩薩心住於法而行布施如人入

異語者須菩提如來所得法此法无實无虛
須菩提若菩薩心住於法而行布施如人入
闇則无所見若菩薩心不住法而行布施如
人有目日光明照見種種色須菩提當來之
世若有善男子善女人能於此經受持讀誦
則爲如來以佛智慧悉知是人悉見是人皆
得成就无量无邊功德
須菩提若有善男子善女人初日分以恒河
沙等身布施中日分復以恒河沙等身布施
後日分亦以恒河沙等身布施如是无量百
千万億劫以身布施若復有人聞此經典信
心不逆其福勝彼何况書寫受持讀誦爲人
解說須菩提以要言之是經有不可思議不
可稱量无邊功德如來爲發大乘者說爲發
寂上乘者說若有人能受持讀誦廣爲人說
如來悉知是人悉見是人皆得成就不可量
不可稱无有邊不可思議功德如是人等則
爲荷擔如來阿耨多羅三藐三菩提何以故
須菩提若樂小法者著我見人見衆生見壽
者見則於此經不能聽受讀誦爲人解說須
菩提在在處處若有此經一切世間天人阿
脩羅所應供養當知此處則爲是塔皆應恭
敬作礼圍繞以諸華香而散其處
復次須菩提善男子善女人受持讀誦此經
若爲人輕賤是人先世罪業應墮惡道以今
世人輕賤故先世罪業則爲消滅當得阿耨

復次須菩提善男子善女人受持讀誦此經
若為人輕賤是人先世罪業應墮惡道以今
世人輕賤故先世罪業則為消滅當得阿耨
多羅三藐三菩提須菩提我念過去无量阿
僧祇劫於然燈佛前得值八百四千万億那
由他諸佛悉皆供養承事无空過者若復有
人於後末世能受持讀誦此經所得功德於
我所供養諸佛功德百分不及一千万億分乃
至筭數譬喻所不能及須菩提若善男子善
女人於後末世有受持讀誦此經所得功德我
若具說者或有人聞心則狂亂狐疑不信須菩
提當知是經義不可思議果報亦不可思議
尒時須菩提白佛言世尊善男子善女人發
阿耨多羅三藐三菩提心云何應住云何降
伏其心佛告須菩提善男子善女人發阿耨
多羅三藐三菩提者當生如是心我應滅度
一切衆生滅度一切衆生已而无有一衆生
實滅度者何以故若菩薩有我相人相衆生
相壽者相則非菩薩所以者何須菩提實无
有法發阿耨多羅三藐三菩提者須菩提於
意云何如來於然燈佛所有法得阿耨多羅
三藐三菩提不不也世尊如我解佛所說義
佛於然燈佛所无有法得阿耨多羅三藐三
菩提佛言如是如是須菩提實无有法如來
得阿耨多羅三藐三菩提須菩提若有法如

BD00632號　金剛般若波羅蜜經　（9–8）

菩提佛言如是如是須菩提實无有法如來
得阿耨多羅三藐三菩提須菩提若有法如
來得阿耨多羅三藐三菩提者然燈佛則不
與我受記汝於來世當得作佛号釋迦牟尼
以實无有法得阿耨多羅三藐三菩提是故
然燈佛與我受記作是言汝於來世當得作
佛号釋迦牟尼何以故如來者即諸法如義
若有人言如來得阿耨多羅三藐三菩提須
菩提實无有法佛得阿耨多羅三藐三菩提
須菩提如來所得阿耨多羅三藐三菩提於
是中无實无虛是故如來說一切法皆是佛
法須菩提所言一切法者即非一切法是故
名一切法須菩提譬如人身長大須菩提言
世尊如來說人身長大則為非大身是名大
身須菩提菩薩亦如是若作是言我當滅度
无量衆生則不名菩薩何以故須菩提實无
有法名為菩薩是故佛說一切法无我无人
无衆生无壽者須菩提若菩薩作是言我當
莊嚴佛土是不名菩薩何以故如來說莊嚴
佛土者即非莊嚴是名莊嚴須菩提若菩薩
通達无我法者如來說名真是菩薩
須菩提於意云何如來有肉眼不如是世尊
如來有肉眼須菩提於意云何如來有天眼
不如是世尊如來有天眼須菩提於意云何

BD00632號　金剛般若波羅蜜經　（9–9）

佛說佛名經卷第五

南无稱觀佛　南无堅固自在王佛

南无无量照佛　南无安隱王佛

南无普功德增上雲聲王佛　南无大積佛

南无高積佛　南无功德王光明佛

南无堅積聚佛　南无寶勝光明佛

南无憂鉢羅光明作佛　南无月佛

南无旃檀佛　南无月勝佛

南无梵佛　南无行淨佛

南无一切勝佛　南无難勝佛

南无寶作佛　南无无量聲佛

南无樹提佛　南无龍天佛

南无日天佛　南无師子佛

南无垢明佛　南无世間天佛

南无勝積佛　南无人自在恭敬佛

南无華勝佛　南无發精進佛

南无大妙香光明勝佛　南无无垢香火勝佛

南无普見佛　南无不動佛

南无寶幢佛　南无无量明佛

南无妙寶聲佛　南无遍照佛

BD00633號　佛名經（二十卷本）卷五　（23–1）

南无寶幢佛　南无无量明佛

南无妙寶聲佛　南无遍照佛

南无智光明王佛　二千四百　南无摩尼光明勝佛

南无量善光明善勝善佛　南无盧舍那佛

南无智慧自在佛　南无水聚日佛

南无火然燈佛　南无月光明佛

南无无鄣导智佛　南无華香佛

南无寶光明佛　南无蔓陀羅香喜佛

南无拘隣智安佛　南无大月香佛

南无華幢佛　南无无礙智佛

歸命如是等无量億眠婆羅佛　南无寶作佛

南无憂勝佛　南无寶山佛

南无人王佛　南无力勝佛

南无香勝佛　南无普端華佛

南无无垢光明佛　南无樂說莊嚴思惟佛

南无无垢月幢佛　南无俱蘇摩光明王佛

南无火行佛　南无寶上佛

南无无畏觀佛　南无遠離諸怖畏毛竪等喜稱佛

南无師子奮迅佛　南无金光明威德王佛

若善男子善女人十日礼拜讀誦是諸佛名

遠離一切諸難及滅一劫罪

南无善說增上名勝佛　南无普光明佛

南无過種種敵對奮迅佛　南无自在幢王佛

南无无量功德光明勝佛　南无无鄣导佛

BD00633號　佛名經（二十卷本）卷五　（23–2）

南无善……增上名勝佛　南无普光明佛
南无過種種歎對奮迅佛　南无自在幢王佛
南无无量功德光明勝佛　南无无邊导佛
南无寶波頭摩奮迅勝佛　南无寶花善住山自在王佛
若善男子善女人受持讀誦是諸佛名一向
僧祇劫超越世間不入惡道
南无智燈佛　南无光明佛
南无難降伏佛　南无普照十方世界佛
南无大海佛　南无寶藏佛
南无銀幢佛　南无幢日王佛
南无威德自在王佛　南无覺王佛
南无十方自在佛　南无平等作佛
南无初發心思惟遠離諸怖畏煩惱无导妙勝佛
南无金剛之步佛　南无寶像光明之奮迅佛
南无降伏諸魔髮奮迅佛　南无初發心不退轉成就勝佛
南无寶蓋上光明佛　南无教化菩薩佛
南无發心斷一切疑煩惱佛　南无樂說莊嚴雲聲攀雷佛
南无光明勝破闇三昧勝上王佛
南无清淨首決定光明威德王佛
南无拘留孫佛
南无金聖佛　南无人王佛
南无迦葉佛　南无弥勒佛
南无師子佛　南无燈炬佛
南无聖佛　南无華幢佛

南无師子佛　南无燈炬佛
南无聖佛　南无華幢佛
南无善星宿佛　南无大王佛
南无大髀佛　南无大力佛
南无星宿王佛　南无藥佛
南无稱幢佛　南无大光明佛
南无大聖佛　南无照佛
南无日藏佛　南无月炎佛
南无善明佛　南无无憂佛
南无一沙佛　南无明佛
南无住持鷃佛　南无功德明佛
南无見義佛　南无然燈佛
南无妙歌佛　南无藥佛
南无安隱佛　南无貞堅勝威德佛
南无難勝佛　南无功德幢佛
南无羅睺佛 五千　南无勝衆佛
南无梵聲佛　南无堅固意佛
南无光明作佛　南无大高山佛
南无金剛仙佛　南无无畏佛
南无寶波頭摩眼力仙佛　南无華光明人愛佛
南无大威德佛　南无淨佛
南无无量命佛　南无龍德佛
南无堅步佛　南无不空見佛
南无精進德佛　南无力護佛

南无无量命佛　南无龍德佛
南无堅步佛　南无不空見佛
南无精進德佛　南无力護佛
南无歡喜佛　南无勝佛
南无師子幢佛　南无勝法佛
南无歡喜王上首佛　南无愛作佛
南无功德智佛　南无香烏佛
南无善觀佛　南无雲聲佛
南无善思惟佛　南无善識佛
南无无垢佛　南无月佛
南无大稱佛　南无摩尼寶佛
南无勝佛　南无師子步佛
南无樹王佛　南无光明勝佛
南无積智慧佛　南无善住佛
南无意佛　南无甘露慧佛
南无善見佛　南无智光明佛
南无堅行佛　南无吉佛
南无寶幢佛　南无波頭摩佛
南无那羅延佛　南无樂佛
南无智作佛　南无功德佛
南无供養佛　南无淨德佛
南无寶作佛　南无華天佛
南无善思惟義佛　南无法佛
南无自在佛　南无稱慧佛

南无寶作佛　南无華天佛
南无善思惟義佛　南无法佛
南无自在佛　南无稱慧佛
南无意稱佛　南无金剛幢佛
南无十方佛　南无奮迅佛
南无離闇佛　南无羅睺天佛
南无弥留幢佛　南无衆上首佛
南无寶藏佛　南无上脩佛
南无星宿佛　南无大覺佛
南无三界尊佛　南无功德稱佛
南无日月光明師子幢佛　南无毗羅波王佛
南无勝藏佛　南无示現有佛
南无光佛　南无金山佛
南无師子德佛　南无不可勝幢佛
南无光明佛　南无稱佛
南无堅精進佛　南无无譬喻稱佛
南无離畏佛　南无應天佛
南无火然燈佛　南无多世間佛
南无妙香佛　南无住持功德佛
南无離闇佛　南无无比佛
南无自然佛　南无師子佛
南无善行佛　南无住持甘露佛
南无人月佛　南无日面佛
南无莊嚴佛　南无摩尼光佛

南无善行佛　南无住持甘露佛
南无人月佛　南无日面佛
南无莊嚴佛許　南无摩尼光佛
南无山積佛　南无高幢佛
南无法作佛　南无思惟義佛
南无深心佛　南无寶聚佛
南无衆上首佛　南无劫佛
南无奮迅佛　南无住智佛
南无炎明佛　南无勝佛
南无不起佛　南无功德勝佛
南无師子吼佛　南无奮迅佛
南无人信佛　南无龍王佛
南无華山佛　南无龍喜佛
南无香自在佛　南无妙稱佛
南无天力佛　南无功德鳥佛
南无龍功德佛　南无莊嚴眼佛
南无龍功德佛　南无功德鳥佛
南无善行智佛　南无智勝佛
南无慧照佛　南无寶語佛
南无日光明佛　南无決定智佛
南无寶上邑佛　南无普照佛
南无寶幢佛　南无難疑佛
南无師子奮迅步佛　南无善讃佛
南无不空步佛　南无覺華幢佛
南无山自在王佛　南无大威德佛

南无寶幢佛　南无難疑佛
南无師子奮迅步佛　南无善讃佛
南无不空步佛　南无覺華幢佛
南无山自在王佛　南无大威德佛
南无示現惡佛　南无甘露稱佛
南无寶天佛　南无住義智佛
南无滿足智佛　南无不擇多名稱佛
南无无憂佛　南无離垢佛
南无梵天佛　南无地自在王佛
南无差別見佛　南无華眼佛
南无法光明佛　南无具足見佛
南无信功德佛　南无三界尊佛
南无月葉佛　南无寶光明佛
南无寶幢佛　南无妙稱佛
南无光明作佛　南无无量威德佛
南无廣佛　南无師子身佛
南无甘露慧佛　南无難勝佛
南无功德聚佛　南无月高佛
南无得大勢至佛　南无无量步佛
南无月无畏佛　南无見一切義佛
南无勇猛佛　南无功德照燈佛
南无月佛　南无功德炎佛
南无廣智佛　南无善寂滅佛
南无天佛　南无无垢佛
南无[illegible]佛　南无[illegible]佛

南无廣智佛　南无善寂滅佛
南无天佛　南无无垢佛
南无住持无量明佛　南无希勝佛
南无不貿藏佛　南无善任佛
南无意佛　南无上首佛
南无世間光明佛　南无多功德佛
南无无量威德佛　南无義慧佛
南无離塵佛 二千七百　南无義瞋恨无熱佛
南无善稱佛　南无稱德佛
南无俱蘇摩德佛　南无人德佛
南无精進仙佛　南无大德佛
南无寂慧佛　南无香烏佛
南无堅佛　南无安樂佛
南无不可勝佛　南无雷佛
南无大勝佛　南无護智佛
南无日佛　南无成就義佛
南无寶積佛　南无降伏怨佛
南无華勝佛　南无應稱佛
南无智步佛　南无離惕佛
南无根華佛　南无无畏國土佛
南无高稱佛　南无亦有佛
南无月佛　南无多功德佛
南无寶月佛　南无師子幢佛
南无樂思惟佛　南无不可思議奮迅佛

南无寶月佛　南无師子幢佛
南无樂思惟佛　南无不可思議奮迅佛
南无樂功德佛　南无應供稱佛
南无華相佛　南无无量樂說稱佛
南无摩尼金剛佛　南无无量壽佛
南无摩尼莊嚴佛　南无大自在功德佛
南无勝佛　南无高山稱佛
南无百光明佛　南无歡喜佛
南无龍步佛　南无意成就佛
南无寶月佛　南无寂滅佛
南无燃炬王佛　南无上首佛
南无歡喜自在佛　南无寶髻佛
南无遠離畏佛　南无寶藏佛
南无月面佛　南无无垢稱佛
南无稱威德佛　南无愛天佛
南无日月佛　南无雷佛
南无羅睺天佛　南无善炎佛
南无寶愛佛　南无師子華佛
南无寶步佛　南无佛无寶聚佛
南无高脩佛　南无人自在佛
南无人慧佛　南无照世間佛
南无寶威德佛　南无功德佛
南无相佛　南无乘莊嚴佛
南无富界佛　南无香烏佛

南无相佛　南无乘莊嚴佛
南无橋梁佛　南无香烏佛
南无无心慧佛　南无弥留憶佛
南无善香佛　南无堅鎧佛
南无勝威德佛　南无摩尼鎧佛
南无賢佛　南无善香月佛
南无淨自在佛　南无師子月佛
南无勝威德佛　南无善勝佛
南无不可勝輪佛　南无勝觀佛
南无寶名佛　南无大行佛
南无高光明佛　南无功德山佛
南无大稱佛　南无法稱佛
南无施光明佛　南无雲德佛
南无寶作佛　南无命佛
南无善炎佛 旹辛　南无善首佛
南无決定慧佛　南无難有佛
南无摩尼香佛　南无勝喜佛
南无師子光明佛　南无香照佛
南无稱勝佛　南无善智慧佛
南无摩尼月佛　南无高光佛
南无不可降伏行佛　南无大佛
南无摩尼輪佛　南无世尊佛
南无師子像佛　南无月佛
南无寶炎佛　南无羅睺佛

BD00633號　佛名經（二十卷本）卷五　　（23–11）

南无摩尼輪佛　南无世尊佛
南无師子像佛　南无月佛
南无寶炎佛　南无羅睺佛
南无善讃佛　南无希覺佛
南无同光明佛　南无寂靜去佛
南无安隱世間佛　南无无惱佛
南无十行佛　南无力喜佛
南无火體勝佛　南无至大體佛
南无得大勢佛　南无功德藏佛
南无寶行佛　南无无畏勝佛
南无樹提佛　南无大光明佛
南无寶功德佛　南无廣功德佛
南无田光佛　南无自在佛
南无摩香佛　南无作業佛
南无師子手佛　南无善花佛
南无寶高佛　南无海佛
南无住持佛　南无義智佛
南无善思惟慧佛　南无大衆輪佛
南无寶火佛　南无修行義佛
南无世間月佛　南无華聲佛
南无淨幢佛　南无大衆上首佛
南无師子步佛　南无威德佛
南无福德成就佛　南无大光明佛
南无寶稱佛　南无信衆佛
南无[illegible]海佛　南无不[illegible]光月佛

BD00633號　佛名經（二十卷本）卷五　　（23–12）

南无福德成就佛　南无大光明佛
南无寶稱佛　南无信衆佛
南无无邊稱佛　南无不空光明佛
南无聖大佛　南无金剛衆佛
南无善堅佛　南无幢佛
南无華成佛　南无鎧慧佛
南无風行佛　南无善思惟佛
南无稱佛　南无快此佛
南无甘露聚佛　南无功德護佛
南无義去佛　南无无畏佛
南无慈佛　南无住分別佛
南无摩尼足佛　南无解脫威德佛
南无善報佛　南无善莊平等威德佛
南无智勝佛　南无善天佛
南无寶聲佛　南无智力德佛
南无師子慧佛　南无華高佛
南无智作佛　南无華德佛
南无功德藏佛　南无寶稱佛
南无寶稱佛　南无不可降伏佛
南无无畏自在佛　南无淨佛
南无諸天佛　南无何愛佛
南无寶天佛二千九百　南无寶藏佛
南无功德稱佛　南无智積佛
南无青白佛　南无遠行佛

BD00633號　佛名經（二十卷本）卷五　（23–13）

南无功德稱佛　南无智積佛
南无清白佛　南无遠行佛
南无天威德佛　南无淨聖佛
南无喜去佛　南无大憂威德佛
南无炎聚佛　南无大勝佛
南无華佛　南无自在幢佛
南无大愛佛　南无善心佛
南无降伏他衆佛　南无勇猛佛
南无成就佛　南无威德佛
南无善思義境界佛　南无善辟佛
南无大寶佛　南无稱意佛
南无世間尊佛　南无功德光明佛
南无寶聲佛　南无金剛仙佛
南无成就佛　南无師子力佛
南无无垢明佛　南无迦葉佛
南无清淨智佛　南无智步佛
南无高威德佛　南无大光明佛
南无日光明佛　南无无垢身佛
南无差別身佛　南无差別威德佛
南无不可皆甘露錚佛　南无月光明電德佛
南无宿戚去佛　南无不動佛
南无多稱佛　南无功德法佛
南无歡喜无畏佛　南无莊嚴王佛
南无妙稱佛　南无多炎佛

BD00633號　佛名經（二十卷本）卷五　（23–14）

南无歡喜无畏佛　南无莊嚴王佛
南无妙稱佛　南无多炎佛
南无華勝佛　南无莊嚴佛
南无善賢佛　南无寶妙佛
南无善智慧佛　南无善賢德佛
南无梵幢佛　南无月蓋佛
南无羅網炎佛　南无廣光明佛
南无智稱佛　南无名相佛
南无功德光明佛　南无稱名聲佛
南无漏月佛　南无華光佛
南无善行佛　南无燃燈王佛
南无電幢佛　南无光明王佛
南无星宿光佛　南无不可嫌名佛
南无波頭摩藏佛　南无佛沙快佛
南无眼佛　南无无濁義佛
南无高威德佛　南无華威德佛
南无奮迅佛　南无无郭智佛
南无羅睺天佛　南无智聚佛
南无上首佛　南无自在劫佛
南无華幢佛　南无羅睺佛
南无大乘佛　南无星宿王佛
南无明王佛　南无福德王佛
南无稱光佛　南无日光明佛
南无法藏佛　南无善智慧佛

BD00633號　佛名經（二十卷本）卷五　（23–15）

南无明王佛　南无福德王佛
南无稱光佛　南无日光明佛
南无法藏佛　南无善智慧佛
南无功德自在劫佛　南无金剛仙佛
南无智慧積佛　南无善任佛
南无善至智慧佛千三　南无淨聲佛
南无龍吼聲佛　南无桐幢佛
南无智慧聚佛　南无无畏佛
南无淨上首佛　南无快眼佛
南无龍德佛　南无寶幢佛
南无點慧佛　南无不怯發聲佛
南无寶相佛　南无聲德佛
南无師子佛　南无種種說佛
南无智色佛　南无波頭摩聚佛
南无華佛　南无奮迅去佛
南无華積佛　南无勝色佛
南无星宿色佛　南无月燈佛
南无威德聚佛　南无菩提王佛
南无无盡佛　南无善慧眼佛
南无喜身佛　南无智慧國土佛
南无上佛　南无淨威德佛
南无有智佛　南无真聲佛
南无尊佛　南无无郭尋藏佛
南无勝德佛　南无勝智奮迅佛
[illegible]

BD00633號　佛名經（二十卷本）卷五　（23–16）

南无[illegible]佛　南无[illegible]藏佛
南无勝德佛　南无勝智奮迅佛
南无火炎佛　南无自在住持威德佛
南无善光明勝佛　南无善色王佛
南无成就義佛　南无師子仙佛
南无天佛　南无施佛
南无快藏佛　南无福德光明佛
南无淨佛　南无然燈王佛
南无智生佛　南无妙天佛
南无地天佛　南无得解脫去佛
南无金頂佛　南无得解樂說佛
南无難勝佛　南无信聖佛
南无月光佛　南无金光佛
南无善才佛　南无功德自在天佛
南无十二部經般若海藏
南无諸法最上王經　南无成真光明定意經
南无太子須大拏經　南无太子慕魄經
南无須賴經　南无金色王經
南无獨證自誓三昧經　南无摩訶摩耶經
南无大方等如來藏經　南无如來方便善巧呪經
南无勝鬘師子吼一乘大方便經　南无須摩提經
南无希有校量功德經　南无梵女首意經
南无差摩婆帝受記經　南无月明菩薩經
南无滅十方冥經　南无出生菩提心經
南无普門品經　南无[illegible]十住經

南无差摩婆帝受記經　南无月明菩薩經
南无滅十方冥經　南无出生菩提心經
南无普門品經　南无菩薩十住經
南无諸大菩薩摩訶薩衆
南无聖藏菩薩　南无不捨行菩薩
南无不空見菩薩　南无妙聲菩薩
南无妙聲孔菩薩　南无常微窮根菩薩
南无波頭摩道勝菩薩　南无廣思菩薩
南无憂波羅眼菩薩　南无可供養菩薩
南无常憶菩薩　南无住一切悲見菩薩
南无斷一切惡法菩薩　南无住切聲菩薩
南无住一切有菩薩　南无住佛聲菩薩
南无无垢菩薩　南无勇猛德菩薩
南无淨菩薩　南无寶勝菩薩
南无聲聞緣覺一切辟支佛
南无有香辟支佛　南无覓飛騰辟支佛
南无可波羅辟支佛　南无秦摩利辟支佛
南无月淨辟支佛　南无聲聞緣覺一切賢聖
南无過現未來三世諸佛歸命懺悔
次懺劫盜之業經中說言若物屬他他所
守護於此物中一草一葉不取何況盜竊
但自衆生唯見現在利故以種種不道而取
致使未來受此殃咎是故經言盜之罪能
令衆生墮於地獄餓鬼受苦若在畜生則受

致使未来受此殃咎是故經言盜之罪能
令衆生墮於地獄餓鬼受苦若在畜生則受
牛馬驢騾駱駝等形所有身血肉償他宿債
若生人中為他奴婢衣不蔽形食不充命貧
寒困苦人理殆盡劫盜既有如是苦報是
故弟子今日歸依十方諸佛
南无東方壞諸煩惱佛　南无南方妙音自在佛
南无西方大雲光佛　南无北方雲自在王佛
南无東南方无緣莊嚴佛　南无西南方過諸魔境界佛
南无西北方見无怛懼佛　南无東北方一切德嚴佛
南无上方蓮華藏光佛　南无下方妙善住王佛
如是十方盡虛空界一切三寶
弟子自從无始以來至于今日或盜他財寶
興刃強奪或自怙恃身逼迫而取或恃威
或假勢力高析大械枉押良善吞納姧貨
直為曲為此因緣身羅憲網或任耶治領
他財物假公益私假私益公損彼利此損此利
彼剋他自饒口與心恡或竊沒租估偷度關
稅隱公課輸藏隱使役如是等罪今悉懺悔
弟子等從无始以來至于今日或偷佛法僧
物不與而取或經像物或治塔寺物或供養
常住僧物或擬招提僧物或盜取悞用恃勢不
還或自借或貸人或復換貸漏忘或三寶混

BD00633號　佛名經（二十卷本）卷五　（23–19）

常住僧物或擬招提僧物或盜取悞用恃勢不
還或自借或貸人或復換貸漏忘或三寶混
乱雜用或以衆糧米薪薑豉醬酢菜茹
菓實錢帛竹木繒綵幡蓋香花油燭隨情
逐意或自用或與人或摘佛花菓用僧鬘物
因三寶財私自利己如是等罪无量无邊今
日慚愧皆悉懺悔
又復无始以來至于今日或作同遊朋友師
僧同學父母兄弟六親眷屬共住同止百一
所須更相欺罔或於鄉隣比近移籬拓墻侵
他地宅改攙易相勇略田園因公託私奪人
邸店及以乇野如是等罪今悉懺悔
又復无始以來或攻城破邑燒村壞柵偷賣
良民誘他奴婢或復枉押无罪之人使其流
殂血刃身被徒鏁家業破散骨肉生離分張
異域生死隔絕如是等罪无量无邊今悉
發露皆當懺悔
又復无始以來至于今日或商估博貨邸店
市易輕秤小斗減割尺寸盜竊分銖欺罔
圭合以麁易好以短換長巧欺百端希望
毫釐如是等罪今悉懺悔
又復无始以來至于今日穿踰墻壁斷道抄
掠抵捍債息負情違要面欺心口或非道

BD00633號　佛名經（二十卷本）卷五　（23–20）

又復无始以来至于今日穿踰墻壁斷道抄
掠舩捍債息負情違要面欺心口或非道
陵奪鬼神禽獸四生之物或假託卜相取財
物乃至以利求利悪求多求无厭无足如是等
罪无量无邊不可訖盡今日懇重向十方佛
尊法聖衆皆悉懺悔
願弟子等承是懺悔劫盜等罪所生功德
生生世世得如意寶常雨七珎上妙衣服
百味甘露種種湯藥隨意所須應念即至
一切衆生无偷奪相一切皆能少欲知足不
躭不染常樂恵施行急濟道頭目髓腦如
棄涕唾迴向滿足檀波羅蜜
大乘蓮華寶達菩薩問荅報應沙門品第廿八
寶達復前更入鐵銖地獄云何名鐵銖地獄此
地獄縱廣五十由旬鐵城周迊上有鐵網羅
覆其上猛火炎赫周遍獄中銖鑄鐵鉤遍布
其地烟火洞燃四方俱熾中有鐵銖上利刃
利如鋒鉅火從中出絶炎俱熾東門之中
有七百沙門拍手呼天唱言苦哉我今何罪
来詣其中䠊跟宛轉高聲大呼馬頭羅
刹手提三鈷鐵叉望腰而鍾齊中而出驚
着鐵銖之上利刀仰剌腹背俱徹千生千死
万生万死一日一夜受罪无量從地獄出生
於人中諸根不具

万生万死一日一夜受罪无量從地獄出生
於人中諸根不具
寶達問馬頭羅刹曰此沙門作何業行受
罪如是馬頭羅刹荅曰此諸沙門受佛淨
戒不求未来无上佛道但取現在名聞利
養身犯四禁八万威儀貪求信施如火得草
不知滿足坐人床座亦不如法與白衣共宿
如俗人法坐佛床上登踊師坐卧佛形像
陰凉之下以是因緣墮此地獄寶達聞之
悲泣歎曰
奇哉怪希有　解脫不下脫　奇哉怪希有　恵日墮大海
以得解脫門　還復被繫縛　寶達說偈已　遂捫涙雲

佛名經卷第五

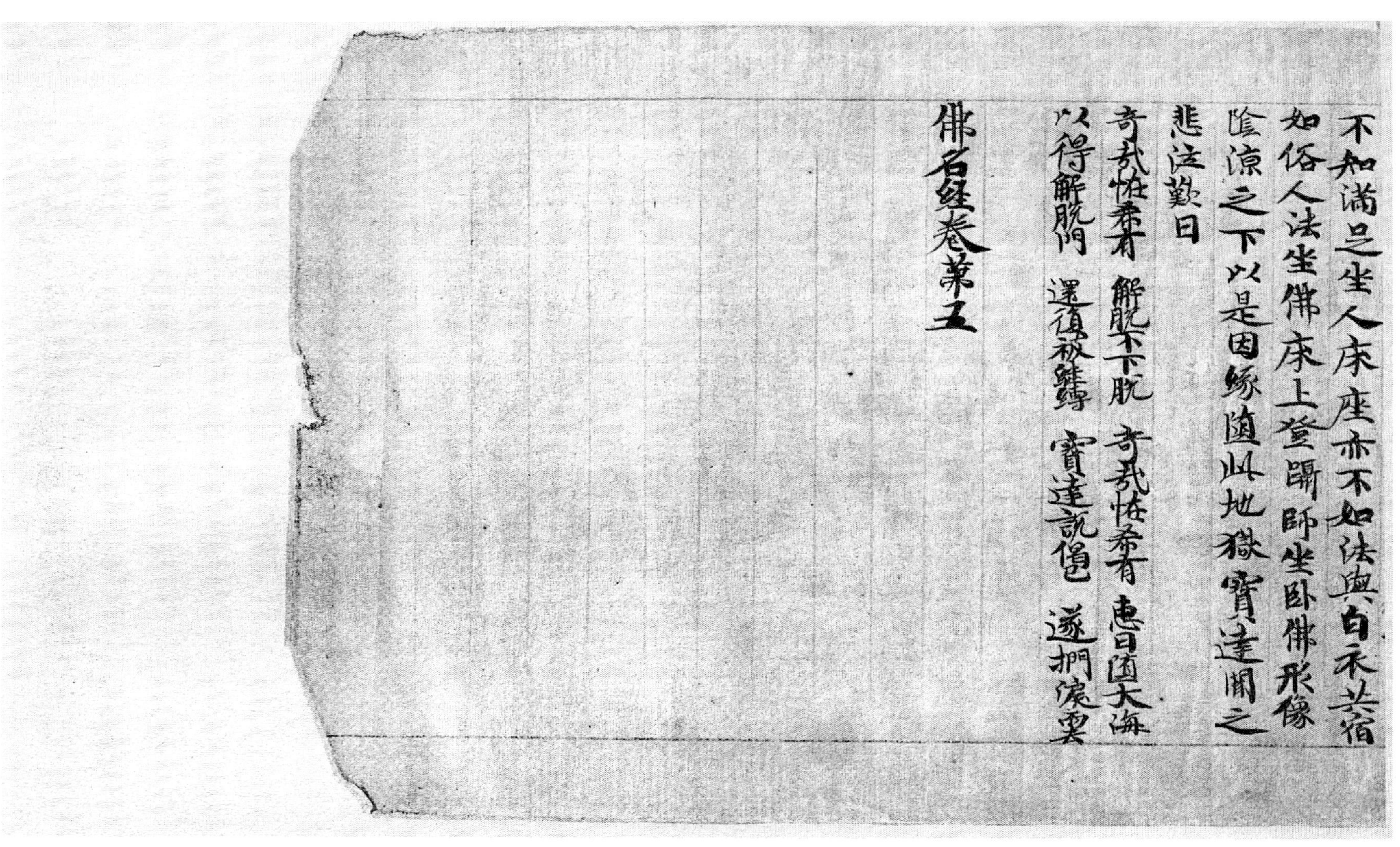

BD00633號　佛名經（二十卷本）卷五　　（23–23）

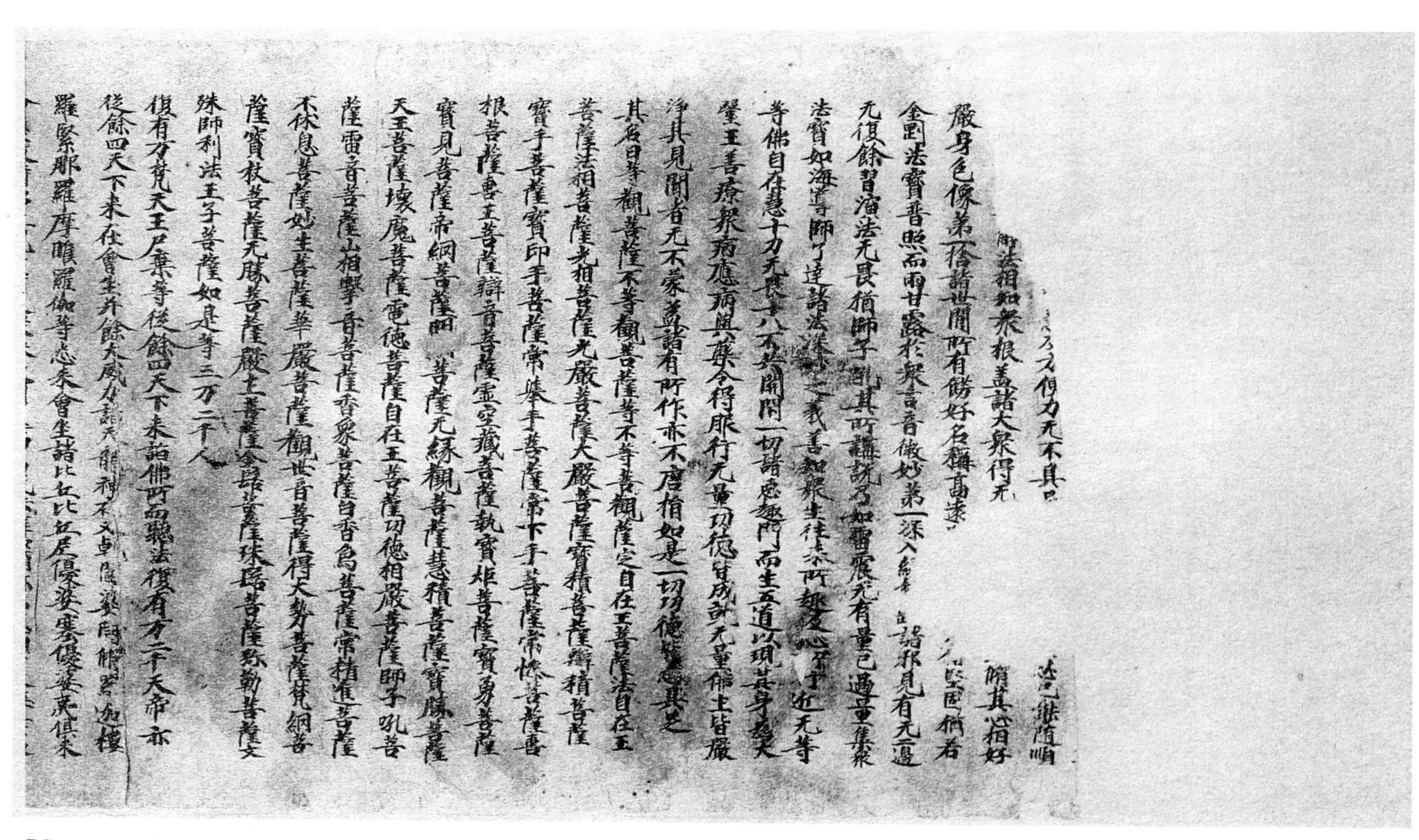

BD00634號　維摩詰所說經（異卷）卷上　　（16–1）

殊師利法王子菩薩如是等三萬二千人
復有萬梵天王尸棄等從餘四天下來詣佛所而聽法復有萬二千天帝亦
從餘四天下來在會坐并餘大威力諸天龍神夜叉乾闥婆阿脩羅迦樓
羅緊那羅摩睺羅伽等悉來會坐諸比丘比丘尼優婆塞優婆夷俱來
會坐彼時佛與無量百千之衆恭敬圍遶而為說法譬如須弥山王顯于大海安處
衆寶師子之座蔽於一切諸來大衆
尒時毗耶離城有長者子名曰寶積與五百長者子俱持七寶蓋來詣佛所
頭面礼足各以其蓋共供養佛佛之威神令諸寶蓋合成一蓋遍覆三千大
千世界而此世界廣長之相悉於中現又此三千大千世界諸須弥山雪山目真
隣陁山摩訶目真隣陁山香山寶山金山黑山鐵圍山大鐵圍山大海江河
川流泉源及日月星辰天宮龍宮諸尊神宮悉現於寶蓋中又十方諸佛
諸佛說法亦現於寶蓋中尒時一切大衆覩佛神力歎未曾有合掌礼佛
瞻仰尊顔目不暫捨長者子寶積即於佛前以偈頌曰
目淨脩廣如青蓮 心淨已度諸禪定 久積淨業稱無量 導衆以寂故稽首 既見大聖以神變
普現十方無量土 其中諸佛演說法 於是一切悉見聞 法王法力超羣生 常以法財施一切
能善分別諸法相 於第一義而不動 已於諸法得自在 是故稽首此法王 說法不有亦不無
以因緣故諸法生 無我無造無受者 善惡之業亦不亡 始在佛樹力降魔 得甘露滅覺道成
已無心意無受行 而悉摧伏諸外道 三轉法輪於大千 其輪本來常清淨 天人得道此為證
三寶於是現世間 以斯妙法濟羣生 一受不退常寂然 度老病死大醫王 當礼法海德無邊
毀譽不動如須弥 於善不善等以慈 心行平等如虛空 孰聞人寶不敬承 今奉世尊此微蓋
於中現我三千界 諸天龍神所居宮 乾闥婆等及夜叉 悉見世間諸所有 十力哀現是化變
衆覩希有皆歎佛 今我稽首三界尊 大聖法王衆所歸 淨心觀佛靡不欣 各見世尊在其前
斯則神力不共法 佛以一音演說法 衆生隨類各得解 皆謂世尊同其語 斯則神力不共法
佛以一音演說法 衆生各各隨所解 普得受行獲其利 斯則神力不共法 佛以一音演說法
或有恐畏或歡喜 或生厭離或斷疑 斯則神力不共法 稽首十力大精進 稽首已得無所畏
稽首住於不共法 稽首一切大導師 稽首能斷衆結縛 稽首已到於彼岸 稽首能度諸世間
稽首永離生死道 悉知衆生來去相 善於諸法得解脫 不著世間如蓮華 常善入於空寂行
達諸法相無罣閡 稽首如空無所依
尒時長者子寶積說此偈已白佛言世尊是五百長者子皆已發阿
耨多羅三藐三菩提心願聞得佛國土清淨唯願世尊說諸菩薩

BD00634 號　維摩詰所說經（異卷）卷上　（16–2）

稽首永離生死道 悉知衆生來去相 善於諸法得解脫 不著世間如蓮華 常善入於空寂行
達諸法相無罣閡 稽首如空無所依
尒時長者子寶積說此偈已白佛言世尊是五百長者子皆已發阿
耨多羅三藐三菩提心願聞得佛國土清淨唯願世尊說諸菩薩
淨土之行佛言善哉寶積乃能為諸菩薩問於如來淨土之行諦聽
諦聽善思念之當為汝說於是寶積及五百長者子受教而聽佛
言寶積衆生之類是菩薩佛土所以者何菩薩隨所化衆生而取佛土
隨所調伏衆生而取佛土隨諸衆生應以何國入佛智慧而取佛土
隨諸衆生應以何國起菩薩根而取佛土所以者何菩薩取於淨
國皆為饒益諸衆生故譬如有人欲於空地造立宮室隨意無导
若於虛空終不能成菩薩如是為成就衆生故願取佛國願取佛國
者非於空也
寶積當知直心是菩薩淨土菩薩成佛時不諂衆生來生其國深心
是菩薩淨土菩薩成佛時具足功德衆生來生其國大乘心是菩
薩淨土菩薩成佛時大乘衆生來生其國布施是菩薩淨土菩薩成
佛時一切能捨衆生來生其國持戒是菩薩淨土菩薩成佛時行
十善道滿願衆生來生其國忍辱是菩薩淨土菩薩成佛時三十
二相莊嚴衆生來生其國精進是菩薩淨土菩薩成佛時勤脩一切
功德衆生來生其國禪定是菩薩淨土菩薩成佛時攝心不亂衆生來
生其國智慧是菩薩淨土菩薩成佛時正定衆生來生其國四無量
心是菩薩淨土菩薩成佛時成就慈悲喜捨衆生來生其國四攝
法是菩薩淨土菩薩成佛時解脫所攝衆生來生其國方便是菩
薩淨土菩薩成佛時於一切法方便無导衆生來生其國卅七道品是
菩薩淨土菩薩成佛時念處正勤神足根力覺道衆生來生其
國迴向心是菩薩淨土菩薩成佛時得一切具足功德國土說除八
難是菩薩淨土菩薩成佛時國土無有三惡八難自守戒行不譏
彼闕是菩薩淨土菩薩成佛時國土無有犯禁之名十善是菩薩
淨土菩薩成佛時命不中夭大富梵行所言誠諦常以軟語眷屬不
離善和諍訟言必饒益不嫉不恚正見衆生來生其國如是寶積菩
薩隨其直心則能發行隨其發行則得深心隨其深心則意調伏

BD00634 號　維摩詰所說經（異卷）卷上　（16–3）

難是菩薩淨土菩薩成佛時國土无有三惡八難自守戒行不譏
彼闕是菩薩淨土菩薩成佛時國土无有犯禁之名十善是菩薩
淨土菩薩成佛時命不中夭大富梵行所言誠諦常以軟語眷屬不
離善和諍訟言必饒益不嫉不恚正見衆生來生其國如是寶積菩
薩隨其直心則能發行隨其發行則得深心隨其深心則意調伏
隨意調伏則如說行隨如說行則能迴向隨其迴向則有方便隨其方
便則成就衆生隨成就衆生則佛土淨隨佛土淨則說法淨隨說法
淨則智慧淨隨智慧淨則其心淨隨其心淨則一切功德淨是故寶
積若菩薩欲得淨土當淨其心隨其心淨則佛土淨
尒時舍利弗承佛威神作是念若菩薩心淨則佛土淨我世尊本為菩薩
時意豈不淨而是佛土不淨若此佛知其念即告之言於意云何日月
豈不淨耶而盲者不見對曰不也世尊是盲者過非日月咎舍利弗
衆生罪故不見如來佛國嚴淨非如來咎舍利弗我此淨土而汝
不見尒時螺髻梵王語舍利弗勿作是意謂此佛土以為不淨所以
者何我見釋迦牟尼佛土清淨譬如自在天宮舍利弗言我見此土
丘陵坑坎荊棘沙礫土石諸山穢惡充滿螺髻梵言仁者心有高下
不依佛慧故見此土為不淨耳舍利弗菩薩於一切衆生悉皆平
等深心清淨依佛智慧則能見此佛土清淨於是佛以足指按地
即時三千大千世界若干百千珍寶嚴飾譬如寶莊嚴佛无量
功德寶莊嚴土一切大衆歎未曾有而皆自見坐寶蓮華佛告舍
利弗汝且觀是佛土嚴淨舍利弗言唯然世尊本所不見本所
不聞今佛國土嚴淨悉現佛語舍利弗我佛國土常淨若此為
欲度斯下劣人故示是衆惡不淨土耳譬如諸天共寶器食隨
其福德飯色有異如是舍利弗若人心淨便見此土功德莊嚴當
佛現此國土嚴淨之時寶積所將五百長者子皆得无生法忍八万
四千人發阿耨多羅三藐三菩提心佛攝神足於是世界還復如故
求聲聞乘三万二千天及人知有為法皆悉无常遠塵離垢得法
眼淨八千比丘不受諸法漏盡意解
方便品第二
尒時毗耶離大城中有大長者名維摩詰已曾供養无量諸佛深殖

BD00634 號　維摩詰所說經（異卷）卷上　　（16–4）

求聲聞乘三万二千天及人知有為法皆悉无常遠塵離垢得法
眼淨八千比丘不受諸法漏盡意解
方便品第二
尒時毗耶離大城中有大長者名維摩詰已曾供養无量諸佛深殖
善本得无生忍辯才无㝵遊戲神通逮諸總持獲无所畏降魔勞
怨入深法門善於智度通達方便大願成就明了衆生心之所趣又能
分別諸根利鈍久於佛道心已純淑決定大乘諸有所作能善思量
住佛威儀心大如海諸佛咨嗟弟子釋梵世主所敬欲度人故以善
方便居毗耶離資財无量攝諸貧民奉戒清淨攝諸毀禁以忍
調行攝諸恚怒以大精進攝諸懈怠一心禪寂攝諸亂意以決定
慧攝諸无智雖為白衣奉持沙門清淨律行雖處居家不著三界
示有妻子常脩梵行現有眷屬常樂遠離雖服寶飾而以
相好嚴身雖復飲食而以禪悅為味若至博弈戲處輒以度
人受諸異道不毀正信雖明世典常樂佛法一切見敬為供養中最執
持正法攝諸長幼一切治生諧偶雖獲俗利不以喜悅遊諸四衢饒益
衆生入治正法救護一切入講論處導以大乘入諸學堂誘開童矇
入諸婬舍示欲之過入諸酒肆能立其志若在長者長者中尊為說勝
法若在居士居士中尊斷其貪著若在刹利刹利中尊教以忍辱若
在婆羅門婆羅門中尊除其我慢若在大臣大臣中尊教以正法若
在王子王子中尊示以忠孝若在內官內官中尊化正宮女若在
庶民庶民中尊令興福力若在梵天梵天中尊誨以勝慧若在帝
釋帝釋中尊示現无常若在護世護世中尊護諸衆生長者維
摩詰以如是等无量方便饒益衆生其以方便現身有疾以其疾
故國王大臣長者居士婆羅門等及諸王子并餘官屬无數千人皆
往問疾其往者維摩詰因以身疾廣為說法諸仁者是身无常无强
无力无堅速朽之法不可信也為苦為惱衆病所集諸仁者如此身
明智所不怙是身如聚沫不可撮摩是身如泡不得久立是身如焰從
渴愛生是身如芭蕉中无有堅是身如幻從顛倒起是身如夢
為虛妄見是身如影從業緣現是身如響屬諸因緣是身如浮雲

BD00634 號　維摩詰所說經（異卷）卷上　　（16–5）

渴愛生是身如芭蕉中无有堅是身如幻從顛倒起是身如夢
為虛妄見是身如影從業緣現是身如響屬諸因緣是身如浮雲
須臾變滅是身如電念念不住是身无主為如地是身无我為如火
是身无壽為如風是身无人為如水是身不實四大為家是身為空
離我我所是身无知如草木瓦礫是身无作風力所轉是身不淨
穢惡充滿是身為虛偽雖假以澡浴衣食必歸磨滅是身為災百一
病惱是如丘井為老所逼是身无定為要當死是身如毒虵如怨賊如
空聚陰界諸入所共合成諸仁者此可患厭當樂佛身所以者何佛身
者即法身也從无量功德智慧生從戒定慧解脫解脫知見生從慈
悲喜捨生從布施持戒忍辱柔和勤行精進禪定解脫三昧多聞
智慧諸波羅蜜生從方便生從六通生從三明生從卅七道品生從止
觀生從十力四无所畏十八不共法生從斷一切不善法集一切善法
生從真實生從不放逸生從如是无量清淨法生如來諸仁者欲得
佛身斷一切眾生病者當發阿耨多羅三藐三菩提心如是長者
維摩詰為諸問疾者如應說法令无數天子天女皆發阿耨多羅三藐
三菩提心
弟子品第三
尒時長者維摩詰自念寢疾于床世尊大慈寧不垂愍佛知其意即
告舍利弗汝行詣維摩詰問疾舍利弗白佛言世尊我不堪任詣
彼問疾所以者何憶念昔者曾於林中宴坐樹下時維摩詰來謂我
言唯舍利弗不必是坐為宴坐也夫宴坐者不於三界現身意是為
宴坐不起滅定而現諸威儀是為宴坐不捨道法而現凡夫事是為
宴坐心不住內亦不在外是為宴坐於諸不見不動而脩行卅七品
是為宴坐不斷煩惱而入涅槃是為宴坐若能如是坐者佛所印可
時我世尊聞是語已嘿然而止不能加報故我不任詣彼問疾
佛告大目揵連汝行詣維摩詰問疾目連白佛言世尊我不堪任詣
彼問疾所以者何憶念我昔入毗耶離大城於里巷中為諸居士
說法時維摩詰來謂我言唯大目連為白衣居士說法不當如仁者
所說夫說法者當如法說法无眾生離眾生垢故法无有我離我
垢故法无壽命離生死故法无有人前後際斷故法常寂然滅諸相故

BD00634號　維摩詰所說經（異卷）卷上　（16-6）

詰來謂我言唯大目連為白衣居士說法不當如仁者
所說夫說法者當如法說法无眾生離眾生垢故法无有我離我
垢故法无壽命離生死故法无有人前後際斷故法常寂然滅諸相故
法離於相无所緣故法无名字言語斷故法无有說離覺觀故
法无形相如虛空故法无戲論畢竟空故法无我所離我所故法
无分別離諸識故法无有比无相待故法不屬因不在緣故法
同法性入諸法故法隨於如无所隨故法住實際諸邊不動故
法无動搖不依六塵故法无去來常不住故法順空隨无相應无作
法離好醜法无增損法无生滅法无所歸法過眼耳鼻舌身心法
无高下法常住不動法離一切觀行唯大目連法相如是豈可說乎
夫說法者无說无示其聽法者无聞无得譬如幻士為幻人說
法當建是意而為說法當了眾生根有利鈍善於知見无所
罣㝵以大悲心讚于大乘念報佛恩不斷三寶然後說法維摩
詰說是法時八百居士發阿耨多羅三藐三菩提心我无此辯
是故不任詣彼問疾
佛告大迦葉汝行詣維摩詰問疾迦葉白佛言世尊我不堪任
詣彼問疾所以者何憶念我昔於貧里而行乞食時維摩詰來謂我
言唯大迦葉有慈悲心而不能普捨豪富從貧乞迦葉住平等法
應次行乞食為不食故應行乞食為壞和合相故應取揣食為不受故
應受彼食以空聚相入於聚落所見色與盲等所聞聲與響等所
嗅香與風等所食味不分別受諸觸如智證知諸法如幻相无自性
无他性本自不然今則无滅迦葉若能不捨八耶入八解脫以耶相入正
法以一食施一切供養諸佛及眾賢聖然後可食如是食者非
有煩惱非離煩惱非入定意非起定意非住世間非住涅槃其有施者
无大福无小福不為益不為損是為正入佛道不依聲聞迦葉若如是食
者為不空食人之施也時我世尊聞說是語得未曾有即於一切菩
薩深起敬心復作是念斯有家名辯才智慧乃能如是其誰不
發阿耨多羅三藐三菩提心我從是來不復勸人以聲聞辟支佛
行故我不任詣彼問疾
佛告須菩提汝行詣維摩詰問疾須菩提白佛言世尊我不堪

BD00634號　維摩詰所說經（異卷）卷上　（16-7）

菩薩深起敬心復作是念斯有家名辯才智慧乃能如是其誰不
發阿耨多羅三藐三菩提心我從是來不復勸人以聲聞辟支佛
行故我不任詣彼問疾
佛告須菩提汝行詣維摩詰問疾須菩提白佛言世尊我不堪
任詣彼問疾所以者何憶念我昔入其舍從乞食時維摩詰取我鉢
盛滿飯謂我言唯須菩提若能於食等者諸法亦等諸法等
者於食亦等如是行乞乃可取食若須菩提不斷婬怒癡亦不與俱
不壞於身而隨一相不滅癡愛起於明脫以五逆相而得解脫亦不
解不縛不見四諦非不見諦非得果非不得果非凡夫非離凡夫
法非聖人非不聖人雖成就一切法而離諸法相乃可取食若須菩
提不見佛不聞法彼外道六師富蘭那迦葉末伽梨拘賒梨子
刪闍夜毗羅胝子阿耆多翅舍欽婆羅迦羅鳩䭾迦旃延尼揵陀若
提子等是汝之師因其出家彼師所墮汝亦隨墮乃可取食若須
菩提入諸邪見不到彼岸住於八難不得无難同於煩惱離清
淨法汝得无諍三昧一切眾生亦得是定其施汝者不名福田供養
汝者墮三惡道為與眾魔共一手作諸勞侶汝與眾魔及諸
塵勞等无有異於一切眾生而起怨心謗諸佛毀於法不入眾數
終不得滅度汝若如是乃可取食時我世尊聞此茫然不識是何
言不知以何荅便置鉢欲出其舍維摩詰言唯須菩提取鉢勿
懼於意云何如來所作化人若以是事詰寧有懼不我言不也
維摩詰言一切諸法如幻化相汝今不應有所懼也所以者何一切言
說不離是相至於智者不著文字故无所懼何以故文字性離
无有文字是則解脫解脫相者則諸法也維摩詰說是法時二百
天子得法眼淨故我不任詣彼問疾
佛告富樓那彌多羅尼子汝行詣維摩詰問疾富樓那白佛言
世尊我不堪任詣彼問疾所以者何憶念我昔於大林中在一樹下
為諸新學比丘說法時維摩詰來謂我言唯富樓那先當入
定觀此人心然後說法无以穢食置於寶器當知是比丘心之所念无以
琉璃同彼水精汝不能知眾生根源无得發起以小乘法彼自无瘡勿
傷之也欲行大道莫示小徑无以大海內於牛跡无以日光等彼螢火

BD00634 號　維摩詰所說經（異卷）卷上　（16–8）

為諸新學比丘說法時維摩詰來謂我言唯富樓那先當入
定觀此人心然後說法无以穢食置於寶器當知是比丘心之所念无以
琉璃同彼水精汝不能知眾生根源无得發起以小乘法彼自无瘡勿
傷之也欲行大道莫示小徑无以大海內於牛跡无以日光等彼螢火
唯富樓那此比丘久發大乘心中忘此意如何以小乘法而教導之我
觀小乘智慧微淺猶如盲人不能分別一切眾生根之利鈍時維
摩詰即入三昧令此比丘自識宿命曾於五百佛所殖眾得本迴向
阿耨多羅三藐三菩提即時豁然還得本心於是諸比丘稽首礼
維摩詰足時維摩詰因為說法於阿耨多羅三藐三菩提不復退
轉我念聲聞不觀人根不應說法是故不任詣彼問疾
佛告摩訶迦旃延汝行詣維摩詰問疾迦旃延白佛言世尊我不
堪任詣彼問疾所以者何憶念昔者佛為諸比丘略說法要我即於
後敷演其義謂无常義苦義空義无我義寂滅義時維摩詰
來謂我言唯迦旃延无以生滅心行說實相法迦旃延諸法畢竟不生
不滅是无常義五受陰洞達空无所起是苦義諸法究竟无所有是
空義於我无我而不二是无我義法本不然今則无滅是寂滅義說
是法時彼諸比丘心得解脫故我不任詣彼問疾
佛告阿那律汝行詣維摩詰問疾阿那律白佛言世尊我不堪
任詣彼問疾所以者何憶念我昔於一處經行時有梵王名曰嚴淨
與萬梵俱放淨光明來詣我所稽首作礼問我言幾何阿那律天
眼所見我即荅言仁者吾見此釋迦牟尼佛土三千大千世界如觀掌
中菴摩勒果時維摩詰來謂我言唯阿那律天眼所見為作相
耶无作相耶假使作相則與外道五通等若无作相即是无為不應
有見世尊我時嘿然彼諸梵聞其言得未曾有即為作礼而問
曰世孰有真天眼者維摩詰言有佛世尊得真天眼常在三昧悉
見諸佛國不以二相於是嚴淨梵王及其眷屬五百梵天皆發阿耨多
羅三藐三菩提心礼維摩詰足已忽然不現故我不任詣彼問疾
佛告優波離汝行詣維摩詰問疾優波離白佛言世尊我不堪任
詣彼問疾所以者何憶念昔者有二比丘犯律行以為恥不敢問佛
來問我言唯優波離我等犯律誠以為恥不敢問佛願解疑悔得免

BD00634 號　維摩詰所說經（異卷）卷上　（16–9）

[illegible]我不任詣彼問疾
佛告優波離汝行詣維摩詰問疾優波離白佛言世尊我不堪任
詣彼問疾所以者何憶念昔者有二比丘犯律行以為恥不敢問佛
來問我言唯優波離我等犯律誠以為恥不敢問佛願解疑悔得免
斯咎我即為其如法解說時維摩詰來謂我言唯優波離无重
增此二比丘罪當直除滅勿擾其心所以者何彼罪性不在內不在外
不在中間如佛所說心垢故衆生垢心淨故衆生淨心亦不在內不
在外不在中間如其心然罪垢亦然諸法亦然不出於如如優波
離以心相得解脫時寧有垢不我言不也維摩詰言一切衆生心
相无垢亦復如是唯優波離妄想是垢无妄想是淨顛倒是垢
无顛倒是淨取我是垢不取我是淨優波離一切法生滅不住
如幻如電諸法不相待乃至一念不住諸法皆妄見如夢如焰
如水中月如鏡中像以妄想生其知此者是名奉律其知此者是
名善解於是二比丘言上智哉是優波離所不及持律之
上而不能說我答言自捨如來未有聲聞及菩薩能其制
樂說之辯其智慧明達為若此也時二比丘疑悔即除發阿
耨多羅三藐三菩提心作是願言令一切衆生皆得是辯我
不任詣彼問疾
佛告羅睺羅汝行詣維摩詰問疾羅睺羅白佛言世尊我不堪任詣
彼問疾所以者何憶念昔時毗耶離諸長者子來詣我所稽首作礼
問我言唯羅睺羅汝佛之子捨轉輪王位出家為道其出家
者有何等利我即如法為說出家功德之利時維摩詰來謂我言
唯羅睺羅不應說出家功德之利所以者何无利无功德是為出
家有為法者可說有利有功德夫出家者為无為法无為法中
无利无功德羅睺羅夫出家者无彼无此亦无中間離六十
二見處於涅槃智者所受聖所行處降伏衆魔度五道淨五眼
得五力立五根不惱於彼離衆雜惡摧諸外道超越假名出淤泥
无繫著无我所无所受无擾亂內懷喜護彼意隨禪定離衆
過若能如是是真出家於是維摩詰語諸長者子言汝等於正
法中宜共出家所以者何佛世難值諸長者子言居士我聞佛

得五力立五根不惱於彼離衆雜惡摧諸外道超越假名出淤泥
无繫著无我所无所受无擾亂內懷喜護彼意隨禪定離衆
過若能如是是真出家於是維摩詰語諸長者子言汝等於正
法中宜共出家所以者何佛世難值諸長者子言居士我聞佛
言父母不聽不得出家維摩詰言然汝等便發阿耨多羅三藐
三菩提心是即出家是即具[illegible]
多羅三藐三[illegible]
佛告阿難汝
彼問疾所以者何
鉢詣大婆羅門家[illegible]
晨朝持鉢住此我言居士世尊身少有疾
摩詰言止止阿難莫作是語如來身者金剛之體諸惡已斷衆善
普會當有何疾當有何惱嘿往阿難勿謗如來莫使異人聞
此麁言无令大威德諸天及他方淨土諸來菩薩得聞斯語阿難轉
輪聖王以少福故尚得无病豈況如來无量福會普勝者哉行
矣阿難勿使我等受斯恥也外道梵志若聞此語當作是念何名
為師自疾不能救而能救諸疾人可密速去勿使人聞當知阿
難諸如來身即是法身非思欲身佛為世尊過於三界佛身无
漏諸漏已盡佛身无為不墮諸數如此之身當有何疾時我世尊
聞此語已實懷慚愧得无近佛而謬聽耶即聞空中聲曰阿難如居
士言但為佛出五濁惡世現行斯法度脫衆行矣阿難取乳勿慚世
尊維摩詰智慧辯才為若此也是故不任詣彼問疾
如是五百大弟子各各向佛說其本緣稱述維摩詰所言皆曰不任
詣彼問疾

菩薩品第四

於是佛告彌勒菩薩汝行詣維摩詰問疾彌勒白佛言世尊我不
堪任詣彼問疾所以者何憶念我昔為兜率天王及其眷屬說不退
轉地之行時維摩詰來謂我言彌勒世尊授仁者記一生當得阿
耨多羅三藐三菩提為用何生得受記乎過去耶未來耶現在耶
若過去生過去已滅若未來生未來未至若現在生現在生住

阿耨多羅三藐三菩提為用何生得受記乎過去耶未來耶現在耶
若過去生過去已滅若未來生未來未至若現在生現在生
无住如佛所說比丘汝今即時亦生亦老亦滅若以无生得受記者
无生即是正位於正位中亦无受記亦无得阿耨多羅三藐三菩
提者去何弥勒受一生記乎為從如生得受記耶為從如滅得受記
耶若以如生得受記者如无有生若以如滅得受記者如无有滅一
切衆生皆如也一切法亦如也衆聖賢亦如也至於弥勒亦如也若
弥勒得受記者一切衆生亦應受記所以者何夫如者不二不
異若弥勒得阿耨多羅三藐三菩提者一切衆生皆亦應得所以
者何一切衆生即菩提相若弥勒滅度者一切衆生亦當滅度
所以者何諸佛知一切衆生畢竟寂滅即涅槃相不復更滅是故弥
勒无以此法誘諸天子實无發阿耨多羅三藐三菩提心者亦无
退者弥勒當令此諸天子捨於分別菩提之見所以者何菩提者不
可以身得不可以心得寂滅是菩提滅諸相故不觀是菩提離諸緣
故不行是菩提无憶念故斷是菩提捨諸見故離是菩提離
諸忘想故鄣是菩提鄣諸願故不入是菩提无貪著故順是菩
提順於如故住是菩提住法性故至是菩提至實際故不二是菩
提離法意故等是菩提等虛空故无為是菩提无生住滅故
智是菩提了知衆生心行故不會是菩提諸入不會故不合是菩
提離煩惱習故无處是菩提无形色故假名是菩提名字空故
如化是菩提无取捨故无亂是菩提常自靜故善寂是菩提性
清淨故无取是菩提離攀緣故无異是菩提諸法等故无比是
菩提无可喻故微妙是菩提諸法難知故世尊維摩詰說是語
時二百天子得无生法忍故我不任詣彼問疾
佛告光嚴童子汝行詣維摩詰問疾光嚴白佛言世尊我不堪任
詣彼問疾所以者何憶念我昔出毗耶離大城時維摩詰方入城我
即為作礼而問言居士從何所來荅我言吾從道場來我問道場
者何所是荅曰直心是道場无虛假故發行是道場能辦事故
深心是道場增益功德故菩提心是道場无錯謬故布施是道

即為作礼而問言居士從何所來荅我言吾從道場來我問道場
者何所是荅曰直心是道場无虛假故發行是道場能辦事故
深心是道場增益功德故菩提心是道場无錯謬故布施是道
場不望報故持戒是道場得願具足故忍辱是道場於諸衆
生心无礙故精進是道場不懈退故禪定是道場心調柔故智
慧是道場現見諸法故慈是道場等衆生故悲是道場忍疲苦
故喜是道場悅樂法故捨是道場憎愛斷故神通是道場成就
六通故解脫是道場能背捨故方便是道場教化衆生故四攝是
道場攝衆生故多聞是道場如聞行故伏心是道場正觀諸法故
卅七品是道場捨有為故諦是道場不誑世間故緣起是道場
无明乃至老死皆无盡故諸煩惱是道場知如實故衆生是道
場知无我故一切法是道場知諸法空故降魔是道場不傾動故三
界是道場无所趣故師子吼是道場无所畏故力无畏不共法是道
場无諸過故三明是道場无餘礙故一念知一切法是道場成就一切
智故如是善男子菩薩若應諸波羅蜜教化衆生諸有所作舉足下
足皆從道場來住於佛法矣說是法時五百天人皆發阿耨多羅
三藐三菩提心故我不任詣彼問疾
佛告持世菩薩汝行詣維摩詰問疾持世白佛言世尊我不堪任
詣彼問疾所以者何憶念我昔住於靜室時魔波旬從萬二千天
女狀如帝釋鼓樂絃歌來詣我所與其眷屬稽首我足合掌恭
敬於一面立我意謂是帝釋而語之言善來憍尸迦雖福應有
不當自恣當觀五欲无常以求善本於身命財而脩堅法即
語我言正士受是萬二千天女可備掃灑我言憍尸迦无以此非法
之物要我沙門釋子此非我宜所言未訖時維摩詰來謂我言
非帝釋也是為魔來嬈固汝耳即語魔言是諸女等可以與我如我
應受魔即驚懼念維摩詰將无惱我欲隱形去而不能隱盡其
神力亦不得去即聞空中聲曰波旬以女與之乃可得去魔以畏故俛仰
而與尒時維摩詰語諸女言魔以汝等與我今汝皆當發阿耨多羅
三藐三菩提心隨即所應而為說法令發道復言汝等已發道意
有法樂可以自娛不應復樂五欲樂也天女即問何謂法樂荅言樂

神力亦不得去即聞空中聲曰波旬以女與之乃可得去魔以畏故俛仰
而與尒時維摩詰語諸女言魔以汝等與今汝皆當發阿耨多羅
三藐三菩提心隨所應而為說法令發道意復言汝等已發道意
有法樂可以自娛不應復樂五欲樂也天女即問何謂法樂答言樂
常信佛樂欲聽法樂供養眾樂離五欲樂觀五陰如怨賊樂觀
四大如毒虵樂觀內入如空聚樂隨護道意樂饒益眾生樂敬養
師樂廣行施樂堅持戒樂忍辱柔和樂勤集善根樂禪定不亂
樂離垢明慧樂廣菩提心樂降伏眾魔樂斷諸煩惱樂淨佛國
土樂成就相好故脩諸功德樂莊嚴道場樂聞深法不畏樂三脫門
不樂非時樂近同學樂於非同學中心无恚礙樂將護惡知識樂
近善知識樂心喜清淨樂脩无量道品之法是為菩薩法樂於是
波旬告諸女言我欲與汝俱還天宮諸女言以我等與此居士有法樂
我等甚樂不復樂於五欲樂也魔言居士可捨此女一切所有施於彼者是
為菩薩維摩詰言我已捨矣汝便將去令一切眾生得法願具足於是
諸女問維摩詰我等去何至於魔宮維摩詰言諸姊有法門名无盡燈
汝等當學无盡燈者譬如一燈燃百千燈冥者皆明明終不盡如是
諸姊夫一菩薩開導百千眾生令發阿耨多羅三藐三菩提心於其道
意亦不滅盡隨所說法而自增益一切善法是名无盡燈也汝等雖住
魔宮以是无盡燈令无數天子天女皆發阿耨多羅三藐三菩提心
者為報佛恩亦大饒益一切眾生尒時天女頭面礼維摩詰足隨魔
還宮忽然不現世尊維摩詰有如是自在神力智慧辯才故我不
任詣彼問疾

佛告長者子善德汝行詣維摩詰問疾善德白佛言世尊我不堪任
詣彼問疾所以者何憶念我昔自於父舍設大施會供養一切沙門
婆羅門及諸外道貧窮下賤孤獨乞人期滿七日時維摩詰來入
會中謂我言長者子夫大施會不當如汝所設當為法施之會何用是
財施會我言居士何謂法施之會法施會者无前无後一時供養一切
眾生是名法施之會何謂也謂以菩提起於慈心以救眾生以大悲心以
持正法起於喜心以攝智慧行於捨心以攝慳貪起檀波羅蜜以化犯

BD00634號　維摩詰所說經（異卷）卷上　（16–14）

財施會我言居士何謂法施之會法施會者无前无後一時供養一切
眾生是名法施之會何謂也謂以菩提起於慈心以救眾生以大悲心以
持正法起於喜心以攝智慧行於捨心以攝慳貪起檀波羅蜜以化犯
戒起尸波羅蜜以无我法起羼提波羅蜜以離身心相起毗梨耶
波羅蜜以菩提相起禪波羅蜜以一切智起般若波羅蜜教化眾生
而起於空不捨有為法而起无相示現受生而起无作護持正法
起方便力以度眾生起四攝法以敬事一切起除慢法於身命財起
三堅法於六念中起思念法於六和敬起質直心正行善法起於
淨命心淨歡喜起近賢聖不憎惡人起調伏心以出家法起於深心
以如說行起於多聞以无諍法起空閑處趣向佛慧起於宴坐解眾
生縛起脩行地以具相好及淨佛土起福德知一切眾生心念如應
說法起於智業知一切法不取不捨入一相門起於慧業斷一切煩惱
一切鄣礙一切不善法起於一切善業以得一切智慧一切善法起於一
切助佛道法如是善男子是為法施之會若菩薩住是法施會者
為大施主亦為一切世間福田世尊維摩詰說是法時婆羅門眾
中二百人皆發阿耨多羅三藐三菩提心我時心得清淨歎未曾
有稽首礼維摩詰足即解瓔珞價直百千以上之不肯取我言
居士願必納受隨意所與維摩詰乃受瓔珞分作二分持一分
施此會中一最下乞人持一分奉彼難勝如來一切眾會皆見光
明國土難勝如來又見珠瓔在彼佛上變成四柱寶臺四面嚴飾
不相鄣蔽時維摩詰現神變已作是言若施主等心施一最下乞
人猶如如來福田之相无所分別等于大悲不求果報是則名曰具
足法施城中一最下乞人見是神力聞其所說皆發阿耨多羅三
藐三菩提心故我不任詣彼問疾如是諸菩薩各各向佛說其本
緣稱述維摩詰所言皆曰不任詣彼問疾

文殊師利問疾品第五

尒時佛告文殊汝行詣維摩詰問疾文殊師利白佛言世尊彼上
人者難為酬對深達實相善說法要辯才无滯智慧无礙一切
菩薩法式悉知諸佛秘藏无不得入降伏眾魔遊戲神通其慧方
便皆已得度雖然當承佛聖旨詣彼問疾於是眾中諸菩薩大

BD00634號　維摩詰所說經（異卷）卷上　（16–15）

薩三菩提心故我不任詣彼問疾如是諸菩薩各各向佛說其本
緣稱述維摩詰所言皆曰不任詣彼問疾
文殊師利問疾品第五
尔時佛告文殊汝行詣維摩詰問疾文殊師利白佛言世尊彼上
人者難爲酬對深達實相善說法要辯才无滯智慧无礙一切
菩薩法式悉知諸佛秘藏无不得入降伏衆魔遊戲神通其慧方
便皆已得度雖然當承佛聖旨詣彼問疾於是衆中諸菩薩大
弟子釋梵四天王等咸作是念今二大士文殊師利維摩詰共談必
說妙法即時八千菩薩五百聲聞百千天人皆欲隨從於是文殊師

BD00634 號　維摩詰所說經（異卷）卷上　（16–16）

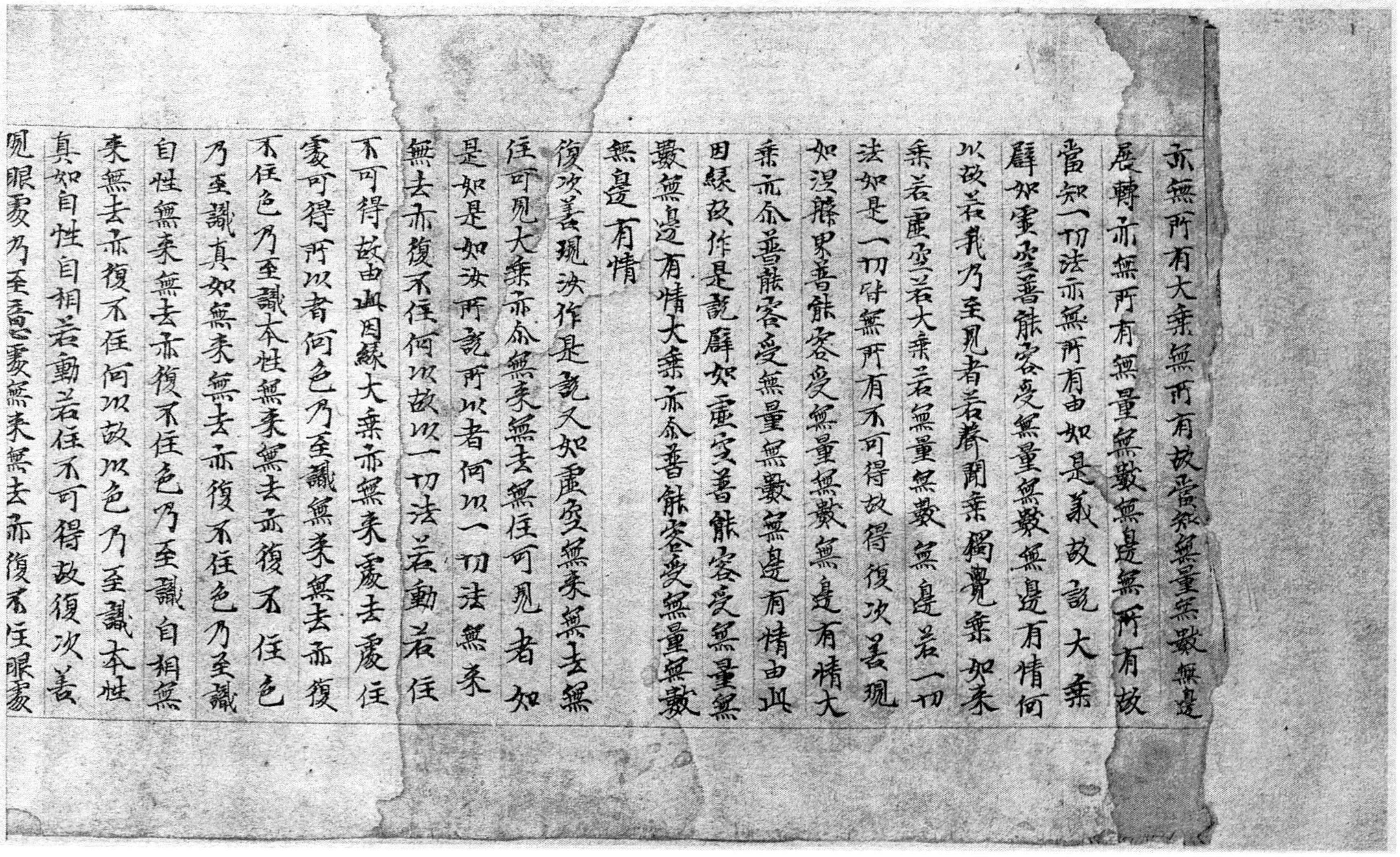

亦無所有大乘無所有故當知無量無數無邊
展轉亦無所有無量無數無邊無所有故
當知一切法亦無所有由如是義故說大乘
譬如虛空普能容受無量無數無邊有情何
以故若我乃至見者若聲聞乘獨覺乘如來
乘若虛空若大乘若無量無數無邊若一切
法如是一切皆無所有不可得故復次善現
如涅槃界普能容受無量無數無邊有情大
乘亦尒普能容受無量無數無邊有情由此
因緣故作是說譬如虛空普能容受無量無
數無邊有情大乘亦尒普能容受無量無數
無邊有情
復次善現汝作是說又如虛空無來無去無
住可見大乘亦尒無來無去無住可見者如
是如是如汝所說所以者何以一切法無來
無去亦復不住何以故以一切法若動若住
不可得故由此因緣大乘亦無來處去處住
處可得所以者何色乃至識無來無去亦復
不住色乃至識本性無來無去亦復不住色
乃至識真如無來無去亦復不住色乃至識
自性無來無去亦復不住色乃至識自相無
來無去亦復不住何以故以色乃至識本性
真如自性自相若動若住不可得故復次善
現眼處乃至意處無來無去亦復不住眼處

BD00635 號　大般若波羅蜜多經卷四九四　（11–1）

自性無來無去亦復不住色乃至識自相無
來無去亦復不住何以故以色乃至識本性
真如自性自相若動若住不可得故復次善
現眼處乃至意處無來無去亦復不住眼處
乃至意處本性無來無去亦復不住眼處乃
至意處真如無來無去亦復不住眼處乃至
意處自性無來無去亦復不住眼處乃至意
處自相無來無去亦復不住何以故以眼處
乃至意處本性真如自性自相若動若住不
可得故復次善現色處乃至法處無來無去
亦復不住色處乃至法處本性無來無去亦
復不住色處乃至法處真如無來無去亦復
不住色處乃至法處自性無來無去亦復不
住色處乃至法處自相無來無去亦復不住
何以故以色處乃至法處本性真如自性自
相若動若住不可得故復次善現眼界乃至
意界無來無去亦復不住眼界乃至意界本
性無來無去亦復不住眼界乃至意界真如
無來無去亦復不住眼界乃至意界自性無
來無去亦復不住眼界乃至意界自相無來
無去亦復不住何以故以眼界乃至意界本
性真如自性自相若動若住不可得故復次
善現色界乃至法界無來無去亦復不住色
界乃至法界本性無來無去亦復不住色界
乃至法界真如無來無去亦復不住色界乃
至法界自性無來無去亦復不住色界乃至
法界自相無來無去亦復不住何以故以色

BD00635號　大般若波羅蜜多經卷四九四　（11–2）

至法界自性無來無去亦復不住色界乃至
法界自相無來無去亦復不住何以故以色
界乃至法界本性真如自性自相若動若住
可得故復次善現眼識界乃至意識界無來
無去亦復不住眼識界乃至意識界本性無
來無去亦復不住眼識界乃至意識界真如
無來無去亦復不住眼識界乃至意識界
自性無來無去亦復不住眼識界乃至意識界
自相無來無去亦復不住何以故以眼識界
乃至意識界本性真如自性自相若動若住
不可得故復次善現眼觸乃至意觸無來無
去亦復不住眼觸乃至意觸本性無來無
去亦復不住眼觸乃至意觸真如無來無去亦
復不住眼觸乃至意觸自性無來無去亦復
不住眼觸乃至意觸自相無來無去亦復不
住何以故以眼觸乃至意觸本性真如自性
自相若動若住不可得故復次善現眼觸為
緣所生諸受乃至意觸為緣所生諸受無來
無去亦復不住眼觸為緣所生諸受乃至意
觸為緣所生諸受本性無來無去亦復不住
眼觸為緣所生諸受乃至意觸為緣所生諸
受真如無來無去亦復不住眼觸為緣所生
諸受乃至意觸為緣所生諸受自性無來無
去亦復不住眼觸為緣所生諸受乃至意觸
為緣所生諸受自相無來無去亦復不住何
以故以眼觸為緣所生諸受乃至意觸為緣

BD00635號　大般若波羅蜜多經卷四九四　（11–3）

去亦復不住眼觸為緣所生諸受乃至意觸
為緣所生諸受自相無來無去亦復不住何
以故以眼觸為緣所生諸受乃至意觸為緣
所生諸受本性真如自性自相若動若住不
可得故復次善現地界乃至識界無來無去
亦復不住地界乃至識界本性無來無去亦
復不住地界乃至識界真如無來無去亦復
不住地界乃至識界自性無來無去亦復不
住地界乃至識界自相無來無去亦復不住
何以故以地界乃至識界本性真如自性自
相若動若住不可得故復次善現因緣乃至
增上緣無來無去亦復不住因緣乃至增上
緣本性無來無去亦復不住因緣乃至增上
緣真如無來無去亦復不住因緣乃至增上
緣自性無來無去亦復不住因緣乃至增上
緣自相無來無去亦復不住何以故以因緣
乃至增上緣本性真如自性自相若動若住
不可得故復次善現無明乃至老死無來無
去亦復不住無明乃至老死本性無來無去
亦復不住無明乃至老死真如無來無去亦
復不住無明乃至老死自性無來無去亦復
不住無明乃至老死自相無來無去亦復不
住何以故以無明乃至老死本性真如自性
自相若動若住不可得故復次善現真如乃
至不思議界無來無去亦復不住真如乃至
不思議界本性無來無去亦復不住真如乃
至不思議界真如無來無去亦復不住真如

BD00635 號　大般若波羅蜜多經卷四九四　（11–4）

至不思議界無來無去亦復不住真如乃至
不思議界本性無來無去亦復不住真如乃
至不思議界真如無來無去亦復不住真如
乃至不思議界自性無來無去亦復不住真
如乃至不思議界自相無來無去亦復不住
何以故以真如乃至不思議界本性真如自
性自相若動若住不可得故復次善現斷界
離界滅界安隱界寂靜界無生界無滅界無
染界無淨界無作界無為界無來無去亦復
不住斷界乃至無為界本性無來無去亦復
不住斷界乃至無為界真如無來無去亦復
不住斷界乃至無為界自性無來無去亦復
不住斷界乃至無為界自相無來無去亦復
不住何以故以斷界乃至無為界本性真如
自性自相若動若住不可得故復次善現內
空乃至無性自性空無來無去亦復不住內
空乃至無性自性空本性無來無去亦復不
住內空乃至無性自性空真如無來無去亦
復不住內空乃至無性自性空自性無來無
去亦復不住內空乃至無性自性空自相無
來無去亦復不住何以故以內空乃至無性
自性空本性真如自性自相若動若住不可
得故復次善現苦集滅道聖諦無來無去亦
復不住苦集滅道聖諦本性無來無去亦復
不住苦集滅道聖諦真如無來無去亦復不
住苦集滅道聖諦自性無來無去亦復不住
苦集滅道聖諦自相無來無去亦復不住何

BD00635 號　大般若波羅蜜多經卷四九四　（11–5）

復不住苦集滅道聖諦本性無來無去亦復
不住苦集滅道聖諦真如無來無去亦復不
住苦集滅道聖諦自性無來無去亦復不住
苦集滅道聖諦自相無來無去亦復不住何
以故以苦集滅道聖諦本性真如自性自相
若動若住不可得故復次善現布施波羅蜜
多乃至般若波羅蜜多無來無去亦復不住
布施波羅蜜多乃至般若波羅蜜多本性無
來無去亦復不住布施波羅蜜多乃至般若
波羅蜜多真如無來無去亦復不住布施波
羅蜜多乃至般若波羅蜜多自性無來無去
亦復不住布施波羅蜜多乃至般若波羅蜜
多自相無來無去亦復不住何以故以布施
波羅蜜多乃至般若波羅蜜多本性真如自
性自相若動若住不可得故復次善現四念
住乃至八聖道支無來無去亦復不住四念
住乃至八聖道支本性無來無去亦復不住
四念住乃至八聖道支真如無來無去亦復
不住四念住乃至八聖道支自性無來無去
亦復不住四念住乃至八聖道支自相無來
無去亦復不住何以故以四念住乃至八聖
道支本性真如自性自相若動若住不可得
故復次善現四靜慮四無量四無色定無來無
去亦復不住四靜慮四無量四無色定本性
無來無去亦復不住四靜慮四無量四無
色定真如無來無去亦復不住四靜慮四無
量四無色定自性無來無去亦復不住四靜

BD00635號　大般若波羅蜜多經卷四九四　（11–6）

去亦復不住四靜慮四無量四無色定本性
無來無去亦復不住四靜慮四無量四無
色定真如無來無去亦復不住四靜慮四無
量四無色定自性無來無去亦復不住四靜
慮四無量四無色定自相無來無去亦復不
住何以故以四靜慮四無量四無色定本性
真如自性自相若動若住不可得故復次善
現八解脫九次第定無來無去亦復不住八
解脫九次第定本性無來無去亦復不住八
解脫九次第定真如無來無去亦復不住八
解脫九次第定自性無來無去亦復不住八
解脫九次第定自相無來無去亦復不住何
以故以八解脫九次第定本性真如自性自
相若動若住不可得故復次善現空無相無
願解脫門無來無去亦復不住空無相無願
解脫門本性無來無去亦復不住空無相無
願解脫門真如無來無去亦復不住空無相
無願解脫門自性無來無去亦復不住空無
相無願解脫門自相無來無去亦復不住何
以故以空無相無願解脫門本性真如自性
自相若動若住不可得故復次善現極喜地
乃至法雲地無來無去亦復不住極喜地乃
至法雲地本性無來無去亦復不住極喜地
乃至法雲地真如無來無去亦復不住極喜
地乃至法雲地自性無來無去亦復不住極
喜地乃至法雲地自相無來無去亦復不住
何以故以極喜地乃至法雲地本性真如自

BD00635號　大般若波羅蜜多經卷四九四　（11–7）

至法雲地本性無來無去亦復不住極喜地
乃至法雲地真如無來無去亦復不住極喜
地乃至法雲地自性無來無去亦復不住極
喜地乃至法雲地自相無來無去亦復不住
何以故以極喜地乃至法雲地本性真如自
性自相若動若住不可得故復次善現淨觀
地乃至如來地無來無去亦復不住淨觀地
乃至如來地本性無來無去亦復不住淨觀
地乃至如來地真如無來無去亦復不住淨
觀地乃至如來地自性無來無去亦復不住
淨觀地乃至如來地自相無來無去亦復不
住何以故以淨觀地乃至如來地本性真如
自性自相若動若住不可得故復次善現陀
羅尼門三摩地門無來無去亦復不住陀羅
尼門三摩地門本性無來無去亦復不住陀
羅尼門三摩地門真如無來無去亦復不住
陀羅尼門三摩地門自性無來無去亦復不
住陀羅尼門三摩地門自相無來無去亦復
不住何以故以陀羅尼門三摩地門本性真
如自性自相若動若住不可得故復次善現
五眼六神通無來無去亦復不住五眼六神通
本性無來無去亦復不住五眼六神通真如
無來無去亦復不住五眼六神通自性無
來無去亦復不住五眼六神通自相無來無
去亦復不住何以故以五眼六神通本性真
如自性自相若動若住不可得故復次善現
如來十力乃至十八佛不共法無來無去亦
復不住如來十力乃至十八佛不共法本性

BD00635號　大般若波羅蜜多經卷四九四　（11-8）

來無去亦復不住五眼六神通自相無來無
去亦復不住何以故以五眼六神通本性真
如自性自相若動若住不可得故復次善現
如來十力乃至十八佛不共法無來無去亦
復不住如來十力乃至十八佛不共法本性
無來無去亦復不住如來十力乃至十八佛
不共法真如無來無去亦復不住如來十力
乃至十八佛不共法自性無來無去亦復不
住如來十力乃至十八佛不共法自相無來
無去亦復不住何以故以如來十力乃至十
八佛不共法本性真如自性自相若動若住
不可得故復次善現無忘失法恒住捨性無
來無去亦復不住無忘失法恒住捨性本性
無來無去亦復不住無忘失法恒住捨性真如
無來無去亦復不住無忘失法恒住捨性自
性無來無去亦復不住無忘失法恒住捨
性自相無來無去亦復不住何以故以無忘失
法恒住捨性本性真如自性自相若動若
住不可得故復次善現一切智道相智一切
相智無來無去亦復不住一切智道相智一
切相智本性無來無去亦復不住一切智道
相智一切相智真如無來無去亦復不住一
切智道相智一切相智自性無來無去亦復
不住一切智道相智一切相智自相無來無
去亦復不住何以故以一切智道相智一切相
智本性真如自性自相若動若住不可得故
復次善現菩薩菩薩法無來無去亦復不
住菩薩菩薩法本性無來無去亦復不住菩

BD00635號　大般若波羅蜜多經卷四九四　（11-9）

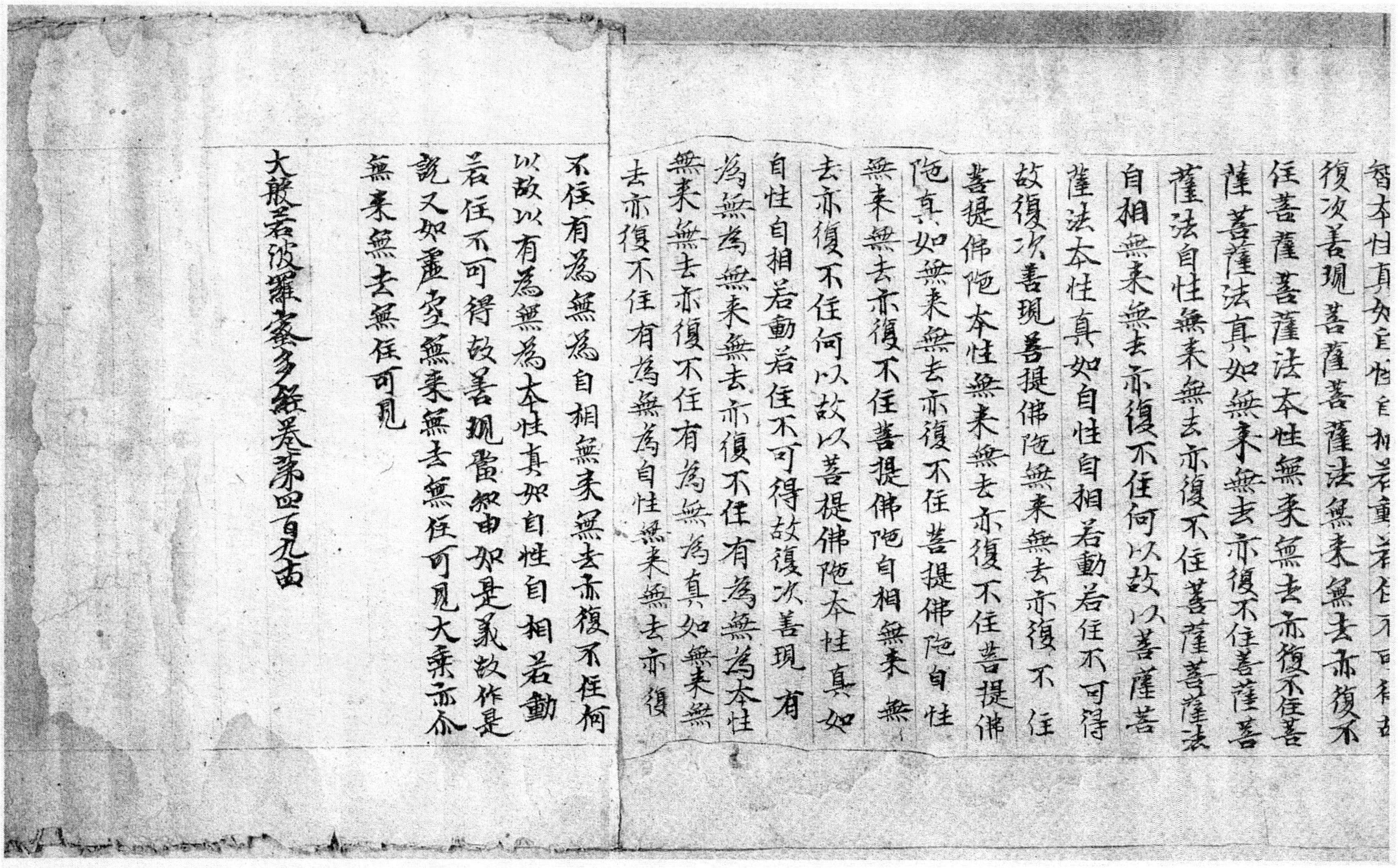

智本性真如自性自相若動若住不可得故
復次善現菩薩菩薩法無來無去亦復不
住菩薩菩薩法本性無來無去亦復不住菩
薩菩薩法真如無來無去亦復不住菩薩菩
薩法自性無來無去亦復不住菩薩菩薩法
自相無來無去亦復不住何以故以菩薩菩
薩法本性真如自性自相若動若住不可得
故復次善現菩提佛陁無來無去亦復不住
菩提佛陁本性無來無去亦復不住菩提佛
陁真如無來無去亦復不住菩提佛陁自性
無來無去亦復不住菩提佛陁自相無來無
去亦復不住何以故以菩提佛陁本性真如
自性自相若動若住不可得故復次善現有
為無為無來無去亦復不住有為無為本性
無來無去亦復不住有為無為真如無來無
去亦復不住有為無為自性無來無去亦復
不住有為無為自相無來無去亦復不住何
以故以有為無為本性真如自性自相若動
若住不可得故善現當知由如是義故作是
說又如虛空無來無去無住可見大乘亦尒
無來無去無住可見

大般若波羅蜜多經卷第四百九十四

BD00635號　大般若波羅蜜多經卷四九四　（11–10）

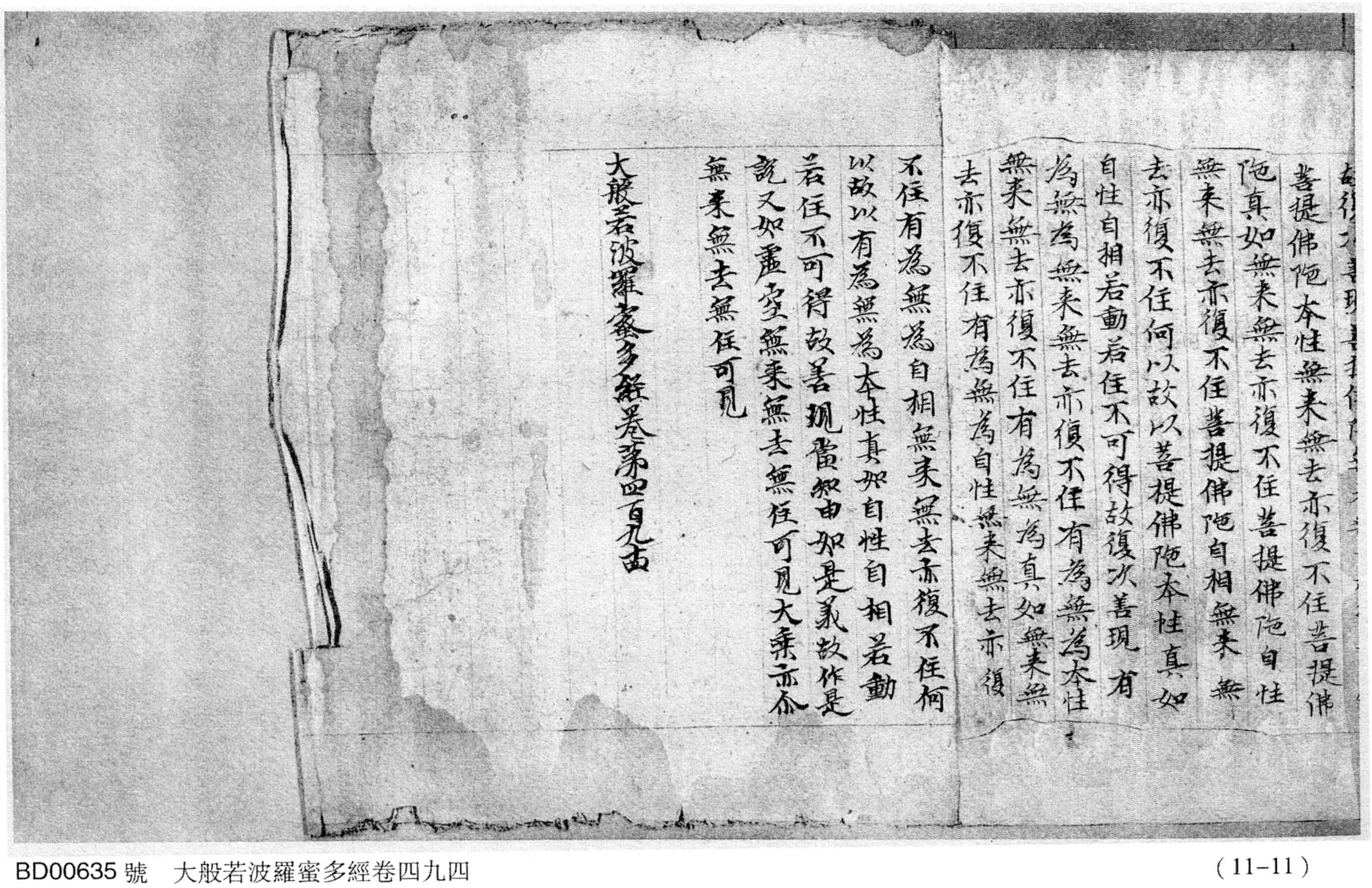

故復次善現
菩提佛陁本性無來無去亦復不住菩提佛
陁真如無來無去亦復不住菩提佛陁自性
無來無去亦復不住菩提佛陁自相無來無
去亦復不住何以故以菩提佛陁本性真如
自性自相若動若住不可得故復次善現有
為無為無來無去亦復不住有為無為本性
無來無去亦復不住有為無為真如無來無
去亦復不住有為無為自性無來無去亦復
不住有為無為自相無來無去亦復不住何
以故以有為無為本性真如自性自相若動
若住不可得故善現當知由如是義故作是
說又如虛空無來無去無住可見大乘亦尒
無來無去無住可見

大般若波羅蜜多經卷第四百九十四

BD00635號　大般若波羅蜜多經卷四九四　（11–11）

BD00636 號背　維摩詰所說經卷中護首　（1–1）

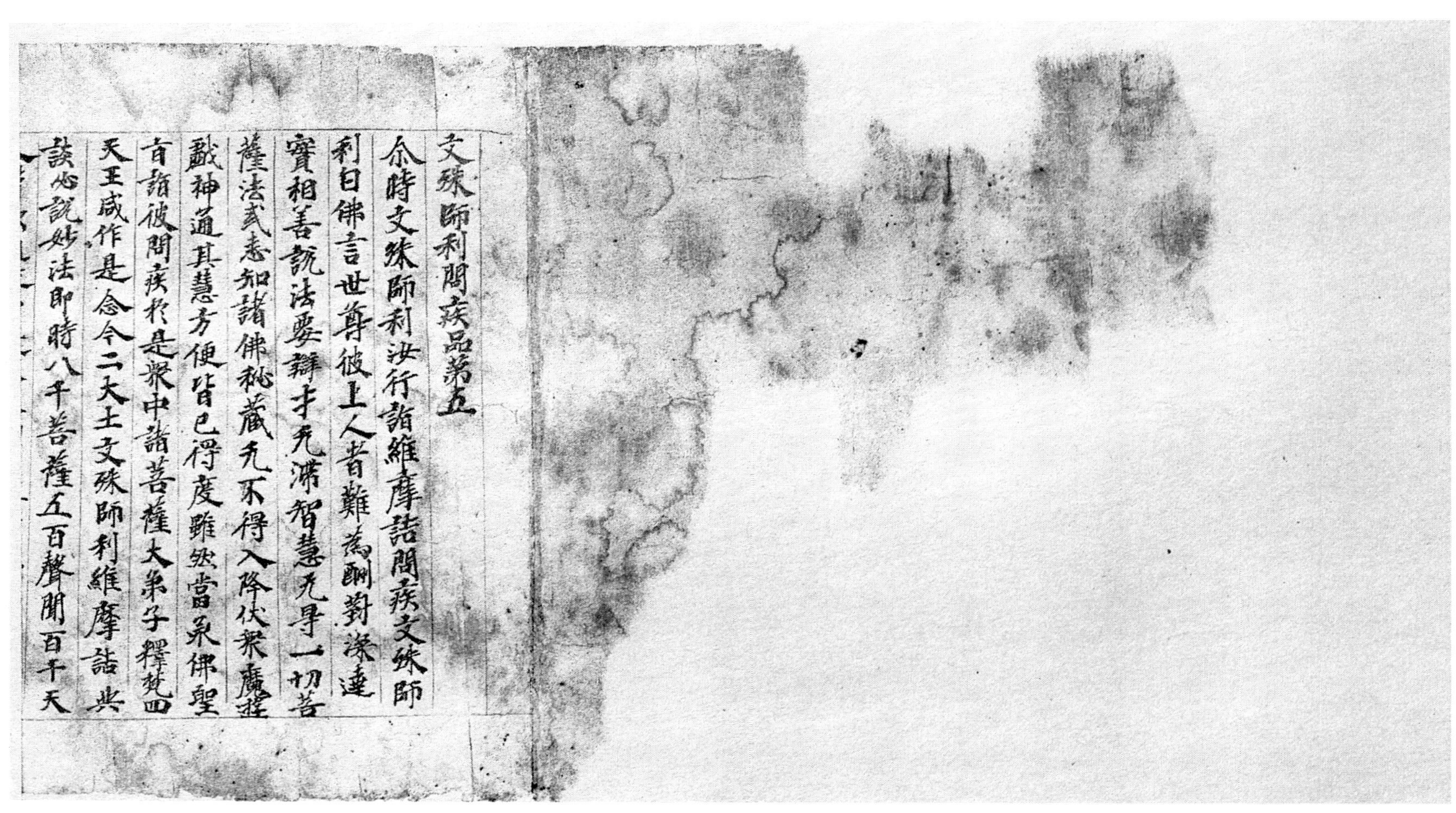

文殊師利問疾品第五
尒時佛告文殊師利汝行詣維摩詰問疾文殊師
利白佛言世尊彼上人者難為酬對深達
實相善說法要辯才无滯智慧无㝵一切菩
薩法式悉知諸佛秘藏无不得入降伏衆魔遊
戲神通其慧方便皆已得度雖然當承佛聖
旨詣彼問疾於是衆中諸菩薩大弟子釋梵四
天王咸作是念今二大士文殊師利維摩詰共
談必說妙法即時八千菩薩五百聲聞百千天

BD00636 號　維摩詰所說經卷中　（26–1）

戲神通其慧方便皆已得度雖然當承佛聖
旨詣彼問疾於是衆中諸菩薩大弟子釋梵四
天王咸作是念今二大士文殊師利維摩詰共
談必說妙法即時八千菩薩五百聲聞百千天
人皆欲隨從於是文殊師利與諸菩薩大弟子
衆及諸天人恭敬圍繞入毗耶離大城
尒時長者維摩詰心念文殊師利與大衆俱
來即以神力空其室內除去所有及諸侍者唯
置一床以疾而卧文殊師利既入其舍見其室
空无諸所有獨寢一床時維摩詰言來文殊
師利不來相而來不見相而見文殊師利言如
是居士若來已更不來若去已更不去所以者何
來者无所從來去者无所至所可見者更不可見
且置是事居士是疾寧可忍不療治有損不
至增乎世尊慇懃致問无量居士是疾何所因
起其生久如當云何滅維摩詰言從癡有愛則
我病生以一切衆生病是故我病若一切衆生得
不病者則我病滅所以者何菩薩爲衆生故入
生死有生死則有病若衆生得離病者則菩薩
无復病譬如長者唯有一子其子得病父母亦病
若子病愈父母亦愈菩薩如是於諸衆生愛之
若子衆生病則菩薩病衆生病愈菩薩亦愈又
言是病何所因起菩薩病者以大悲起文殊師利言
居士此室何以空无侍者維摩詰言諸佛國土亦復皆
空又問以何爲空答曰以空空又問空何用空答曰
以无分別空故空又問空可分別耶答曰分別亦
空又問空當於何求答曰當於六十二見中求又問
六十二見當於何求答曰當於諸佛解脫中

BD00636號　維摩詰所說經卷中　（26–2）

以无分別空故空又問空可分別耶答曰分別亦
空又問空當於何求當於六十二見中求又問
六十二見當於何求答曰當於諸佛解脫中
求又問諸佛解脫當於何求答曰當於一切
衆生心行中求又仁所問何无侍者一切衆
魔及諸外道皆吾侍也所以者何衆魔者樂
生死菩薩於生死而不捨外道者樂諸見菩
薩於諸見而不動文殊師利言居士所疾爲
何等相維摩詰言我病无形不可見又問此
病身合耶心合耶答曰非身合身相離故亦
非心合心如幻故又問地大水大火大風大
於此四大何大之病答曰是病非地大亦不
離地大水火風大亦復如是而衆生病從四
大起以其有病是故我病
尒時文殊師利問維摩詰言菩薩應云何慰
喻有疾菩薩維摩詰言說身无常不說猒離
於身說身有苦不說樂於涅槃說身无我而
說教導衆生說身空寂不說畢竟寂滅說悔
先罪而不說入於過去以已之疾愍於彼疾
當識宿世无數劫苦當念饒益一切衆生憶
所脩福念於淨命勿生憂惱常起精進當作
醫王療治衆病菩薩應如是慰喻有疾菩薩
令其歡喜
文殊師利言居士有疾菩薩云何調伏其心
維摩詰言有疾菩薩應作是念今我此病皆
從前世妄想顛倒諸煩惱生无有實法誰受
病者所以者何四大合故假名爲身四大无

BD00636號　維摩詰所說經卷中　（26–3）

令其歡喜
文殊師利言居士有疾菩薩云何調伏其心
維摩詰言有疾菩薩應作是念今我此病皆
從前世妄想顛倒諸煩惱生无有實法誰受
病者所以者何四大合故假名為身四大无
主身亦无我又此病起皆由著我是故於我
不應生著既知病本即除我想及衆生想當
起法想應作是念但以衆法合成此身起唯
法起滅唯法滅又此法者各不相知起時不
言我起滅時不言我滅彼有疾菩薩為滅法
想當作是念此法想者亦是顛倒顛倒者是
即大患我應離之云何為離離我我所云何
離我我所謂離二法云何離二法謂不念内
外諸法行於平等云何平等謂我等涅槃等
所以者何我及涅槃此二皆空以何為空但
以名字故空如此二法无決定性得是平等
无有餘病唯有空病空病亦空是有疾菩薩
以无所受而受諸受未具佛法亦不滅受而
取證也設身有苦念惡趣衆生起大悲心我
既調伏亦當調伏一切衆生但除其病而不
除法為斷病本而教導之何謂病本謂有攀
緣從有攀緣則有病本何所攀緣謂之三界
云何斷攀緣以无所得若无所得則无攀緣
何謂无所得謂二見何謂二見謂内見外見
是无所得文殊師利是為有疾菩薩調伏其
心為斷老病死苦是菩薩菩提若不如是已
所脩治為无惠利譬如勝怨乃可為勇如是
兼除老病死者菩薩之謂也彼有疾菩薩復

是无所得文殊師利是為有疾菩薩調伏其
心為斷老病死苦是菩薩菩提若不如是已
所脩治為无惠利譬如勝怨乃可為勇如是
兼除老病死者菩薩之謂也彼有疾菩薩復
應作是念如我此病非真非有衆生病亦非
真非有作是觀時於諸衆生若起愛見大悲
即應捨離所以者何菩薩斷除客塵煩惱而
起大悲愛見悲者則於生死有疲厭心若能
離此无有疲厭在在所生不為愛見之所覆
也所生无縛能為衆生說法解縛如佛所說
若自有縛能解彼縛无有是處若自无縛能
解彼縛斯有是處是故菩薩不應起縛何謂
縛何謂解貪著禪味是菩薩縛以方便生是
菩薩解又无方便慧縛有方便慧解无慧方
便縛有慧方便解何謂无方便慧縛謂菩薩
以愛見心莊嚴佛土成就衆生於空无相无
作法中而自調伏是名无方便慧縛何謂有
方便慧解謂不以愛見心莊嚴佛土成就衆
生於空无相无作法中以自調伏而不疲厭
是名有方便慧解何謂无慧方便縛謂菩薩
住貪欲瞋恚邪見等諸煩惱而殖衆德本是
名无慧方便縛何謂有慧方便解謂離諸貪
欲瞋恚邪見等諸煩惱而殖衆德本迴向阿
耨多羅三藐三菩提是名有慧方便解
文殊師利彼有疾菩薩應如是觀諸法又復
觀身无常苦空非我是名為慧雖身有疾常
在生死饒益一切而不厭惓是名方便又復

文殊師利彼有疾菩薩應如是觀諸法又復
觀身无常苦空非我是名為慧雖身有疾常
在生死饒益一切而不厭惓是名方便又復
觀身身不離病病不離身是病是身非新非
故是名為慧設身有疾而不永滅是名方便
文殊師利有疾菩薩應如是調伏其心不住
其中亦復不住不調伏心所以者何若住不
調伏心是愚人法若住調伏心是聲聞法是
故菩薩不當住於調伏不調伏心離此二法
是菩薩行在於生死不為汙行住於涅槃不
永滅度是菩薩行非凡夫行非賢聖行是菩
薩行非垢行非淨行是菩薩行雖過魔行而
現降衆魔是菩薩行求一切智无非時求是
菩薩行雖觀諸法不生而不入正位是菩薩
行雖觀十二緣起而入諸耶見是菩薩行雖
攝一切衆生而不愛著是菩薩行雖樂遠離
而不依身心盡是菩薩行雖行三界而不壞
法性是菩薩行雖行於空而殖衆德本是菩
薩行雖行无相而度衆生是菩薩行雖行无
作而現受身是菩薩行雖行无起而起一切
善行是菩薩行雖行六波羅蜜而遍知衆生
心心數法是菩薩行雖行六通而不盡漏是
菩薩行雖行四无量心而不貪著生於梵世
是菩薩行雖行禪定解脫三昧而不隨禪生
是菩薩行雖行四念處而不永離身受心法
是菩薩行雖行四正勤而不捨身心精進是

BD00636號　維摩詰所說經卷中　（26–6）

是菩薩行雖行四念處而不永離身受心法
是菩薩行雖行四正勤而不捨身心精進是
菩薩行雖行四如意足而得自在神通是菩
薩行雖行五根而分別衆生諸根利鈍是菩
薩行雖行五力而樂求佛十力是菩薩行雖
行七覺分而分別佛之智慧是菩薩行雖行
八正道而樂行无量佛法是菩薩行雖行止
觀助道之法而不畢竟墮於寂滅是菩薩行
雖行諸法不生不滅而以相好莊嚴其身是
菩薩行雖現聲聞辟支佛威儀而不捨佛法
是菩薩行雖隨諸法究竟淨相而隨所應為
現其身是菩薩行雖觀諸佛國土永寂如空
而現種種清淨佛土是菩薩行雖得佛道轉
于法輪入於涅槃而不捨於菩薩之道是菩
薩行說是語時文殊師利所將大衆其中八
千天子皆發阿耨多羅三藐三菩提心

不思議品第六

尒時舍利弗見此室中无有床座作是念斯
諸菩薩大弟子衆當於何坐長者維摩詰知
其意語舍利弗言云何仁者為法來耶求床
座耶舍利弗言我為法來非為床座維摩詰
言唯舍利弗夫求法者不貪軀命何況床座
夫求法者非有色受想行識之求非有界入
之求非有欲色无色之求唯舍利弗夫求法
者不著佛求不著法求不著衆求夫求法者
无見苦求无斷集求无造盡證脩道之求所
以者何法无戲論若言我當見苦斷集證滅

BD00636號　維摩詰所說經卷中　（26–7）

无見苦求无斷集求无造盡證脩道之求所
以者何法无戲論若言我當見苦斷集證滅
脩道是則戲論非求法也唯舍利弗法名寂
滅若行生滅是求生滅非求法也法名无染
若染於法乃至涅槃是則染著非求法也法
无行處若行於法是則行處非求法也法无
取捨若取捨法是則取捨非求法也法无處
所若著處所是則著處非求法也法名无相
若隨相識是則求相非求法也法不可住若
住於法是則住法非求法也法不可見聞覺
知若行見聞覺知是則見聞覺知非求法也
法名无為若行有為是求有為非求法也是
故舍利弗若求法者於一切法應无所求說
是語時五百天子於諸法中得法眼淨
尒時長者維摩詰問文殊師利仁者遊於无
量千万億阿僧祇國何等佛土有好上妙功
德成就師子之座文殊師利言居士東方度
卅六恒河沙國有世界名須弥相其佛号須
弥燈王今現在彼佛身長八万四千由旬其
師子座高八万四千由旬嚴飾第一於是長
者維摩詰現神通力即時彼佛遣三万二千
師子座高廣嚴好來入維摩詰室諸菩薩大
弟子釋梵四天王等昔所未見其室廣博悉
苞容三万二千師子座无所妨礙於毗耶離
城及閻浮提四天下亦不迫迮悉見如故尒
時維摩詰語文殊師利就師子座與諸菩薩

BD00636 號　維摩詰所說經卷中　（26–8）

苞容三万二千師子座无所妨礙於毗耶離
城及閻浮提四天下亦不迫迮悉見如故尒
時維摩詰語文殊師利就師子座與諸菩薩
上人俱坐當自立身如彼坐像其得神通菩
薩即自變身為四万二千由旬坐師子座諸
新發意菩薩及大弟子皆不能昇尒時維摩
詰語舍利弗就師子座舍利弗言居士此座
高廣吾不能昇維摩詰言唯舍利弗為須弥
燈王如来作礼乃可得坐於是新發意菩薩
及大弟子即為須弥燈王如来作礼便得坐
師子座舍利弗言居士未曾有也如是小室
乃容受此高廣之座於毗耶離城无所妨礙
又於閻浮提聚落城邑及四天下諸天龍王
鬼神宮殿亦不迫迮維摩詰言唯舍利弗諸
佛菩薩有解脫名不可思議若菩薩住是解
脫者以須弥之高廣內芥子中无所增減須
弥山王本相如故而四天王忉利諸天不覺
不知己之所入唯應度者乃見須弥入芥子
中是名不可思議解脫法門又以四大海水
入一毛孔不嬈魚鼈黿鼉水性之屬而彼大
海本相如故諸龍鬼神阿脩羅等不覺不知
己之所入於此眾生亦无所嬈又舍利弗住
不可思議解脫菩薩斷取三千大千世界如
陶家輪着右掌中擲過恒河沙世界之外其
中眾生不覺不知己之所往又復還置本處
都不使人有往來想而此世界本相如故又

BD00636 號　維摩詰所說經卷中　（26–9）

中衆生不覺不知已之所往又復還置本處
都不使人有往來想而此世界本相如故又
舍利弗或有衆生樂久住世而可度者菩薩
即演七日以為一劫令彼衆生謂之一劫或
有衆生不樂久住而可度者菩薩即促一劫
以為七日令彼衆生謂之七日又舍利弗住
不可思議解脱菩薩以一切佛土嚴飾之事
集在一國示於衆生又菩薩以一佛土衆生
置之右掌飛到十方遍示一切而不動本處
又舍利弗十方衆生供養諸佛之具菩薩於
一毛孔皆令得見又十方國土所有日月星
宿於一毛孔普使見之又舍利弗十方世界
所有諸風菩薩悉能吸著口中而身无損外
諸樹木亦不摧折又十方世界劫盡燒時以
一切火内於腹中火事如故而不為害又於
下方過恒河沙等諸佛世界取一佛土舉著
上方過恒河沙无數世界如持針鋒舉一棗
葉而无所嬈又舍利弗住不可思議解脱菩
薩能以神通現作佛身或現辟支佛身或現
聲聞身或現帝釋身或現梵王身或現世主
身或現轉輪王身又十方世界所有衆聲上
中下音皆能變之令作佛聲演出无常苦空
无我之音及十方諸佛所說種種之法皆於
其中普令得聞舍利弗我今略說菩薩不可
思議解脱之力若廣說者窮劫不盡是時迦
葉聞說菩薩不可思議解脱法門歎未曾有
謂舍利弗譬如有人於盲者前現衆色像非

BD00636號　維摩詰所說經卷中　　(26–10)

思議解脱之力若廣說者窮劫不盡是時迦
葉聞說菩薩不可思議解脱法門歎未曾有
謂舍利弗譬如有人於盲者前現衆色像非
彼所見一切聲聞聞是不可思議解脱法門
不能解了為若此也智者聞是其誰不發阿
耨多羅三藐三菩提心我等何為永絶其根
於此大乘已如敗種一切聲聞聞是不可思
議解脱法門皆應號泣聲震三千大千世界
一切菩薩應大喜慶頂受此法若有菩薩信
解不可思議解脱門者一切魔衆无如之何
大迦葉說是語時三万二千天子皆發阿耨
多羅三藐三菩提心
尒時維摩詰語大迦葉仁者十方无量阿僧
祇世界中作魔王者多是住不可思議解脱
菩薩以方便力教化衆生現作魔王又迦葉
十方无量菩薩或有人從乞手足耳鼻頭目
髓腦血肉皮骨聚落城邑妻子奴婢象馬車
乘金銀瑠璃車渠馬瑙珊瑚虎珀真珠珂貝
衣服飲食如此乞者多是住不可思議解脱
菩薩以方便力而往試之令其堅固所以者
何住不可思議解脱菩薩有威德力故行逼
迫示諸衆生如是難事凡夫下劣无有力勢
不能如是逼迫菩薩譬如龍象蹵蹹非驢所堪
是名住不可思議解脱菩薩智慧方便之門
觀衆生品第七
尒時文殊師利問維摩詰言菩薩云何觀於
衆生維摩詰言譬如幻師見所幻人菩薩觀

BD00636號　維摩詰所說經卷中　　(26–11)

尒時文殊師利問維摩詰言菩薩云何觀於
衆生維摩詰言譬如幻師見所幻人菩薩觀
衆生為若此如智者見水中月如鏡中見其
面像如熱時焰如呼聲響如空中雲如水聚
沫如水上泡如芭蕉堅如電久住如第五大
如第六陰如第七情如十三入如十九界菩
薩觀衆生為若此如无色界色如燋穀牙如
須陁洹身見如阿那含入胎如阿羅漢三毒
如得忍菩薩貪恚毀禁如佛煩惱習如盲者
見色如入滅盡定出入息如空中鳥跡如石
女兒如化人煩惱如夢所見已悟如滅度者
受身如无烟之火菩薩觀衆生為若此
文殊師利言若菩薩作是觀者云何行慈維
摩詰言菩薩作是觀已自念我當為衆生說
如斯法是即真實慈也行寂滅慈无所生故
行不熱慈无煩惱故行等之慈等三世故行
无諍慈无所起故行不二慈内外不合故行
不壞慈畢竟盡故行堅固慈心无毀故行清
淨慈諸法性淨故行无邊慈如虚空故行阿
羅漢慈破結賊故行菩薩慈安衆生故行如
來慈得如相故行佛之慈覺衆生故行自然
慈无因得故行菩提慈等一味故行无等慈
斷諸愛故行大悲慈導以大乘故行无猒慈
觀空无我故行法施慈无遺惜故行持戒慈
化毀禁故行忍辱慈護彼我故行精進慈荷
負衆生故行禪定慈不受味故行智慧慈无
不知時故行方便慈一切示現故行无隱慈

BD00636 號　維摩詰所說經卷中　（26–12）

觀空无我故行法施慈无遺惜故行持戒慈
化毀禁故行忍辱慈護彼我故行精進慈荷
負衆生故行禪定慈不受味故行智慧慈无
不知時故行方便慈一切示現故行无隱慈
直心清淨故行深心慈无雜行故行无誑慈
不虚假故行安樂慈令得佛樂故菩薩之慈
為若此也
文殊師利又問何謂為悲答曰菩薩所作功
德皆與一切衆生共之何謂為喜答曰有所
饒益歡喜无悔何謂為捨答曰所作福祐无
所希望文殊師利又問生死有畏菩薩當何
所依維摩詰言菩薩於生死畏中當依如來
功德之力文殊師利又問菩薩欲依如來功
德之力當於何住答曰菩薩欲依如來功德
力者當住度脫一切衆生又問欲度衆生當
何所除答曰欲度衆生除其煩惱又問欲除
煩惱當何所行答曰當行正念又問云何行
於正念答曰當行不生不滅又問何法不生
何法不滅答曰不善不生善法不滅又問善
不善孰為本答曰身為本又問身孰為本答
曰欲貪為本又問欲貪孰為本答曰虚妄分
別為本又問虚妄分別孰為本答曰顛倒想
為本又問顛倒想孰為本答曰无住為本又
問无住孰為本答曰无住則无本文殊師利
從无住本立一切法
時維摩詰室有一天女見諸大人聞所說法
便現其身即以天華散諸菩薩大弟子上華

BD00636 號　維摩詰所說經卷中　（26–13）

時維摩詰室有一天女見諸大人聞所說法
便現其身即以天華散諸菩薩大弟子上華
至諸菩薩即皆墮落至大弟子便著不墮一
切弟子神力去華不能令去尒時天問舍利
弗何故去華答曰此華不如法是以去之天
曰勿謂此華為不如法所以者何是華无所
分別仁者自生分別想耳若於佛法出家有
所分別為不如法若无所分別是則如法觀諸
菩薩華不著者以斷一切分別想故譬如人
畏時非人得其便如是弟子畏生死故色聲
香味觸得其便已離畏者一切五欲无能為
也結習未盡華著身耳結習盡者華不著也
舍利弗言天止此室其已久如答曰我止此
室如耆年解脫舍利弗言止此久耶天曰耆
年解脫亦何如久舍利弗默然不答天曰如
何耆舊大智而默答曰解脫者无所言說故
吾於是不知所云天曰言說文字皆解脫相
所以者何解脫者不內不外不在兩間文字
亦不內不外不在兩間是故舍利弗无離文
字說解脫也所以者何一切諸法是解脫
相舍利弗言不復以離婬怒癡為解脫乎天
曰佛為增上慢人說離婬怒癡為解脫耳若
无增上慢者佛說婬怒癡性即是解脫舍利
弗言善哉善哉天女汝何所得以何為證辯
乃如是天曰无得无證故辯如是所以者何
若有得有證者則於佛法為增上慢

BD00636號　維摩詰所說經卷中　（26–14）

乃如是天曰无得无證故辯如是所以者何
若有得有證者則於佛法為增上慢
舍利弗問天汝於三乘為何志求天曰以聲
聞法化眾生故我為聲聞以因緣法化眾生
故我為辟支佛以大悲法化眾生故我為大乘
舍利弗如人入瞻蔔林唯嗅瞻蔔不嗅餘香
如是若入此室但聞佛功德之香不樂聲
聞辟支佛功德香也舍利弗其有釋梵四天
王諸天龍鬼神等入此室者聞斯上人講說
正法皆樂佛功德之香發心而出舍利弗吾
止此室十有二年初不聞說聲聞辟支佛法
但聞菩薩大慈大悲不可思議諸佛之法舍
利弗此室常現八未曾有難得之法何等為
八此室常以金色光照晝夜无異不以日月
所照為明是為一未曾有難得之法此室入
者不為諸垢之所惱也是為二未曾有難得
之法此室常有釋梵四天王他方菩薩來會
不絕是為三未曾有難得之法此室常說六
波羅蜜不退轉法是為四未曾有難得之法
此室常作天人第一之樂絃出无量法化之
聲是為五未曾有難得之法此室有四大藏
眾寶積滿周窮濟乏求得无盡是為六未曾
有難得之法此室釋迦牟尼佛阿弥陁佛阿
閦佛寶德寶炎寶月寶嚴難勝師子響一切
利成如是等十方无量諸佛是上人念時即
皆為來廣說諸佛祕要法藏說已還去是為

BD00636號　維摩詰所說經卷中　（26–15）

利成如是等十方无量諸佛是上人念時即
皆為來廣說諸佛秘要法藏說已還去是為
七未曾有難得之法此室一切諸天嚴餝宮
殿諸佛淨土皆於中現是為八未曾有難得
之法舍利弗此室常現八未曾有難得之法
誰有見斯不思議事而復樂於聲聞法乎
舍利弗言汝何以不轉女身天曰我從十二
年來求女人相了不可得當何所轉譬如幻
師化作幻女若有人問何以不轉女身是人
為正問不舍利弗言不也幻无定相當何所
轉天曰一切諸法亦復如是无有定相云何
乃問不轉女身即時天女以神通力變舍利
弗令如天女天自化身如舍利弗而問言何
以不轉女身舍利弗以天女像而荅言我今
不知何轉而變為女身天曰舍利弗若能轉
此女身則一切女人亦當能轉如舍利弗非
女而現女身一切女人亦復如是雖現女身
而非女也是故佛說一切諸法非男非女即
時天女還攝神力舍利弗身還復如故天問
舍利弗女身色相今何所在舍利弗言女身
色相无在无不在天曰一切諸法亦復如是
无在无不在夫无在无不在者佛所說也舍
利弗問天汝於此沒當生何所天曰佛化所
生吾如彼生曰佛化所生非沒生也天曰衆
生猶然无沒生也舍利弗問天汝久如當得
阿耨多羅三藐三菩提天曰如舍利弗還為

BD00636 號　維摩詰所說經卷中　（26–16）

生猶然无沒生也舍利弗問天汝久如當得
阿耨多羅三藐三菩提天曰如舍利弗還為
凡夫我乃當成阿耨多羅三藐三菩提舍利
弗言我作凡夫无有是處天曰我得阿耨多
羅三藐三菩提亦无是處所以者何菩提无
住處是故无有得者舍利弗言今諸佛得阿
耨多羅三藐三菩提已得當得如恒河沙皆
何謂乎天曰皆以世俗文字數故說有三世
非謂菩提有去來今天曰舍利弗汝得阿羅
漢道耶曰无所得故而得天曰諸佛菩薩亦
復如是无所得故而得尒時維摩詰語舍利
弗是天女曾已供養九十二億佛已能遊戲
菩薩神通所願具足得无生忍住不退轉以
本願故隨意能現教化衆生
佛道品第八
尒時文殊師利問維摩詰言菩薩云何通達
佛道維摩詰言若菩薩行於非道是為通達
佛道又問云何菩薩行於非道荅曰若菩薩
行五无間而无惱恚至于地獄无諸罪垢至
于畜生无有无明憍慢等過至于餓鬼而具
足功德行色无色界不以為勝示行貪欲離
諸染著示行瞋恚於諸衆生无有恚礙示行
愚癡而以智慧調伏其心示行慳貪而捨內
外所有不惜身命示行毀禁而安住淨戒乃
至小罪猶懷大懼示行瞋恚而常慈忍示行
懈怠而勤修功德示行亂意而常念定示行
愚癡而通達世間出世間慧示行諂偽而善

BD00636 號　維摩詰所說經卷中　（26–17）

至小罪猶懷大懼示行瞋恚而常慈忍示行
懈怠而勤脩功德示行亂意而常念定示行
愚癡而通達世間出世間慧示行諂僞而善
方便隨諸經義示行憍慢而於衆生猶如橋
梁示行諸煩惱而心常清淨示入於魔而順
佛智慧不隨他教示入聲聞而為衆生説未
聞法示入辟支佛而成就大悲教化衆生示
入貧窮而有寶手功德无盡示入形殘而具
諸相好以自莊嚴示入下賤而生佛種性中
具諸功德示入羸劣醜陋而得那羅延身一
切衆生之所樂見示入老病而永斷病根超
越死畏示有資生而恒觀无常實无所貪示
有妻妾婇女而常遠離五欲淤泥現於訥鈍
而成就辯才摠持无失示入耶濟而以正濟
度諸衆生現遍入諸道而斷其因緣現於涅
槃而不斷生死文殊師利菩薩能如是行於
非道是為通達佛道
於是維摩詰問文殊師利何等為如來種文
殊師利言有身為種无明有愛為種貪恚癡
為種四顛倒為種五蓋為種六入為種七識
處為種八耶法為種九惱處為種十不善道
為種以要言之六十二見及一切煩惱皆是
佛種曰何謂也答曰若見无為入正位者不
能復發阿耨多羅三藐三菩提心譬如高原
陸地不生蓮華卑濕汙泥乃生此華如是見
无為法入正位者終不復能生於佛法煩惱
埿中乃有衆生起佛法耳又如殖種於空終

陸地不生蓮華卑濕汙泥乃生此華如是見
无為法入正位者終不復能生於佛法煩惱
埿中乃有衆生起佛法耳又如殖種於空終
不得生糞壤之地乃能滋茂如是入无為正
位者不生佛法起於我見如須彌山猶能發
于阿耨多羅三藐三菩提心生佛法矣是故
當知一切煩惱為如來種譬如不入巨海不
能得无價寶珠如是不入煩惱大海則不能
生一切智寶之心
尒時大迦葉歎言善哉善哉文殊師利快説
此語誠如所言塵勞之疇為如來種我等今
者不復堪任發阿耨多羅三藐三菩提心乃
至五无間罪猶能發意生於佛法而今我等
永不能發譬如根敗之士其於五欲不能復
利如是聲聞諸結斷者於佛法中无所復益
永不志願是故文殊師利凡夫於佛法有反
復而聲聞无也所以者何凡夫聞佛法能起
无上道心不斷三寶正使聲聞終身聞佛法
力无畏等永不能發无上道意尒時會中有
菩薩名普現色身問維摩詰言居士父母妻
子親戚眷屬吏民知識悉為是誰奴婢僮僕
象馬車乘皆何所在於是維摩詰以偈答曰
智度菩薩母　方便以為父　一切衆導師　无不由是生
法喜以為妻　慈悲心為女　善心誠實男　畢竟空寂舍
弟子衆塵勞　隨意之所轉　道品善知識　由是成正覺
諸度法等侶　四攝為妓女　歌詠誦法言　以此為音樂

法喜以為妻　慈悲心為女　善心誠實男　畢竟空寂舍
弟子衆塵勞　隨意之所轉　道品善知識　由是成正覺
諸度法等侶　四攝為妓女　歌詠誦法言　以此為音樂
揔持之園苑　无漏法林樹　覺意淨妙華　解脫智慧果
八解之浴池　定水湛然滿　布以七淨華　浴此无垢人
象馬五通馳　大乘以為車　調御以一心　遊於八正路
相具以嚴容　衆好飾其姿　慙愧之上服　深心為華鬘
富有七財寶　教授以滋息　如所說脩行　迴向為大利
四禪為牀座　從於淨命生　多聞增智慧　以為自覺音
甘露法之食　解脫味為漿　淨心以澡浴　戒品為塗香
摧滅煩惱賊　勇健无能踰　降伏四種魔　勝幡建道場
雖知无起滅　示彼故有生　悉現諸國土　如日无不現
供養於十方　无量億如来　諸佛及己身　无有分別想
雖知諸佛國　及與衆生空　而常脩淨土　教化於群生
諸有衆生類　形聲及威儀　无畏力菩薩　一時能盡現
覺知衆魔事　而示隨其行　以善方便智　隨意皆能現
或示老病死　成就諸群生　了知如幻化　通達无有礙
或現劫盡燒　天地皆洞然　衆人有常想　照令知无常
无數億衆生　俱來請菩薩　一時到其舍　化令向佛道
經書禁呪術　工巧諸伎藝　盡現行此事　饒益諸群生
世間衆道法　悉於中出家　因以解人惑　而不墮邪見
或作日月天　梵王世界主　或時作地水　或復作風火
劫中有疾疫　現作諸藥草　若有服之者　除病消衆毒
劫中有飢饉　現身作飲食　先救彼飢渴　却以法語人
劫中有刀兵　為之起慈悲　化彼諸衆生　令住无諍地
若有大戰陣　立之以等力　菩薩現威勢　降伏使和安
一切國土中　諸有地獄處　輙往到于彼　勉濟諸苦惱

BD00636 號　維摩詰所說經卷中　（26–20）

若有大戰陣　立之以等力　菩薩現威勢　降伏使和安
一切國土中　諸有地獄處　輙往到于彼　勉濟諸苦惱
一切國土中　畜生相食噉　皆現生於彼　為之作利益
示受於五欲　亦復現行禪　令魔心憒亂　不能得其便
火中生蓮華　是可謂希有　在欲而行禪　希有亦如是
或現作婬女　引諸好色者　先以欲鉤牽　後令入佛智
或為邑中主　或作商人導　國師及大臣　以祐利衆生
諸有貧窮者　現為无盡藏　因以勸導之　令發菩提心
我心憍慢者　為現大力士　消伏諸貢高　令住佛上道
其有恐懼者　居前而安慰　先施以无畏　後令發道心
或現離婬欲　為五通仙人　開道諸群生　令住戒忍慈
見須供事者　現為作僮僕　既悅可其意　乃發以道心
隨彼之所須　得入於佛道　以善方便力　皆能給足之
如是道无量　所行无有崖　智慧无邊際　度脫无數衆
假令一切佛　於无數億劫　讚歎其功德　猶尚不能盡
誰聞如是法　不發菩提心　除彼不肖人　癡冥无智者

入不二法門品第九

尒時維摩詰謂衆菩薩言諸仁者云何菩薩
入不二法門各隨所樂說之會中有菩薩名
法自在說言諸仁者生滅為二法本不生今
則无滅得此无生法忍是為入不二法門
德首菩薩曰我我所為二因有我故便有我
所若无有我則无我所是為入不二法門
不瞬菩薩曰受不受為二若法不受則不可
得以不可得故无取无捨无作无行是為入
不二法門
德頂菩薩曰垢淨為二見垢實性則无淨相

BD00636 號　維摩詰所說經卷中　（26–21）

不瞬菩薩曰受不受為二若法不受則不可
得以不可得故无取无捨无作无行是為入
不二法門
德頂菩薩曰垢淨為二見垢實性則无淨相
順於滅相是為入不二法門
善宿菩薩曰是動是念為二不動則无念无
念則无分別通達此者是為入不二法門
善眼菩薩曰一相无相為二若知一相即是
无相亦不取无相入於平等是為入不二法
門
妙臂菩薩曰菩薩心聲聞心為二觀心相空
如幻化者无菩薩心无聲聞心是為入不二
法門
弗沙菩薩曰善不善為二若不起善不善入
无相際而通達者是為入不二法門
師子菩薩曰罪福為二若達罪性則與福无
異以金剛慧決了此相无縛无解者是為入
不二法門
師子意菩薩曰有漏无漏為二若得諸法等
則不起漏不漏想不著於相亦不住无相是
為入不二法門
淨解菩薩曰有為无為為二若離一切數則
心如虛空以清淨慧无所礙者是為入不二法門
那羅延菩薩曰世間出世間為二世間性空
即是出世間於其中不入不出不溢不散是
為入不二法門
善意菩薩曰生死涅槃為二若見生死性則

即是出世間於其中不入不出不溢不散是
為入不二法門
善意菩薩曰生死涅槃為二若見生死性則
无生死无縛无解不然不滅如是解者是為
入不二法門
現見菩薩曰盡不盡為二法若究竟盡若不
盡皆是无盡相无盡相即是空空則无有盡
不盡相如是入者是為入不二法門
普首菩薩曰我无我為二我尚不可得非我
何可得見我實性者不復起二是為入不二
法門
電天菩薩曰明无明為二无明實性即是明
明亦不可取離一切數於其中平等无二者
是為入不二法門
喜見菩薩曰色色空為二色即是空非色滅
空色性自空如是受想行識識空為二識即
是空非識滅空識性自空於其中而通達者
是為入不二法門
明相菩薩曰四種異空種異為二四種性即
是空種性如前際後際空故中際亦空若能
如是知諸種性者是為入不二法門
妙意菩薩曰眼色為二若知眼性於色不貪
不恚不癡是名寂滅如是耳聲鼻香舌味身
觸意法為二若知意性於法不貪不恚不癡
是名寂滅安住其中是為入不二法門
无盡意菩薩曰布施迴向一切智為二布施
性即是迴向一切智性如是持戒忍辱精進

是名寂滅安住其中是為入不二法門
无盡意菩薩曰布施迴向一切智為二布施
性即是迴向一切智性如是持戒忍辱精進
禪定智慧迴向一切智為二智慧性即是迴
向一切智性於其中入一相者是為入不二
法門
深慧菩薩曰是空是无相是无作為二空即
是无相无相即是无作若空无相无作則无
心意識於一解脫門即是三解脫門者是為
入不二法門
寂根菩薩曰佛法衆為二佛即是法法即是
衆是三寶皆无為相與虛空等一切法亦尒
能隨此行者是為入不二法門
心无礙菩薩曰身身滅為二身即是身滅所
以者何見身實相者不起見身及見滅身身
與滅身无二无分別於其中不驚不懼者是
為入不二法門
上善菩薩曰身口意善為二是三業皆无作
相身无作相即口无作相口无作相即意无
作相是三業无作相即一切法无作相能如
是隨无作慧者是為入不二法門
福田菩薩曰福行罪行不動行為二三行實
性即是空空則无福行无罪行无不動行於
此三行而不起者是為入不二法門
華嚴菩薩曰從我起二為二見我實相者不
起二法若不住二法則无有識无所識者是
為入不二法門

BD00636 號　維摩詰所說經卷中　（26–24）

是隨无作慧者是為入不二法門
福田菩薩曰福行罪行不動行為二三行實
性即是空空則无福行无罪行无不動行於
此三行而不起者是為入不二法門
華嚴菩薩曰從我起二為二見我實相者不
起二法若不住二法則无有識无所識者是
為入不二法門
德藏菩薩曰有所得相為二若无所得則无
取捨无取捨者是為入不二法門
月上菩薩曰闇與明為二无闇无明則无有
二所以者何如滅受想定无闇无明一切法
亦復如是於其中平等入者是為入不二法門
寶印手菩薩曰樂涅槃不樂世間為二若不
樂涅槃不猒世間則无有二所以者何若有
縛則有解若本无縛其誰求解无縛无解則
无樂猒是為入不二法門
珠頂王菩薩曰正道邪道為二住正道者則
不分別是邪是正離此二法是為入不二法門
樂實菩薩曰實不實為二實見者尚不見實
何況非實所以者何非肉眼所見慧眼乃能
見而此慧眼无見无不見是為入不二法門
如是諸菩薩各各說已問文殊師利何等是
菩薩入不二法門文殊師利曰如我意者於
一切法无言无說无示无識離諸問答是為
入不二法門於是文殊師利問維摩詰我
等各自說已仁者當說何等是菩薩入不二

BD00636 號　維摩詰所說經卷中　（26–25）

樂涅槃不猒世間則无有二所以者何若有
縛則有解若本无縛其誰求解无縛无解則
无樂猒是為入不二法門
珠頂王菩薩曰正道耶道為二住正道者則
不分別是耶是正離此二法是為入不二法門
樂實菩薩曰實不實為二實見者尚不見實
何況非實所以者何非肉眼所見慧眼乃能
見而此慧眼无見无不見是為入不二法門
如是諸菩薩各各說已問文殊師利何等是
菩薩入不二法門文殊師利曰如我意者於
一切法无言无說无示无識離諸問荅是為
入不二法門於是文殊師利問維摩詰言我
等各自說已仁者當說何等是菩薩入不二
法門時維摩詰默然无言文殊師利歎言善
哉善哉乃至无有文字語言是真入不二法門
說是不二法門時於此衆中五千菩薩皆入
不二法門得无生法忍
維摩詰經卷第二

BD00636號　維摩詰所說經卷中　（26–26）

等待說所因成就阿耨多羅
三藐三菩提者必以大乘而得度脫然我等
不解方便隨宜所說初聞佛法遇便信受思
惟取證世尊我從昔來終日竟夜每自剋責
而今從佛聞所未聞未曾有法斷諸疑悔身
意泰然快得安隱今日乃知真是佛子從佛
口生從法化生得佛法分尒時舍利弗欲重
宣此義而說偈言
我聞是法音　得所未曾有　心懷大歡喜　疑網皆已除
昔來蒙佛教　不失於大乘　佛音甚希有　能除衆生惱
我已得漏盡　聞亦除憂惱　我處於山谷　或在林樹下
若坐若經行　常思惟是事　嗚呼深自責　云何而自欺
我等亦佛子　同入无漏法　不能於未來　演說无上道
金色三十二　十力諸解脫　同共一法中　而不得此事
八十種妙好　十八不共法　如是等功德　而我皆已失
我獨經行時　見佛在大衆　　廣饒益衆生
自惟失此利　我為自欺誑　我常於日夜　每思惟是事
欲以問世尊　為失為不失　我常見世尊　稱讚諸菩薩
以是於日夜　籌量如是事　今聞佛音聲　隨宜而說法
无漏難思議　令衆至道場　我本著邪見　為諸梵志師
世尊知我心　拔邪說涅槃　我悉除邪見　於空法得證
尒時心自謂　得至於滅度　而今乃自覺　非是實滅度
若得作佛時　具三十二相　天人夜叉衆　龍神等恭敬

BD00637號　妙法蓮華經卷二　（25–1）

世尊知我心　拔邪說涅槃　我悉除邪見　於空法得證
尒時心自謂　得至於滅度　而今乃自覺　非是實滅度
若得作佛時　具三十二相　天人夜叉衆　龍神等恭敬
是時乃可謂　永盡滅无餘　說我當作佛
聞如是法音　疑悔悉已除　初聞佛所說　心中大驚疑
將非魔作佛　惱亂我心耶　佛以種種緣　譬喻巧言說
其心安如海　我聞疑網斷　佛說過去世　无量滅度佛
安住方便中　亦皆說是法　現在未來佛　其數无有量
亦以諸方便　演說如是法　如今者世尊　從生及出家
得道轉法輪　亦以方便說　世尊說實道　波旬无此事
以是我定知　非是魔作佛　我墮疑網故　謂是魔所為
聞佛柔軟音　深遠甚微妙　我心大歡喜
疑悔永已盡　安住實智中　我定當作佛　為天人所敬
轉无上法輪　教化諸菩薩
尒時佛告舍利弗吾今於天人沙門婆羅門
等大衆中說我昔曾於二萬億佛所為无上
道故常教化汝汝亦長夜隨我受學我以方
便引導汝故生我法中舍利弗我昔教汝志
願佛道汝今悉忘而便自謂已得滅度我今還
欲令汝憶念本願所行道故為諸聲聞說是
大乘經名妙法蓮華教菩薩法佛所護念舍
利弗汝於未來世過无量无邊不可思議劫
供養若干千萬億佛奉持正法具足菩薩所
行之道當得作佛号曰華光如來應供正遍
知明行足善逝世間解无上士調御丈夫天
人師佛世尊國名離垢其土平正清淨嚴飾
安隱豐樂天人熾盛　八交道黃

BD00637 號　妙法蓮華經卷二　（25–2）

人師佛世尊國名離垢其土平正清淨嚴飾
安隱豐樂天人熾盛　八交道黃
金為繩以界其側其傍各有七寶行樹常有
華菓華光如來亦以三乘教化衆生舍利弗
彼佛出時雖非惡世以本願故說三乘法其
劫名大寶莊嚴何故名曰大寶莊嚴其國中
以菩薩為大寶故彼諸菩薩无量无邊不可
思議筭數譬喻所不能及非佛智力无能知
者若欲行時寶華承足此諸菩薩非初發意
皆久殖德本於无量　佛所淨脩梵
行恒為諸佛之所稱歎常脩佛慧具大神通
善知一切諸法之門質直无偽志念堅固如
是菩薩充滿其國舍利弗華光佛壽十二
小劫除為王子未作佛時其國人民壽八小
劫華光如來過十二小劫授堅滿菩薩阿耨
多羅三藐三菩提記告諸比丘是堅滿菩薩
次當作佛号曰華足安行多陀阿伽度阿羅
訶三藐三佛陀其佛國土亦復如是舍利弗
是華光佛滅度之後正法住世三十二小劫像
法住世亦三十二小劫尒時世尊欲重宣此
義而說偈言
舍利弗來世　成佛普智尊　号曰名華光　當度无量衆
供養无數佛　具足菩薩行　十力等功德　證於无上道
過无量劫已　劫名大寶嚴　世界名離垢　清淨无瑕穢
以琉璃為地　金繩界其道　七寶雜色樹　常有華菓實
彼國諸菩薩　志念常堅固　神通波羅蜜　皆已悉具足
於无數佛所　善學菩薩道　如是等大士　華光佛所化
佛為王子時　棄國捨世榮　於最末後身　出家成佛道

BD00637 號　妙法蓮華經卷二　（25–3）

彼國諸菩薩　志念常堅固　神通波羅蜜　皆已悉具足
於无數佛所　善學菩薩道　如是等大士　華光佛所化
佛為王子時　棄國捨世榮　於最末後身　出家成佛道
華光佛住世　壽十二小劫　其國人民衆　壽命八小劫
佛滅度之後　正法住於世　三十二小劫　廣度諸衆生
正法滅盡已　像法三十二　舍利廣流布　天人普供養
華光佛所為　其事皆如是　其兩足聖尊　最勝无倫匹
彼即是汝身　宜應自欣慶
尒時四部衆比丘比丘尼優婆塞優婆夷天
龍夜叉乾闥婆阿脩羅迦樓羅緊那羅摩睺
羅伽等大衆見舍利弗於佛前受阿耨多羅
三藐三菩提記心大歡喜踊躍无量各各脫
身所著上衣以供養佛釋提桓因梵天王等
與无數天子亦以天妙衣天曼陁羅華摩訶
曼陁羅華等供養於佛所散天衣住虛空中
而自迴轉諸天伎樂百千萬種於虛空中一
時俱作雨衆天華而作是言佛昔於波羅柰
初轉法輪今乃復轉无上最大法輪尒時諸
天子欲重宣此義而說偈言
昔於波羅柰　轉四諦法輪　分別說諸法　五衆之生滅
今復轉最妙　无上大法輪　是法甚深奧　少有能信者
我等從昔來　數聞世尊說　未曾聞如是　深妙之上法
世尊說是法　我等皆隨喜　大智舍利弗　今得受尊記
我等亦如是　必當得作佛　於一切世間　最尊无有上
佛道叵思議　方便隨宜說　我所有福業　今世若過世
及見佛功德　盡迴向佛道
尒時舍利弗白佛言世尊我今无復疑悔親
於佛前得受阿耨多羅三藐三菩提記是諸

BD00637 號　妙法蓮華經卷二　（25–4）

及見佛功德　盡迴向佛道
尒時舍利弗白佛言世尊我今无復疑悔親
於佛前得受阿耨多羅三藐三菩提記是諸
千二百心自在者昔住學地佛常教化言我
法能離生老病死究竟涅槃是學无學人亦
各自以離我見及有无見等謂得涅槃而今
於世尊前聞所未聞皆墮疑惑善哉世尊願
為四衆說其因緣令離疑悔尒時佛告舍利
弗我先不言諸佛世尊以種種因緣譬喻言
辭方便說法皆為阿耨多羅三藐三菩提耶
是諸所說皆為化菩薩故然舍利弗我今當
復以譬喻更明此義諸有智者以譬喻得解
舍利弗若國邑聚落有大長者其年衰邁財
富无量多有田宅及諸僮僕其家廣大唯有
一門多諸人衆一百二百乃至五百人止住其
中堂閣朽故墻壁頹落柱根腐敗梁棟傾危
周帀俱時欻然火起焚燒舍宅長者諸子若
十廿或至三十在此宅中長者見是大火從
四面起即大驚怖而作是念我雖能於此所
燒之門安隱得出而諸子等於火宅內樂著
嬉戲不覺不知不驚不怖火來逼身苦痛切
已心不猒患无求出意舍利弗是長者作
是思惟我身手有力當以衣裓若以机案從
舍出之復更思惟是舍唯有一門而復狹小
諸子幼稚未有所識戀著戲處或當墮落
為火所燒我當為說怖畏之事此舍已燒宜
時疾出无令為火之所燒害作是念已如所思

BD00637 號　妙法蓮華經卷二　（25–5）

諸[illegible]

爲火所燒我當爲說怖畏之事此舍已燒宜
時疾出无令爲火之所燒害作是念已如所思
惟具告諸子汝等速出父雖憐愍善言誘喻
而諸子等樂著嬉戲不肯信受不驚不畏了
无出心亦復不知何者是火何者爲舍云何
爲失但東西走戲視父而已尒時長者即作
是念此舍已爲大火所燒我及諸子若不時
出必爲所焚我今當設方便令諸子等得免
斯害父知諸子先心各有所好種種珎玩奇
異之物情必樂著而告之言汝等所可玩好
希有難得汝若不取後必憂悔如此種種羊
車鹿車牛車今在門外可以遊戲汝等於此
火宅宜速出來隨汝所欲皆當與汝尒時諸
子聞父所說珎玩之物適其願故心各勇銳
互相推排競共馳走爭　是時長者見
諸子等安隱得出住於四衢道中露地而坐无
復障礙其心泰然歡喜踊躍時諸子等各白
父言父先所許玩好之具羊車鹿車牛車願
時賜與舍利弗尒時長者各賜諸子等一
大車其車高廣衆寶莊校周匝欄楯四面懸
鈴又於其上張設幰蓋亦以珎奇雜寶而嚴
飾之寶繩交絡垂諸華纓重敷綩綖安置丹
枕駕以白牛膚色充潔形體姝好有大筋力
行步平正其疾如風又多僕從而侍衛之所
以者何是大長者財富无量種種諸藏悉皆
充溢而作是念我財物无極不應以下劣小
車與諸子等今此幼童皆是吾子愛无偏黨

以者何是大長者財富无量種種諸藏悉皆
充溢而作是念我財物无極不應以下劣小
車與諸子等今此幼童皆是吾子愛无偏黨
我有如是七寶大車其數无量應當等心各
各與之不宜差別所以者何以我此物周給
一國猶尚不匱何況諸子是時諸子各乘大
車得未曾有非本所望舍利弗於汝意云何
是長者等與諸子珎寶大車寧有虛妄不舍
利弗言不也世尊是長者但令諸子得免火
難全其軀命非爲虛妄何以故若全身命便
爲已得玩好之具況復方便於彼火宅而拔
濟之世尊若是長者乃至不與最小一車猶
不虛妄何以故是長者先作是意我以方便
令子得出以是因緣无虛妄也何況長者自
知財富无量欲饒益諸子等與大車佛告舍
利弗善哉善哉如汝所言舍利弗如來亦復
如是則爲一切世間之父於諸怖畏衰惱憂
患无明闇蔽永盡无餘而悉成就无量知見
力无所畏有大神力及智慧力具足方便智
慧波羅蜜大慈大悲常无懈倦恒求善事
利益一切而生三界朽故火宅爲度衆生生
老病死憂悲苦惱愚癡闇蔽三毒之火教化
令得阿耨多羅三藐三菩提見諸衆生爲生
老病死憂悲苦惱之所燒煮亦以五欲財利
故受種種苦又以貪著追求故現受衆苦後
受地獄畜生餓鬼之苦若生天上及在人間
貧窮困苦愛別離苦怨憎會苦如是等種種

老病死憂悲苦惱之所燒煮亦以五欲財利
故受種種苦又以貪著追求故現受衆苦後
受地獄畜生餓鬼之苦若生天上及在人間
貧窮困苦愛別離苦怨憎會苦如是等種種
苦衆生没在其中歡喜遊戲不覺不知不驚
不怖亦不生厭不求解脱於此三界火宅東
西馳走雖遭大苦不以為患舍利弗佛見此
已便作是念我為衆生之父應拔其苦難與
无量无邊佛智慧樂令其遊戲舍利弗如來
復作是念若我但以神力及智慧力捨於方
便為諸衆生讚如來知見力无所畏者衆生
不能以是得度所以者何是諸衆生未免生
老病死憂悲苦惱而為三界火宅所燒何由
能解佛之智慧舍利弗如彼長者雖復身手
有力而不用之但以慇懃方便免濟諸子火
宅之難然後各與珎寶大車如來亦復如是
雖有力无所畏而不用之但以智慧方便於
三界火宅拔濟衆生為說三乘聲聞辟支佛
佛乘而作是言汝等莫得樂住三界火宅勿
貪麁弊色聲香味觸也若貪著生愛則為
所燒汝速出三界當得三乘聲聞辟支佛佛
乘我今為汝保任此事終不虛也汝等但當
勤脩精進如來以是方便誘進衆生復作是
言汝等當知此三乘法皆是聖所稱歎自在无
繫无所依求乘是三乘以无漏根力覺道禪
定解脱三昧等而自娛樂便得无量安隱快
樂舍利弗若有衆生内有智性從佛世尊聞
法信受慇懃精進欲速出三界自求涅槃是

BD00637 號　妙法蓮華經卷二　（25–8）

繫无所依求乘是三乘以无漏根力覺道禪
定解脱三昧等而自娛樂便得无量安隱快
樂舍利弗若有衆生内有智性從佛世尊聞
法信受慇懃精進欲速出三界自求涅槃是
名聲聞乘如彼諸子為求羊車出於火宅若
有衆生從佛世尊聞法信受慇懃精進求自
然慧樂獨善寂深知諸法因緣是名辟支佛
乘如彼諸子為求鹿車出於火宅若有衆生
從佛世尊聞法信受勤脩精進求一切智佛
智自然智无師智如來知見力无所畏愍念
安樂无量衆生利益天人度脱一切是名大
乘菩薩求此乘故名為摩訶薩如彼諸子為
求牛車出於火宅舍利弗如彼長者見諸子
等安隱得出火宅到无畏處自惟財富无量
等以大車而賜諸子如來亦復如是為一切
衆生之父若見无量億千衆生以佛教門出
三界苦怖畏險道得涅槃樂如來尒時便作
是念我有无量无邊智慧力无畏等諸佛法
藏是諸衆生皆是我子等與大乘不令有人
獨得滅度皆以如來滅度而滅度之是諸衆
生脱三界者悉與諸佛禪定解脱等娛樂之
具皆是一相一種聖所稱歎能生淨妙第一
之樂舍利弗如彼長者初以三車誘引諸子
然後但與大車寶物莊嚴安隱第一然彼長
者无虛妄之咎如來亦復如是无有虛妄初
說三乘引導衆生然後但以大乘而度脱之
何以故如來有无量智慧力无所畏諸法之
藏能與一切衆生大乘之法但不盡能受舍

BD00637 號　妙法蓮華經卷二　（25–9）

說三乘引導衆生然後但以大乘而度脫之
何以故如來有无量智慧力无所畏諸法之
藏能與一切衆生大乘之法但不盡能受舍
利弗以是因緣當知諸佛方便力故於一佛
乘分別說三佛欲重宣此義而說偈言
譬如長者 有一大宅 其宅久故 而復頓弊
堂舍高危 柱根摧朽 梁棟傾斜 基陛頹毀
牆壁圮坼 泥塗褫落 覆苫亂墜 椽梠差脫
周障屈曲 雜穢充遍 有五百人 止住其中
鵄梟鵰鷲 烏鵲鳩鴿 蚖蛇蝮蠍 蜈蚣蚰蜒
守宮百足 狖狸鼷鼠 諸惡虫輩 交橫馳走
屎尿臭處 不淨流溢 蜣蜋諸虫 而集其上
狐狼野干 咀嚼踐蹋 嚌齧死屍 骨肉狼藉
由是羣狗 競來搏撮 飢羸慞惶 處處求食
鬪諍摣掣 啀喍嗥吠 其舍恐怖 變狀如是
處處皆有 魑魅魍魎 夜叉惡鬼 食噉人肉
毒虫之屬 諸惡禽獸 孚乳產生 各自藏護
夜叉競來 爭取食之 食之既飽 惡心轉熾
鬪諍之聲 甚可怖畏 鳩槃荼鬼 蹲踞土埵
或時離地 一尺二尺 往返遊行 縱逸嬉戲
捉狗兩足 撲令失聲 以脚加頸 怖狗自樂
復有諸鬼 其身長大 裸形黑瘦 常住其中
發大惡聲 叫呼求食 復有諸鬼 其咽如針
復有諸鬼 首如牛頭 或食人肉 或復噉狗
頭髮蓬亂 殘害兇險 飢渴所逼 叫喚馳走
夜叉餓鬼 諸惡鳥獸 飢急四向 窺看窗牖
如是諸難 恐畏无量 是朽故宅 屬于一人

夜叉餓鬼 諸惡鳥獸 飢急四向 窺看窗牖
如是諸難 恐畏无量 是朽故宅 屬于一人
其人近出 未久之間 於後宅舍 忽然火起
四面一時 其焰俱熾 棟梁椽柱 爆聲震裂
摧折墮落 牆壁崩倒 諸鬼神等 揚聲大叫
鵰鷲諸鳥 鳩槃荼鬼 周章惶怖 不能自出
惡獸毒虫 藏竄孔穴 毗舍闍鬼 亦住其中
薄福德故 為火所逼 共相殘害 飲血噉肉
野干之屬 並已前死 諸大惡獸 競來食噉
臭烟熢㶿 四面充塞 蜈蚣蚰蜒 毒蛇之類
為火所燒 爭走出穴 鳩槃荼鬼 隨取而食
又諸餓鬼 頭上火然 飢渴熱惱 周章悶走
其宅如是 甚可怖畏 毒害火災 衆難非一
是時宅主 在門外立 聞有人言 汝諸子等
先因遊戲 來入此宅 稚小无知 歡娛樂著
長者聞已 驚入火宅 方宜救濟 令无燒害
告喻諸子 說衆患難 惡鬼毒虫 災火蔓莚
衆苦次第 相續不絕 毒蛇蚖蝮 及諸夜叉
鳩槃荼鬼 野干狐狗 鵰鷲鵄梟 百足之屬
飢渴惱急 甚可怖畏 此苦難處 況復大火
諸子无知 雖聞父誨 猶故樂著 嬉戲不已
是時長者 而作是念 諸子如此 益我愁惱
今此舍宅 无一可樂 而諸子等 耽湎嬉戲
不受我教 將為火害 即便思惟 設諸方便
告諸子等 我有種種 珍玩之具 妙寶好車
羊車鹿車 大牛之車 今在門外 汝等出來
吾為汝等 造作此車 隨意所樂 可以遊戲

不受我教 將為火害 即便思惟 設諸方便
告諸子等 我有種種 珍玩之具 妙寶好車
羊車鹿車 大牛之車 今在門外 汝等出來
吾為汝等 造作此車 隨意所樂 可以遊戲
諸子聞說 如此諸車 即時奔競 馳走而出
到於空地 離諸苦難 長者見子 得出火宅
住於四衢 坐師子座 而自慶言 我今快樂
此諸子等 生育甚難 愚小無知 而入險宅
多諸毒虫 魑魅可畏 大火猛焰 四面俱起
而此諸子 貪樂嬉戲 我已救之 令得脫難
是故諸人 我今快樂 爾時諸子 知父安坐
皆詣父所 而白父言 願賜我等 三種寶車
如前所許 諸子出來 當以三車 隨汝所欲
今正是時 唯垂給與 長者大富 庫藏眾多
金銀琉璃 車𤦲馬瑙 以眾寶物 造諸大車
莊校嚴飾 周帀欄楯 四面懸鈴 金繩交絡
真珠羅網 張施其上 金華諸瓔 處處垂下
眾綵雜飾 周帀圍繞 柔軟繒纊 以為茵蓐
上妙細氎 價直千億 鮮白淨潔 以覆其上
有大白牛 肥壯多力 形體姝好 以駕寶車
多諸儐從 而侍衛之 以是妙車 等賜諸子
諸子是時 歡喜踊躍 乘是寶車 遊於四方
嬉戲快樂 自在無礙 告舍利弗 我亦如是
眾聖中尊 世間之父 一切眾生 皆是吾子
深著世樂 無有慧心 三界無安 猶如火宅
眾苦充滿 甚可怖畏 常有生老 病死憂患
如是等火 熾然不息 如來已離 三界火宅
寂然閑居 安處林野 今此三界 皆是我有

BD00637號　妙法蓮華經卷二　（25–12）

深著世樂 無有慧心 三界無安 猶如火宅
眾苦充滿 甚可怖畏 常有生老 病死憂患
如是等火 熾然不息 如來已離 三界火宅
寂然閑居 安處林野 今此三界 皆是我有
其中眾生 悉是吾子 而今此處 多諸患難
唯我一人 能為救護 雖復教詔 而不信受
於諸欲染 貪著深故 以是方便 為說三乘
令諸眾生 知三界苦 開示演說 出世間道
是諸子等 若心決定 具足三明 及六神通
有得緣覺 不退菩薩 汝舍利弗 我為眾生
以此譬喻 說一佛乘 汝等若能 信受是語
一切皆當 成得佛道 是乘微妙 清淨第一
於諸世間 為無有上 佛所悅可 一切眾生
所應稱讚 供養禮拜 無量億千 諸力解脫
禪定智慧 及佛餘法 得如是乘 令諸子等
日夜劫數 常得遊戲 與諸菩薩 及聲聞眾
乘此寶車 直至道場 以是因緣 十方諦求
更無餘乘 除佛方便 告舍利弗 汝諸人等
皆是吾子 我則是父 汝等累劫 眾苦所燒
我皆濟拔 令出三界 我雖先說 汝等滅度
但盡生死 而實不滅 今所應作 唯佛智慧
若有菩薩 於是眾中 能一心聽 諸佛實法
諸佛世尊 雖以方便 所化眾生 皆是菩薩
若人小智 深著愛欲 為此等故 說於苦諦
眾生心喜 得未曾有 佛說苦諦 真實無異
若有眾生 不知苦本 深著苦因 不能暫捨
為是等故 方便說道 諸苦所因 貪欲為本
若滅貪欲 無所依止 滅盡諸苦 名第三諦

BD00637號　妙法蓮華經卷二　（25–13）

衆生心喜　得未曾有　佛說苦諦　真實无異
若有衆生　不知苦本　深著苦因　不能暫捨
為是等故　方便說道　諸苦所因　貪欲為本
若滅貪欲　无所依止　滅盡諸苦　名第三諦
為滅諦故　脩行於道　離諸苦縛　名得解脫
是人於何　而得解脫　但離虛妄　名為解脫
其實未得　一切解脫　佛說是人　未實滅度
斯人未得　无上道故　我意不欲　令至滅度
我為法王　於法自在　安隱衆生　故現於世
汝舍利弗　我此法印　為欲利益　世間故說
所在遊方　勿妄宣傳　若有聞者　隨喜頂受
當知是人　阿惟越致　若有信受　此經法者
是人已曾　見過去佛　恭敬供養　亦聞是法
若人有能　信汝所說　則為見我　亦見於汝
及比丘僧　并諸菩薩　斯法華經　為深智說
淺識聞之　迷惑不解　一切聲聞　及辟支佛
於此經中　力所不及　汝舍利弗　尚於此經
以信得入　況餘聲聞　其餘聲聞　信佛語故
隨順此經　非己智分　又舍利弗　憍慢懈怠
計我見者　莫說此經　凡夫淺識　深著五欲
聞不能解　亦勿為說　若人不信　毀謗此經
則斷一切　世間佛種　或復顰蹙　而懷疑惑
汝當聽說　此人罪報　若佛在世　若滅度後
其有誹謗　如斯經典　見有讀誦　書持經者
輕賤憎嫉　而懷結恨　此人罪報　汝今復聽
其人命終　入阿鼻獄　具足一劫　劫盡更生
如是展轉　至无數劫　從地獄出　當墮畜生

BD00637號　妙法蓮華經卷二　(25–14)

其有誹謗　如斯經典　見有讀誦　書持經者
輕賤憎嫉　而懷結恨　此人罪報　汝今復聽
其人命終　入阿鼻獄　具足一劫　劫盡更生
如是展轉　至无數劫　從地獄出　當墮畜生
若狗野干　其形頹瘦　黧黮疥癩　人所觸嬈
又復為人　之所惡賤　常困飢渴　骨肉枯竭
生受楚毒　死被瓦石　斷佛種故　受斯罪報
若作駱駝　或生驢中　身常負重　加諸杖捶
但念水草　餘无所知　謗斯經故　獲罪如是
有作野干　來入聚落　身體疥癩　又无一目
為諸童子　之所打擲　受諸苦痛　或時致死
於此死已　更受蟒身　其形長大　五百由旬
聾騃无足　宛轉腹行　為諸小虫　之所唼食
晝夜受苦　无有休息　謗斯經故　獲罪如是
若得為人　諸根闇鈍　矬陋攣躄　盲聾背傴
有所言說　人不信受　口氣常臭　鬼魅所著
貧窮下賤　為人所使　多病痟瘦　无所依怙
雖親附人　人不在意　若有所得　尋復忘失
若脩醫道　順方治病　更增他疾　或復致死
若自有病　无人救療　設服良藥　而復增劇
若他反逆　抄劫竊盜　如是等罪　橫罹其殃
如斯罪人　永不見佛　衆聖之王　說法教化
如斯罪人　常生難處　狂聾心亂　永不聞法
於无數劫　如恒河沙　生輒聾瘂　諸根不具
常處地獄　如遊園觀　在餘惡道　如己舍宅
駝驢猪狗　是其行處　謗斯經故　獲罪如是
若得為人　聾盲瘖瘂　貧窮諸衰　以自莊嚴
水腫乾痟　疥癩癰疽　如是等病　以為衣服

BD00637號　妙法蓮華經卷二　(25–15)

駝驢猪狗　是其行處　謗斯經故　獲罪如是
若得為人　聾盲瘖瘂　貧窮諸衰　以自莊嚴
水腫乾痟　疥癩癰疽　如是等病　以為衣服
身常臭處　垢穢不淨　深著我見　增益瞋恚
婬欲熾盛　不擇禽獸　謗斯經故　獲罪如是
告舍利弗　謗斯經者　若說其罪　窮劫不盡
以是因緣　我故語汝　无智人中　莫說此經
若有利根　智慧明了　多聞強識　求佛道者
如是之人　乃可為說　若人曾見　億百千佛
殖諸善本　深心堅固　如是之人　乃可為說
若人精進　常修慈心　不惜身命　乃可為說
若人恭敬　无有異心　離諸凡愚　獨處山澤
如是之人　乃可為說　又舍利弗　若見有人
捨惡知識　親近善友　如是之人　乃可為說
若見佛子　持戒清潔　如淨明珠　求大乘經
如是之人　乃可為說　若人无瞋　質直柔軟
常愍一切　恭敬諸佛　如是之人　乃可為說
復有佛子　於大衆中　以清淨心　種種因緣
譬喻言辭　說法无礙　如是之人　乃可為說
若有比丘　為一切智　四方求法　合掌頂受
但樂受持　大乘經典　乃至不受　餘經一偈
如是之人　乃可為說　如人至心　求佛舍利
如是求經　得已頂受　其人不復　志求餘經
亦未曾念　外道典籍　如是之人　乃可為說
告舍利弗　我說是相　求佛道者　窮劫不盡
如是人等　則能信解　汝當為說　妙法華經
妙法蓮華經信解品第四
尒時慧命須菩提摩訶迦旃延摩訶迦葉

如是人等　則能信解　汝當為說　妙法華經
妙法蓮華經信解品第四
尒時慧命須菩提摩訶迦旃延摩訶迦葉
摩訶目揵連從佛所聞未曾有法世尊授舍
利弗阿耨多羅三藐三菩提記發希有心歡
喜踊躍即從座起整衣服偏袒右肩右膝著
地一心合掌曲躬恭敬瞻仰尊顏而白佛言
我等居僧之首年並朽邁自謂已得涅槃无
所堪任不復進求阿耨多羅三藐三菩提世
尊往昔說法既久我時在座身體疲懈但念
空无相无作於菩薩法遊戲神通淨佛國土
成就衆生心不喜樂所以者何世尊令我等
出於三界得證涅槃又今我等年已朽邁於
佛教化菩薩阿耨多羅三藐三菩提不生一
念好樂之心我等今於佛前聞授聲聞阿耨
多羅三藐三菩提記心甚歡喜得未曾有不
謂於今忽然得聞希有之法深自慶幸獲大
善利无量珍寶不求自得世尊我等今者樂
說譬喻以明斯義譬若有人年既幼稚捨
父逃逝久住他國或十二十至五十歲年既
長大加復窮困馳騁四方以求衣食漸漸遊
行遇向本國其父先來求子不得中止一城
其家大富財寶无量金銀琉璃珊瑚虎珀頗
梨珠等其諸倉庫悉皆盈溢多有僮僕臣佐
吏民象馬車乘牛羊无數出入息利乃遍他
國商估賈客亦甚衆多時貧窮子遊諸聚落
經歷國邑遂到其父所止之城父每念子與子
離別五十餘年而未曾向人說如此事但自

象馬車乘牛羊无數出入息利乃遍他
國商估賈客亦甚衆多時貧窮子遊諸聚落
經歷國邑遂到其父所止之城父每念子與子
離別五十餘年而未曾向人說如此事但自
思惟心懷悔恨自念老朽多有財物金銀珍
寶倉庫盈溢无有子息一旦終沒財物散失
无所委付是以慇懃每憶其子復作是念我
若得子委付財物坦然快樂无復憂慮世尊
尒時窮子傭賃展轉遇到父舍住立門側遥
見其父踞師子床寶机承足諸婆羅門剎利
居士皆恭敬圍繞以真珠瓔珞價直千万莊
嚴其身吏民僮僕手執白拂侍立左右覆以
寶帳垂諸華幡香水灑地散衆名華羅列寶
物出內取與有如是等種種嚴飾威德特尊
窮子見父有大力勢即懷恐怖悔來至此竊
作是念此或是王或是王等非我傭力得物
之處不如往至貧里肆力有地衣食易得若
久住此或見逼迫強使我作作是念已疾走
而去時富長者於師子座見子便識心大歡
喜即作是念我財物庫藏今有所付我常思
念此子无由見之而忽自來甚適我願我雖
年朽猶故貪惜即遣傍人急追將還尒時使
者疾走往捉窮子驚愕稱怨大喚我不相犯
何為見捉使者執之逾急強牽將還于時窮
子自念无罪而被囚執此必定死轉更惶怖
悶絕躄地父遥見之而語使言不須此人勿
強將來以冷水灑面令得醒悟莫復與語所
以者何父知其子志意下劣自知豪貴為子

何為見捉使者執之逾急強牽將還于時窮
子自念无罪而被囚執此必定死轉更惶怖
悶絕躄地父遥見之而語使言不須此人勿
強將來以冷水灑面令得醒悟莫復與語所
以者何父知其子志意下劣自知豪貴為子
所難審知是子而以方便不語他人云是我
子使者語之我今放汝隨意所趣窮子歡喜
得未曾有從地而起往至貧里以求衣食尒
時長者將欲誘引其子而設方便密遣二人
形色憔悴无威德者汝可詣彼徐語窮子此
有作處倍與汝直窮子若許將來使作若言
欲何所作便可語之雇汝除糞我等二人亦共
汝作時二使人即求窮子既已得之具陳上
事尒時窮子先取其價尋與除糞其父見子
愍而怪之又以他日於窗牖中遥見子身羸
瘦憔悴糞土塵坌汙穢不淨即脫瓔珞細軟
上服嚴飾之具更著麤弊垢膩之衣塵土坌
身右手執持除糞之器狀有所畏語諸作人
汝等勤作勿得懈息以方便故得近其子又
復告言咄男子汝常此作勿復餘去當加汝
價諸有所須瓮器米麵鹽酢之屬莫自疑難
亦有老弊使人須者相給好自安意我如汝
父勿復憂慮所以者何我年老大而汝少壯
汝常作時无有欺怠瞋恨怨言都不見汝有
此諸惡如餘作人自今已後如所生子即時
長者更與作字名之為兒尒時窮子雖欣此
遇猶故自謂客作賤人由是之故於二十年中常
令除糞過是已後心相體信入出无難然其

汝常作時无有欺怠瞋恨怨言都不見汝有
此諸惡如餘作人自今已後如所生子即時
長者更與作字名之為兒尒時窮子雖欣此
遇猶故自謂客作賤人由是之故於二十年中常
令除糞過是已後心相體信入出无難然其
所止猶在本處世尊尒時長者有疾自知將
死不久語窮子言我今多有金銀珍寶倉庫
盈溢其中多少所應取與汝悉知之我心如
是當體此意所以者何今我與汝便為不異
宜加用心无令漏失尒時窮子即受教勅
領知衆物金銀珍寶及諸庫藏而无悕取一
飡之意然其所止故在本處下劣之心亦未
能捨復經少時父知子意漸已通泰成就大
志自鄙先心臨欲終時而命其子并會親
族國王大臣剎利居士皆悉已集即自宣言
諸君當知此是我子我之所生於其城中捨
吾逃走跉跰辛苦五十餘年其本字某我名
某甲昔在本城懷憂推覓忽於此間遇會
得之此實我子我實其父今我所有一切財
物皆是子有先所出內是子所知世尊是時
窮子聞父此言即大歡喜得未曾有而作是
念我本无心有所悕求今此寶藏自然而至
世尊大富長者則是如來我等皆似佛子如
來常說我等為子世尊我等以三苦故於生
死中受諸熱惱迷惑无知樂著小法今日世尊
令我等思惟蠲除諸法戲論之糞我等於中
勤加精進得至涅槃一日之價既得此已心
大歡喜自以為足而便自謂於佛法中勤精

死中受諸熱惱迷惑无知樂著小法今日世尊
令我等思惟蠲除諸法戲論之糞我等於中
勤加精進得至涅槃一日之價既得此已心
大歡喜自以為足而便自謂於佛法中勤精
進故所得弘多然世尊先知我等心著弊欲
樂於小法便見縱捨不為分別汝等當有如
來知見寶藏之分世尊以方便力說如來智
慧我等從佛得涅槃一日之價以為大得於
此大乘无有志求我等又因如來智慧為諸
菩薩開示演說而自於此无有志願所以者
何佛知我等心樂小法以方便力隨我等說
而我等不知真是佛子今我等方知世尊於
佛智慧无所悋惜所以者何我等昔來真是
佛子而但樂小法若我等有樂大之心佛則
為我說大乘法於此經中唯說一乘而昔於
菩薩前毀呰聲聞樂小法者然佛實以大乘
教化是故我等說本无心有所悕求今法王
大寶自然而至如佛子等所應得者皆已得
之尒時摩訶迦葉欲重宣此義而說偈言
我等今日　聞佛音教　歡喜踊躍　得未曾有
佛說聲聞　當得作佛　无上寶聚　不求自得
譬如童子　幼稚无識　捨父逃逝　遠到他土
周流諸國　五十餘年　其父憂念　四方推求
求之既疲　頓止一城　造立舍宅　五欲自娛
其家巨富　多諸金銀　車𤦲馬瑙　真珠瑠璃
象馬牛羊　輦輿車乘　田業僮僕　人民衆多
出入息利　乃遍他國　商估賈人　无處不有

象馬牛羊　輦轝車乘　田業僮僕　人民衆多
出入息利　乃遍他國　商估賈人　无處不有
千萬億衆　圍繞恭敬　常為王者　之所愛念
群臣豪族　皆共宗重　以諸緣故　往來者衆
豪富如是　有大力勢　而年朽邁　益憂念子
夙夜惟念　死時將至　癡子捨我　五十餘年
庫藏諸物　當如之何　尒時窮子　求索衣食
從邑至邑　從國至國　或有所得　或无所得
飢餓羸瘦　體生瘡癬　漸次經歷　到父住城
傭賃展轉　遂至父舍　尒時長者　於其門內
施大寶帳　處師子座　眷屬圍繞　諸人侍衛
或有計筭　金銀寶物　出內財產　注記券疏
窮子見父　豪貴尊嚴　謂是國王　若國王等
驚怖自怪　何故至此　覆自念言　我若久住
或見逼迫　強駈使作　思惟是已　馳走而去
借問貧里　欲往傭作　長者是時　在師子座
遥見其子　默而識之　即勑使者　追捉將來
窮子驚喚　迷悶躄地　是人執我　必當見殺
何用衣食　使我至此　長者知子　愚癡狹劣
不信我言　不信是父　即以方便　更遣餘人
眇目矬陋　无威德者　汝可語之　云當相雇
除諸糞穢　倍與汝價　窮子聞之　歡喜隨來
為除糞穢　淨諸房舍　長者於牖　常見其子
念子愚劣　樂為鄙事　於是長者　著弊垢衣
執除糞器　往到子所　方便附近　語令勤作
既益汝價　并塗足油　飲食充足　薦席厚煖
如是苦言　汝當勤作　又以軟語　若如我子
長者有智　漸令入出　經二十年　執作家事

BD00637號　妙法蓮華經卷二　（25–22）

既益汝價　并塗足油　飲食充足　薦席厚煖
如是苦言　汝當勤作　又以軟語　若如我子
長者有智　漸令入出　經二十年　執作家事
示其金銀　真珠頗梨　諸物出入　皆使令知
猶處門外　止宿草菴　自念貧事　我无此物
父知子心　漸已廣大　欲與財物　即聚親族
國王大臣　剎利居士　於此大衆　說是我子
捨我他行　經五十歲　自見子來　已二十年
昔於某城　而失是子　周行求索　遂來至此
凡我所有　舍宅人民　悉以付之　恣其所用
子念昔貧　志意下劣　今於父所　大獲珍寶
并及舍宅　一切財物　甚大歡喜　得未曾有
佛亦如是　知我樂小　未曾說言　汝等作佛
而說我等　得諸无漏　成就小乘　聲聞弟子
佛勑我等　說最上道　脩習此者　當得成佛
我承佛教　為大菩薩　以諸因緣　種種譬喻
若干言辭　說无上道　諸佛子等　從我聞法
日夜思惟　精勤脩習　是時諸佛　即授其記
汝於來世　當得作佛　一切諸佛　祕藏之法
但為菩薩　演其實事　而不為我　說斯真要
如彼窮子　得近其父　雖知諸物　心不希取
我等雖說　佛法寶藏　自无志願　亦復如是
我等內滅　自謂為足　唯了此事　更无餘事
我等若聞　淨佛國土　教化衆生　都无欣樂
所以者何　一切諸法　皆悉空寂　无生无滅
无大无小　无漏无為　如是思惟　不生喜樂
我等長夜　於佛智慧　无貪无著　无復志願
而自於法　謂是究竟　我等長夜　脩習空法

BD00637號　妙法蓮華經卷二　（25–23）

无大无小　无漏无為　如是思惟　不生憙樂
我等長夜　於佛智慧　无貪无着　无復志願
而自於此　謂是究竟　我等長夜　脩習空法
得脫三界　苦惱之患　住冣後身　有餘涅槃
佛所教化　得道不虛　則為已得　報佛之恩
我等雖為　諸佛子等　說菩薩法　以求佛道
而於是法　永无願樂　導師見捨　觀我心故
初不勸進　說有實利　如富長者　知子志劣
以方便力　柔伏其心　然後乃付　一切財物
佛亦如是　現希有事　知樂小者　以方便力
調伏其心　乃教大智　我等今日　得未曾有
非先所望　而今自得　如彼窮子　得无量寶
世尊我今　得道得果　於无漏法　得清淨眼
我等長夜　持佛淨戒　始於今日　得其果報
法王法中　久脩梵行　今得无漏　无上大果
我等今者　真是聲聞　以佛道聲　令一切聞
我等今者　真阿羅漢　於諸世間　天人魔梵
普於其中　應受供養　世尊大恩　以希有事
憐愍教化　利益我等　无量億劫　誰能報者
手足供給　頭頂礼敬　一切供養　皆不能報
若以頂戴　兩肩荷負　於恒沙劫　盡心恭敬
又以美饍　无量寶衣　及諸卧具　種種湯藥
牛頭栴檀　及諸珎寶　以起塔廟　寶衣布地
如斯等事　以用供養　於恒沙劫　亦不能報
諸佛希有　无量无邊　不可思議　大神通力
无漏无為　諸法之王　能為下劣　忍于斯事
取相凡夫　隨宜為說　諸佛於法　得冣自在
知諸衆生　種種欲樂　及其志力　隨所堪任

BD00637 號　妙法蓮華經卷二　　（25–24）

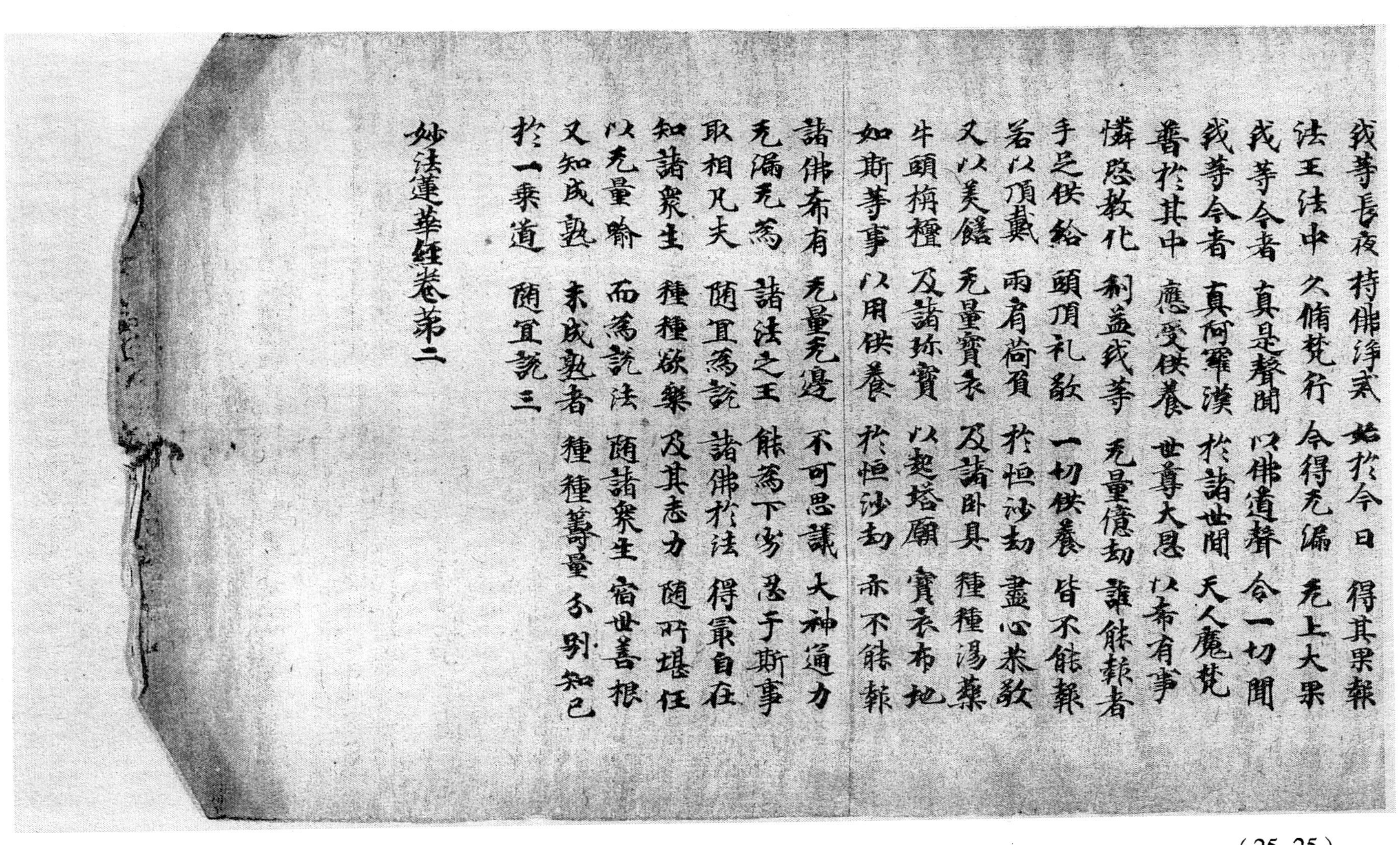

我等長夜　持佛淨戒　始於今日　得其果報
法王法中　久脩梵行　今得无漏　无上大果
我等今者　真是聲聞　以佛道聲　令一切聞
我等今者　真阿羅漢　於諸世間　天人魔梵
普於其中　應受供養　世尊大恩　以希有事
憐愍教化　利益我等　无量億劫　誰能報者
手足供給　頭頂礼敬　一切供養　皆不能報
若以頂戴　兩肩荷負　於恒沙劫　盡心恭敬
又以美饍　无量寶衣　及諸卧具　種種湯藥
牛頭栴檀　及諸珎寶　以起塔廟　寶衣布地
如斯等事　以用供養　於恒沙劫　亦不能報
諸佛希有　无量无邊　不可思議　大神通力
无漏无為　諸法之王　能為下劣　忍于斯事
取相凡夫　隨宜為說　諸佛於法　得冣自在
知諸衆生　種種欲樂　及其志力　隨所堪任
以无量喻　而為說法　隨諸衆生　宿世善根
又知成熟　未成熟者　種種籌量　分別知已
於一乘道　隨宜說三

妙法蓮華經卷第二

BD00637 號　妙法蓮華經卷二　　（25–25）

如来尊重 智[illegible]遠 久嘿
有智若聞 則能信解 無智
是故迦葉 隨力為說 以種種
迦葉當知 譬如大雲 起於世間
慧雲含潤 電光晃曜 雷聲遠震
日光掩蔽 地上清涼 靉靆垂布
其雨普等 四方俱下 流澍无量
山川險谷 幽邃所生 卉木藥草 大
百穀苗稼 甘蔗蒲 雨之所潤 無不豐
乾地普洽 藥木並茂 其雲所出 一味之水
草木叢林 隨分受潤 一切諸樹 上中下等
稱其大小 各得生長 根莖枝葉 華菓光色
一雨所及 皆得鮮澤 如其體相 性分大小
所潤是一 而各滋茂 佛亦如是 出現於世
譬如大雲 普覆一切 既出于世 為諸衆生
分別演說 諸法之實 大聖世尊 於諸天人
一切衆中 而宣是言 我為如来 兩足之尊
出于世間 猶如大雲 充潤一切 枯槁衆生
皆令離苦 得安隱樂 世間之樂 及涅槃樂
諸天人衆 一心善聽 皆應到此 覲无上尊
我為世尊 無能及者 安隱衆生 故現於世
為大衆說 甘露淨法 其法一味 解脫涅槃

BD00638號　妙法蓮華經卷三　（23–1）

皆令離苦 得安隱樂 世間之樂 及涅槃樂
諸天人衆 一心善聽 皆應到此 覲无上尊
我為世尊 無能及者 安隱衆生 故現於世
為大衆說 甘露淨法 其法一味 解脫涅槃
以一妙音 演暢斯義 常為大乘 而作因緣
我觀一切 普皆平等 無有彼此 愛憎之心
我無貪著 亦无限礙 恒為一切 平等說法
如為一人 衆多亦然 常演說法 曾無他事
去來坐立 終不疲猒 充足世間 如雨普潤
貴賤上下 持戒毀戒 威儀具足 及不具足
正見邪見 利根鈍根 等雨法雨 而无懈惓
一切衆生 聞我法者 隨力所受 住於諸地
或處人天 轉輪聖王 釋梵諸王 是小藥草
知无漏法 能得涅槃 起六神通 及得三明
獨處山林 常行禪定 得緣覺證 是中藥草
求世尊處 我當作佛 行精進定 是上藥草
又諸佛子 專心佛道 常行慈悲 自知作佛
決定無疑 是名小樹 安住神通 轉不退輪
度無量億 百千衆生 如是菩薩 名為大樹
佛平等說 如一味雨 隨衆生性 所受不同
如彼草木 所稟各異 佛以此喻 方便開示
種種言辭 演說一法 於佛智慧 如海一渧
我雨法雨 充滿世間 一味之法 隨力修行
如彼叢林 藥草諸樹 隨其大小 漸增茂好
諸佛之法 常以一味 令諸世間 普得具足
漸次修行 皆得道果 聲聞緣覺 處於山林

BD00638號　妙法蓮華經卷三　（23–2）

[illegible]
諸佛之法 常以一味 令諸世間 普得具足
漸次脩行 皆得道果 聲聞緣覺 處於山林
住㝡後身 聞法得果 是名藥草 各得增長
若諸菩薩 智慧堅固 了達三界 求㝡上乘
是名小樹 而得增長 復有住禪 得神通力
聞諸法空 心大歡喜 放無數光 度諸衆生
是名大樹 而得增長 如是迦葉 佛所說法
譬如大雲 以一味雨 潤於人華 各得成實
迦葉當知 以諸因緣 種種譬喻 開示佛道
是我方便 諸佛亦然 今為汝等 說㝡實事
諸聲聞衆 皆非滅度 汝等所行 是菩薩道
漸漸脩學 悉當成佛

妙法蓮華經授記品第六

尒時世尊說是偈已 告諸大衆 唱如是言 我
此弟子摩訶迦葉 於未來世 當得奉覲三百
万億諸佛世尊 供養恭敬 尊重讚歎 廣宣諸
佛无量大法 於㝡後身 得成為佛 名曰光明
如來 應供 正遍知 明行足 善逝 世間解 无上
士 調御丈夫 天人師 佛 世尊 國名光德 劫名
大莊嚴 佛壽十二小劫 正法住世廿小劫 像
法亦住廿小劫 國界嚴飾 无諸穢惡 瓦礫荊
棘 便利不淨 其土平正 無有高下 坑坎堆阜
琉璃為地 寶樹行列 黃金為繩 以界道側 散
諸寶華 周遍清淨 其國菩薩 无量千億 諸聲
聞衆 亦復无數 无有魔事 雖有魔及魔民 皆

諸寶華 周遍清淨 其國菩薩 无量千億 諸聲
聞衆 亦復无數 无有魔事 雖有魔及魔民 皆
護佛法 尒時世尊 欲重宣此義 而說偈言
告諸比丘 我以佛眼 見是迦葉 於未來世
過無數劫 當得作佛 而於來世 供養奉覲
三百万億 諸佛世尊 為佛智慧 淨脩梵行
供養㝡上 二足尊已 修習一切 無上之慧
於㝡後身 得成為佛 其土清淨 琉璃為地
多諸寶樹 行列道側 金繩界道 見者歡喜
常出好香 散衆名華 種種奇妙 以為莊嚴
其地平正 無有丘坑 諸菩薩衆 不可稱計
其心調柔 逮大神通 奉持諸佛 大乘經典
諸聲聞衆 無漏後身 法王之子 亦不可計
乃以天眼 不能數知 其佛當壽 十二小劫
正法住世 二十小劫 像法亦住 二十小劫
光明世尊 其事如是
尒時大目揵連 須菩提 摩訶迦旃延等 皆悉
悚慄 一心合掌 瞻仰世尊 目不暫捨 即共同
聲而說偈言
大雄猛世尊 諸釋之法王 哀愍我等故 而賜佛音聲
若知我深心 見為授記者 如以甘露灑 除熱得清淨
如從飢國來 忽遇大王饍 心猶懷疑懼 未敢即便食
若復得王教 然後乃敢食 我等亦如是 每惟小乘過
不知當云何 得佛無上慧 雖聞佛音聲 言我等作佛
心尚懷憂懼 如未敢便食 若蒙佛授記 尒乃快安樂
大雄猛世尊 常欲安世間 願賜我等記 如飢須教食

不知當云何　得佛无上慧　雖聞佛音聲　言我等作佛
心尚懷憂懼　如未敢便食　若蒙佛授記　尒乃快安樂
大雄猛世尊　常欲安世間　願賜我等記　如飢須教食
尒時世尊知諸大弟子心之所念告諸比丘
是須菩提於當來世奉覲三百万億那由他
佛供養恭敬尊重讚歎常脩梵行具菩薩道
於最後身得成為佛号曰名相如來應供正
遍知明行足善逝世間解无上士調御丈夫
天人師佛世尊劫名有寶國名寶生其土平
正頗梨為地寶樹莊嚴無諸丘坑沙礫荊棘
便利之穢寶華覆地周遍清淨其土人民皆
處寶臺珎妙樓閣聲聞弟子无量无邊筭數
譬喻所不能知諸菩薩衆无數千万億那由
他佛壽十二小劫正法住世廿小劫像法亦
住廿小劫其佛常處虛空為衆說法度脫无
量菩薩及聲聞衆尒時世尊欲重宣此義而
說偈言
諸比丘衆　今告汝等　皆當一心　聽我所說
我大弟子　須菩提者　當得作佛　号曰名相
當供无數　万億諸佛　隨佛所行　漸具大道
最後身得　三十二相　端正殊妙　猶如寶山
其佛國土　嚴淨第一　衆生見者　無不愛樂
佛於其中　度无量衆　其佛法中　多諸菩薩
皆悉利根　轉不退輪　彼國常以　菩薩莊嚴
諸聲聞衆　不可稱數　皆得三明　具六神通
住八解脫　有大威德　其佛說法　現於无量

BD00638號　妙法蓮華經卷三　（23–5）

皆悉利根　轉不退輪　彼國常以　菩薩莊嚴
諸聲聞衆　不可稱數　皆得三明　具六神通
住八解脫　有大威德　其佛說法　現於无量
神通變化　不可思議　諸天人民　數如恒沙
皆共合掌　聽受佛語　其佛當壽　十二小劫
正法住世　二十小劫　像法亦住　二十小劫
尒時世尊復告諸比丘衆我今語汝是大迦
旃延於當來世以諸供具供養奉事八千億
佛恭敬尊重諸佛滅後各起塔廟高千由旬
縱廣正等五百由旬皆以金銀琉璃車璩馬
瑙真珠玫瑰七寶合成衆華瓔珞塗香末香
燒香繒蓋幢幡供養塔廟過是已當復供養
二万億佛亦復如是供養是諸佛已具菩
薩道當得作佛号曰閻浮那提金光如來應
供正遍知明行足善逝世間解无上士調御
丈夫天人師佛世尊其土平正頗梨為地寶
樹莊嚴黃金為繩以界道側妙華覆地周遍
清淨見者歡喜无四惡道地獄餓鬼畜生阿
脩羅道多有天人諸聲聞衆及諸菩薩无量
万億莊嚴其國佛壽十二小劫正法住世廿
小劫像法亦住廿小劫尒時世尊欲重宣此
義而說偈言
諸比丘衆　皆一心聽　如我所說　真實无異
是迦旃延　當以種種　妙好供具　供養諸佛
諸佛滅後　起七寶塔　亦以華香　供養舍利
其最後身　得佛智慧　成等正覺　國土清淨

BD00638號　妙法蓮華經卷三　（23–6）

是迦旃延　當以種種　妙好供具　供養諸佛
諸佛滅後　起七寶塔　亦以華香　供養舍利
其最後身　得佛智慧　成等正覺　國土清淨
度脫无量　万億衆生　皆為十方　之所供養
佛之光明　无能勝者　其佛号曰　閻浮金光
菩薩聲聞　斷一切有　无量无數　莊嚴其國
尒時世尊復告大衆我今語汝是大目揵連
當以種種供具供養八千諸佛恭敬尊重諸
佛滅後各起塔廟高千由旬縱廣正等五百
由旬以金銀琉璃車𤦲馬瑙真珠玫瑰七寶
合成衆華瓔珞塗香末香燒香繒蓋幢幡以
用供養過是以後當復供養二百万億諸佛
亦復如是當得成佛号曰多摩羅跋栴檀香
如来應供正遍知明行足善逝世間解无上
士調御丈夫天人師佛世尊劫名喜滿國名
意樂其土平正頗梨為地寶樹莊嚴散真珠
華周遍清淨見者歡喜多諸天人菩薩聲聞
其數无量佛壽二十四小劫正法住世四十
小劫像法亦住四十小劫尒時世尊欲重宣
此義而說偈言
我此弟子　大目揵連　捨是身已　得見八千
二百万億　諸佛世尊　為佛道故　供養恭敬
於諸佛所　常脩梵行　於无量劫　奉持佛法
諸佛滅後　起七寶塔　長表金刹　華香伎樂
而以供養　諸佛塔廟　漸漸具足　菩薩道已
於意樂國　而得作佛　号多摩羅　栴檀之香

諸佛滅後　起七寶塔　長表金刹　華香伎樂
而以供養　諸佛塔廟　漸漸具足　菩薩道已
於意樂國　而得作佛　号多摩羅　栴檀之香
其佛壽命　二十四劫　常為天人　演說佛道
聲聞无量　如恒河沙　三明六通　有大威德
菩薩无數　志固精進　於佛智慧　皆不退轉
佛滅度後　正法當住　四十小劫　像法亦尒
我諸弟子　威德具足　其數五百　皆當授記
於未来世　咸得成佛　我及汝等　宿世因緣
吾今當說　汝等善聽

妙法蓮華經化城喻品第七

佛告諸比丘乃往過去无量无邊不可思議
阿僧祇劫尒時有佛名大通智勝如来應供正
遍知明行足善逝世間解无上士調御丈夫
天人師佛世尊其國名好成劫名大相諸比
丘彼佛滅度已来甚大久遠譬如三千大千
世界所有地種假使有人磨以為墨過於東
方千國土乃下一點大如微塵又過千國土
復下一點如是展轉盡地種墨於汝等意云
云何是諸國土若筭師若筭師弟子能得邊
際知其數不不也世尊諸比丘是人所經國
土若點不點盡末為塵一塵一劫彼佛滅度
已来復過是數无量无邊百千万億阿僧祇
劫我以如来知見力故觀彼久遠猶若今日
尒時世尊欲重宣此義而說偈言

已來復過是數无量无邊百千万億阿僧祇
劫我以如來知見力故觀彼久遠猶若今日
尒時世尊欲重宣此義而說偈言
我念過去世　无量无邊劫　有佛兩足尊　名大通智勝
如人以力磨　三千大千土　盡此諸地種　皆悉以爲墨
過於千國土　乃下一塵點　如是展轉點　盡此諸塵墨
如是諸國土　點與不點等　復盡末爲塵　一塵爲一劫
此諸微塵數　其劫復過是　彼佛滅度來　如是无量劫
如來无礙智　知彼佛滅度　及聲聞菩薩　如見今滅度
諸比丘當知　佛智淨微妙　无漏无所礙　通達无量劫
佛告諸比丘大通智勝佛壽五百四十万億
那由他劫其佛本坐道場破魔軍已垂得阿
耨多羅三藐三菩提而諸佛法不現在前如
是一小劫乃至十小劫結跏趺坐身心不動
而諸佛法猶不在前尒時忉利諸天先爲彼
佛於菩提樹下敷師子座高一由旬佛於此
座當得阿耨多羅三藐三菩提適坐此座時
諸梵天王雨衆天華面百由旬香風時來吹
去萎華更雨新者如是不絕滿十小劫供養
於佛乃至滅度常雨此華四王諸天爲供養
佛常擊天鼓其餘諸天作天伎樂滿十小劫
至于滅度亦復如是諸比丘大通智勝佛過
十小劫諸佛之法乃現在前成阿耨多羅三
藐三菩提其佛未出家時有十六子其第一
者名曰智積諸子各有種種珍異玩好之具
聞父得成阿耨多羅三藐三菩提皆捨所珍

BD00638號　妙法蓮華經卷三　（23–9）

者名曰智積諸子各有種種珍異玩好之具
聞父得成阿耨多羅三藐三菩提皆捨所珍
往詣佛所諸母涕泣而隨送之其祖轉輪聖
王與一百大臣及餘百千万億人民皆共圍
繞隨至道場咸欲親近大通智勝如來供養
恭敬尊重讚歎到已頭面礼足繞佛畢已一
心合掌瞻仰世尊以偈頌曰
大威德世尊　爲度衆生故　於无量億劫　尒乃得成佛
諸願已具足　善哉吉无上　世尊甚希有　一坐十小劫
身體及手足　靜然安不動　其心常惔怕　未曾有散亂
究竟永寂滅　安住无漏法　今者見世尊　安隱成佛道
我等得善利　稱慶大歡喜　衆生常苦惱　盲瞑无導師
不識苦盡道　不知求解脫　長夜增惡趣　減損諸天衆
從瞑入於瞑　永不聞佛名　今佛得最上　安隱无漏道
我等及天人　爲得最大利　是故咸稽首　歸命无上尊
尒時十六王子偈讚佛已勸請世尊轉於法
輪咸作是言世尊說法多所安隱憐愍饒益
諸天人民重說偈言
世雄无等倫　百福自莊嚴　得无上智慧　願爲世間說
度脫於我等　及諸衆生類　爲分別顯示　令得是智慧
若我等得佛　衆生亦復然　世尊知衆生　深心之所念
亦知所行道　又知智慧力　欲樂及修福　宿命所行業
世尊悉知已　當轉无上輪
佛告諸比丘大通智勝佛得阿耨多羅三藐
三菩提時十方各五百万億諸佛世界六種

BD00638號　妙法蓮華經卷三　（23–10）

佛告諸比丘大通智勝佛得阿耨多羅三藐
三菩提時十方各五百万億諸佛世界六種
震動其國中間幽冥之處日月威光所不能
照而皆大明其中衆生各得相見咸作是言
此中云何忽生衆生又其國界諸天宮殿乃
至梵宮六種震動大光普照遍滿世界勝諸
天光尒時東方万億諸國土中梵天宮殿光
明照曜倍於常明諸梵天王各作是念今者
宮殿光明昔所未有以何因緣而現此相是
時諸梵天王即各相詣共議此事時彼衆中
有一大梵天王名救一切為諸梵衆而說偈
言
我等諸宮殿　光明昔未有　此是何因緣　宜各共求之
為大德天生　為佛出世間　而此大光明　遍照於十方
尒時五百万億國土諸梵天王與宮殿俱各
以衣裓盛諸天華共詣西方推尋是相見大
通智勝如來處于道場菩提樹下坐師子座
諸天龍王乾闥婆緊那羅摩睺羅伽人非人
等恭敬圍繞及見十六王子請佛轉法輪即
時諸梵天王頭面礼佛繞百千匝即以天華
而散佛上其所散華如須弥山并以供養佛
菩提樹其菩提樹高十由旬華供養已各以
宮殿奉上彼佛而作是言唯見哀愍饒益我
等所獻宮殿願垂納受時諸梵天王即於佛
前一心同聲以偈頌曰

BD00638號　妙法蓮華經卷三　（23–11）

等所獻宮殿願垂納受時諸梵天王即於佛
前一心同聲以偈頌曰
世尊甚希有　難可得值遇　具无量功德　能救護一切
天人之大師　哀愍於世間　十方諸衆生　普皆蒙饒益
我等所從來　五百万億國　捨深禪定樂　為供養佛故
我等先世福　宮殿甚嚴飾　今以奉世尊　唯願哀納受
尒時諸梵天王偈讚佛已各作是言唯願世
尊轉於法輪度脫衆生開涅槃道時諸梵天
王一心同聲而說偈言
世雄兩足尊　唯願演說法　以大慈悲力　度苦惱衆生
尒時大通智勝如來嘿然許之又諸比丘東
南方五百万億國土諸大梵王各自見宮殿
光明照曜昔所未有歡喜踊躍生希有心即
各相詣共議此事時彼衆中有一大梵天王
名曰大悲為諸梵衆而說偈言
是事何因緣　而現如此相　我等諸宮殿　光明昔未有
為大德天生　為佛出世間　未曾見此相　當共一心求
過千万億土　尋光共推之　多是佛出世　度脫苦衆生
尒時五百万億諸梵天王與宮殿俱各以衣
裓盛諸天華共詣西北方推尋是相見大
通智勝如來處于道場菩提樹下坐師子座
諸天龍王乾闥婆緊那羅摩睺羅伽人非人
等恭敬圍繞及見十六王子請佛轉法輪時
諸梵天王頭面礼佛繞百千匝即以天華而
散佛上所散之華如須弥山并以供養佛菩
提樹華供養已各以宮殿奉上彼佛而作是

BD00638號　妙法蓮華經卷三　（23–12）

諸梵天王頭面礼佛繞百千迊即以天華而
散佛上所散之華如須弥山并以供養佛菩
提樹華供養已各以宮殿奉上彼佛而作是
言唯見哀愍饒益我等所獻宮殿願垂納受
尒時諸梵天王即於佛前一心同聲以偈頌
曰
聖主天中王　迦陵頻伽聲　哀愍衆生者　我等今敬礼
世尊甚希有　久遠乃一現　一百八十劫　空過无有佛
三悪道充滿　諸天衆減少　今佛出於世　為衆生作眼
世間所歸趣　救護於一切　為衆生之父　哀愍饒益者
我等宿福慶　今得值世尊
尒時諸梵天王偈讃佛已各作是言唯願世
尊哀愍一切轉於法輪度脫衆生時諸梵天
王一心同聲而說偈言
大聖轉法輪　顯示諸法相　度苦惱衆生　令得大歡喜
衆生聞此法　得道若生天　諸悪道減少　忍善者增益
尒時大通智勝如來嘿然許之又諸比丘南
方五百万億國土諸大梵王各自見宮殿光
明照曜昔所未有歡喜踊躍生希有心即各
相詣共議此事以何因緣我等宮殿有此光
曜而彼衆中有一大梵天王名曰妙法為諸
梵衆而說偈言
我等諸宮殿　光明甚威曜　此非无因緣　是相宜求之
於百千劫來　未曾見是相　為大德天生　為佛出世間
尒時五百万億諸梵天王與宮殿俱各以衣
裓盛諸天華共詣北方推尋是相見大通

於百千劫來　未曾見是相　為大德天生　為佛出世間
尒時五百万億諸梵天王與宮殿俱各以衣
裓盛諸天華共詣北方推尋是相見大通
智勝如來處于道場菩提樹下坐師子座諸天
龍王乾闥婆緊那羅摩睺羅伽人非人等恭
敬圍繞及見十六王子請佛轉法輪時諸梵
天王頭面礼佛繞百千迊即以天華而散佛
上所散之華如須弥山并以供養佛菩提樹
華供養已各以宮殿奉上彼佛而作是言唯
見哀愍饒益我等所獻宮殿願垂納受尒時
諸梵天王即於佛前一心同聲以偈頌曰
世尊甚難見　破諸煩惱者　過百三十劫　今乃得一見
諸飢渴衆生　以法雨充滿　昔所未曾覩　无量智慧者
如優曇鉢華　今日乃值遇　我等諸宮殿　蒙光故嚴飾
世尊大慈悲　唯願垂納受
尒時諸梵天王偈讃佛已各作是言唯願世
尊轉於法輪令一切世間諸天魔梵沙門婆
羅門皆獲安隱而得度脫時諸梵天王一心同
以聲偈頌曰
唯願天人尊　轉無上法輪　擊于大法鼓　而吹大法螺
普雨大法雨　度无量衆生　我等咸歸請　當演深遠音
尒時大通智勝如來嘿然許之西南方乃至
下方亦復如是尒時上方五百万億國土諸
大梵王皆悉自覩所止宮殿光明威曜昔所
未有歡喜踊躍生希有心即各相詣共議此
事以何因緣我等宮殿有斯光明時彼衆中

未曾有歡喜踊躍生希有心即各相詣共議此
事以何因緣我等宮殿有斯光明時彼衆中
有一大梵天王名曰尸棄爲諸梵衆而說偈言
今以何因緣 我等諸宮殿 威德光明曜 嚴飾未曾有
如是之妙相 昔所未聞見 爲大德天生 爲佛出世間
尒時五百万億諸梵天王與宮殿俱各以衣
裓盛諸天華共詣下方推尋是相見大通智
勝如來處于道場菩提樹下坐師子座諸天
龍王乾闥婆緊那羅摩睺羅伽人非人等恭
敬圍繞及見十六王子請佛轉法輪時諸梵
天王頭面礼佛繞百千匝即以天華而散佛
上所散之華如須弥山并以供養佛菩提樹
華供養已各以宮殿奉上彼佛而作是言唯
見哀愍饒益我等所獻宮殿願垂納受時諸
梵天王即於佛前一心同聲以偈頌曰
善哉見諸佛 救世之聖尊 能於三界獄 勉出諸衆生
普智天人尊 哀愍群生類 能開甘露門 廣度於一切
於昔无量劫 空過无有佛 世尊未出時 十方常闇瞑
三惡道增長 阿脩羅亦盛 諸天衆轉減 死多墮惡道
不從佛聞法 常行不善事 色力及智慧 斯等皆減少
罪業因緣故 失樂及樂想 住於邪見法 不識善儀則
不蒙佛所化 常墮於惡道 佛爲世間眼 久遠時乃出
哀愍諸衆生 故現於世間 超出成正覺 我等甚欣慶
及餘一切衆 喜歎未曾有 我等諸宮殿 蒙光故嚴飾
今以奉世尊 唯垂哀納受 願以此功德 普及於一切

BD00638號　妙法蓮華經卷三　(23–15)

及餘一切衆 喜歎未曾有 我等諸宮殿 蒙光故嚴飾
今以奉世尊 唯垂哀納受 願以此功德 普及於一切
我等與衆生 皆共成佛道
尒時五百万億諸梵天王偈讚佛已各白佛
言唯願世尊轉於法輪多所安隱多所度脫
時諸梵天王而說偈言
世尊轉法輪 擊甘露法鼓 度苦惱衆生 開示涅槃道
唯願受我請 以大微妙音 哀愍而敷演 無量劫習法
尒時大通智勝如來受十方諸梵天王及十
六王子請即時三轉十二法輪若沙門婆羅
門若天魔梵及餘世間所不能轉謂是苦是
苦集是苦滅是苦滅道及廣說十二因緣法
无明緣行行緣識識緣名色名色緣六入六
入緣觸觸緣受受緣愛愛緣取取緣有有緣
生生緣老死憂悲苦惱無明滅則行滅行滅
則識滅識滅則名色滅名色滅則六入滅六
入滅則觸滅觸滅則受滅受滅則愛滅愛滅
則取滅取滅則有滅有滅則生滅生滅則老
死憂悲苦惱滅佛於天人大衆之中說是法
時六百万億那由他人以不受一切法故而
於諸漏心得解脫皆得深妙禪定三明六通
具八解脫第二第三第四說法時千万億恒
河沙那由他等衆生亦以不受一切法故而
於諸漏心得解脫從是已後諸聲聞衆无量
无邊不可稱數尒時十六王子皆以童子出
家而爲沙弥諸根通利智慧明了已曾供養

BD00638號　妙法蓮華經卷三　(23–16)

无邊不可稱數尒時十六王子皆以童子出
家而爲沙弥諸根通利智慧明了已曾供養
百千万億諸佛淨脩梵行求阿耨多羅三藐
三菩提俱白佛言世尊是諸无量千万億大
德聲聞皆已成就世尊亦當爲我等說阿耨
多羅三藐三菩提法我等聞已皆共脩學世
尊我等志願如來知見深心所念佛自證知
尒時轉輪聖王所將衆中八万億人見十六
王子出家亦求出家王即聽許尒時彼佛受
沙弥請過二万劫已乃於四衆之中說是大
乘經名妙法蓮華教菩薩法佛所護念說是
經已十六沙弥爲阿耨多羅三藐三菩提故
皆共受持諷誦通利說是經時十六菩薩沙
弥皆悉信受聲聞衆中亦有信解其餘衆生
千万億衆皆生疑惑佛說是經於八千劫未
曾休廢說此經已即入靜室住於禪定八万
四千劫是時十六菩薩沙弥知佛入室寂然
禪定各昇法座亦於八万四千劫爲四部衆
廣說分別妙法華經一一皆度六百万億那
由他恒河沙等衆生示教利喜令發阿耨多
羅三藐三菩提心大通智勝佛過八万四千
劫已從三昧起往詣法座安詳而坐普告大
衆是十六菩薩沙弥甚爲希有諸根通利智
慧明了已曾供養無量千万億无數諸佛於
諸佛所常脩梵行受持佛智開示衆生令入
其中汝等皆當數數親近而供養之所以皆

衆是十六菩薩沙弥甚爲希有諸根通利智
慧明了已曾供養無量千万億无數諸佛於
諸佛所常脩梵行受持佛智開示衆生令入
其中汝等皆當數數親近而供養之所以者
何若聲聞辟支佛及諸菩薩能信是十六菩
薩所說經法受持不毀者是人皆當得阿耨
多羅三藐三菩提如來之慧佛告諸比丘是
十六菩薩常樂說是妙法蓮華經一一菩薩
所化六百万億那由他恒河沙等衆生世世
所生與菩薩俱從其聞法悉皆信解以此因
緣得值四万億諸佛世尊于今不盡諸比丘
我今語汝彼佛弟子十六沙弥今皆得阿耨
多羅三藐三菩提於十方國土現在說法有
无量百千万億菩薩聲聞以爲眷屬其二沙
弥東方作佛一名阿閦在歡喜國二名須弥
頂東南方二佛一名師子音二名師子相南
方二佛一名虛空住二名常滅西南方二佛
一名帝相二名梵相西方二佛一名阿弥陁
二名度一切世間苦惱西北方二佛一名多
摩羅跋栴檀香神通二名須弥相北方二佛
一名雲自在二名雲自在王東北方佛名壞
一切世間怖畏第十六我釋迦牟尼佛於娑
婆國土成阿耨多羅三藐三菩提諸比丘我
等爲沙弥時各各教化无量百千万億恒河
沙等衆生從我聞法爲阿耨多羅三藐三菩
提此諸衆生于今有住聲聞地者我常教化

等為沙弥時各各教化无量百千万億恒河
沙等衆生從我聞法為阿耨多羅三藐三菩
提此諸衆生于今有住聲聞地者我常教化
阿耨多羅三藐三菩提是諸人等應以是法
漸入佛道所以者何如来智慧難信難解尒
時所化无量恒河沙等衆生者汝等諸比丘
及我滅度後未来世中聲聞弟子是也我滅
度後復有弟子不聞是經不知不覺菩薩所
行自於所得功德生滅度想當入涅槃我於
餘國作佛更有異名是人雖生滅度之想入
於涅槃而於彼土求佛智慧得聞是經唯以
佛乘而得滅度更无餘乘除諸如来方便說
法諸比丘若如来自知涅槃時到衆又清淨
信解堅固了達空法深入禪定便集諸菩薩
及聲聞衆為說是經世間无有二乘而得滅
度唯一佛乘得滅度耳比丘當知如来方便
深衆入生之性知其志樂小法深著五欲為
是等故說於涅槃是人若聞則便信受譬如
五百由旬險難惡道曠絶无人怖畏之處若
有多衆欲過此道至珎寶處有一導師聰恵
明達善知險道通塞之相將導衆人欲過此
難所將人衆中路懈退白導師言我等疲極
而復怖畏不能復進前路猶遠今欲退還導
師多諸方便而作是念此等可愍云何捨大

BD00638號　妙法蓮華經卷三　（23–19）

而復怖畏不能復進前路猶遠今欲退還導
師多諸方便而作是念此等可愍云何捨大
珎寶而欲退還作是念已以方便力於險道
中過三百由旬化作一城告衆人言汝等勿
怖莫得退還今此大城可於中止隨意所作
若入是城快得安隱若能前至寶所亦可得
去是時疲極之衆心大歡喜歎未曾有我等
今者免斯惡道快得安隱於是衆人前入化
城生已度想生安隱想尒時導師知此人衆
既得止息無復疲惓即滅化城語衆人言
汝等去来寶處在近向者大城我所化作為
止息耳諸比丘如来亦復如是今為汝等作
大導師知諸生死煩惱惡道險難長遠應去
應度若衆生但聞一佛乘者則不欲見佛不
欲親近便作是念佛道長遠久受勤苦乃可
得成佛知是心怯弱下劣以方便力而於中
道為止息故說二涅槃若衆生住於二地如
来尒時即便為說汝等所作未辦汝所住地
近於佛慧當觀察籌量所得涅槃非真實也
但是如来方便之力於一佛乘分別說三如
彼導師為止息故化作大城既知息已而告
之言寶處在近此城非實我化作耳尒時世
尊欲重宣此義而說偈言
大通智勝佛　十劫坐道場　佛法不現前　不得成佛道
諸天神龍王　阿脩羅衆等　常雨於天華　以供養彼佛
諸天擊天鼓　并作衆伎樂　香風吹萎華　更雨新好者

BD00638號　妙法蓮華經卷三　（23–20）

大通智勝佛 十劫坐道場 佛法不現前 不得成佛道
諸天神龍王 阿脩羅衆等 常雨於天華 以供養彼佛
諸天擊天皷 并作衆妓樂 香風吹萎華 更雨新好者
過十小劫已 乃得成佛道 諸天及世人 心皆懷踊躍
彼佛十六子 皆與其眷属 千万億圍繞 俱行至佛所
頭面礼佛足 而請轉法輪 聖師子法雨 充我及一切
世尊甚難值 久遠時一現 為覺悟群生 震動於一切
東方諸世界 五百万億國 梵宫殿光曜 昔所未曾有
諸梵見此相 尋來至佛所 散華以供養 并奉上宫殿
請佛轉法輪 以偈而讚歎 佛知時未至 受請嘿然坐
三方及四維 上下亦復尒 散華奉宫殿 請佛轉法輪
世尊甚難值 願以大慈悲 廣開甘露門 轉无上法輪
无量慧世尊 受彼衆人請 為宣種種法 四諦十二緣
无明至老死 皆從生緣有 如是衆過患 汝等應當知
宣暢是法時 六百万億姟 得盡諸苦際 皆成阿羅漢
第二說法時 千万恒沙衆 於諸法不受 亦得阿羅漢
從是後得道 其數无有量 万億劫筭數 不能得其邊
時十六王子 出家作沙弥 皆共請彼佛 演說大乘法
我等及營從 皆當成佛道 願得如世尊 慧眼第一淨
佛知童子心 宿世之所行 以无量因緣 種種諸譬喻
說六波羅蜜 及諸神通事 分別真實法 菩薩所行道
說是法華經 如恒河沙偈
彼佛說經已 静室入禪定 一心一處坐 八万四千劫
是諸沙弥等 知佛禪未出 為无量億衆 說佛无上慧
各各坐法座 說是大乘經 於佛宴寂後 宣揚助法化
一一沙弥等 所度諸衆生 有六百万億 恒河沙等衆

是諸沙弥等 知佛禪未出 為无量億衆 說佛无上慧
各各坐法座 說是大乘經 於佛宴寂後 宣揚助法化
一一沙弥等 所度諸衆生 有六百万億 恒河沙等衆
彼佛滅度後 是諸聞法者 在在諸佛土 常與師俱生
是十六沙弥 具足行佛道 今現在十方 各得成正覺
尒時聞法者 各在諸佛所 其有住聲聞 漸教以佛道
我在十六數 曾亦為汝說 是故以方便 引汝趣佛慧
以是本因緣 今說法華經 令汝入佛道 慎勿懷驚懼
譬如險惡道 逈絕多毒獸 又復无水草 人所怖畏處
无數千万衆 欲過此險道 其路甚曠遠 經五百由旬
時有一導師 強識有智慧 明了心決定 在險濟衆難
衆人皆疲惓 而白導師言 我等今頓乏 於此欲退還
導師作是念 此輩甚可愍 如何欲退還 而失大珎寶
時思方便 當設神通力 化作大城郭 莊嚴諸舍宅
迊有園林 渠流及浴池 重門高樓閣 男女皆充滿
作是化已 慰衆言勿懼 汝等入此城 各可隨所樂
諸人既入城 心皆大歡喜 皆生安隱想 自謂已得度
導師知息已 集衆而告言 汝等當前進 此是化城耳
我見汝疲極 中道欲退還 故以方便力 權化作此城
汝今勤精進 當共至寶所 我亦復如是 為一切導師
見諸求道者 中路而懈廢 不能度生死 煩惱諸險道
故以方便力 為息說涅槃 言汝等苦滅 所作皆已辦
既知到涅槃 皆得阿羅漢 尒乃集大衆 為說真實法
諸佛方便力 分別說三乘 唯有一佛乘 息處故說二
今為汝等說 汝所得非滅 為佛一切智 當發大精進
汝證一切智 十力等佛法 具三十二相 乃是真實滅

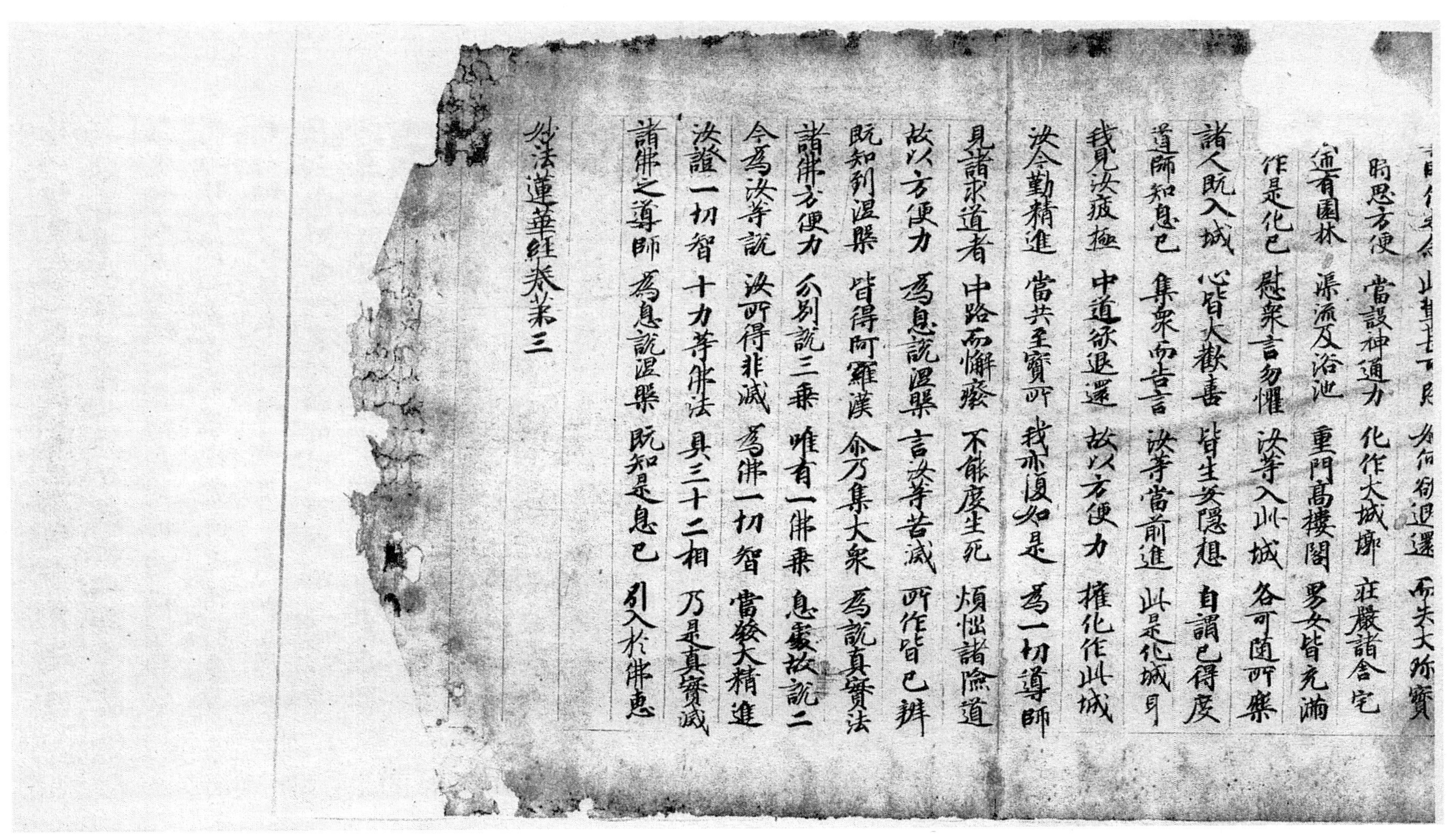
…此輩甚可… 如何欲退還 而失大珍寶
時思方便 當設神通力 化作大城郭 莊嚴諸舍宅
周匝有園林 渠流及浴池 重門高樓閣 男女皆充滿
作是化已 慰衆言勿懼 汝等入此城 各可隨所樂
諸人既入城 心皆大歡喜 皆生安隱想 自謂已得度
導師知息已 集衆而告言 汝等當前進 此是化城耳
我見汝疲極 中道欲退還 故以方便力 權化作此城
汝今勤精進 當共至寶所 我亦復如是 為一切導師
見諸求道者 中路而懈廢 不能度生死 煩惱諸險道
故以方便力 為息說涅槃 言汝等苦滅 所作皆已辦
既知到涅槃 皆得阿羅漢 爾乃集大衆 為說真實法
諸佛方便力 分別說三乘 唯有一佛乘 息處故說二
今為汝等說 汝所得非滅 為佛一切智 當發大精進
汝證一切智 十力等佛法 具三十二相 乃是真實滅
諸佛之導師 為息說涅槃 既知是息已 引入於佛慧
妙法蓮華經卷第三

BD00638號　妙法蓮華經卷三　（23–23）

法勝得金剛三昧安住是中悉能破散一切
諸法見一切法皆是無常皆是動相恐怖因
緣病苦劫盜念念滅壞無有真實一切皆是
魔之境界無可見相菩薩摩訶薩住是三昧
雖施衆生乃至不見一衆生實為衆生故精
懃脩集尸波羅蜜乃至脩集般若波羅蜜亦
復如是菩薩若見有一衆生不能畢竟具足
成就檀波羅蜜乃至具足般若波羅蜜善男
子譬如金剛所擬之處無不碎壞而是金剛
無有折損金剛三昧亦復如是所擬之法無
不碎壞而是三昧無有折損善男子如諸寶
中金剛最勝菩薩所得金剛三昧亦復如是
於諸三昧為最第一何以故菩薩摩訶薩脩
是三昧一切三昧悉來歸屬善男子如諸小
王悉來歸屬轉輪聖王一切三昧亦復如是
悉來歸屬金剛三昧善男子譬如有人為國
怨讎人所猒患有人煞之一切世人無不稱讚
是人功德金剛三昧亦復如是菩薩脩集能
壞一切衆生怨敵是故常為一切三昧之所
宗敬善男子譬如有人其力盛壯人無當者
復更有人力能伏之當知是人世所稱美金

BD00639號　大般涅槃經（北本異卷）卷二五　（21–1）

壞一切衆生怨敵是故常為一切三昧之所
宗敬善男子譬如有人其力盛壯人無當者
復更有人力能伏之當知是人世所稱美金
剛三昧亦復如是力能摧伏難伏之法以是義
故一切三昧悉來歸屬善男子譬如有人
在大海浴當知是人已用諸河泉池之水菩
薩摩訶薩亦復如是修集如是金剛三昧當
知已為修集其餘一切三昧善男子如香山
中有一泉水名阿那婆蹋多其泉具足八味
之水有人飲之無諸病苦金剛三昧亦復如
是具八正道菩薩修集斷諸煩惱創疣重病
善男子如人供養摩醯首羅當知是人已為
供養一切諸天金剛三昧亦復如是有人修
集當知已為修集一切諸餘三昧善男子若
有菩薩安住如是金剛三昧見一切法無有
鄣㝵如於掌中觀阿摩勒菓菩薩雖復得如
是見終不作想見一切法善男子譬如有人
坐四衢道頭見諸衆生來去坐卧金剛三昧
亦復如是見一切法生滅出沒善男子譬如
高山有人登之遠望諸方皆悉明了金剛定
山亦復如是菩薩登之遠望諸法無不明了
善男子譬如春月天降甘雨其渧微細間無
空處明眼之人見之了了菩薩亦尒得金剛
定清淨之目遠見東方所有世界其中或有
國土成壞一切皆見了了無鄣乃至十方亦復
如是善男子如由乾陁山七日並出其山所
有樹木藂林一切燒盡菩薩修集金剛三昧

BD00639號　大般涅槃經（北本異卷）卷二五　（21–2）

國土成壞一切皆見了了無鄣乃至十方亦復
如是善男子如由乾陁山七日並出其山所
有樹木藂林一切燒盡菩薩修集金剛三昧
亦復如是所有一切煩惱藂林即時消滅善
男子譬如金剛雖能摧破一切有物終不
生念我能摧破金剛三昧亦復如是菩薩修
已能破煩惱終不生念我能壞結善男子譬
如大地能持万物終不生念我力能持火亦不
不念我能燒物水亦不念我能潤清風亦不
念我能動物空亦不念我能容受涅槃亦尒
不生念言我令衆生而得滅度金剛三昧亦
復如是雖能滅除一切煩惱而初無心言我
能滅若有菩薩安住如是金剛三昧於一念
中變身如佛其數無量遍滿十方恒河沙等
諸佛世界而是菩薩雖住是化其心初無憍
慢之想何以故菩薩常念誰有是定能作是
化唯有菩薩安住如是金剛三昧乃能作耳
菩薩摩訶薩安住如是金剛三昧於一念中
遍到十方恒河沙等諸佛世界還其本處雖
有是力亦不念言我能如是何以故以是三
昧因緣力故菩薩摩訶薩安住如是金剛三
昧於一念中能斷十方恒河沙等世界衆生
所有煩惱而心初無斷諸衆生煩惱之相何
以故以是三昧因緣力故菩薩住是金剛三
昧以一音聲有所演說一切衆生各隨種類
而得解了示現一色一切衆生各各皆見種種
色想安住一處身不移易能令衆生隨其方

BD00639號　大般涅槃經（北本異卷）卷二五　（21–3）

以故以是三昧因緣力故菩薩住是金剛三
昧以一音聲有所演說一切衆生各隨種類
而得解了示現一色一切衆生各各皆見種種
色想安住一處身不移易能令衆生隨其方
面各各而見演說一法若界若入一切衆生
各隨本解而得聞之菩薩安住如是三昧雖
見衆生而心初無衆生之想雖見男女無男
女相雖見色法無有色相乃至見識亦無識
相雖見晝夜無晝夜相雖見一切無一切相
雖見一切煩惱諸結亦無一切煩惱之相見
八聖道無聖道相雖見菩提無菩提相見於
涅槃無涅槃相何以故善男子一切諸法本無
相故菩薩以是三昧力故見一切法如本
無相何故名為金剛三昧善男子譬如金剛
若在日中色則不定金剛三昧亦復如是在
於大衆色亦不定是故名為金剛三昧善男
子譬如金剛一切世人不能平賈金剛三昧
亦復如是所有功德一切人天不能平量是
故復名金剛三昧善男子譬如貧人得金剛
寶則得遠離貧窮困苦惡鬼耶毒菩薩摩訶
薩亦復如是得是三昧則能遠離煩惱諸苦
諸魔耶毒是故復名金剛三昧是名菩薩修
大涅槃具足成就第六功德
復次善男子云何菩薩摩訶薩修大涅槃微
妙經典具足成就第七功德善男子菩薩摩
訶薩修大涅槃微妙經典作是思惟何法能為
大般涅槃而作近因菩薩即知有四種法

BD00639號　大般涅槃經（北本異卷）卷二五　（21–4）

復次善男子云何菩薩摩訶薩修大涅槃微
妙經典具足成就第七功德善男子菩薩摩
訶薩修大涅槃微妙經典作是思惟何法能為
大般涅槃而作近因菩薩即知有四種法
為大涅槃而作近因若言懃修一切苦行是
大涅槃近因緣者是義不然所以者何若離
四法得涅槃者無有是處何等為四一者親
近善友二者專心聽法三者繫念思惟四者如
法修行善男子譬如有人身遇衆病若熱若
冷虛勞下瘧衆耶鬼毒到良醫所良醫即為
隨病說藥是人至心善受醫教隨教合藥如
法服之服已病愈身得安樂有病之人喻諸
菩薩大良醫者喻善知識良醫所說喻方等
經善受醫教喻善思惟方等經義隨教合藥
喻如法修行三十七助道之法病除愈者喻滅
煩惱得安樂者喻得涅槃常樂我淨善男子
譬如有王欲如法治令民安樂諮諸智臣其
法云何諸臣即以先王舊法而為說之王既
聞已至心信行如法治國無諸怨敵是故令
民安樂無患善男子王者喻諸菩薩諸智臣
者喻善知識智臣為王所說治法喻十二部
經王既聞已至心信行喻諸菩薩繫心思惟
十二部經所有深義如法治國喻諸菩薩如
法修行所謂六波羅蜜以能修集六波羅蜜
故無諸怨敵喻諸菩薩已離諸結煩惱惡賊
得安樂者喻諸菩薩得大涅槃常樂我淨善
男子譬如有人遇惡癩病有善知識而語之
[illegible]

BD00639號　大般涅槃經（北本異卷）卷二五　（21–5）

得安樂者喻諸菩薩得大涅槃常樂我淨善
男子譬如有人遇惡癩病有善知識而語之
言汝若能到須彌山邊病可得差所以者何
彼有良藥味如甘露若能服者病無不愈其
人至心信是事已即往彼山採服甘露其人
病愈身得安樂惡癩病者喻諸凡夫善知識
者喻諸菩薩摩訶薩等至心信受喻四無量
心須彌山者喻八聖道甘露味者喻於佛性
癩病除愈喻離煩惱得安隱者喻得涅槃常
樂我淨善男子譬如有人畜諸弟子聰明大
智是人晝夜常教不惓諸菩薩等亦復如是
一切衆生有信不信而常教化無有疲厭善
男子善知識者所謂菩薩佛辟支佛聲聞人
中信方等者何故名為善知識也善知識者
能教衆生遠離十惡脩行十善以是義故名
善知識復次善知識者如法而說如說而行
云何名為如法而說如說如行自不煞生教
人不煞乃至自行正見教人正見若能如是
則得名為真善知識自脩菩提亦能教人脩
行菩提以是義故名善知識自能脩行信戒
布施多聞智慧亦能教人信戒布施多聞智
慧復已是義名善知識善知識者有善法故
何等善法所作之事不求自樂常為衆生而
求於樂見他有過不說其短口常宣說純善
之事以是義故名善知識善男子如空中月
從初一日至十五日漸漸增長善知識者亦復
如是令諸學人漸遠惡法增長善法善男子

BD00639號　大般涅槃經（北本異卷）卷二五　（21–6）

從初一日至十五日漸漸增長善知識者亦復
如是令諸學人漸遠惡法增長善法善男子
若有親近善知識者本未有戒定慧解脫解
脫知見即便有之未具足者則得增廣何以
故以其親近善知識故因是親近復得了達
十二部經甚深之義若能聽是十二部經甚深
義者是為聽法聽法者則是大乘方等經典
聽方等經名真聽法真聽法者即是聽受大
涅槃經大涅槃中聞有佛性如來畢竟不般
涅槃是故名為專心聽法專心聽法名八聖
道以八聖道能斷貪欲瞋恚愚癡故名聽法
夫聽法者名十一空以此諸空於一切法不
作相貌夫聽法者名初發心乃至究竟阿耨
多羅三藐三菩提心以因初心得大涅槃不
以聞故得大涅槃以脩集故得大涅槃善男
子譬如病人雖聞醫教及藥名字不能愈病
以服食故能得差病雖聽十二深因緣法不
能得斷一切煩惱要以繫念善思惟故能得
除斷是名第三繫念思惟復以何義名繫念
思惟所謂三三昧空三昧無相三昧無作三
昧空者於二十五有不見一實無作者於二十五
有不作願求無相者無有十相所謂色相聲
相香相味相觸相生相住相滅相男相女相
脩集如是三三昧者是名菩薩繫念思惟云
何名為如法脩行如法脩行即是脩行檀波
羅蜜乃至般若波羅蜜知陰入界真實之相
亦知聲聞緣覺諸佛同於一道而般涅槃法者

BD00639號　大般涅槃經（北本異卷）卷二五　（21–7）

何名為如法修行如法修行即是修行檀波
羅蜜乃至般若波羅蜜知陰入界真實之相
亦知聲聞緣覺諸佛同於一道而般涅槃法者
即是常樂我淨不生不老不病不死不飢不
渴不苦不惱不退不沒善男子解大涅槃甚
深義者則知諸佛終不畢竟入於涅槃善男
子第一真實善知識者所謂菩薩諸佛世尊
何以故常以三種善調御故何等為三一者
畢竟濡語二者畢竟呵嘖三者濡語呵嘖以
是義故菩薩諸佛即是真實善知識也復次
善男子佛及菩薩為大醫故名善知識何以
故知病知藥應病授藥故譬如良醫善八種
術先觀病根根有三種何等為三謂風熱水
有風病者授之蘇油熱病之人授之石蜜水
病之人授之薑湯以知病根授藥得差故名
良醫佛及菩薩亦復如是知諸凡夫病有三
種一者貪欲二者瞋恚三者愚癡貪欲病者
教觀骨相瞋恚病者觀慈悲相愚癡病者觀
十二因緣相以是義故諸佛菩薩名善知識
善男子如大船師善度人故名大船師諸佛
菩薩亦復如是度諸眾生生死大海以是義
故名善知識復次善男子因佛菩薩令諸眾
生具足修得善法根故善男子譬如雪山乃
是種種微妙上藥根本之處佛及菩薩亦復
如是悉是一切善根本處以是義故名善知
識善男子雪山之中有上香藥名曰娑呵有
人見之得壽無量無有病苦雖有四毒不能

如是悉是一切善根本處以是義故名善知
識善男子雪山之中有上香藥名曰娑呵有
人見之得壽無量無有病苦雖有四毒不能
中傷若有嘗者增長壽命滿百二十若有念者
得宿命智何以故藥勢力故諸佛菩薩亦復如
是若有見者即得斷除一切煩惱雖有四魔
不能干亂若有嘗者命不可夭不生不死不退
不沒所謂嘗者若在佛邊聽受妙法若有念者
得阿耨多羅三藐三菩提以是義故諸佛菩
薩名善知識善男子如雪山中有阿那婆蹋
多池水因是池故有四大河所謂恒河辛頭私陁
博叉世間眾生常作是言若有罪者浴此四河眾
罪得滅當知此言虛妄不實除此已往何等為
實諸佛菩薩是乃為實所以者何若人親近則得
除滅一切眾罪以是義故名善知識復次善
男子譬如大地所有藥木一切叢林百穀甘蔗
華菓之屬值天亢旱將欲枯死難陁龍王及婆
難陁憐愍眾生從大海出降注甘雨一切叢林
百穀草木滋潤還生一切眾生亦復如是所有
善根將欲消滅諸佛菩薩生大慈悲從智慧海
降甘露雨令諸眾生具足還得十善之法以是
義故諸佛菩薩名善知識善男子譬如良醫
善八種術見諸病人不觀種性端政好醜錢
財寶貨悉為治之是故世稱為大良醫諸佛
菩薩亦復如是見諸眾生有煩惱病不觀種
姓端政好醜錢財寶貨生慈愍心悉為說法
眾生聞已煩惱病除以是義故諸佛菩薩名

財寶貨悉為治之是故世稱為大良醫諸佛
菩薩亦復如是見諸眾生有煩惱病不觀種
姓端政好醜錢財寶貨生慈愍心悲為說法
眾生聞已煩惱病除以是義故諸佛菩薩名
善知識以是親近善友因緣則得近於大般
涅槃云何菩薩聽法因緣而得近於大般涅
槃一切眾生以聽法故則具信根得信根故
樂行布施戒忍精進禪定智慧得須陁洹果
乃至佛果是故當知得諸善法皆是聽法因
緣勢力善男子譬如長者唯有一子遣至他
國市易所須示其道路通塞之處而復誡之
若遇婬女慎無親近若親愛者喪身殞命及
以財寶弊惡之人亦不交通其子敬慎父之
教勅身心安隱多獲寶化菩薩摩訶薩為諸
眾生敷演法要亦復如是示諸眾生及四部
眾諸道通塞是諸眾生以聞法故遠離諸惡
具足善法以是義故聽法因緣則得近於大
般涅槃善男子譬如明鏡照人面像無不明
了聽法明鏡亦復如是有人照之則見善惡
明了無翳以是義故聽法因緣則得近於大
般涅槃善男子譬如估客欲至寶渚不知道
路有人示之其人隨語即至寶渚多獲諸珎
不可稱計一切眾生亦復如是欲至善處採
取道寶不知其路通塞之處菩薩示之眾生隨
已得至善處獲得無上大涅槃寶以是義故
聽法因緣則得近於大般涅槃善男子譬如

已得至善處獲得無上大涅槃寶以是義故
聽法因緣則得近於大般涅槃善男子譬如
醉象狂騃暴惡多欲煞害有調象師以大鐵
鉤鉤斵其頂即時調順惡心都盡一切眾生
亦復如是貪欲瞋恚愚癡醉故欲多造惡諸
菩薩等以聞法鉤斵之令住更不得起造諸
惡心以是義故聽法因緣則得近於大般涅
槃是故我於處處經中說我弟子專心聽受
十二部經則離五蓋脩七覺分以是脩集七
覺分故則得近於大般涅槃以聽法故須陁
洹人離諸恐怖所以者何須達長者身遇重
病心大愁怖聞舍利弗說須陁洹有四功德
十種慰喻聞是事已恐怖即除以是義故聽
法因緣則得近於大般涅槃何以故聞法眼
故世有三人一者無目二者一目三者二目
言無目者常不聞法一目之人雖暫聞法其心
不住二目之人專心聽受如聞而行以聽法
故得知世間如是三人以是義故聽法因緣
則得近於大般涅槃善男子如我昔於拘尸
那城時舍利弗身遇病苦我時顧命阿難比
丘廣為說法時舍利弗聞是事已告四弟子
汝舉我牀往至佛所我欲聽法時四弟子即
共舉往既得聞法已聞力故所苦除差身得
安隱以是義故聽法因緣則得近於大般涅
槃云何菩薩思惟因緣而得近於大般涅槃
因是思惟心得解脫何以故一切眾生常為

槃云何菩薩思惟因緣而得近於大般涅槃
因是思惟心得解脫何以故一切衆生常為
五欲之所繫縛以思惟故悉得解脫以是義
故思惟因緣則得近於大般涅槃復次善男子
一切衆生常為常樂我淨四法之所顛倒
以思惟故得見諸法無常無樂無我無淨如
是見已四倒即斷以是義故思惟因緣則得
近於大般涅槃復次善男子一切諸法有四
種相何等為四一者生相二者老相三者病
相四者滅相以是四相能令一切凡夫衆生
至須陁洹生大苦惱若能繫念善思惟者雖
遇此四不生於苦以是義故思惟因緣則得
近於大般涅槃復次善男子一切善法無不
因於思惟而得何以故有人雖於無量無邊
阿僧祇劫專心聽法若不思惟終不能得阿
耨多羅三藐三菩提以是義故思惟因緣則
得近於大般涅槃復次善男子若有衆生信
佛法僧無有變易而生恭敬當知皆是繫念
思惟因緣力故因得斷除一切煩惱以是義
故思惟因緣則得近於大般涅槃云何菩薩
如法脩行善男子斷諸惡法脩集善法是名
菩薩如法脩行復次云何如法脩行見一切
法空無所有無常無樂無我無淨以是見故
寧捨身命不犯禁戒是名菩薩如法脩行
復次云何如法脩行脩有二種一者真實二
者不實不實者不知涅槃佛性如來法僧實
相虛空等相是名不實云何真實能知涅槃

寧捨身命不犯禁戒是名菩薩如法脩行
復次云何如法脩行脩有二種一者真實二
者不實不實者不知涅槃佛性如來法僧實
相虛空等相是名不實云何真實能知涅槃
佛性如來法僧實相虛空等相是名真實云何
名為知涅槃相涅槃之相凡有八事何等為
八一者盡二者善性三實四真五常六樂七
我八淨是名涅槃復有八事何等為八一者
解脫二者善性三者不實四者不真五者無
常六者無樂七者無我八者無淨復有六者
一者解脫二者善性三者不實四者不真五
者安樂六者清淨若有衆生依世俗道斷煩
惱者如是涅槃則有八事解脫不實何以故
不常故以無常故則無有實無有實故則無
有真雖斷煩惱以還起故無常無我無樂無
淨是名涅槃解脫八事云何六相聲聞緣覺
斷煩惱故名為解脫而未能得阿耨多羅三
藐三菩提故名為不實以不實故名為不真
未來之世當得阿耨多羅三藐三菩提故名
無常以得無漏八聖道故名為淨樂善男子
若如是知是知涅槃不名佛性如來法僧實
相虛空云何菩薩知於佛性佛性有六何等
為六一常二淨三實四善五當見六真復有
七事一者可證餘六如上是故菩薩知於佛性
云何菩薩知如來相如來即是覺相善根常
樂我淨解脫真實示導可見是名菩薩知如
來相云何菩薩知於法相法者若善不善若

云何菩薩知如來相如來即是覺相善根常
樂我淨解脫真實示導可見是名菩薩知如
來相云何菩薩知於法相法者若善不善若
常不常若樂不樂若我無我若淨不淨若知
不知若解不解若真不真若脩不脩若師非
師若實不實是名菩薩知於法相云何菩薩
知於僧相僧者常樂我淨是弟子相可見之
相善真不實何以故一切聲聞得佛道故何故
名真悟法性故是名菩薩知於僧相云何菩
薩知於實相實相者若常無常若樂無樂
若我無我若淨無淨若善不善若有若無若
涅槃非涅槃若解脫非解脫若知不知若斷
不斷若證不證若脩不脩若見不見是名實
相非是涅槃佛性如來法僧虛空是名菩薩
因脩如是大涅槃故知於涅槃佛性如來法
僧實相虛空等法差別之相善男子菩薩摩
訶薩脩大涅槃微妙經典不見虛空何以故
佛及菩薩雖有五眼所不見故唯有慧眼乃
能見之慧眼所見無法可見故名為見若是
無物名虛空者如是虛空乃名為實以是實
故則名常無以常無故無樂無淨善男子空
名無法無法名空譬如世間無物名空虛空
之性亦復如是無所有故名為虛空善男子
眾生之性與虛空性俱無實性何以故如人
說言除滅有物然後作空而是虛空實不可
作何以故無所有故以無有故當知無空是
虛空性若可作者則名無常若無常者不名

BD00639號　大般涅槃經（北本異卷）卷二五　（21–14）

說言除滅有物然後作空而是虛空實不可
作何以故無所有故以無有故當知無空是
虛空性若可作者則名無常若無常者不名
虛空善男子如世間人說言虛空無色無㝵
常不變易是故世稱虛空之法為第五大善
男子而是虛空實無有性以光明故故名虛
空實無虛空猶如世諦實無其性為眾生故
說有世諦善男子涅槃之體亦復如是無有
住處直是諸佛斷煩惱處故名涅槃涅槃即
是常樂我淨涅槃雖樂非是受樂乃是上妙
寂滅之樂諸佛如來有二種樂一寂滅樂二
覺知樂實相之體有三種樂一者受樂二寂
滅樂三覺知樂佛性一樂以當見故得阿耨
多羅三藐三菩提時名菩提樂
尒時光明遍照高貴德王菩薩摩訶薩白佛
言世尊若煩惱斷處是涅槃者是事不然何
以故如來往昔初成佛道至尼連禪河邊尒
時魔王與其眷屬到於佛所而作是言世尊
涅槃時到何故不入佛告魔王我今未有多
聞弟子善持禁戒聰明利智能化眾生是故
不入若言煩惱斷滅之處是涅槃者諸菩薩
等於無量劫已斷煩惱何故不得稱為涅槃
俱是斷處何緣獨稱諸佛有之菩薩無也若
斷煩惱非涅槃者何故如來昔告生名婆羅
門言我今此身即是涅槃如來又時在毗舍
離國魔復啓請如來昔以未有弟子多聞持
戒聰明利智能化眾生不入涅槃今已具足

BD00639號　大般涅槃經（北本異卷）卷二五　（21–15）

斷煩惱非涅槃者何故如來昔告生名婆羅
門言我今此身即是涅槃如來又時在毗舍
離國魔波旬請如來昔以來有弟子多聞持
戒聰明利智能化衆生不入涅槃今已具足
何故不入如來尒時即告魔言汝今莫生邑
遅之想却後三月吾當涅槃世尊若使滅度
非涅槃者何故如來自期三月當般涅槃世
尊若斷煩惱是涅槃者如來往昔初在道場
菩提樹下斷煩惱時使是涅槃何故復言却
後三月當般涅槃世尊若使尒時是涅槃者
云何方為拘尸那城諸力士等說言後夜當
般涅槃如來誠實云何出是虛妄之言尒時
世尊告光明遍照高貴德王菩薩摩訶薩
善男子若言如來得廣長舌當知如來於無
量劫已離妄語一切諸佛及諸菩薩凡所發
言誠諦無虛善男子如汝所言波旬往昔
請於我入涅槃者善男子而是魔王真實不
知涅槃之相何以故波旬意謂不化衆生嘿
然而住便是涅槃善男子譬如世人見人不
言無所造作便謂是人如死無異魔王波旬
亦復如是意謂如來不化衆生嘿無所說便
謂如來入般涅槃善男子如來不說佛法衆
僧無差別相唯說常住清淨二法無差別耳
善男子佛亦不說佛及佛性涅槃無差別相
唯說常恒不變無差別耳善男子佛亦不說
涅槃實相無差別相唯說常有實不變易無
差別耳善男子尒時我諸聲聞弟子生於諍

BD00639號　大般涅槃經（北本異卷）卷二五　（21–16）

涅槃實相無差別相唯說常有實不變易無
差別耳善男子尒時我諸聲聞弟子生於諍
訟如拘睒彌諸惡比丘違反我教多犯禁戒
受不淨物貪求利養向諸白衣而自讚嘆我
得無漏謂須陁洹果乃至我得阿羅漢果毀
辱於他於佛法僧戒律和上不生恭敬公於
我前言如是物佛所聽畜如是等物佛不聽
畜我亦語言如是等物我實不聽復反我言
如是等物實是佛聽如是惡人不信我言為
是等故我告波旬汝莫邑遅却後三月當般
涅槃善男子因如是等惡比丘故令諸聲聞
受學弟子不見我身不聞我法便言如來入
於涅槃唯諸菩薩能見我身常聞我法是故
不言我入涅槃聲聞弟子雖復發言如來涅
槃而我實不入於涅槃善男子若我所有聲
聞弟子說言如來入涅槃者當知是人非我
弟子是魔伴黨耶見惡人非正見也若言如
來不入涅槃當知是人真我弟子非魔伴黨
正見之人非惡耶也善男子我初不見弟子
之中有言如來不化衆生嘿然而住名般涅
槃也善男子譬如長者多有子息捨至他方
未得還頃諸子並謂父已死矣而是長者實
亦不死諸子顛倒皆生死想聲聞弟子亦復
如是不見我故便謂如來已於拘尸那城娑
羅雙樹間而般涅槃而我實不般涅槃也聲
聞弟子生涅槃想善男子譬如明燈有人覆
之餘不知者謂燈已滅而是明炎實亦不滅

BD00639號　大般涅槃經（北本異卷）卷二五　（21–17）

羅雙樹間而般涅槃而我實不般涅槃也聲
聞弟子生涅槃想善男子譬如明燈有人覆
之餘不知者謂燈也滅而是明炎實〻不滅
以不知故生於滅想聲聞弟子〻復如是雖
有慧眼以煩惱覆令心顛倒不見真身而便
生於滅度之想而我實不取滅度也善男子
如生盲人不見日月以不見故不知晝夜明
闇之想以不知故便說無有日月之實〻有
日月盲者不見以不見故生於倒想言無日
月聲聞弟子〻復如是如彼生盲不見如來
便謂如來入於涅槃如來實不入於涅槃以
倒想故生如是心善男子譬如雲霧覆蔽日
月癡人便言無有日月〻實有直以覆故
衆生不見聲聞弟子〻復如是以諸煩惱覆
智慧眼不見如來便言如來入於滅度善男
子直是如來現嬰兒行非滅度也善男子如
閻浮提日入之時衆生不見以黑山鄣故而
是日性實無沒入衆生不見生沒入想聲聞
弟子〻復如是為諸煩惱山所鄣故不見我
身以不見故便於如來生滅度想而我實不
取滅度也是故我於毗舍離國告波旬言却
後三月我當涅槃善男子如來玄見迦葉菩
薩却後三月善根當熟亦見香山須跋陀羅
竟安居已當至我所是故我告魔王波旬却
後三月當般涅槃善男子有諸力士其數五
百終竟三月〻當得發阿耨多羅三藐三菩
提心我為是故告波旬言却後三月當般涅

BD00639 號　大般涅槃經（北本異卷）卷二五　（21–18）

竟安居已當至我所是故我告魔王波旬却
後三月當般涅槃善男子有諸力士其數五
百終竟三月〻當得發阿耨多羅三藐三菩
提心我為是故告波旬言却後三月當般涅
槃善男子純陁等輩及五百梨車菴羅菓女
却後三月無上道心善根成熟為是等故我
告波旬却後三月當般涅槃善男子須那刹
多親近外道尼乾子等我為說法滿十二年彼
人耶見不信不受我知是人耶見根栽却後
三月定可斫伐我為是故告波旬言却後三
月當般涅槃善男子何因緣故我於往昔尼
連河邊告魔波旬我今未有多智弟子是故
不得入涅槃者我時欲為五比丘等於波羅
捺轉法輪故次復欲為五比丘等所謂耶奢
富那毗摩羅闍憍梵波提須婆睺復次欲為
郁伽長者等五十人次復欲為摩伽陁國頻
婆娑羅王等無量人天次復欲為優樓頻螺
迦葉門徒五百比丘次復欲為那提迦葉伽
耶迦葉兄弟二人及五百弟子次復欲為舍
利弗目揵連等二百五十比丘轉妙法輪是
故我告魔王波旬不般涅槃善男子有名涅槃
非大涅槃云何涅槃非大涅槃不見佛性而斷
煩惱是名涅槃非大涅槃以不見佛性故無
常無我唯有樂淨以是義故雖斷煩惱不得
名為大般涅槃若見佛性能斷煩惱是則名
為大涅槃也以見佛性故得名為常樂我淨
以是義故斷於煩惱亦得稱為大般涅槃善

BD00639 號　大般涅槃經（北本異卷）卷二五　（21–19）

耶迦葉兄弟二人及五百弟子次復為舍
利弗目揵連等二百五十比丘轉妙法輪是
故我告魔王波旬不般涅槃善男子有名涅槃
非大涅槃云何涅槃非大涅槃不見佛性而斷
煩惱是名涅槃非大涅槃以不見佛性故無
常無我唯有樂淨以是義故雖斷煩惱不得
名為大般涅槃若見佛性能斷煩惱是則名
為大涅槃也以見佛性故得名為常樂我淨
以是義故斷於煩惱亦得稱為大般涅槃善
男子涅者言不槃者言織不織之義名之涅
槃槃又言覆不覆之義乃名涅槃槃言去來
不去不來乃名涅槃槃者言取不取之義乃名
涅槃槃言不定定無不定乃名涅槃槃言新
故無新故義乃名涅槃槃言鄣㝵無鄣㝵義
乃名涅槃善男子有優樓迦迦毗羅弟子等
言槃者名相無相之義乃名涅槃善男子槃
者言有無有之義乃名涅槃槃名和合無和合
義乃名涅槃槃者言苦無苦之義乃名涅槃
善男子斷煩惱者不名涅槃不生煩惱乃名
涅槃善男子諸佛如來煩惱不起是名涅槃
所有智慧於法無㝵是為如來非是凡夫聲
聞緣覺菩薩是名佛性如來身心智慧遍滿
無量無邊阿僧祇土無所鄣㝵是名虛空如
來常住無有變易名曰實相以是義故如來
實不畢竟涅槃是名菩薩脩大涅槃微妙經
典具足成就第七功德
大般涅槃經卷第二十五

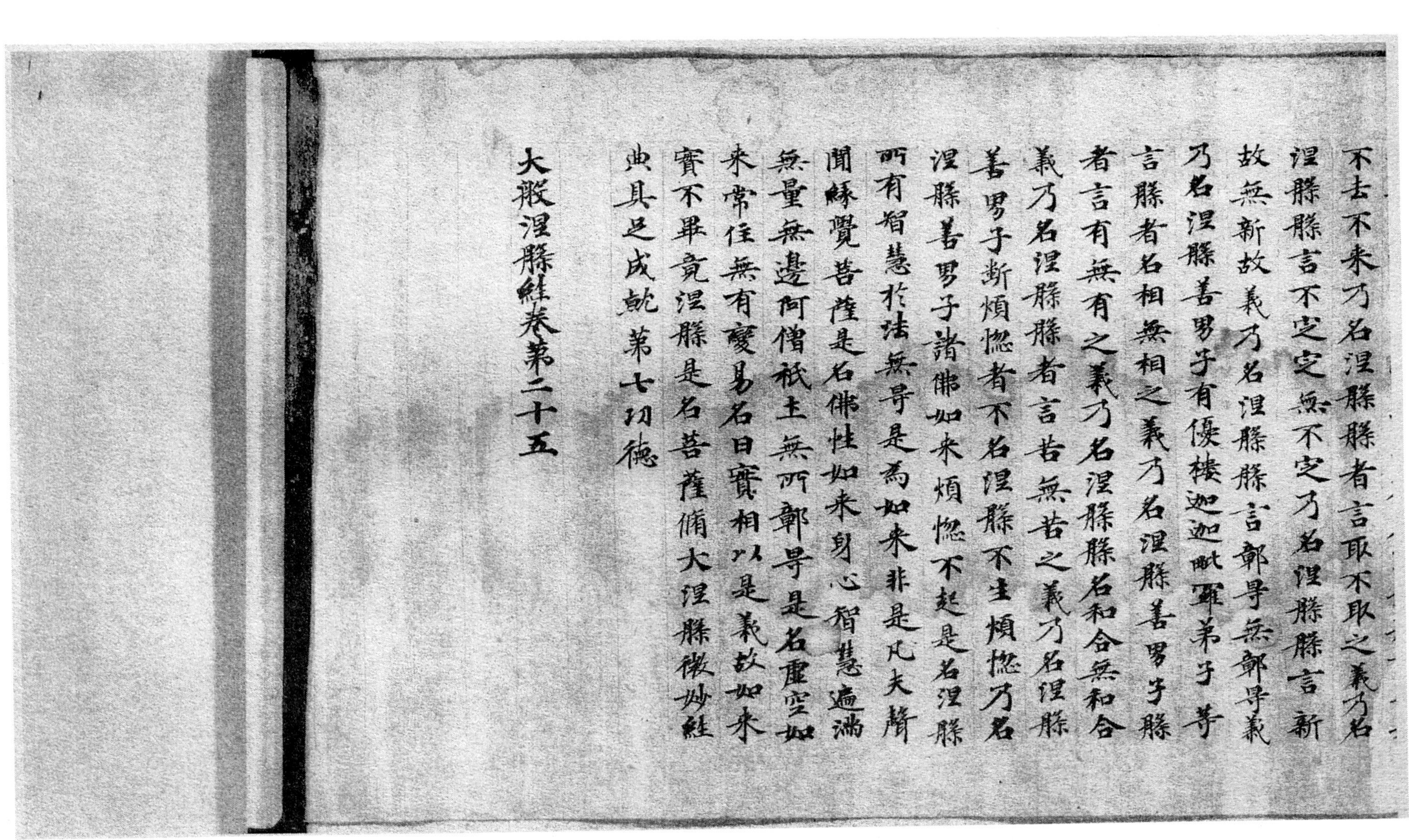

不去不來乃名涅槃槃者言取不取之義乃名
涅槃槃言不定定無不定乃名涅槃槃言新
故無新故義乃名涅槃槃言鄣㝵無鄣㝵義
乃名涅槃善男子有優樓迦迦毗羅弟子等
言槃者名相無相之義乃名涅槃善男子槃
者言有無有之義乃名涅槃槃名和合無和合
義乃名涅槃槃者言苦無苦之義乃名涅槃
善男子斷煩惱者不名涅槃不生煩惱乃名
涅槃善男子諸佛如來煩惱不起是名涅槃
所有智慧於法無㝵是為如來非是凡夫聲
聞緣覺菩薩是名佛性如來身心智慧遍滿
無量無邊阿僧祇土無所鄣㝵是名虛空如
來常住無有變易名曰實相以是義故如來
實不畢竟涅槃是名菩薩脩大涅槃微妙經
典具足成就第七功德

大般涅槃經卷第二十五

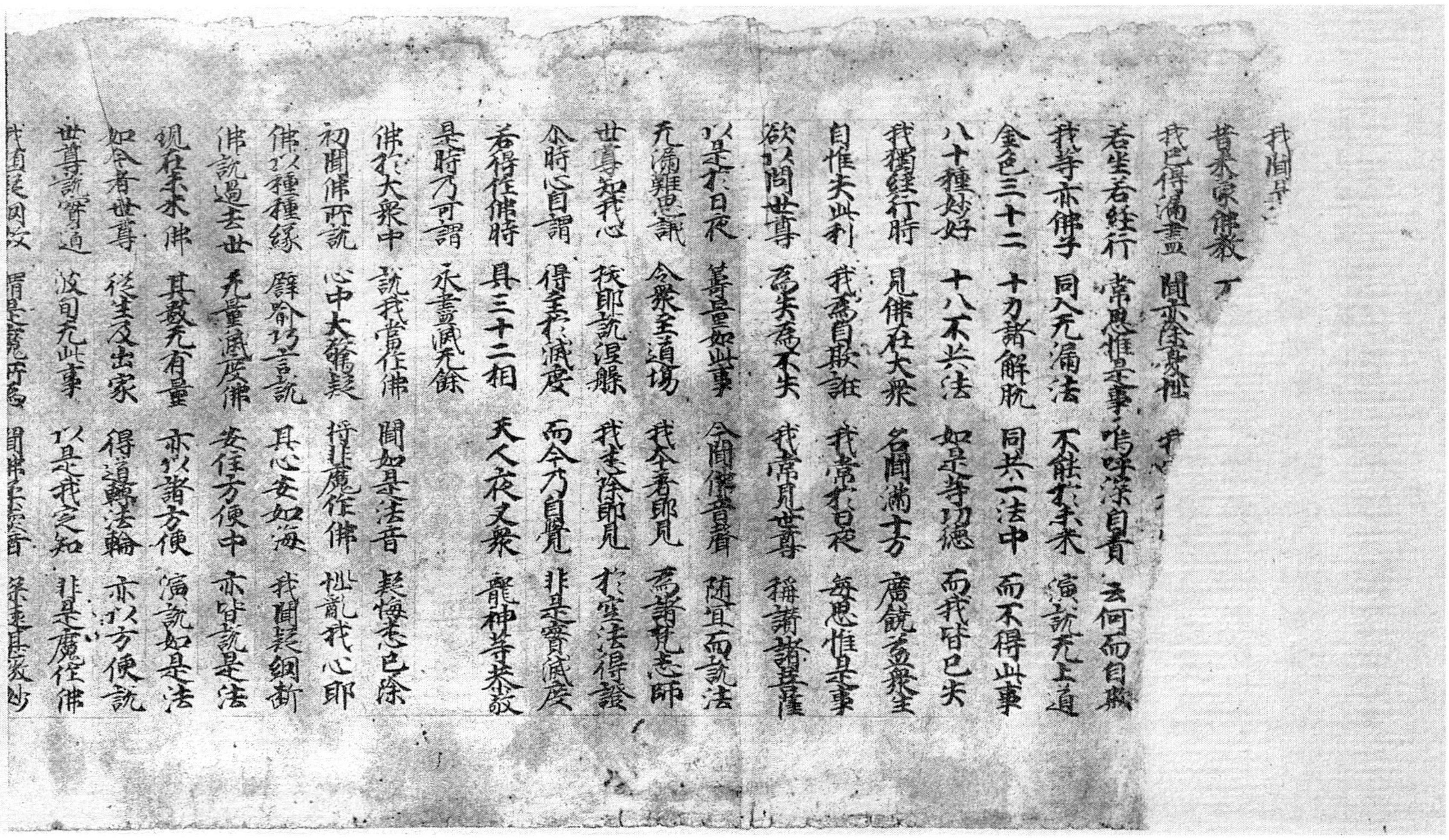

我聞是
昔來蒙佛教 不
我已得漏盡 聞亦除憂惱 我
若坐若經行 常思惟是事 嗚呼深自責 云何而自欺
我等亦佛子 同入无漏法 不能於未來 演說无上道
金色三十二 十力諸解脫 同共一法中 而不得此事
八十種妙好 十八不共法 如是等功德 而我皆已失
我獨經行時 見佛在大衆 名聞滿十方 廣饒益衆生
自惟失此利 我為自欺誑 我常於日夜 每思惟是事
欲以問世尊 為失為不失 我常見世尊 稱讚諸菩薩
以是於日夜 籌量如是事 今聞佛音聲 隨宜而說法
无漏難思議 令衆至道場 我本著邪見 為諸梵志師
世尊知我心 拔邪說涅槃 我悉除邪見 於空法得證
尒時心自謂 得至於滅度 而今乃自覺 非是實滅度
若得作佛時 具三十二相 天人夜叉衆 龍神等恭敬
是時乃可謂 永盡滅无餘
佛於大衆中 說我當作佛 聞如是法音 疑悔悉已除
初聞佛所說 心中大驚疑 將非魔作佛 惱亂我心耶
佛以種種緣 譬喻巧言說 其心安如海 我聞疑網斷
佛說過去世 无量滅度佛 安住方便中 亦皆說是法
現在未來佛 其數无有量 亦以諸方便 演說如是法
如今者世尊 從生及出家 得道轉法輪 亦以方便說
世尊說實道 波旬无此事 以是我定知 非是魔作佛
我墮疑網故 謂是魔所為 聞佛柔軟音 深遠甚微妙

BD00640號　妙法蓮華經卷二　（5-1）

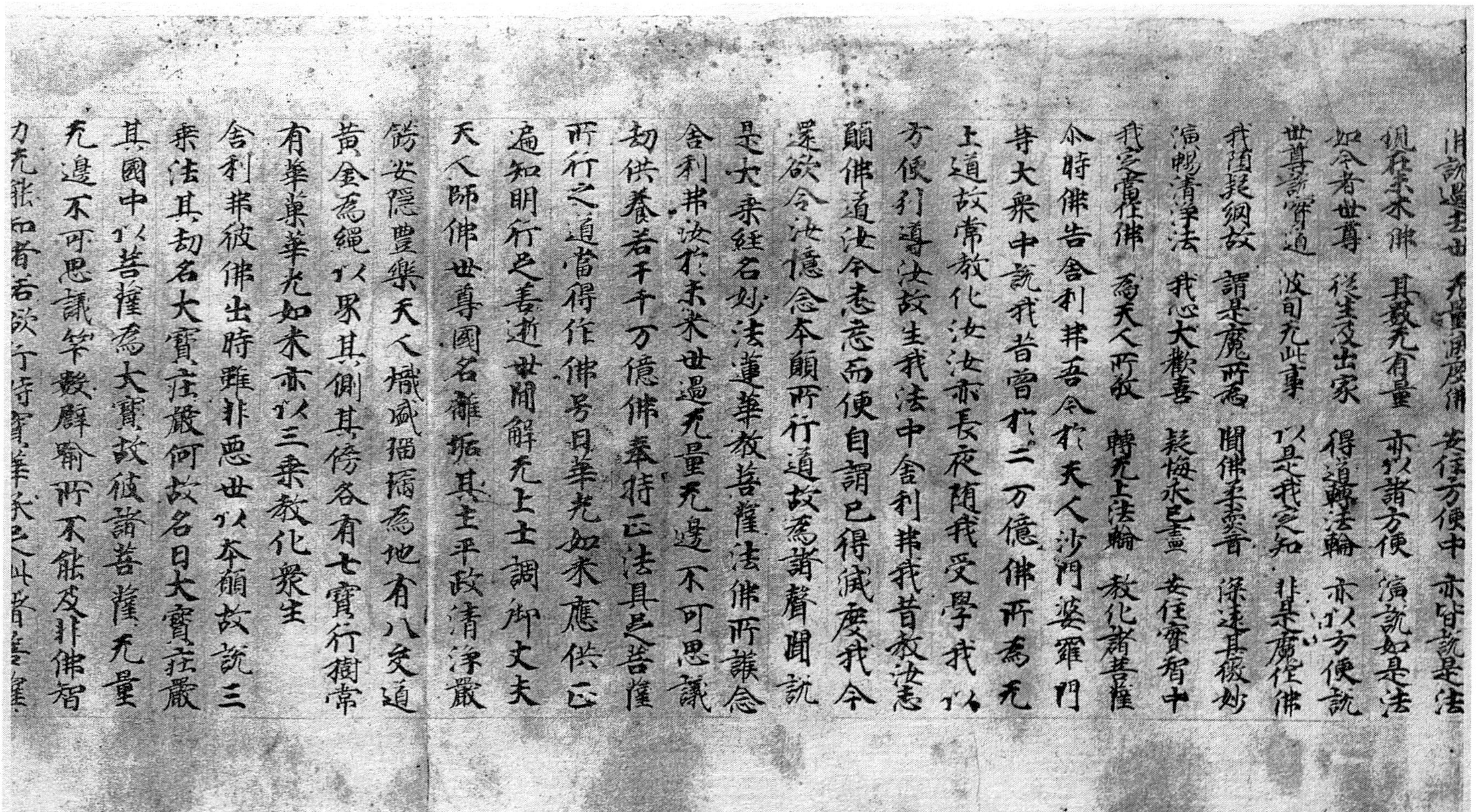

佛說過去世 无量滅度佛 安住方便中 亦皆說是法
現在未來佛 其數无有量 亦以諸方便 演說如是法
如今者世尊 從生及出家 得道轉法輪 亦以方便說
世尊說實道 波旬无此事 以是我定知 非是魔作佛
我墮疑網故 謂是魔所為 聞佛柔軟音 深遠甚微妙
演暢清淨法 我心大歡喜 疑悔永已盡 安住實智中
我定當作佛 為天人所敬 轉无上法輪 教化諸菩薩
尒時佛告舍利弗吾今於天人沙門婆羅門
等大衆中說我昔曾於二万億佛所為无
上道故常教化汝汝亦長夜隨我受學我以
方便引導汝故生我法中舍利弗我昔教汝志
願佛道汝今悉忘而便自謂已得滅度我今
還欲令汝憶念本願所行道故為諸聲聞說
是大乘經名妙法蓮華教菩薩法佛所護念
舍利弗汝於未來世過无量无邊不可思議
劫供養若干千万億佛奉持正法具足菩薩
所行之道當得作佛號曰華光如來應供正
遍知明行足善逝世間解无上士調御丈夫
天人師佛世尊國名離垢其土平正清淨嚴
飾安隱豐樂天人熾盛琉璃為地有八交道
黃金為繩以界其側其傍各有七寶行樹常
有華菓華光如來亦以三乘教化衆生
舍利弗彼佛出時雖非惡世以本願故說三
乘法其劫名大寶莊嚴何故名曰大寶莊嚴
其國中以菩薩為大寶故彼諸菩薩无量
无邊不可思議算數譬喻所不能及非佛智
力无能知者若欲行時寶華承足此諸菩薩

BD00640號　妙法蓮華經卷二　（5-2）

其國中以菩薩為大寶故彼諸菩薩无量
无邊不可思議筭數譬喻所不能及非佛智
力无能知者若欲行時寶華承足此諸菩薩
非初發意皆久殖德本於无量百千万億佛
所淨脩梵行恒為諸佛之所稱歎常脩佛慧
具大神通善知一切諸法之門質直无偽志念
堅固如是菩薩充滿其國舍利弗華光佛壽
十二小劫除為王子未作佛時其國人民壽
八小劫華光如來過十二小劫授堅滿菩薩
阿耨多羅三藐三菩提記告諸比丘是堅滿
菩薩次當作佛号曰華足安行多陁阿伽度
阿羅呵三藐三佛陁其佛國土亦復如是舍利
弗是華光佛滅度之後正法住世三十二小
劫像法住世亦三十二小劫尒時世尊欲重
宣此義而說偈言
舍利弗來世　成佛普智尊　号名曰華光　當度无量衆
供養无數佛　具足菩薩行　十力等功德　證於无上道
過无量劫已　劫名大寶嚴　世界名離垢　清淨无瑕穢
以瑠璃為地　金繩界其道　七寶雜色樹　常有華菓實
彼國諸菩薩　志念常堅固　神通波羅蜜　皆已悉具足
於无數佛所　善學菩薩道　如是等大士　華光佛所化
佛為王子時　棄國捨世榮　於最末後身　出家成佛道
華光佛住世　壽十二小劫　其國人民衆　壽命八小劫
佛滅度之後　正法住於世　三十二小劫　廣度諸衆生
正法滅盡已　像法三十二　舍利廣流布　天人普供養
華光佛所為　其事皆如是　其兩足聖尊　最勝无倫匹

BD00640號　妙法蓮華經卷二　（5–3）

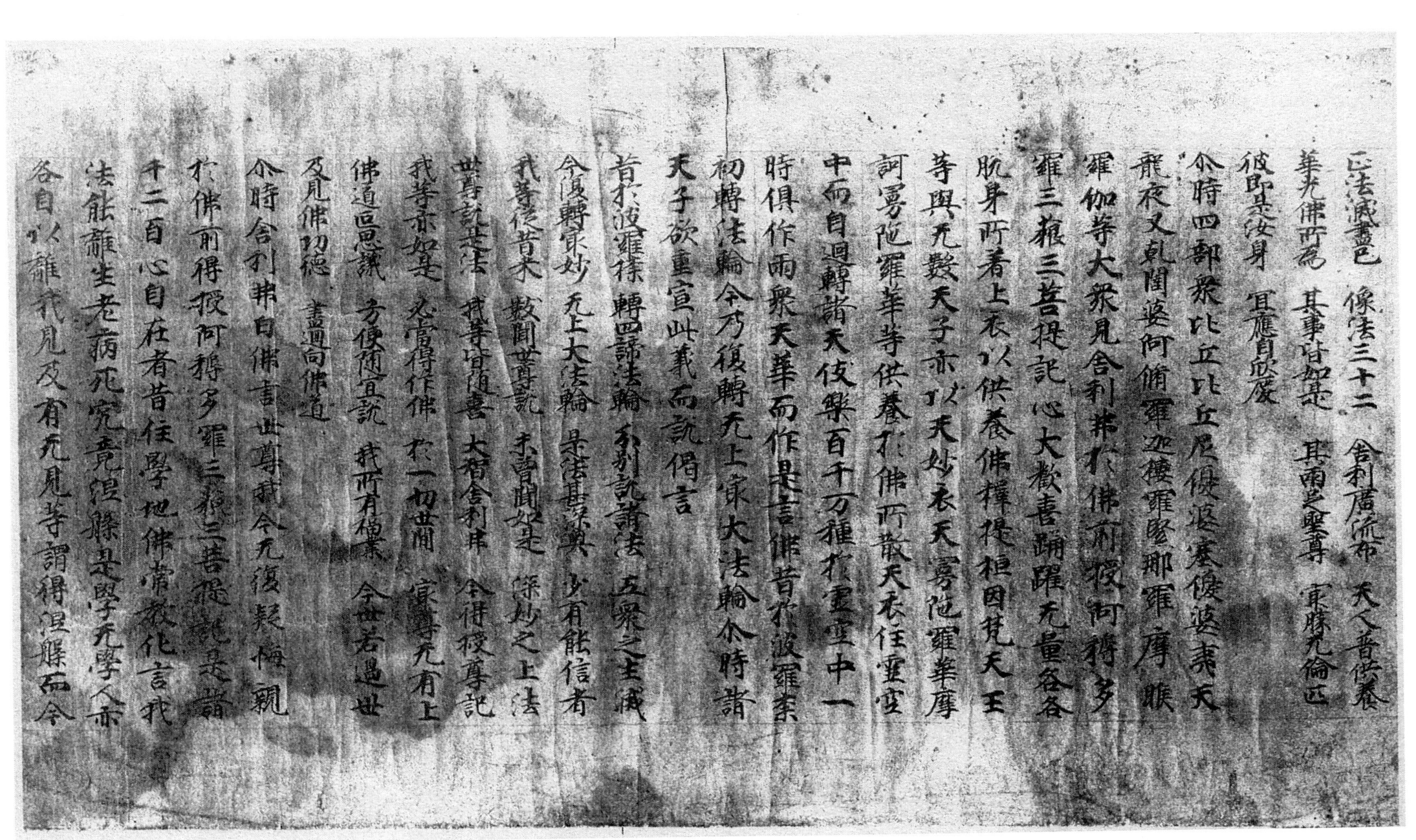

正法滅盡已　像法三十二　舍利廣流布　天人普供養
華光佛所為　其事皆如是　其兩足聖尊　最勝无倫匹
彼即是汝身　宜應自欣慶
尒時四部衆比丘比丘尼優婆塞優婆夷天
龍夜叉乾闥婆阿脩羅迦樓羅緊那羅摩睺
羅伽等大衆見舍利弗於佛前受阿耨多
羅三藐三菩提記心大歡喜踊躍无量各各
脫身所著上衣以供養佛釋提桓因梵天王
等與无數天子亦以天妙衣天曼陁羅華摩
訶曼陁羅華等供養於佛所散天衣住虛空
中而自迴轉諸天伎樂百千万種於虛空中一
時俱作雨衆天華而作是言佛昔於波羅柰
初轉法輪今乃復轉无上最大法輪尒時諸
天子欲重宣此義而說偈言
昔於波羅柰　轉四諦法輪　分別說諸法　五衆之生滅
今復轉最妙　无上大法輪　是法甚深奧　少有能信者
我等從昔來　數聞世尊說　未曾聞如是　深妙之上法
世尊說是法　我等皆隨喜　大智舍利弗　今得受尊記
我等亦如是　必當得作佛　於一切世間　最尊无有上
佛道叵思議　方便隨宜說　我所有福業　今世若過世
及見佛功德　盡迴向佛道
尒時舍利弗白佛言世尊我今无復疑悔親
於佛前得受阿耨多羅三藐三菩提記是諸
千二百心自在者昔住學地佛常教化言我
法能離生老病死究竟涅槃是學无學人亦
各自以離我見及有无見等謂得涅槃而今

BD00640號　妙法蓮華經卷二　（5–4）

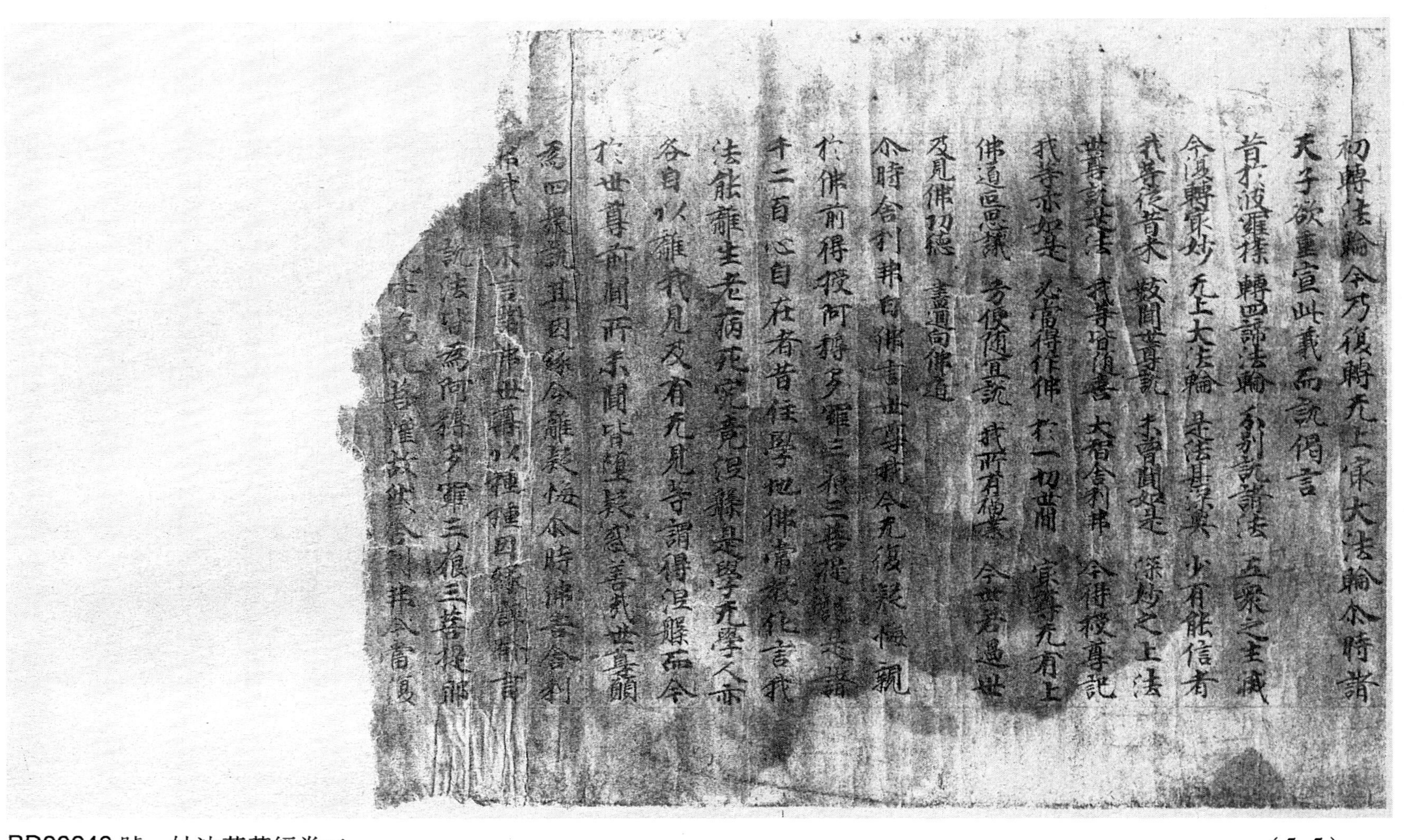

初轉法輪今乃復轉无上最大法輪尒時諸
天子欲重宣此義而說偈言
昔於波羅奈　轉四諦法輪　分別說諸法　五衆之生滅
今復轉最妙　无上大法輪　是法甚深奧　少有能信者
我等從昔来　數聞世尊說　未曾聞如是　深妙之上法
世尊說是法　我等皆隨喜　大智舍利弗　今得受尊記
我等亦如是　必當得作佛　於一切世間　最尊无有上
佛道叵思議　方便隨宜說　我所有福業　今世若過世
及見佛功德　盡迴向佛道
尒時舍利弗白佛言世尊我今无復疑悔親
於佛前得授阿耨多羅三藐三菩提記是諸
千二百心自在者昔住學地佛常教化言我
法能離生老病死究竟涅槃是學无學人亦
各自以離我見及有无見等謂得涅槃而今
於世尊前聞所未聞皆墮疑惑善哉世尊願
為四衆說其因緣令離疑悔尒時佛告舍利
弗我先不言諸佛世尊以種種因緣譬喻言
辭方便說法皆為阿耨多羅三藐三菩提耶
是諸所說皆為化菩薩故然舍利弗今當復

BD00640 號　妙法蓮華經卷二　（5–5）

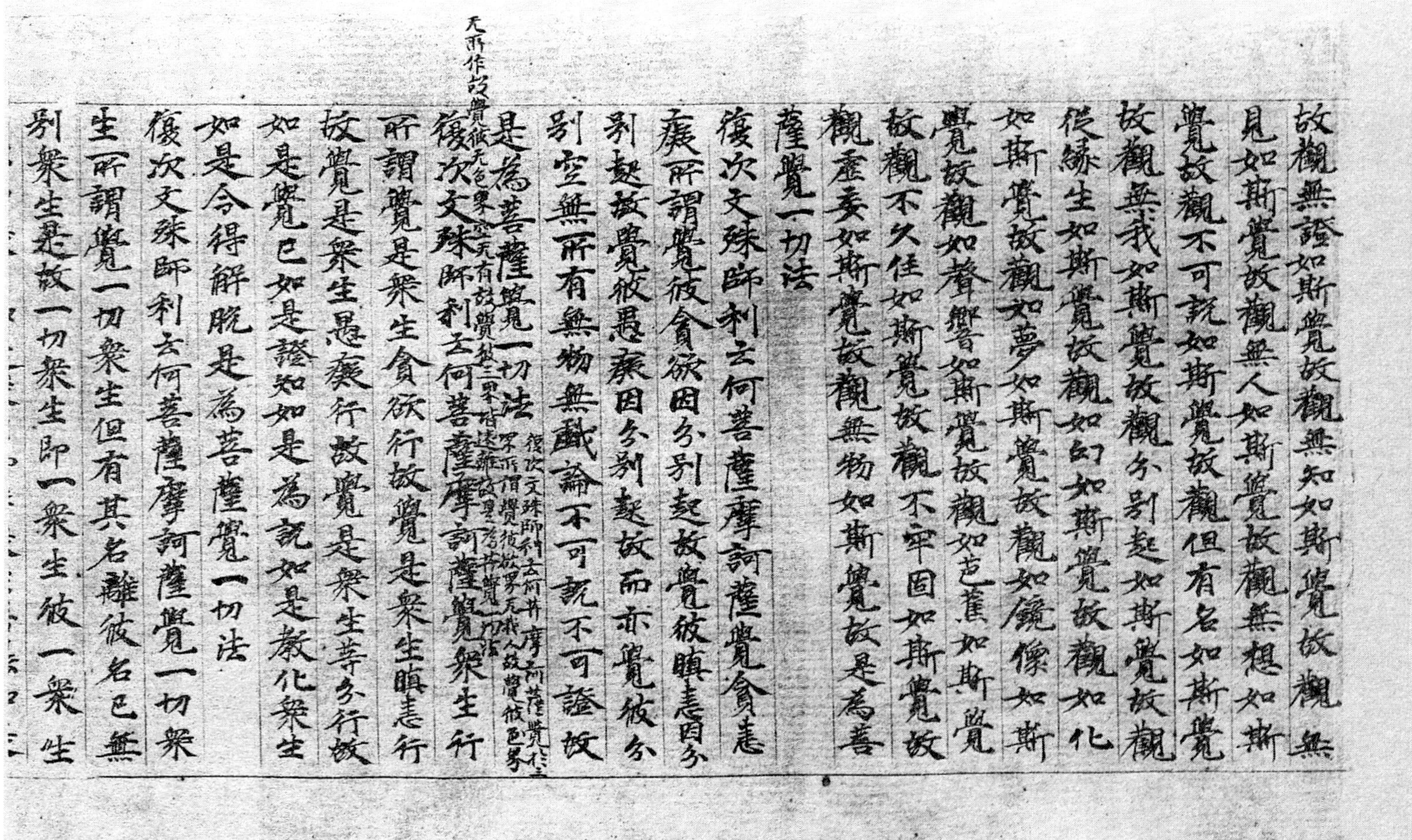

故觀無證如斯覺故觀無知如斯覺故觀無
見如斯覺故觀無人如斯覺故觀無想如斯
覺故觀不可說如斯覺故觀但有名如斯覺
故觀無我如斯覺故觀分別起如斯覺故觀
從緣生如斯覺故觀如幻如斯覺故觀如化
如斯覺故觀如夢如斯覺故觀如鏡像如斯
覺故觀如聲響如斯覺故觀如芭蕉如斯覺
故觀不久住如斯覺故觀不牢固如斯覺故
觀虛妄如斯覺故觀無物如斯覺故是為菩
薩覺一切法
復次文殊師利云何菩薩摩訶薩覺貪恚
癡所謂覺彼貪欲因分別起故覺彼瞋恚因分
別起故覺彼愚癡因分別起故而亦覺彼分
別空無所有無物無識論不可說不可證故
是為菩薩覺一切法
復次文殊師利云何菩薩摩訶薩覺三界所謂覺彼欲界无我人故覺彼色界无所作故覺彼无色界亦无有故覺彼三界皆遠離故是為菩薩覺一切法
復次文殊師利云何菩薩摩訶薩覺衆生行
所謂覺是衆生貪欲行故覺是衆生瞋恚行
故覺是衆生愚癡行故覺是衆生等分行故
如是覺已如是證知如是為說如是教化衆生
如是令得解脫是為菩薩覺一切法
復次文殊師利云何菩薩摩訶薩覺一切衆
生所謂覺一切衆生但有其名離彼名已無
別衆生是故一切衆生即一衆生彼一衆生

BD00641 號　大寶積經卷一〇三　（3–1）

復次文殊師利云何菩薩摩訶薩覺一切衆生所謂覺一切衆生但有其名離彼名已無別衆生是故一切衆生即一衆生彼一衆生即一切衆生如是衆生即非衆生若能如是無分別者是爲菩薩摩訶薩覺一切法又復云何覺一切法能如是覺菩薩道故是爲菩薩摩訶薩覺一切法尒時世尊重明此義以偈頌曰

覺眼及與耳　自體常空寂　不言我能覺　是名爲菩薩
觀鼻及與舌　本性無所有　不分別我覺　是名爲菩薩
智慧觀察身　亦覺意自然　覺已爲他說　是名爲菩薩
色聲香味觸　意所緣諸塵　覺知本性空　是名爲菩薩
覺色及受想　諸行與識心　一切斯同幻　是名爲菩薩
五陰聚如夢　覺彼無一相　不分別我知　是名爲菩薩
不生亦不出　無住復無言　如是說唯名　彼名亦非物
覺貪欲瞋恚　斯由分別起　彼分別無體　畢竟終自空
痴亦分別生　分別因緣出　緣此生諸見　諸見不可得
覺察三界空　一切無真實　於彼不可動　故名爲菩薩
欲界不成就　皆緣分別起　色有無色有　一切不牢固
衆生之所行　智者悉明了　貪欲與瞋恚　及彼愚癡等
一切諸衆生　即彼一衆生　智者無所覺　不念彼衆生
諸法之所起　悉因顛倒生　覺彼顛倒者　知顛倒真相
智慧甚微妙　不求諸音聲　覺已無所著　故名爲菩薩
能捨已肉身　然亦無依止　如是覺真實　乃名爲菩薩
至得於彼岸　亦不念彼岸　覺於行法邊　無生亦無盡
慈心遍衆生　不得衆生相　覺彼衆生際　但以假言宣

BD00641號　大寶積經卷一〇三　（3–2）

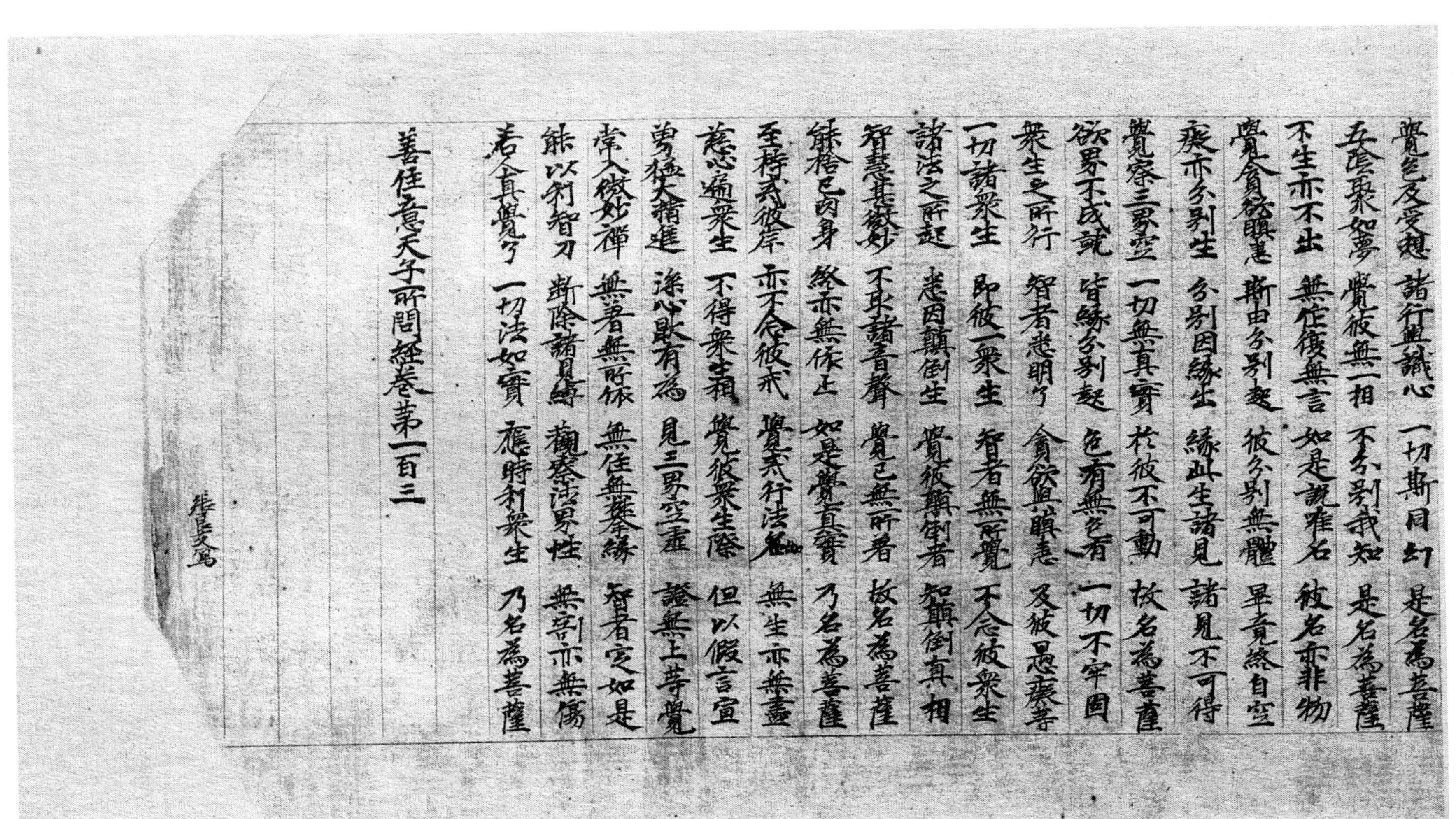
覺色及受想　諸行與識心　一切斯同幻　是名爲菩薩
五陰聚如夢　覺彼無一相　不分別我知　是名爲菩薩
不生亦不出　無住復無言　如是說唯名　彼名亦非物
覺貪欲瞋恚　斯由分別起　彼分別無體　畢竟終自空
痴亦分別生　分別因緣出　緣此生諸見　諸見不可得
覺察三界空　一切無真實　於彼不可動　故名爲菩薩
欲界不成就　皆緣分別起　色有無色有　一切不牢固
衆生之所行　智者悉明了　貪欲與瞋恚　及彼愚癡等
一切諸衆生　即彼一衆生　智者無所覺　不念彼衆生
諸法之所起　悉因顛倒生　覺彼顛倒者　知顛倒真相
智慧甚微妙　不求諸音聲　覺已無所著　故名爲菩薩
能捨已肉身　然亦無依止　如是覺真實　乃名爲菩薩
至得於彼岸　亦不念彼岸　覺於行法邊　無生亦無盡
慈心遍衆生　不得衆生相　覺彼衆生際　但以假言宣
勇猛大精進　深心厭有爲　見三界空盡　證無上等覺
常入微妙禪　無著無所依　無住無攀緣　智者定如是
能以利智刀　斷除諸見縛　觀察法界性　無割亦無傷
若人真覺了　一切法如實　應時利衆生　乃名爲菩薩

善住意天子所問經卷第一百三

BD00641號　大寶積經卷一〇三　（3–3）

[illegible]能
□苦惱世尊是金
廣宣說時我等四天
法味增益身力
□等四天能說正法
世尊我等四王及
迦樓羅緊那羅
□□以法治世遮諸惡鬼噉精氣者世
我等四王二十八部諸鬼神等及无量百
千鬼神以淨天眼過於人眼常觀擁護此閻
浮提世尊是故我等名護世王若此國土有
諸衰耗怨賊侵境飢饉疾疫種種艱難若有
比丘受持是經我等四王當共勸請令是比丘
以我力故疾往彼所國邑郡縣廣宣流布是
金光明微妙經典令如是等種種百千衰耗
之事悉皆盡滅世尊如諸國王所有土境
是持經者若至其國是王應當往是人所聽
受如是微妙經典聞已歡喜復當護念恭敬
是人世尊我等四王復當勤心擁護是王及國
人民爲除衰患令得安隱世尊若有比丘比丘
尼優婆塞優婆夷受持是經若諸人王有
能供給施其所安我等四王亦當令是王及
國人民一切安隱具足无患世尊若有四衆

BD00642號　金光明經卷二　（3–1）

人民爲除衰患令得安隱世尊若有比丘比丘
尼優婆塞優婆夷受持是經若諸人王有
能供給施其所安我等四王亦當令是王及
國人民一切安隱具足无患世尊若有四衆
受持讀誦是妙經典若諸人王有能供養恭
敬尊重讚歎我等四王亦當復令如是人王
於諸王中常得第一供養恭敬尊重讚歎
亦令餘王欽尚羨慕稱讚其善
尒時世尊讚歎護世四天王等善哉善哉
汝等四天過去以曾供養恭敬尊重讚歎无量
百千万億諸佛於諸佛所種諸善根說於正法
循行正法以法治世爲人天王汝等今日長夜
利益於諸衆生行大悲心施與衆生一切樂
具能遮諸惡勸與諸善以是義故若有人王
能供養恭敬此金光明微妙經典汝等應
應如是護念滅其苦惱與其安樂汝等四王
及諸眷屬无量无邊百千鬼神若能護念如
是經典者即是護持去來現在諸佛正法汝
等四王及餘天衆百千鬼神與阿脩羅共戰
鬪時汝等諸天常得勝利汝等若能護念
是經悉能調伏一切諸苦所謂怨賊飢饉疾疫
若四部衆有能受持讀誦此經汝等亦應勤
心守護爲除衰惱施與安樂尒時四王復白
佛言世尊是金光明微妙經典於未來世在所
流布若國土城邑郡縣村落隨所至處若
諸國王以天律治世復能恭敬至心聽受是妙
[illegible]

BD00642號　金光明經卷二　（3–2）

應如是護念滅其苦惱與其安樂汝等四王
及諸眷屬无量无邊百千鬼神若能護念如
是經典者即是護持去來現在諸佛正法汝
等四王及餘天衆百千鬼神與阿脩羅共戰
聞時汝等諸天常得勝利汝等若能護念
是經悉能調伏一切諸苦所謂怨賊飢饉疾疫
若四部衆有能受持讀誦此經汝等亦應勤
心守護爲除衰惱施與安樂尒時四王復白
佛言世尊是金光明微妙經典於未來世在所
流布若國土城邑郡縣村落隨所至處若
諸國王以天律治世復能恭敬至心聽受是妙
經典并復尊重供養給待是經典四部之衆
以是因緣我等時時得聞如是微妙經典聞
已即得增益身力心進勇鋭具諸威德是
故我等及无量鬼神常當隱形隨是經所
流布處而作擁護令无留難亦當護念聽是
經典諸國王等及其人民除其患難悉令
安隱他方怨賊亦使退散若有人王聽是經時
隣國怨敵興如是念當具四兵壞彼國土

BD00642 號　金光明經卷二　（3-3）

羅所應供養當知此處則爲是塔皆應恭
敬作礼圍繞以諸華香而散其處
復次須菩提善男子善女人受持讀誦此經
若爲人輕賤是人先世罪業應墮惡道以今
世人輕賤故先世罪業則爲消滅當得阿耨
多羅三藐三菩提須菩提我念過去无量阿
僧祇劫於然燈佛前得值八百四千万億那
由他諸佛悉皆供養承事无空過者若復有
人於後末世能受持讀誦此經所得功德於
我所供養諸佛功德百分不及一千万億分
乃至筭數譬喻所不能及須菩提若善男
子善女人於後末世有受持讀誦此經所得功
德我若具說者或有人聞心則狂亂狐疑不
信須菩提當知是經義不可思議果報亦不
可思議
尒時須菩提白佛言世尊善男子善女人發
阿耨多羅三藐三菩提心云何應住云何降
伏其心佛告須菩提善男子善女人發阿耨
多羅三藐三菩提者當生如是心我應滅度
一切衆生滅度一切衆生已而无有一衆生
實滅度者何以故若菩薩有我相人相衆生
相壽者相則非菩薩所以者何須菩提實无

BD00643 號　金剛般若波羅蜜經　（3-1）

一切衆生滅度一切衆生已而无有一衆生
實滅度者何以故若菩薩有我相人相衆生
相壽者相則非菩薩所以者何須菩提實无
有法發阿耨多羅三藐三菩提者須菩提於
意云何如来於然燈佛所有法得阿耨多羅
三藐三菩提不不也世尊如我解佛所說義
佛於然燈佛所无有法得阿耨多羅三藐三
菩提佛言如是如是須菩提實无有法如来
得阿耨多羅三藐三菩提須菩提若有法如
来得阿耨多羅三藐三菩提然燈佛則不與
我受記汝於来世當得作佛号釋迦牟尼以
實无有法得阿耨多羅三藐三菩提是故然
燈佛與我受記作是言汝於来世當得作佛
号釋迦牟尼何以故如来者即諸法如義若
有人言如来得阿耨多羅三藐三菩提須菩
提實无有法佛得阿耨多羅三藐三菩提須
菩提如来所得阿耨多羅三藐三菩提於是
中无實无虛是故如来說一切法皆是佛法
須菩提所言一切法者即非一切法是故名
一切法須菩提譬如人身長大須菩提言世
尊如来說人身長大則為非大身是名大身
須菩提菩薩亦如是若作是言我當滅度无
量衆生則不名菩薩何以故須菩提實无有
法名為菩薩是故佛說一切法无我无人无
衆生无壽者須菩提若菩薩作是言我當莊

BD00643號　金剛般若波羅蜜經　（3–2）

中无實无虛是故如来說一切法皆是佛法
須菩提所言一切法者即非一切法是故名
一切法須菩提譬如人身長大須菩提言世
尊如来說人身長大則為非大身是名大身
須菩提菩薩亦如是若作是言我當滅度无
量衆生則不名菩薩何以故須菩提實无有
法名為菩薩是故佛說一切法无我无人无
衆生无壽者須菩提若菩薩作是言我當莊
嚴佛土是不名菩薩何以故如来說莊嚴佛
土者即非莊嚴是名莊嚴須菩提若菩薩通
達无我法者如来說名真是菩薩
須菩提於意云何如来有肉眼不如是世尊
如来有肉眼須菩提於意云何如来有天眼
不如是世尊如来有天眼須菩提於意云何
如来有慧眼不如是世尊如来有慧眼須菩
提於意云何如来有法眼不如是世尊如来
有法眼須菩提於意云何如来有佛眼不如
是世尊如来有佛眼須菩提於意云何恒河
中所有沙佛說是沙不如是世尊如来說是
沙須菩提於意云何如一恒河中所有沙有

BD00643號　金剛般若波羅蜜經　（3–3）

想无想非

如是等在衆生數者有人求福隨其
樂之具皆給與之一一衆生與滿閻浮提金
銀瑠璃車𤦲馬瑙珊瑚虎珀諸妙珎寶及爲
馬車乘七寶所成宮殿樓閣等是大施主如
是布施滿八十年已而作是念我已施衆生
娛樂之具隨意所欲然此衆生皆已衰老年
過八十髮白面皺將死不久我當以佛法而
訓導之即集此衆生宣布法化示教利喜一
時皆得須陁洹道斯陁含道阿那含道阿羅
漢道盡諸有漏於深禪定皆得自在具八解
脫於汝意云何是大施主所得功德寧爲多
不弥勒白佛言世尊是人功德甚多无量无
邊若是施主但施衆生一切樂具功德无量
何况令得阿羅漢果佛告弥勒我今分明語
汝是人以一切樂具施於四百万億阿僧祇
世界六趣衆生又令得阿羅漢果所得功德
不如是第五十人聞法華經一偈隨喜功德
百分千分百千万億分不及其一乃至筭數
譬喻所不能知阿逸多如是第五十人展轉
聞法華經隨喜功德尚无量无邊阿僧祇何
况最初於會中聞而隨喜者其福復勝无量
无邊阿僧祇不可得比又阿逸多若人爲是
經故往詣僧坊若坐若立須臾聽受緣是功
德轉身所生得好上妙象馬車乘珎寶輦轝
及乘天宮若復有人於講法處坐更有人來

况最初於會中聞而隨喜者其福復勝无量
无邊阿僧祇不可得比又阿逸多若人爲是
經故往詣僧坊若坐若立須臾聽受緣是功
德轉身所生得好上妙象馬車乘珎寶輦轝
及乘天宮若復有人於講法處坐更有人來
勸令坐聽若分座令坐是人功德轉身得帝
釋坐處若梵王坐處若轉輪聖王所坐之處
阿逸多若復有人語餘人言有經名法華可
共往聽即受其教乃至須臾間聞是人功德
轉身得與陁羅尼菩薩共生一處利根智慧
百千万世終不瘖瘂口氣不臭舌常无病口
亦无病齒不垢黑不黃不踈亦不缺落不差
不曲脣不下垂亦不褰縮不麁澀不瘡緊亦
不缺壞亦不喎斜不厚不大亦不梨黑无諸
可惡鼻不匾䏢亦不曲戾面色不黑亦不狹
長亦不窊曲无有一切不可憙相脣舌牙齒
悉皆嚴好鼻脩高直面貌圓滿眉高而長額
廣平正人相具足世世所生見佛聞法信受
教誨阿逸多汝且觀是勸於一人令往聽法
功德如此何况一心聽說讀誦而於大衆爲
人分別如說脩行尒時世尊欲重宣此義而
說偈言
若人於法會　得聞是經典　乃至於一偈　隨喜爲他說
如是展轉教　至于第五十　最後人獲福　今當分別之
如有大施主　供給无量衆　具滿八十歲　隨意之所欲
見彼衰老相　髮白而面皺　齒踈形枯竭　念其死不久
我今應當教　令得於道果　即爲方便說　涅槃真實法

如是展轉教　至于第五十　最後人獲福　今當分別之
如有大施主　供給无量衆　具滿八十歲　隨意之所欲
見彼衰老相　髮白而面皺　齒踈形枯竭　念其死不久
我今應當教　令得於道果　即爲方便說　涅槃真實法
世皆不牢固　如水沫泡焰　汝等咸應當　疾生猒離心
諸人聞是法　皆得阿羅漢　具足六神通　三明八解脫
最後第五十　聞一偈隨喜　是人福勝彼　不可爲譬喻
如是展轉聞　其福尚无量　何況於法會　初聞隨喜者
若有勸一人　將引聽法華　言此經深妙　千万劫難遇
即受教往聽　乃至須臾聞　斯人之福報　今當分別說
世世无口患　齒不踈黃黑　脣不厚褰缺　无有可惡相
舌不乾黑短　鼻高脩且直　額廣而平正　面目悉端嚴
爲人所憙見　口氣无臭穢　優鉢華之香　常從其口出
若故詣僧坊　欲聽法華經　須臾聞歡喜　今當說其福
後生天人中　得妙象馬車　珎寶之輦轝　及乘天宮殿
若於講法處　勸人坐聽經　是福因緣得　釋梵轉輪座
何況一心聽　解說其義趣　如說而脩行　其福不可限

妙法蓮華經法師功德品第十九

尒時佛告常精進菩薩摩訶薩若善男子善
女人受持是法華經若讀若誦若解說若書
寫是人當得八百眼功德千二百耳功德八
百鼻功德千二百舌功德八百身功德千二
百意功德以是功德莊嚴六根皆令清淨是
善男子善女人父母所生清淨肉眼見於三
千大千世界內外所有山林河海下至阿鼻
地獄上至有頂亦見其中一切衆生及業因
緣果報生處悉見悉知尒時世尊欲重宣此

千大千世界內外所有山林河海下至阿鼻
地獄上至有頂亦見其中一切衆生及業因
緣果報生處悉見悉知尒時世尊欲重宣此
義而說偈言
若於大衆中　以无所畏心　說是法華經　汝聽其功德
是人得八百　功德殊勝眼　以是莊嚴故　其目甚清淨
父母所生眼　悉見三千界　內外弥樓山　須弥及鐵圍
并諸餘山林　大海江河水　下至阿鼻獄　上至有頂處
其中諸衆生　一切皆悉見　雖未得天眼　肉眼力如是
復次常精進若善男子善女人受持此經若
讀若誦若解說若書寫得千二百耳功德以
是清淨耳聞三千大千世界下至阿鼻地獄
上至有頂其中內外種種語言音聲象聲馬
聲牛聲車聲啼哭聲愁歎聲螺聲鼓聲鍾聲
鈴聲咲聲語聲男聲女聲童子聲童女聲法
聲非法聲苦聲樂聲凡夫聲聖人聲喜聲不
喜聲天聲龍聲夜叉聲乾闥婆聲阿脩羅聲
迦樓羅聲緊那羅聲摩睺羅伽聲火聲水聲
風聲地獄聲畜生聲餓鬼聲比丘聲比丘尼
聲聲聞聲辟支佛聲菩薩聲佛聲以要言之
三千大千世界中一切內外所有諸聲雖未
得天耳以父母所生清淨常耳皆悉聞知如
是分別種種音聲而不壞耳根尒時世尊欲
重宣此義而說偈言
父母所生耳　清淨无濁穢　以此常耳聞　三千世界聲
象馬車牛聲　鍾鈴螺鼓聲　琴瑟箜篌聲　簫笛之音聲
清淨好歌聲　聽之而不著　无數種人聲　聞悉能解了

父母所生耳 清淨无濁穢 以此常耳聞 三千世界聲
象馬車牛聲 鍾鈴螺鼓聲 琴瑟箜篌聲 簫笛之音聲
清淨好歌聲 聽之而不著 无數種人聲 聞悉能解了
又聞諸天聲 微妙之歌音 及聞男女聲 童男童女聲
山川嶮谷中 迦陵頻伽聲 命命等諸鳥 悉聞其音聲
地獄眾苦痛 種種楚毒聲 餓鬼飢渴逼 求索飲食聲
諸阿脩羅等 居在大海邊 自共語言時 出于大音聲
如是說法者 安住於此間 遙聞是眾聲 而不壞耳根
十方世界中 禽獸鳴相呼 其說法之人 於此悉聞之
其諸梵天上 光音及遍淨 乃至有頂天 言語之音聲
法師住於此 悉皆得聞之 一切比丘眾 及諸比丘尼
若讀誦經典 若為他人說 法師住於此 悉皆得聞之
復有諸菩薩 讀誦於經法 若為他人說 撰集解其義
如是諸音聲 悉皆得聞之 諸佛大聖尊 教化眾生者
於諸大眾中 演說微妙法 持此法華者 悉皆得聞之
三千大千界 內外諸音聲 下至阿鼻獄 上至有頂天
皆聞其音聲 而不壞耳根 其耳聰利故 悉能分別知
持是法華者 雖未得天耳 但用所生耳 功德已如是
復次常精進 若善男子善女人受持是經 若
讀若誦若解說若書寫 成就八百鼻功德 以
是清淨鼻根 聞於三千大千世界上下內外
種種諸香 須曼那華香 闍提華香 末利華香
瞻蔔華香 波羅羅華香 赤蓮華香 青蓮華香
白蓮華香 華樹香 菓樹香 栴檀香 沉水香 多
摩羅跋香 多伽羅香 及千万種和香 若末 若
丸 若塗香 持是經者 於此間住 悉能分別 又
復別知眾生之香 象香 馬香 牛羊等香 男香

瞻蔔華香 波羅羅華香 赤蓮華香 青蓮華香
白蓮華香 華樹香 菓樹香 栴檀香 沉水香 多
摩羅跋香 多伽羅香 及千万種和香 若末 若
丸 若塗香 持是經者 於此間住 悉能分別 又
復別知眾生之香 象香 馬香 牛羊等香 男香
女香 童子香 童女香 及草木叢林香 若近 若
遠 所有諸香 悉皆得聞 分別不錯 持是經者
雖住於此 亦聞天上諸天之香 波利質多羅
拘鞞陀羅樹香 及曼陀羅華香 摩訶曼陀羅
華香 曼殊沙華香 摩訶曼殊沙華香 栴檀 沉
水 種種末香 諸雜華香 如是等天香和合所
出之香 无不聞知 又聞諸天身香 釋提桓因
在勝殿上 五欲娛樂嬉戲時香 若在妙法堂
上 為忉利諸天說法時香 若於諸園遊戲時
香 及餘天等男女身香 皆悉遙聞 如是展轉
乃至梵世 上至有頂諸天身香 亦皆聞之 并
聞諸天所燒之香 及聲聞香 辟支佛香 菩薩
香 諸佛身香 亦皆遙聞 知其所在 雖聞此香
然於鼻根不壞不錯 若欲分別為他人說 憶
念不謬 尒時世尊欲重宣此義 而說偈言
是人鼻清淨 於此世界中 若香若臭物 種種悉聞知
須曼那闍提 多摩羅栴檀 沈水及桂香 種種華菓香
及知眾生香 男子女人香 說法者遠住 聞香知所在
大勢轉輪王 小轉輪及子 群臣諸宮人 聞香知所在
身所著珎寶 及地中寶藏 轉輪王寶女 聞香知所在
諸人嚴身具 衣服及瓔珞 種種所塗香 聞則知其身
諸天若行坐 遊戲及神變 持是法華者 聞香悉能知
諸樹華菓實 及酥油香氣 持經者住此 悉知其所在

諸人嚴身具　衣服及瓔珞　種種所塗香　聞則知其身
諸天若行坐　遊戲及神變　持是法華者　聞香悉能知
諸樹華菓實　及蘇油香氣　持經者住此　悉知其所在
諸山深嶮處　栴檀樹華敷　衆生在中者　聞香皆能知
鐵圍山大海　地中諸衆生　持經者聞香　悉知其所在
阿脩羅男女　及其諸眷屬　鬪諍遊戲時　聞香皆能知
曠野險隘處　師子象虎狼　野牛水牛等　聞香知所在
若有懷任者　未辯其男女　无根及非人　聞香悉能知
以聞香力故　知其初懷任　成就不成就　安樂產福子
以聞香力故　知男女所念　染欲癡恚心　亦知脩善者
地中衆伏藏　金銀諸珎寶　銅器之所盛　聞香悉能知
種種諸瓔珞　无能識其價　聞香知貴賤　出處及所在
天上諸華等　曼陀曼殊沙　波利質多樹　聞香悉能知
天上諸宮殿　上中下差別　衆寶華莊嚴　聞香悉能知
天園林勝殿　諸觀妙法堂　在中而娛樂　聞香悉能知
諸天若聽法　或受五欲時　來往行坐臥　聞香悉能知
天女所著衣　好華香莊嚴　周旋遊戲時　聞香悉能知
如是展轉上　乃至於梵世　入禪出禪者　聞香悉能知
光音遍淨天　乃至于有頂　初生及退沒　聞香悉能知
諸比丘衆等　於法常精進　若坐若經行　及讀誦經法
或在林樹下　專精而坐禪　持經者聞香　悉知其所在
菩薩志堅固　坐禪若讀誦　或為人說法　聞香悉能知
在在方世尊　一切所恭敬　愍衆而說法　聞香悉能知
衆生在佛前　聞經皆歡喜　如法而脩行　聞香悉能知
雖未得菩薩　无漏法生鼻　而是持經者　先得此鼻相
復次常精進若善男子善女人受持是經若
讀若誦若解說若書寫得千二百舌功德若

BD00644 號　妙法蓮華經卷六　（25–7）

復次常精進若善男子善女人受持是經若
讀若誦若解說若書寫得千二百舌功德若
好若醜若美不美及諸苦澁物在其舌根皆
變成上味如天甘露无不美者若以舌根於
大衆中有所演說出深妙聲能入其心皆令
歡喜快樂又諸天子天女釋梵諸天聞是深
妙音聲有所演說言論次第皆悉來聽及諸
龍龍女夜叉夜叉女乾闥婆乾闥婆女阿脩羅
阿脩羅女迦樓羅迦樓羅女緊那羅緊那
羅女摩睺羅伽摩睺羅伽女為聽法故皆來
親近恭敬供養及比丘比丘尼優婆塞優婆
夷國王王子羣臣眷屬小轉輪王大轉輪王
七寶千子內外眷屬乘其宮殿俱來聽法以
是菩薩善說法故婆羅門居士國內人民盡
其形壽隨侍供養又諸聲聞辟支佛菩薩諸
佛常樂見之是人所在方面諸佛皆向其處
說法悉能受持一切佛法又能出於深妙法
音尒時世尊欲重宣此義而說偈言
是人舌根淨　終不受惡味　其有所食噉　悉皆成甘露
以深淨妙音　於大衆說法　以諸因緣喻　引導衆生心
聞者皆歡喜　設諸上供養　諸天龍夜叉　及阿脩羅等
皆以恭敬心　而共來聽法　是說法之人　若欲以妙音
遍滿三千界　隨意即能至　大小轉輪王　及千子眷屬
合掌恭敬心　常來聽受法　諸天龍夜叉　羅剎毗舍闍
亦以歡喜心　常樂來供養　梵天王魔王　自在大自在
如是諸天衆　常來至其所　諸佛及弟子　聞其說法音

BD00644 號　妙法蓮華經卷六　（25–8）

亦以歡喜心　常樂來供養　梵天王魔王　自在大自在
如是諸天衆　常來至其所　諸佛及弟子　聞其說法音
常念而守護　或時為現身
復次常精進若善男子善女人受持是經若
讀若誦若解說若書寫得八百身功德得清
淨身如淨琉璃衆生憙見其身淨故三千大
千世界衆生生時死時上下好醜生善處惡
處悉於中現及鐵圍山大鐵圍山弥樓山摩
訶弥樓山等諸山及其中衆生悉於中現下
至阿鼻地獄上至有頂所有及衆生悉於中
現若聲聞辟支佛菩薩諸佛說法皆於身中
現其色像尒時世尊欲重宣此義而說偈言
若持法華者　其身甚清淨　如彼淨瑠璃　衆生皆憙見
又如淨明鏡　悉見諸色像　菩薩於淨身　皆見世所有
唯獨自明了　餘人所不見　三千世界中　一切諸羣萌
天人阿脩羅　地獄鬼畜生　如是諸色像　皆於身中現
諸天等宮殿　乃至於有頂　鐵圍及弥樓　摩訶弥樓山
諸大海水等　皆於身中現　諸佛及聲聞　佛子菩薩等
若獨若在衆　說法悉皆現　雖未得无漏　法性之妙身
以清淨常體　一切於中現
復次常精進若善男子善女人如來滅後受
持是經若讀若誦若解說若書寫得千二百
意功德以是清淨意根乃至聞一偈一句通
達无量无邊之義解是義已能演說一句一
偈至於一月四月乃至一歲諸所說法隨其
義趣皆與實相不相違背若說俗間經書治
世語言資生業等皆順正法三千大千世界

BD00644號　妙法蓮華經卷六　（25–9）

偈至於一月四月乃至一歲諸所說法隨其
義趣皆與實相不相違背若說俗間經書治
世語言資生業等皆順正法三千大千世界
六趣衆生心之所行心所動作心所戲論皆
悉知之雖未得无漏智慧而其意根清淨如
此是人有所思惟籌量言說皆是佛法无不
真實亦是先佛經中所說尒時世尊欲重宣
此義而說偈言
是人意清淨　明利无穢濁　以此妙意根　知上中下法
乃至聞一偈　通達无量義　次第如法說　月四月至歲
是世界內外　一切諸衆生　若天龍及人　夜叉鬼神等
其在六趣中　所念若干種　持法華之報　一時皆悉知
十方无數佛　百福莊嚴相　為衆生說法　悉聞能受持
思惟无量義　說法亦无量　終始不忘錯　以持法華故
悉知諸法相　隨義識次第　達名字語言　如所知演說
此人有所說　皆是先佛法　以演此法故　於衆无所畏
持法華經者　意根淨若斯　雖未得无漏　先有如是相
是人持此經　安住希有地　為一切衆生　歡喜而愛敬
能以千万種　善巧之語言　分別而說法　持法華經故
妙法蓮華經常不輕菩薩品第二十
尒時佛告得大勢菩薩摩訶薩汝今當知若
比丘比丘尼優婆塞優婆夷持法華經者若
有惡口罵詈誹謗獲大罪報如前所說其所
得功德如向所說眼耳鼻舌身意清淨得大
勢乃往古昔過无量无邊不可思議阿僧祇
劫有佛名威音王如來應供正遍知明行足
善逝世間解无上士調御丈夫天人師佛世

BD00644號　妙法蓮華經卷六　（25–10）

劫有佛名威音王如來應供正遍知明行足
善逝世間解无上士調御丈夫天人師佛世
尊劫名離衰國名大成其威音王佛於彼世
中為天人阿脩羅說法為求聲聞者說應四
諦法度生老病死究竟涅槃為求辟支佛者
說應十二因緣法為諸菩薩因阿耨多羅三
藐三菩提說應六波羅蜜法究竟佛慧得大
勢是威音王佛壽四十万億那由他恒河沙
劫正法住世劫數如一閻浮提微塵像法住
世劫數如四天下微塵其佛饒益衆生已然
後滅度正法像法滅盡之後於此國土復有佛
出亦号威音王如來應供正遍知明行足
善逝世間解无上士調御丈夫天人師佛世
尊如是次第有二万億佛皆同一号最初威
音王如來既已滅度正法滅後於像法中增
上慢比丘有大勢力尒時有一菩薩比丘名
常不輕得大勢以何因緣名常不輕是比丘
凡有所見若比丘比丘尼優婆塞優婆夷皆
悉礼拜讚歎而作是言我深敬汝等不敢輕
慢所以者何汝等皆行菩薩道當得作佛而
是比丘不專讀誦經典但行礼拜乃至遠見
四衆亦復故往礼拜讚歎而作是言我不敢
輕於汝等汝等皆當作佛四衆之中有生瞋
恚心不淨者惡口罵詈言是无智比丘從何
所來自言我不輕汝而與我等受記當得作
佛我等不用如是虛妄受記如此經歷多

所來自言我不輕汝而與我等受記當得作
佛我等不用如是虛妄受記如此經歷多
年常被罵詈不生瞋恚常作是言汝當作佛
說是語時衆人或以杖木瓦石而打擲之避
走遠住猶高聲唱言我不敢輕於汝等汝等
皆當作佛以其常作是語故增上慢比丘比
丘尼優婆塞優婆夷号之為常不輕是比丘
臨欲終時於虛空中具聞威音王佛先所說
法華經二十千万億偈悉能受持即得如上
眼根清淨耳鼻舌身意根清淨得是六根清
淨已更增壽命二百万億那由他歲廣為人
說是法華經於時增上慢四衆比丘比丘尼
優婆塞優婆夷輕賤是人為作不輕名者見
其得大神通力樂說辯力大善寂力聞其所
說皆信伏隨從是菩薩復化千万億衆令住
阿耨多羅三藐三菩提命終之後得值二千
億佛皆号日月燈明於其法中說是法華經
以是因緣復值二千億佛皆同一号雲自在燈王
於此諸佛法中受持讀誦為諸四衆說此經
典故得是常眼清淨耳鼻舌身意諸根清淨
於四衆中說法心无所畏得大勢是常不輕
菩薩摩訶薩供養如是若干諸佛恭敬尊重
讚歎種諸善根於後復值千万億佛亦於諸
佛法中說是經典功德成就當得作佛得大
勢於意云何尒時常不輕菩薩豈異人乎則
我身是若我於宿世不受持讀誦此經為他
人說者不能疾得阿耨多羅三藐三菩提我

我身是若我於宿世不受持讀誦此經為他
人說者不能疾得阿耨多羅三藐三菩提我
於先佛所受持讀誦此經為人說故疾得阿
耨多羅三藐三菩提大勢彼時四眾比丘
比丘尼優婆塞優婆夷以瞋恚意輕賤我故
二百億劫常不值佛不聞法不見僧千劫於
阿鼻地獄受大苦惱畢是罪已復遇常不輕
菩薩教化阿耨多羅三藐三菩提得大勢於
汝意云何尒時四眾常輕是菩薩者豈異人
乎今此會中跋陀婆羅等五百菩薩師子月
等五百比丘尼思佛等五百優婆塞皆於阿
耨多羅三藐三菩提不退轉者是得大勢當
知是法華經大饒益諸菩薩摩訶薩能令至
於阿耨多羅三藐三菩提是故諸菩薩摩訶
薩於如來滅後常應受持讀誦解說書寫是
經尒時世尊欲重宣此義而說偈言
過去有佛　号威音王　神智无量　將導一切
天人龍神　所共供養　是佛滅後　法欲盡時
有一菩薩　名常不輕　時諸四眾　計著於法
不輕菩薩　往到其所　而語之言　我不輕汝
汝等行道　皆當作佛　諸人聞已　輕毀罵詈
不輕菩薩　能忍受之　其罪畢已　臨命終時
得聞此經　六根清淨　神通力故　增益壽命
復為諸人　廣說是經　諸著法眾　皆蒙菩薩
教化成就　令住佛道　不輕命終　值无數佛
說是經故　得无量福　漸具功德　疾成佛道

復為諸人　廣說是經　諸著法眾　皆蒙菩薩
教化成就　令住佛道　不輕命終　值无數佛
說是經故　得无量福　漸具功德　疾成佛道
彼時不輕　則我身是　時四部眾　著法之者
聞不輕言　汝當作佛　以是因緣　值无數佛
此會菩薩　五百之眾　并及四部　清信士女
今於我前　聽法者是　我於前世　勸是諸人
聽受斯經　第一之法　開示教人　令住涅槃
世世受持　如是經典　億億万劫　至于可議
時乃得聞　是法華經　億億万劫　至不可議
諸佛世尊　時說是經　是故行者　於佛滅後
聞如是經　勿生疑惑　應當一心　廣說此經
世世值佛　疾成佛道

妙法蓮華經如來神力品第二十一

尒時千世界微塵等菩薩摩訶薩從地踊出
者皆於佛前一心合掌瞻仰尊顏而白佛言
世尊我等於佛滅後世尊分身所在國土滅
度之處當廣說此經所以者何我等亦自欲
得是真淨大法受持讀誦解說書寫而供養
之尒時世尊於文殊師利等无量百千万億
舊住娑婆世界菩薩摩訶薩及諸比丘比丘
尼優婆塞優婆夷天龍夜叉乾闥婆阿脩羅
迦樓羅緊那羅摩睺羅伽人非人等一切眾
前現大神力出廣長舌上至梵世一切毛孔
放於无量无數色光皆悉遍照十方世界眾
寶樹下師子座上諸佛亦復如是出廣長舌
放无量光釋迦牟尼佛及寶樹下諸佛現神

放於无量无數色光皆悉遍照十方世界衆
寶樹下師子座上諸佛亦復如是出廣長舌
放无量光釋迦牟尼佛及寶樹下諸佛現神
力時滿百千歲然後還攝舌相一時謦欬俱
共彈指是二音聲遍至十方諸佛界地皆六
種震動其中衆生天龍夜叉乾闥婆阿脩
羅迦樓羅緊那羅摩睺羅伽人非人等以佛
神力故皆見此娑婆世界无量无邊百千万
億衆寶樹下師子座上諸佛及見釋迦牟尼
佛共多寶如來在寶塔中坐師子座又見无
量无邊百千万億菩薩摩訶薩及諸四衆恭
敬圍繞釋迦牟尼佛既見是已皆大歡喜得
未曾有即時諸天於虛空中高聲唱言過此
无量无邊百千万億阿僧祇世界有國名娑
婆是中有佛名釋迦牟尼今為諸菩薩摩訶
薩說大乘經名妙法蓮華教菩薩法佛所護
念汝等當深心隨喜亦當礼拜供養釋迦牟
尼佛彼諸衆生聞虛空中聲已合掌向娑婆
世界作如是言南无釋迦牟尼佛南无釋迦
牟尼佛以種種華香瓔珞幡蓋及諸嚴身之
具珎寶妙物皆共遙散娑婆世界所散諸物
從十方來譬如雲集變成寶帳遍覆此間諸
佛之上于時十方世界通達无礙如一佛土
尒時佛告上行等菩薩大衆諸佛神力如是
无量无邊不可思議若我以是神力於无量
无邊百千万億阿僧祇劫為囑累故說此經

BD00644號　妙法蓮華經卷六　（25–15）

无量无邊不可思議若我以是神力於无量
无邊百千万億阿僧祇劫為囑累故說此經
功德猶不能盡以要言之如來一切所有之
法如來一切自在神力如來一切秘要之藏
如來一切甚深之事皆於此經宣示顯說是
故汝等於如來滅後應一心受持讀誦解說
書寫如說修行所在國土若有受持讀誦解
說書寫如說修行若經卷所住之處若於園
中若於林中若於樹下若於僧坊若白衣舍
若在殿堂若山谷曠野是中皆應起塔供養
所以者何當知是處即是道場諸佛於此得
阿耨多羅三藐三菩提諸佛於此轉于法輪
諸佛於此而般涅槃尒時世尊欲重宣此義
而說偈言

諸佛救世者　住於大神通　為悅衆生故　現无量神力
舌相至梵天　身放无數光　為求佛道者　現此希有事
諸佛謦欬聲　及彈指之聲　周聞十方國　地皆六種動
以佛滅度後　能持是經故　諸佛皆歡喜　現无量神力
囑累是經故　讚美受持者　於无量劫中　猶故不能盡
是人之功德　无邊无有窮　如十方虛空　不可得邊際
能持是經者　則為已見我　亦見多寶佛　及諸分身者
又見我今日　教化諸菩薩　能持是經者　令我及分身
滅度多寶佛　一切皆歡喜　十方現在佛　并過去未來
亦見亦供養　亦令得歡喜　諸佛坐道場　所得秘要法
能持是經者　不久亦當得　能持是經者　於諸法之義
名字及言辭　樂說无窮盡　如風於空中　一切无障礙
於如來滅後　知佛所說經　因緣及次第　隨義如實說

BD00644號　妙法蓮華經卷六　（25–16）

能持是經者　不久亦當得　能持是經者　於諸法之義
名字及言辭　樂說无窮盡　如風於空中　一切无障礙
於如來滅後　知佛所說經　因緣及次第　隨義如實說
如日月光明　能除諸幽冥　斯人行世間　能滅衆生闇
教无量菩薩　畢竟住一乘　是故有智者　聞此功德利
於我滅度後　應受持斯經　是人於佛道　決定无有疑

妙法蓮華經囑累品第二十二

尒時釋迦牟尼佛從法座起現大神力以右
手摩无量菩薩摩訶薩頂而作是言我於无
量百千万億阿僧祇劫脩習是難得阿耨多
羅三藐三菩提法今以付囑汝等汝等應當
一心流布此法廣令增益如是三摩諸菩薩
摩訶薩頂而作是言我於无量百千万億阿
僧祇劫脩習是難得阿耨多羅三藐三菩提
法今以付囑汝等汝等當受持讀誦廣宣此
法令一切衆生普得聞知所以者何如來有
大慈悲无諸慳悋亦无所畏能與衆生佛之
智慧如來智慧自然智慧如來是一切衆生
之大施主汝等亦應隨學如來之法勿生慳
悋於未來世若有善男子善女人信如來智
慧者當為演說此法華經使得聞知為令其
人得佛慧故若有衆生不信受者當於如來
餘深法中示教利喜汝等若能如是則為已
報諸佛之恩時諸菩薩摩訶薩聞佛作是說
已皆大歡喜遍滿其身益加恭敬曲躬低頭
合掌向佛俱發聲言如世尊勅當具奉行唯

已皆大歡喜遍滿其身益加恭敬曲躬低頭
合掌向佛俱發聲言如世尊勅當具奉行唯
然世尊願不有慮諸菩薩摩訶薩衆如是三
反俱發聲言如世尊勅當具奉行唯然世尊
願不有慮尒時釋迦牟尼佛令十方來諸分
身佛各還本土而作是言諸佛各隨所安多
寶佛塔還可如故說是語時十方无量分身
諸佛坐寶樹下師子座上者及多寶佛并上
行等无邊阿僧祇菩薩大衆舍利弗等聲聞
四衆及一切世間天人阿脩羅等聞佛所說
皆大歡喜

妙法蓮華經藥王菩薩本事品第二十三

尒時宿王華菩薩白佛言世尊藥王菩薩云
何遊於娑婆世界世尊是藥王菩薩有若干
百千万億那由他難行苦行善哉世尊願少
解說諸天龍神夜叉乾闥婆阿脩羅迦樓羅
緊那羅摩睺羅伽人非人等又他國土諸來
菩薩及此聲聞衆聞皆歡喜尒時佛告宿王
華菩薩乃往過去无量恒河沙劫有佛号日
月淨明德如來應供正遍知明行足善逝世
間解无上士調御丈夫天人師佛世尊其佛
有八十億大菩薩摩訶薩七十二恒河沙大
聲聞衆佛壽四万二千劫菩薩壽命亦等彼
國无有女人地獄餓鬼畜生阿脩羅等及以
諸難地平如掌瑠璃所成寶樹莊嚴寶帳覆
上垂寶華幡寶瓶香爐周遍國界七寶為臺
一樹一臺其樹去臺盡一箭道此諸寶樹皆

諸難地平如掌瑠璃所成寶樹莊嚴寶帳覆
上垂寶華幡寶瓶香爐周遍國界七寶為臺
一樹一臺其樹去臺盡一箭道此諸寶樹皆
有菩薩聲聞而坐其下諸寶臺上各有百億
諸天作天伎樂歌嘆於佛以為供養尒時彼
佛為一切衆生憙見菩薩及衆菩薩諸聲聞
衆說法華經是一切衆生憙見菩薩樂習苦
行於日月淨明德佛法中精進經行一心求
佛滿万二千歲已得現一切色身三昧得此
三昧已心大歡喜即作念言我得現一切色
身三昧皆是得聞法華經力我今當供養日
月淨明德佛及法華經即時入是三昧於虛
空中雨曼陀羅華摩訶曼陀羅華細末堅黑
栴檀滿虛空中如雲而下又雨海此岸栴檀
之香此香六銖價直娑婆世界以供養佛作
是供養已從三昧起而自念言我雖以神力
供養於佛不如以身供養即服諸香栴檀薰
陸兜樓婆畢力迦沉水膠香又飲瞻蔔諸華
香油滿千二百歲已香油塗身於日月淨明
德佛前以天寶衣而自纏身灌諸香油以神
通力願而自燃身光明遍照八十億恒河沙
世界其中諸佛同時讃言善哉善哉善男子
是真精進是名真法供養如来若以華香瓔
珞燒香末香塗香天繒幡蓋及海此岸栴檀
之香如是等種種諸物供養所不能及假使
國城妻子布施亦所不及善男子是名第一
之施於諸施中最尊最上以法供養諸如来

BD00644 號　妙法蓮華經卷六　（25–19）

珞燒香末香塗香天繒幡蓋及海此岸栴檀
之香如是等種種諸物供養所不能及假使
國城妻子布施亦所不及善男子是名第一
之施於諸施中最尊最上以法供養諸如来
故作是語已而各嘿然其身火然千二百歲
過是已後其身乃盡一切衆生憙見菩薩作
如是法供養已命終之後復生日月淨明德
佛國中於淨德王家結跏趺坐忽然化生即
為其父而說偈言
大王今當知　我經行彼處　即時得一切　現諸身三昧
懃行大精進　捨所愛之身
說是偈已而白父言日月淨明德佛今故現
在我先供養佛已得解一切衆生語言陀羅
尼復聞是法華經八百千万億那由他甄迦
羅頻婆羅阿閦婆等偈大王我今當還供養
此佛白已即坐七寶之臺上升虛空高七多
羅樹往到佛所頭面礼足合十指爪以偈讃
佛
容顏甚奇妙　光明照十方　我適曾供養　今復還親近
尒時一切衆生憙見菩薩說是偈已而白佛
言世尊世尊猶故在世尒時日月淨明德佛
告一切衆生憙見菩薩善男子我涅槃時到
滅盡時至汝可安施床座我於今夜當般涅
槃又勅一切衆生憙見菩薩善男子我以佛
法囑累於汝及諸菩薩大弟子并阿耨多羅
三藐三菩提法亦以三千大千七寶世界諸
寶樹寶臺及給侍諸天悉付於汝我滅度後

BD00644 號　妙法蓮華經卷六　（25–20）

槃又勑一切衆生憙見菩薩善男子我以佛
法囑累於汝及諸菩薩大弟子并阿耨多羅
三藐三菩提法亦以三千大千七寶世界諸
寶樹寶臺及給侍諸天悉付於汝我滅度後
所有舍利亦付囑汝當令流布廣設供養應
起若干千塔如是日月淨明德佛勑一切衆
生憙見菩薩已於夜後分入於涅槃尒時一
切衆生憙見菩薩見佛滅度悲感懊惱戀慕
於佛即以海此岸栴檀爲𧂐供養佛身而以
燒之火滅已後收取舍利作八万四千寶瓶
以起八万四千塔高三世界表剎莊嚴垂諸
幡蓋懸衆寶鈴尒時一切衆生憙見菩薩復
自念言我雖作是供養心猶未足我今當更
供養舍利便語諸菩薩大弟子及天龍夜叉
等一切大衆汝等當一心念我今供養日月
淨明德佛舍利作是語已即於八万四千塔
前然百福莊嚴臂七万二千歲而以供養令
无數求聲聞衆无量阿僧祇人發阿耨多羅
三藐三菩提心皆使得住現一切色身三昧
尒時諸菩薩天人阿脩羅等見其无臂憂惱
悲哀而作是言此一切衆生憙見菩薩是我
等師教化我者而今燒臂身不具足于時一
切衆生憙見菩薩於大衆中立此誓言我捨
兩臂必當得佛金色之身若實不虛令我兩
臂還復如故作是誓已自然還復由斯菩薩
福德智慧淳厚所致當尒之時三千大千世

BD00644號　妙法蓮華經卷六　（25–21）

等師教化我者而今燒臂身不具足于時一
切衆生憙見菩薩於大衆中立此誓言我捨
兩臂必當得佛金色之身若實不虛令我兩
臂還復如故作是誓已自然還復由斯菩薩
福德智慧淳厚所致當尒之時三千大千世
界六種震動天雨寶華一切人天得未曾有
佛告宿王華菩薩於汝意云何一切衆生憙
見菩薩豈異人乎今藥王菩薩是也其所捨
身布施如是无量百千万億那由他數宿王
華若有發心欲得阿耨多羅三藐三菩提者
能然手指乃至足一指供養佛塔勝以國城
妻子及三千大千國土山林河池諸珎寶物
而供養者若復有人以七寶滿三千大千世
界供養於佛及大菩薩辟支佛阿羅漢是人
所得功德不如受持此法華經乃至一四句
偈其福最多宿王華譬如一切川流江河諸
水之中海爲第一此法華經亦復如是於諸
如來所說經中最爲深大又如土山黑山小
鐵圍山大鐵圍山及十寶山衆山之中須弥
山爲第一此法華經亦復如是於諸經中最
爲其上又如衆星之中月天子最爲第一此
法華經亦復如是於千万億種諸經法中最
爲照明又如日天子能除諸闇此經亦復如
是能破一切不善之闇又如諸小王中轉輪
聖王最爲第一此經亦復如是於衆經中最
爲其尊又如帝釋於三十三天中王此經亦
復如是諸經中王又如大梵天王一切衆生

BD00644號　妙法蓮華經卷六　（25–22）

是能破一切不善之闇又如諸小王中轉輪
聖王㝡為第一此經亦復如是於衆經中㝡
為其尊又如帝釋於三十三天中王此經亦
復如是諸經中王又如大梵天王一切衆生
之父此經亦復如是一切賢聖學无學及發
菩薩心者之父又如一切凡夫人中須陁洹
斯陁含阿那含阿羅漢辟支佛為第一此經
亦復如是一切如來所說若菩薩所說若聲
聞所說諸經法中㝡為第一有能受持是經
典者亦復如是於一切衆生中亦為第一一
切聲聞辟支佛中菩薩為第一此經亦復如
是於一切諸經法中㝡為第一如佛為諸法
王此經亦復如是諸經中王宿王華此經能
救一切衆生者此經能令一切衆生離諸苦
惱此經能大饒益一切衆生充滿其願如清
涼池能滿一切諸渴之者如寒者得火如裸
者得衣如商人得主如子得母如渡得船如
病得醫如暗得燈如貧得寶如民得王如賈
客得海如炬除暗此法華經亦復如是能令
衆生離一切苦一切病痛能解一切生死之
縛若人得聞此法華經若自書若使人書所
得功德以佛智慧籌量多少不得其邊若書
是經卷華香瓔珞燒香末香塗香幡蓋衣服
種種之燈蘇燈油燈諸香油燈瞻蔔油燈須
曼油燈波羅羅油燈婆利師迦油燈那婆摩
利油燈供養所得功德亦復无量宿王華若

BD00644 號　妙法蓮華經卷六　（25–23）

縛若人得聞此法華經若自書若使人書所
得功德以佛智慧籌量多少不得其邊若書
是經卷華香瓔珞燒香末香塗香幡蓋衣服
種種之燈蘇燈油燈諸香油燈瞻蔔油燈須
曼油燈波羅羅油燈婆利師迦油燈那婆摩
利油燈供養所得功德亦復无量宿王華若
有人聞是藥王菩薩本事品者亦得无量无
邊功德若有女人聞是藥王菩薩本事品能
受持者盡是女身後不復受若如來滅後後
五百歲中若有女人聞是經典如說脩行於
此命終即往安樂世界阿弥陁佛大菩薩衆
圍繞住處生蓮華中寶座之上不復為貪欲
所惱亦復不為瞋恚愚癡所惱亦復不為憍
慢嫉妬諸垢所惱得菩薩神通无生法忍得
是忍已眼根清淨以是清淨眼根見七百万
二千億那由他恒河沙等諸佛如來是時諸
佛遥共讚言善哉善哉善男子汝能於釋迦
牟尼佛法中受持讀誦思惟是經為他人說
所得福德无量无邊火不能燒水不能漂汝
之功德千佛共說不能令盡汝今已能破諸
魔賊壞生死軍諸餘怨敵皆悉摧滅善男子
百千諸佛以神通力共守護汝於一切世間
天人之中无如汝者唯除如來其諸聲聞辟
支佛乃至菩薩智慧禪定无有與汝等者宿
王華此菩薩成就如是功德智慧之力若有
人聞是藥王菩薩本事品能隨喜讚善者是
現世口中常出青蓮華香身毛孔中常出

BD00644 號　妙法蓮華經卷六　（25–24）

天人之中无如汝者唯除如來其諸聲聞辟
支佛乃至菩薩智慧禪定无有與汝等者宿
王華此菩薩成就如是功德智慧之力若有
人聞是藥王菩薩本事品能隨喜讚善者是
人現世口中常出青蓮華香身毛孔中常出
牛頭栴檀香所得功德如上所說是故宿王
華以此藥王菩薩本事品囑累於汝我滅度
後後五百歲中廣宣流布於閻浮提无令斷
絕惡魔魔民諸天龍夜叉鳩槃荼等得其便
也宿王華汝當以神通之力守護是經所以
者何此經則為閻浮提人病之良藥若人有
病得聞是經病即消滅不老不死宿王華汝
若見有受持是經者應以青蓮華盛滿末香
供散其上散已作是念言此人不久必當取
草坐於道場破諸魔軍當吹法螺擊大法鼓
度脫一切眾生老病死海是故求佛道者見
有受持是經典人應當如是生恭敬心說是
藥王菩薩本事品時八万四千菩薩得解一
切眾生語言陁羅尼多寶如來於寶塔中讚
宿王華菩薩言善哉善哉宿王華汝成就不
可思議功德乃能問釋迦牟尼佛如此之事
利益无量一切眾生

妙法蓮華經卷第六

BD00644號　妙法蓮華經卷六　（25–25）

智慧方
聞授諸大弟子阿耨多羅三
藐三菩提記復聞宿世因緣之事復聞諸佛
有大自在神通之力得未曾有心淨踊躍即
從座起到於佛前頭面礼足却住一面瞻仰
尊顏目不暫捨而作是念世尊甚奇特所為
希有隨順世間若干種性以方便知見而為
說法拔出眾生處處貪著我等於佛功德言
不能宣唯佛世尊能知我等深心本願尒時
佛告諸比丘汝等見是富樓那彌多羅尼子
不我常稱其於說法人中最為第一亦常歎
其種種功德精勤護持助宣我法能於四眾
示教利喜具足解釋佛之正法而大饒益同
梵行者自捨如來无能盡其言論之辯汝等
勿謂富樓那但能護持助宣我法亦於過去
九十億諸佛所護持助宣佛之正法於彼說
法人中亦最第一又於諸佛所說空法明了
通達得四无礙智常能審諦清淨說法无有
疑惑具足菩薩神通之力隨其壽命常脩梵
行彼佛世人咸皆謂之實是聲聞而富樓那
以斯方便饒益无量百千眾生又化无量阿
僧祇人令立阿耨多羅三藐三菩提為淨佛
土故常作佛事教化眾生諸比丘富樓那亦

BD00645號　妙法蓮華經卷四　（11–1）

行彼佛世人咸皆謂之實……
以斯方便饒益无量百千衆生又化无量阿
僧祇人令立阿耨多羅三藐三菩提為淨佛
土故常作佛事教化衆生諸比丘富樓那亦
於七佛説法人中而得第一今於我所説法
人中亦為第一於賢劫中當來諸佛説法人
中亦復第一而皆護持助宣佛法亦於未來
護持助宣无量无邊諸佛之法教化饒益无
量衆生令立阿耨多羅三藐三菩提為淨佛
土故常勤精進教化衆生漸漸具足菩薩之
道過无量阿僧祇劫當於此土得阿耨多羅
三藐三菩提号曰法明如來應供正遍知明
行足善逝世間解无上士調御丈夫天人師
佛世尊其佛以恒河沙等三千大千世界為
一佛土七寶為地地平如掌无有山陵谿澗
溝壑七寶臺觀充滿其中諸天宮殿近處虛
空人天交接兩得相見无諸惡道亦无女人
一切衆生皆以化生无有婬欲得大神通身
出光明飛行自在志念堅固精進智慧普皆
金色三十二相而自莊嚴其國衆生常以二
食一者法喜食二者禪悅食有无量阿僧祇
千万億那由他諸菩薩衆得大神通四无礙
智善能教化衆生之類其聲聞衆筭數校計
所不能知皆得具足六通三明及八解脫其
佛國土有如是等无量功德莊嚴成就劫名
寶明國名善淨其佛壽命无量阿僧祇劫法
住甚久佛滅度後起七寶塔遍滿其國尒時

佛國土有……
寶明國名善淨其佛壽命无量阿僧祇劫法
住甚久佛滅度後起七寶塔遍滿其國尒時
世尊欲重宣此義而説偈言
諸比丘諦聽　佛子所行道　善學方便故　不可得思議
知衆樂小法　而畏於大智　是故諸菩薩　作聲聞緣覺
以无數方便　化諸衆生類　自説是聲聞　去佛道甚遠
度脫无量衆　皆悉得成就　雖小欲懈怠　漸當令作佛
內秘菩薩行　外現是聲聞　少欲猒生死　實自淨佛土
示衆有三毒　又現邪見相　我弟子如是　方便度衆生
若我具足説　種種現化事　衆生聞是者　心則懷疑惑
今此富樓那　於昔千億佛　勤脩所行道　宿護諸佛法
為求无上慧　而於諸佛所　現居弟子上　多聞有智慧
所説无所畏　能令衆歡喜　未曾有疲倦　而以助佛事
已度大神通　具四无礙慧　知衆根利鈍　常説清淨法
演暢如是義　教諸千億衆　令住大乘法　而自淨佛土
未來亦供養　无量无數佛　護助宣正法　亦自淨佛土
常以諸方便　説法无所畏　度不可計衆　成就一切智
供養諸如來　護持法寶藏　其後得成佛　号名曰法明
其國名善淨　七寶所合成　劫名為寶明　菩薩衆甚多
其數无量億　皆度大神通　威德力具足　充滿其國土
聲聞亦无數　三明八解脫　得四无礙智　以是等為僧
其國諸衆生　婬欲皆已斷　純一變化生　具相莊嚴身
法喜禪悅食　更無餘食想　无有諸女人　亦无諸惡道
富樓那比丘　功德悉成滿　當得斯淨土　賢聖衆甚多
如是无量事　我今但略説

法喜禪悅食　更無餘食想　无有諸女人　亦无諸惡道
富樓那比丘　功德悉成滿　當得斯淨土　賢聖衆甚多
如是无量事　我今但略說
尒時千二百阿羅漢心自在者作是念我等
歡喜得未曾有若世尊各見授記如餘大弟
子者不亦快乎佛知此等心之所念告摩訶
迦葉是千二百阿羅漢我今當現前次第與
受阿耨多羅三藐三菩提記於此衆中我大
弟子憍陳如比丘當供養六万二千億佛然
後得成為佛号曰普明如來應供正遍知明
行足善逝世間解无上士調御丈夫天人師
佛世尊其五百阿羅漢優樓頻螺迦葉伽耶
迦葉那提迦葉迦留陀夷優陀夷阿嵬樓馱
離波多劫賓那薄拘羅周陀莎伽陀等皆當
得阿耨多羅三藐三菩提盡同一号名曰普
明尒時世尊欲重宣此義而說偈言
憍陳如比丘　當見无量佛　過阿僧祇劫　乃成等正覺
常放大光明　具足諸神通　名聞遍十方　一切之所敬
常說无上道　故号為普明　其國土清淨　菩薩皆勇猛
咸昇妙樓閣　遊諸十方國　以无上供具　奉獻於諸佛
作是供養已　心懷大歡喜　須臾還本國　有如是神力
佛壽六万劫　正法住倍壽　像法復倍是　法滅天人憂
其五百比丘　次第當作佛　同号曰普明　轉次而授記
我滅度之後　某甲當作佛　其所化世間　亦如我今日
國土之嚴淨　及諸神通力　菩薩聲聞衆　正法及像法
壽命劫多少　皆如上所說　迦葉汝已知　五百自在者

BD00645號　妙法蓮華經卷四　（11–4）

我滅度之後　某甲當作佛　其所化世間　亦如我今日
國土之嚴淨　及諸神通力　菩薩聲聞衆　正法及像法
壽命劫多少　皆如上所說　迦葉汝已知　五百自在者
餘諸聲聞衆　亦當復如是　其不在此會　汝當為宣說
尒時五百阿羅漢於佛前得受記已歡喜踊
躍即從座起到於佛前頭面礼足悔過自責
世尊我等常作是念自謂已得究竟滅度今
乃知之如无智者所以者何我等應得如來
智慧而便自以小智為足世尊譬如有人至
親友家醉酒而卧是時親友官事當行以无
價寶珠繫其衣裏與之而去其人醉卧都不
覺知起已遊行到於他國為衣食故勤力求
索甚大艱難若少有所得便以為足於後親
友會遇見之而作是言咄哉丈夫何為衣食
乃至如是我昔欲令汝得安樂五欲自恣於
某年日月以无價寶珠繫汝衣裏今故現在
而汝不知勤苦憂惱以求自活甚為癡也汝
今可以此寶貿易所須常可如意无所乏短
佛亦如是為菩薩時教化我等令發一切智
心而尋廢忘不知不覺既得阿羅漢道自謂
滅度資生艱難得少為足一切智願猶在不
失今者世尊覺悟我等作如是言諸比丘汝
等所得非究竟滅我久令汝等種佛善根以
方便故示涅槃相而汝謂為實得滅度世尊
我今乃知實是菩薩得受阿耨多羅三藐三
菩提記以是因緣甚大歡喜得未曾有尒時
阿若憍陳如等欲重宣此義而說偈言

BD00645號　妙法蓮華經卷四　（11–5）

我今乃知實是菩薩得受阿耨多羅三藐三
菩提記以是因緣甚大歡喜得未曾有尒時
阿若憍陳如等欲重宣此義而說偈言
我等聞无上　安隱授記聲　歡喜未曾有　礼无量智佛
今於世尊前　自悔諸過咎　於无量佛寶　得少涅槃分
如无智愚人　便自以為足　譬如貧窮人　往至親友家
其家甚大富　具設諸餚饍　以无價寶珠　繫著內衣裏
嘿與而捨去　時卧不覺知　是人既已起　遊行詣他國
求衣食自濟　資生甚艱難　得少便為足　更不願好者
不覺內衣裏　有无價寶珠　與珠之親友　後見此貧人
苦切責之已　示以所繫珠　貧人見此珠　其心大歡喜
富有諸財物　五欲而自恣　我等亦如是　世尊於長夜
常愍見教化　令種无上願　我等无智故　不覺亦不知
得少涅槃分　自足不求餘　今佛覺悟我　言非實滅度
得佛无上慧　尒乃為真滅　我今從佛聞　受記莊嚴事
及轉次受決　身心遍歡喜

妙法蓮華經授學无學人記品第九

尒時阿難羅睺羅而作是念我等每自思
惟設得受記不亦快乎即從座起到於佛前
頭面礼足俱白佛言世尊我等於此亦應有
分唯有如來我等所歸又我等為一切世間天
人阿脩羅所見知識阿難常為侍者護持法
藏羅睺羅是佛之子若佛見授阿耨多羅三
藐三菩提記者我願既滿衆望亦足尒時學
无學聲聞弟子二千人皆從座起偏袒右肩

BD00645號　妙法蓮華經卷四　（11-6）

无學聲聞弟子二千人皆從座起偏袒右肩
到於佛前一心合掌瞻仰世尊如阿難羅睺
羅所願住立一面尒時佛告阿難汝於來世
當得作佛号山海慧自在通王如來應供正
遍知明行足善逝世間解无上士調御丈夫天
人師佛世尊當供養六十二億諸佛護持法
藏然後得阿耨多羅三藐三菩提教化二
十千万億恒河沙諸菩薩等令成阿耨多羅
三藐三菩提國名常立勝幡其土清淨瑠璃
為地劫名妙音遍滿其佛壽命无量千万億
阿僧祇劫若人於千万億无量阿僧祇劫中
筭數校計不能得知正法住世倍於壽命像
法住世復倍正法阿難是山海慧自在通王
佛為十方无量千万億恒河沙等諸佛如
來所共讚歎稱其功德尒時世尊欲重宣此
義而說偈言
我今僧中說　阿難持法者　當供養諸佛　然後成正覺
号曰山海慧　自在通王佛　其國土清淨　名常立勝幡
教化諸菩薩　其數如恒沙　佛有大威德　名聞滿十方
壽命有无量　以愍衆生故　正法倍壽命　像法復倍是
如恒河沙等　无數諸衆生　於此佛法中　種佛道因緣
尒時會中新發意菩薩八千人咸作是念我
等尚不聞諸大菩薩得如是記有何因緣而
諸聲聞得如是決尒時世尊知諸菩薩心之
所念而告之曰諸善男子我與阿難等於空
王佛所同時發阿耨多羅三藐三菩提心阿

BD00645號　妙法蓮華經卷四　（11-7）

諸聲聞得如是決尒時世尊知諸菩薩心之
所念而告之曰諸善男子我與阿難等於空
王佛所同時發阿耨多羅三藐三菩提心阿
難常樂多聞我常勤精進是故我已得成阿
耨多羅三藐三菩提而阿難護持我法亦護
將來諸佛法藏教化成就諸菩薩衆其本願
如是故獲斯記阿難面於佛前自聞受記及國
土莊嚴所願具足心大歡喜得未曾有即時
憶念過去无量千万億諸佛法藏通達无
礙如今所聞亦識本願尒時阿難而說偈言
世尊甚希有　令我念過去　无量諸佛法　如今日所聞
我今无復疑　安住於佛道　方便為侍者　護持諸佛法
尒時佛告羅睺羅汝於來世當得作佛号蹈
七寶華如來應供正遍知明行足善逝世間
解无上士調御丈夫天人師佛世尊當供養
十世界微塵等數諸佛如來常為諸佛而作
長子猶如今也是蹈七寶華佛國土莊嚴壽
命劫數所化弟子正法像法亦如山海慧自
在通王如來无異亦為此佛而作長子過是
已後當得阿耨多羅三藐三菩提尒時世尊
欲重宣此義而說偈言
我為太子時　羅睺為長子　我今成佛道　受法為法子
於未來世中　見无量億佛　皆為其長子　一心求佛道
羅睺羅密行　唯我能知之　現為我長子　以示諸衆生
无量億千万　功德不可數　安住於佛法　以求无上道
尒時世尊見學无學二千人其意柔軟寂然

无量億千万　功德不可數　安住於佛法　以求无上道
尒時世尊見學无學二千人其意柔軟寂然
清淨一心觀佛佛告阿難汝見是學无學二
千人不唯然已見阿難是諸人等當供養五十
世界微塵數諸佛如來恭敬尊重護持法藏
末後同時於十方國各得成佛皆同一号名曰
寶相如來應供正遍知明行足善逝世間解无
上士調御丈夫天人師佛世尊壽命一劫國
土莊嚴聲聞菩薩正法像法皆悉同等尒時
世尊欲重宣此義而說偈言
是二千聲聞　今於我前住　悉皆與授記　未來當成佛
所供養諸佛　如上說塵數　護持其法藏　後當成正覺
各於十方國　悉同一名号　俱時坐道場　以證无上慧
皆名為寶相　國土及弟子　正法與像法　悉等无有異
咸以諸神通　度十方衆生　名聞普周遍　漸入於涅槃
尒時學无學二千人聞佛授記歡喜踊躍而
說偈言
世尊慧燈明　我聞授記音　心歡喜充滿　如甘露見灌

妙法蓮華經法師品第十

尒時世尊因藥王菩薩告八万大士藥王汝
見是大衆中无量諸天龍王夜叉乾闥婆阿
脩羅迦樓羅緊那羅摩睺羅伽人與非人及
比丘比丘尼優婆塞優婆夷求聲聞者求
辟支佛者求佛道者如是等類咸於佛前聞
妙法華經一偈一句乃至一念隨喜者我皆與
授記當得阿耨多羅三藐三菩提佛告藥王

妙法華經一偈一句乃至一念隨喜者我皆與
授記當得阿耨多羅三藐三菩提佛告藥王
又如來滅度之後若有人聞妙法華經乃至
一偈一句一念隨喜者我亦與授阿耨多羅
三藐三菩提記若復有人受持讀誦解說書
寫妙法華經乃至一偈於此經卷敬視如佛
種種供養華香瓔珞末香塗香燒香繒蓋
幢幡衣服伎樂乃至合掌恭敬藥王當知是
諸人等已曾供養十万億佛於諸佛所成就
大願愍衆生故生此人間
藥王若有人問何等衆生於未來世當得作佛
應示是諸人等於未來世必得作佛何以故
若善男子善女人於法華經乃至一句受持
讀誦解說書寫種種供養經卷華香瓔珞
末香塗香燒香繒蓋幢幡衣服伎樂合掌恭
敬是人一切世間所應瞻奉應以如來供養
而供養之當知此人是大菩薩成就阿耨多
羅三藐三菩提哀愍衆生願生此間廣演分
別妙法華經何況盡能受持種種供養者藥
王當知是人自捨清淨業報於我滅後愍衆
生故生於惡世廣演此經若是善男子善女
人我滅度後能竊為一人說法華經乃至一句
當知是人則如來使如來所遣行如來事何
況於大衆中廣為人說藥王若有惡人以不
善心於一劫中現於佛前常毀罵佛其罪尚
輕若人以一惡言毀呰在家出家讀誦法華

BD00645號　妙法蓮華經卷四　（11–10）

生故生於惡世廣演此經若是善男子善女
人我滅度後能竊為一人說法華經乃至一句
當知是人則如來使如來所遣行如來事何
況於大衆中廣為人說藥王若有惡人以不
善心於一劫中現於佛前常毀罵佛其罪尚
輕若人以一惡言毀呰在家出家讀誦法華
經者其罪甚重藥王其有讀誦法華經者
當知是人以佛莊嚴而自莊嚴則為如來肩
所荷擔其所至方應隨向礼一心合掌恭敬供
養尊重讚歎華香瓔珞末香塗香燒香繒
蓋幢幡衣服餚饌作諸伎樂人中上供而供
養之應持天寶而以散之天上寶聚應以奉
獻所以者何是人歡喜說法須臾聞之即得
究竟阿耨多羅三藐三菩提尒時世尊欲
重宣此義而說偈言
若欲住佛道　成就自然智　常當勤供養　受持法華者
其有欲疾得　一切種智慧　當受持是經　并供持經者
若有能受持　妙法華經者　當知佛所使　愍念諸衆生
諸有能受持　妙法華經者　捨於清淨土　愍衆故生此
當知如是人　自在所欲生　能於此惡世　廣說无上法
應以天華香　及天寶衣服　天上妙寶聚　供養說法者

BD00645號　妙法蓮華經卷四　（11–11）

佛說救護身命經
爾時佛在娑羅雙樹間臨
阿難及无量諸天菩薩
切天人皆來集會佛還正坐
入般涅洹我滅度後五濁惡
憧為惡魔衆邪蠱道棄人精
横來煞者阿難汝好懃心
中衆生无有病苦无有横
銷滅阿難我所囑累唯有
男无女有能讀誦此經一
惡不得妄近
若在曠野中若在急難中
大水中常當讀是經能悉
有大威神力故常當讀之
著懷中至心受持是經者
在諸佛神力若欲遠行常
一心為人演說有能須申
難佛不虛言此經佛所秘要
妙藥能愈毒病能辟毒氣

BD00646號　救護身命經　（6–1）

一心為人演說有能須申
難佛不虛言此經佛所秘要
妙藥能愈毒病能辟毒氣
行諸惡毒蠱衆邪蠱道欲
惡毒藥氣四向散去不敢
是有疾病者當淨洗浴一
佛告阿難若有惡魔衆邪蠱道不隨
我當使此魔曹衆邪蠱道如押油
滅无有遺餘佛即舉七佛名字第一維衛佛
第二式佛　第三隨葉佛　第四拘樓秦佛
第五拘那含牟尼佛　第六迦葉佛　第七釋迦文佛
若有苦厄病痛者便當讀誦此七佛名字諸
邪蠱道悉得消滅无能復近佛說此經已復
告阿難言我今憐愍衆生故便當更說六神
名字
一名波奈羅　二名迦奈羅　三名禪吒迦
四名勤迦吒　五名摩頭　六名摩祁
此是六神名字阿難若有衆生无男无女无
貴无賤有苦厄者皆當稱說六神名字所患
銷除衆瘦惡氣皆不得近一切滅盡无有遺
餘佛告无量无邊菩薩摩訶薩及天神王一
切天人我滅度後若有受持我所屬法者汝
等常當晝夜擁護令得安隱文殊師利菩薩
白佛言世尊我當於佛滅度後將廿五菩薩

BD00646號　救護身命經　（6–2）

等常當晝夜擁護令得安隱文殊師利菩薩
白佛言世尊我當於佛滅度後將廿五菩薩
於惡世中間有讀此經處我等晝夜在其左
右擁護是人衆邪魍魎不得來近常使是人
臥安覺安脩行善法佛語文殊師利善哉善
哉汝能擁護我百千万劫所可脩集阿耨多
羅三藐三菩提者
尒時四天神王偏袒右肩右膝著地一心合
掌白佛言世尊我當於如來滅後各將眷屬
安行國界若有人能讀誦書寫受持是經者
我等眷屬常來隨逐是人晝夜擁護令不見
惡是人欲行曠野中我常隨逐導從勤心擁
護是人不令惡鬼妄來侵近常得充足不令
飢渴所欲求者我等神王悉令供給如其所
願无所乏少何以故是人能令流布此經脩
行善法供養三寶令不斷絶
尒時乾闥婆王阿脩羅迦樓羅摩睺羅伽人
非人等各各胡跪於如來前一心合掌白佛
言世尊我等天人常當飛行於惡世中間有
讀誦書寫受持是經者我等天人與其眷屬
俱共到是人所住之處聽受此經法常當守
護晝夜不離在其四面擁護是人衆魔惡鬼
不得侵近不得奪其精氣不得横來絶命不
得横來嬈害不得求其長短不得觸厭令毒
不行我等眷屬常當在是人所住於空中是

不得侵近不得奪其精氣不得横來絶命不
得横來嬈害不得求其長短不得觸厭令毒
不行我等眷屬常當在是人所住於空中是
人若遇大火我等眷屬隨其方便救濟其身
不令火燒若遇大水急駛漂去我等眷屬即
於空中來接是人令不見溺水即還停得度
水難若遇大賊我於四面救護是人能使賊
心刀杖不舉即發慈心復道而去若遇官法
繫縛枷鏁晝夜苦者我等眷屬於虛空中能
令其官心生歡喜悉令放赦皆得解脫我等
眷屬一心救護不令他人而得擾亂於无量
无邊劫中常念是經何以故此經世尊慇懃
所屬之法令久流布佛復讚諸天人言善哉
善哉汝等眷屬曾於阿僧祇劫中值遇百千
万億劫諸佛今乃擁護我百千万億劫中弟
子能令流布此法讀誦書寫方便救護不令
見惡常行善心尒時乾闥婆王各與眷屬頂
礼佛足一心奉行
佛告阿難吾以右手摩汝頂上汝好用心吾
所屬累唯有此經阿難汝勤心流布此法令
一切衆生悉得聞知阿難汝家是吾心中弟
子我所出法悉付屬汝吾今憐愍一切衆生
欲令解脫故還正坐付屬此法阿難此經尊
猛極有威神勸令一切族姓男女香華雜綵
礼拜供養然燈續明復能轉讀誦習救人疾

欲令解脫故還已坐付屬此法阿難此經尊
猛極有威神勸令一切族姓男女香華雜綵
礼拜供養然燈續明復能轉讀誦習救人疾
病苦厄之者衆邪灾怪悉令微滅在所安吉
將來往无量壽國即生蓮華軀體金色身相
具足智慧勇猛如上華者功德如是不可稱
計阿難當用好紙好墨好手至心書寫我所
出法上下句偈如佛所說屬无令失一點一
畫阿難我憐愍衆生故唯屬此法令皆一切
有形之類悉得聞知心開意解常行善心
尒時阿難在世尊前一心合掌身毛悉堅戰
戰兢兢一心諦聽佛語不敢妄失一句一偈
流演而言世尊所屬至心受持廣令流布阿
難復言受天尊教頂礼佛足一心奉行
脩福受樂報　所欲皆自然　超踰生死流　上昇之涅槃
若人好為福　天神自然護　所願皆自成　衆魔不能壞
薄福多諸惱　福能銷諸惡　福德既牢强　速成堅固定
生天受快樂　所往皆自當　斯由福德故　人中得自在
回此福方便　永離生死苦　得道至涅槃　不沒不復生
佛說救護身命經

BD00646 號　救護身命經　　（6–5）

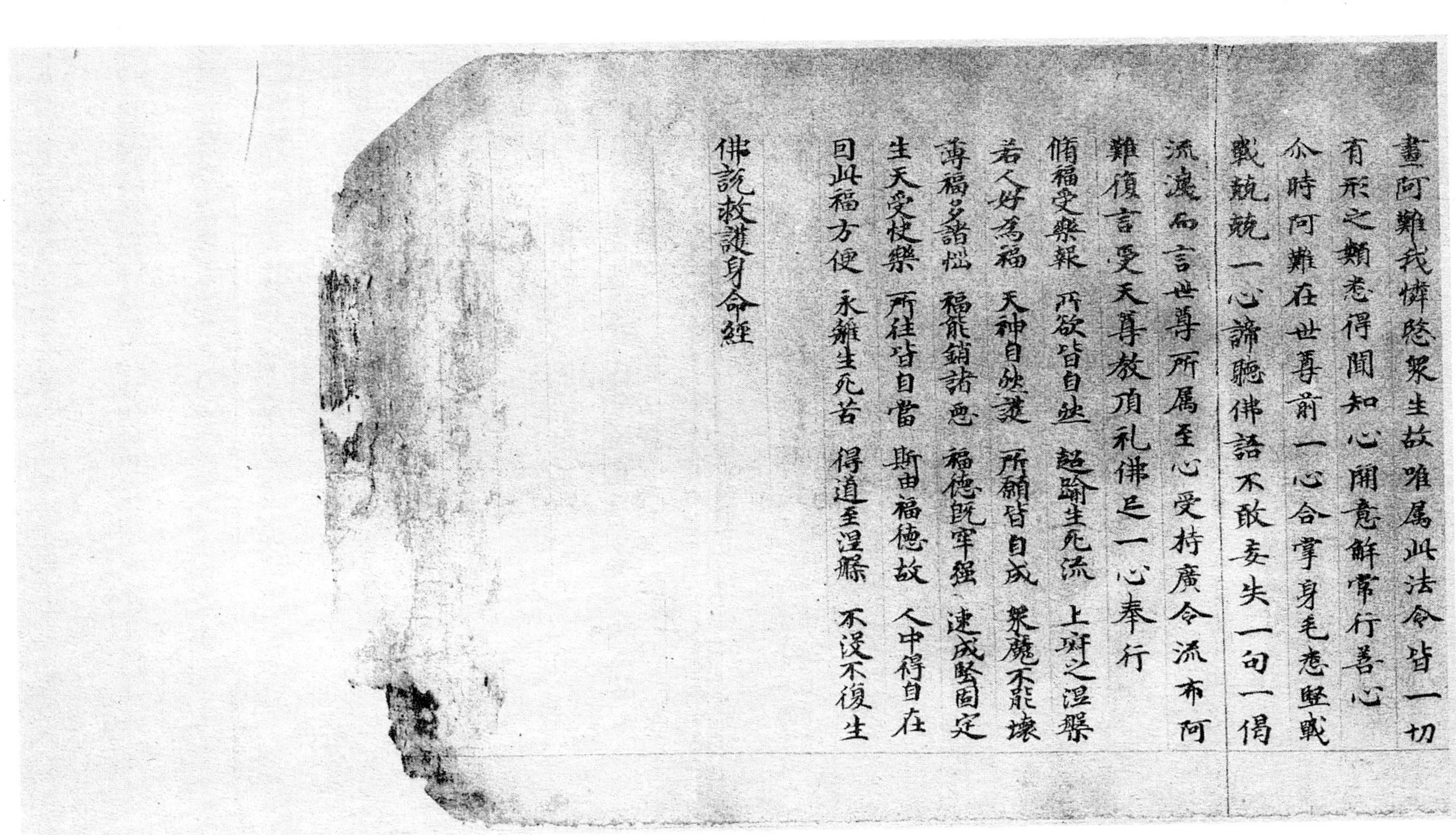
畫阿難我憐愍衆生故唯屬此法令皆一切
有形之類悉得聞知心開意解常行善心
尒時阿難在世尊前一心合掌身毛悉堅戰
戰兢兢一心諦聽佛語不敢妄失一句一偈
流演而言世尊所屬至心受持廣令流布阿
難復言受天尊教頂礼佛足一心奉行
脩福受樂報　所欲皆自然　超踰生死流　上昇之涅槃
若人好為福　天神自然護　所願皆自成　衆魔不能壞
薄福多諸惱　福能銷諸惡　福德既牢强　速成堅固定
生天受快樂　所往皆自當　斯由福德故　人中得自在
回此福方便　永離生死苦　得道至涅槃　不沒不復生
佛說救護身命經

BD00646 號　救護身命經　　（6–6）

鉢來受者犯不 答曰不犯所以知之鉢已有一人皆聞知若送二來
即是慳心袘受則不犯 又一解時若破二鉢一至雖送多鉢若盡
受即犯洛乞鉢戒中更有異人送來亦尒故不立此戒鉢无多用
故尒但使受一竟 又曰人更送來皆洛乞鉢戒中衣一人送來
隨失衣受足更有人送若受亦犯過知足戒何以故為失故送也
非是冒厚故袘又復衣多畜多受故制勸增貫戒
問曰勸讀增貫中何故乃至一縷亦犯乞衣中廣至一領一條方犯
答曰乞本種主先无入齊之心及至乞時隨情等量袘与椛義是
少故制一領一條方犯增貫種主慳心自袘入齊之理无回利量
索多長貪心以心袘之故後隨索莫問多少皆椛前人違本袘
意隨至一縷得左罪者也 問曰若勸二居士增貫一人言无
一人增貫作為犯後戒犯前戒 答故犯後戒何以故雖一人无增
猶有方便之罪故過三返六默然戒 所以制此戒者由四種人遣
使送寶与比丘即犯畜寶不敢領受比丘欲語使寶還恐後衣鉢
臨時須難得即將使付居士掌之使貿衣鉢清淨受之但未得

BD00647 號　四分律戒本疏釋(擬)

(25–1)

使送寶与比丘即犯畜寶不敢領受比丘欲語使寶還恐後衣鉢
臨時須難得即將使付居士掌之使貿衣鉢清淨受之但未得
衣間王臣問使我送寶与比丘竟受畜不使即報言比丘不得
受畜付俗人掌之大臣聞之即遣人許索若不受用寄宣何為
比丘聞索恐失此物遍切居士使横惚不少致外人譏故制戒
不聽後居士辦淨衣物比丘不敢取回之更開制三返六默然
又復過三返語六默索衣故制此戒曰重開餘律中并此无
文准義應有制戒更開文略故直制三語六默然也
問曰此結罪為使王臣過結罪居士過結也 答不得偏就
一邊結罪但由王臣心勤故動遍切居士恐失攝其二加為竟
結罪也 即問若王臣後施比丘云何不犯畜寶也解有三
解中明一解言時比丘正欲受衣鉢衣都不欲作取寶得寶
畢不敢故不犯畜寶也
黑白手毛戒 問曰黑白毛坐具皆同是犯何故前戒不制
作法後戒方制作解云若前戒制作人情謂後不犯今後者
制作法前戒通知是犯故至後戒也 問曰黑白俱同是犯
何故制作中黑者二分白者一分 答正以就白制作歉白過
故黑者安多若尒就黑作者亦白多如是又一解時黑多白少

BD00647 號　四分律戒本疏釋(擬)

(25–2)

何故制作中黑者二分白者一分　答正以能白制作欲白過
故黑者要多若不能黑作者亦白多如是又一解時黑多白少
有義欲明白者悟人業耶黑者同出家法耶以是義故欲
白患多故黑多白少尔　問曰綿蒼黑白臥具皆是貴物
等同制作何故綿綿斬懷黑白令捨　答雖同制作但綿生患
有二一害生命而得二貴物下用有此二過譏患處故制斬懷
問曰此黑白毛臥具何故立二戒後不揲坐具不立二戒
答曰黑白二俱是犯若直制黑謂白得作是故二俱制不揲坐
有故制揲无則不揲不犯故不立二戒也減六年臥具戒
問曰病得僧作法聽減六年作臥具若作純黑白為懷減六年
法不答尔得僧處分法作過量房亦懷處分法不　答曰不懷
何故尔解時有異僧處分作房過量不懷處分法者以房无捨
法直捨心懺悔故不懷其法此減六年得法作純白臥具者即
體須捨以捨其所作之體作法本為臥具今體既无法何得有法
在有如此義一在一不在又復臥具有受持法若不如法不任
受持故懷減六年法房无受持法故不處分法得成則无過量
自有罪也　問曰六年臥具何以制其年限不制其揲下坐具制
揲不道年限也　答如來制戒皆為利益不損臥具若六年雖在

受持故懷減六年法房无受持法故不處分法得成則无過量
自有罪也　問曰六年臥具何以制其年限不制其揲下坐具制
揲不道年限也　答如來制戒皆為利益不損臥具若六年雖在
无用恐身長道故以年為限坐具揲制正欲使錄故以令新患
貪以捨餅但得新僧臥具便否不假揲身有此別義故不限年也
問曰作過量不揲坐具為得一罪為得二罪　答曰得二罪不揲
尼薩耆過量波逸提何以故二事有不相假得犯故得二罪若
捨時先截去長然後懺悔若尔不揲者揲便懺何煩捨
答曰未揲以有過在前今雖揲有本過體在故須捨也不同過
量既截去其長无有體在故直懺不須捨若未揲捨竟即
得受用不須更揲何以故既捨與僧僧還我義同他得故不須揲
問曰若持故物作過量坐後不揲有二罪不　答正有過量罪
无不揲過何以然新者制揲懷好故者不須過量不得受持故
得罪　問曰坐具過量制戒截去受持鉢何故不有過量別
制戒教如量　答不得坐可截去得如法用鉢若過量无截去
應量之用截即不似鉢故无此戒也　又一解坐具本減量中制故
有過作截去得受鉢本滿量中制无過義何以知坐具減中制
以加留陀夷開緣得知　問曰坐具過量有不揲罪如前解

有過作截去得受鉢本論量中衆无違[illegible]
以加留施處開綠得知　問曰坐具過量有不犍罪如前解
有若尒鉢過亦有長鉢罪不无何以然坐具截去其長得作坐
具受持若截去下中鉢用故无長過也
畜寶戒何者是寶所言畜寶依此律言寶畜得尼薩耆正道
金銀若錢末量此錢為金銀錢銅錢後下捉寶戒中言者寶金
銀瑠璃乃車璖瑪瑙皆言寶也下貨寶戒中言金銀錢錢乃至
八種也皆尼薩耆若十誦唯金金銀銀錢是真寶自餘銅錢璧玉
七珎等皆名為寶畜得突吉羅若依僧祇每錢有四種一上有
文像国土用畜得尼薩耆上无文像国土雖用畜得越比尼上
有文像国土不用亦輕上无文像国土不用无罪此之四種亦不別
金銀之与銅乃至八種依四分正道錢者上有文像也亦不別真
為今法師欲取僧祇成文和諧餘部十誦云突吉羅非是有文
像国土用者餘三種錢但使上有文像国土用莫問八種錢乃至
胡膠皆是寶畜得尼薩耆餘為寶瑠璃璧玉銅錢畜吉羅律
文既畜寶寶是不淨物銷家應觧八不淨列其名數言依憂婆
塞經文少有嫣當今依此四分中上下文亦有列其八種但不次第
依揵度中妄比丘畜物有文下雜揵度憂陁匹袍加稀象馬車輦
波不受可具足有文然既此八中師判簡有四種畜得罪有輕重
有聽畜不聽畜者皆有其旨也一回澤二根械此二皆是私畜

波不受可具足有文然既此八中師判簡有四種畜得罪有輕重
有聽畜不聽畜者皆有其旨也一回澤二根械此二皆是私畜
杖金一向不得畜不輸所住房舍仏本聽作常有次第用義不得
為不淨也　第三備聚稻糓中及醫等此大儉時聽廿六斛聽付
淨人畜亦不自畜也醫病受得作盡形藥　第四中第五畫不
聽畜正有畢陵伽婆蹉先病身是阿羅漢无有着心守僧伽
藍又聽受餘人不得也第六中金銀錢受得罪以貴貴故施
主捨心是重為欲利益施主有小可大用得衣鉢故聽俗人邊作
淨施畜既有此開故物貴生貪處大故制得罪重金銀得淨施
俗人畜自餘為寶亦得俗人邊淨施畜第七中金銀象不牀不
得畜唯錦綿氍氀長五肘廣三肘毛長三指得畜尋是重物可有
資長道義亦聽畜第八中唯小黑可供身用者聽畜自餘不可
供身者悉亦不聽雖有聽者及不聽者畜得罪有輕重金銀
錦綿應量氍氀此畜得尼薩耆自畜莫問聽皆突吉羅罪次明
八中得作淨施不得如上解得畜除錦綿氍氀小黑供身者得比
丘邊淨施亦如非丘尼得畜類可知輕重如尼戒明也自餘開得畜
者付俗人淨施　問曰粲亦得付俗人畜之何以正得輕罪答雖廿
六石以供身得受有餘多不得畜是故正得輕罪亦可此儉時
乃開非儉不得畜故輕也自餘物聽畜何以然皆可有資身長
道義食本制乞有二種利一得无事脩道二得福利施主是故不聽

乃開非法不得畜故輕也自餘物聽畜何以然皆可有資身長
道義食本制乞有二種利一得无事脩道二得福利施主是故不聽
儲畜故語言作食可盡乞食无盡仏為諸比丘制无盡法以一向不
聽畜故正得輕罪上既聽畜得作淨施法意有敗賣故次明第
相貿得罪輕重也以此八不淨物貿得十種衣皆得足薩耆若以
十種衣物貿得八不淨物有得足薩耆不得者若貿得金銀錢
錦綺氍氀數得足薩耆貿得餘種正突吉羅罪自相貿易金銀
錢錦綺氍氀等相貿得足薩耆自餘種相貿正突吉羅罪
下文言以時易時足薩云何今粲粟相貿正突吉羅解以時易
時者是食即可供身食義故制重罪常聽乞食既得食意有
貿易義故制粲粟一而不聽畜故輕何故知僧祇云糴得粟越
比丘貿得物時足薩耆故知上解除金銀錢自餘重物相貿
突吉羅云何僧祇重物貿重物足薩耆也　答僧祇云重物
者正是金銀是不淨物相貿故言相貿得足薩耆自餘亦故
輕解得輕重所以意誰文有息不煩曲釋又一種人解時一切莫問
輕重相貿皆得足薩耆何以知亦依僧祇八種物皆言足薩耆八種
者時非時七日盡形輕重得淨不淨物此八相貿皆言得足薩耆何以知
且畜得罪輕重販賣同等皆所識過情為過結罪莫問其輕
重也以得罪故皆須捨以懺悔乃至田地將僧坐中捨以懺相承解
如前釋既不聽畜亦无販賣義設有義各罪亦輕　問曰櫨羊
毛過三由旬得一罪論三由旬遣人擔若中間自助即是過櫨何故

重也以得罪故皆
如前釋既不聽畜亦无販賣義設有義各罪亦輕　問曰櫨羊
毛過三由旬得一罪論三由旬遣人擔若中間自助即是過櫨何故
得突吉羅　答遣人擔即彼人為主主故助持得突吉羅罪也
問曰櫨羊毛過三由旬後躡後更開過三由旬本毛亦无重持共沙弥
同宿亦過三得罪有一宿本人迷得共宿羊毛所以不得解時羊毛是
雖已物故欲息依貪惠是故雖開不得重持沙弥非是雖已故但
開一宿得迷共本人宿若尒何故第四宿隨轉側得罪羊毛更過
三始得一罪正以非任運故得罪少沙弥同宿任運得犯故得罪便
多也　問曰使足浣染羊毛何故染新故俱犯前浣染衣衣戒
云何故者重新者輕罪　答曰有義前衣浣故得罪者譏過以
以制是以故者意浣染生過故得重罪新者不逆體无過浣則
義希故得輕也此羊毛由防業中制戒新故俱犯何以知防業
以制十誦中仏語足法何故如染師足白仏我本所求異今仏故即制
戒不聽也故知防業制也
販賣戒　所以制不販賣者多生巧為欺人信行生外譏醜是故
制何以知多生巧為也餘經云寧燒身作鳳凰見不作販賣人何以然
佗俱罪杖者欲使天下兵甲數盡俱釋粟者欲使天下大儉俱盤
者欲使天下大養玉饑隔塞鳳凰但豎一生不及餘者販賣之
人莫問賢聖一切欲害是故經言寧為畜人不販賣也

者欲使天下大衆王路隔塞畜見但蓋畜生不及餧者敗壞之
人莫問賢聖一切欲害是故經言寧為畜人不敗壞也
畜鉢戒　解所以戒中明今釋略其略可　問曰鉢何以不得
加綴那鉢衣利者比丘以衣鉢善惡不相益損故不得加綴那衣
利何故不立加綴那鉢　答不得何以不得衣有三領為衣重離宿
回緣故開更加綴那衣鉢比丘一有一云何得更加綴那鉢離宿何
以无加提月聽使畜長　答不得衣有自身營作義開一月
使作鉢无自營作義故不開也若比丘有一鉢營作未成不犯長
故无開之
自乞縷使非親里織戒　問曰何以比丘有使非親里織師俗女織
得罪云何无使非親里尼織也　答尼同是出家之人一向无聽織義
織則有罪大僧既是識法之人云何使人得罪故无也若介何故得使
浣染打衣及羊毛而得罪比丘以尼自得有浣染无使尼之義有此異
故不得法　又問既有使尼浣染得罪而无使居士婦浣染得罪
比丘有使織師得罪而言使尼織无罪何故不同　解者若使居士
婦浣染无上識過若使浣染羊毛亦无損費脩道之功故无罪何
故无損功欲明俗人作衣三寶殖福設使浣染无其損義故无
罪也若介使織師織何故得罪解時此織師比丘以此為家業若
使損費其業是故得罪若介居士亦以浣染為業者亦應得
罪解時此浣染之義易為人消知作設有業者使得罪亦輕
是故不制織師費其功是難作業豪貴故使得罪功用不同故

使損費其業是故得罪若介居士亦以浣染為業者亦應得
罪解時此浣染之義易為人消知作設有業者使得罪亦輕
是故不制織師費其功是難作業豪貴故使得罪功用不同故
不得使也　依此律從親乞得縷使非親織亦得尼薩耆若非親
里過乞得縷使非親里織得一尼薩耆一突吉羅就中有八句云何
无九句若作第九句二俱親里不犯故无
讚勸織師戒　前戒自得縷使織由不与賈故犯此戒居士出縷
織由与賈損縷故犯　問曰前勸前戒自得縷使織由不与賈
故犯此戒居士出縷織由与賈損縷故犯　問曰前勸居士增賈
增縷有勸二居士立二戒此中云何不立二戒也　答曰不得有何
以然若勸二織師損縷是一故不得別立戒若勸二居士織師淺
是一亦不得別立戒若對居士織師二人面勸讚若自与賈猶
屬此戒若居士与賈居士前勸居士戒若對二人面勸居士比丘
俱不与賈亦屬此戒以勸損縷故若比丘与賈屬此戒若二歷
二織師各欲作衣勸令作此事是希故屬此戒以是義故不得
立二戒親非親皆犯前戒非親犯是親不犯也
奪衣戒　依僧祇有四句一句師使定与弟子使定非二師使定
与弟子不定非此奪皆得重罪三師不定与弟子使定非奪
此衣得尼薩耆四師不定与弟子不定非此則无罪若瞋心奪亦
得罪也此奪大比丘得尼薩耆波逸提奪沙弥得突吉羅若介
下九十中何故隨順共宿大比丘沙弥俱得波逸提　答曰此中与衣
自共行沙弥非己同位是故奪之則輕下九十中莫問大比丘沙弥

此衣同尼薩耆[illegible]
得罪也此奪大比丘得尼薩耆波逸提奪沙彌得突吉羅若尒
下九十中何故隨傾共宿大比丘沙彌俱得波逸提　答曰此中与衣
本明共行沙彌非已同位是故奪之則輕下九十中菓問大比丘沙彌
同遠僧作法為隨傾得罪无異是故同犯也　十誦奪有二種
一現奪二不現奪現奪者現奪：而藏方得罪何以故不藏未可判不現
奪者隨舉離地犯此十誦也今撿薩婆多解現奪衣得重犯即奪時
得尼薩耆後復藏時復得罪故言重犯即問此藏奪是異竟
方何為重犯　答此藏正是奪家藏何以知奪非藏：要由奪方
得故藏得為重犯也若依十誦无重犯義如向前釋也
問曰此奪之以藏俱是一人邊奪藏以得二罪者我盜得前物舉離
地得罪後置地更舉復應得罪　答不同何以不同盜本以離本
為義今奪衣者瞋心為言是故隨瞋心更藏復得罪不論離本
解奪滅儐應滅人沙彌俱同得輕罪：雖我打犯重人亦應同沙
彌得輕罪　答不同与衣本欲共行今此滅儐應儐人沙彌皆
不得為共同宿得罪故奪衣同輕罪打本俱无得打但取損惱
前人義是大比丘与己同位故損惱事深故得波逸提沙彌是
下衆故打損義微故輕比丘雖犯重猶是大比丘故打重不同
与衣心願共行今不得共行宿處齊故奪俱輕也

畜藥過七日戒　所以制者由衆生有待之形須内外資養方得進
道故大聖為病開聽隨時服藥各有日限然諸比丘非時儲畜費
泝盈溢傍道長過故制此戒不聽過畜也因明七日故師廣釋四種之

BD00647號　四分律戒本疏釋(擬)　(25–11)

道故大聖為病開聽隨時服藥各有日限然諸比丘非時儲畜費
泝盈溢傍道長過故制此戒不聽過畜也因明七日故師廣釋四種之
藥四者是何七日盡形時非時此是四也何以知有四種藥如言四也又藥
可知下藥揵度中文言以四種相和仙言從其重者作藥服有後文
販賣以時易時七日盡形更互相貿故知有四也既有四故即作四
番料簡第一列名及四體第二明受法有近遠三明過畜得罪有
輕重四明過時服得捉有多少第一列名如前釋諸其四也皆得
名明時正以就其受法相形得有四名也方何相形從旦至中盡得
服皆得為時從中後至明來亦得服者形前不得者自為非如此
伴時正有此二更无別名今就非時入中有加其口受法得七日服者得盡
形者故言從其受法立其四名何者是體言時藥體一切時中得食
者皆是其藥何以知飢則致病得則身强故得為藥今欲别取
别為藥者黄精黑豆致乳酪酒鴨藥等皆得作藥服過中則
不得名為時藥也非時體藥八種漿等非時中得體飲語體
十二時亦得服前為言也果體是時藥汁以為非時此非時體也
七日藥體者穌油石蜜等盡形壽者姜椒畢鉢文言一切醎一切
苦一切菓不任為食者是盡形壽藥體此波二藥從法作名
不作口法時置淨廚裏一切時得手受而服此是四體也
問曰此下三種非時七日根本體果以与宍等皆是時食云何斗

得為非時七日耶若尒我時食餅亦應得非時飲解有二種一解七日
藥穌油脂資身處微非時穌亦然資力處微而能除病是故服

BD00647號　四分律戒本疏釋(擬)　(25–12)

得為非時七日耶若介我時食藥亦應得非時飲耶有二種一解七日
藥蘇油脂資身勢微非時漿亦然資力勢微可能除病是故聽
者也開聽那時食漿等此資身勢強復不能除病是故不得
耶又一解時七日藥非時漿等皆自有氣汁滓出澄清可為療患
故開聽那時食漿非體自出氣汁更以餘水俻清連體作漿故不
可非時那念時食故介有此不同義一得一不得也　問曰等就非時
離出三名云何八種漿逕以非時為名餘二從法為稱也解此漿設
加口法正得一宿至明旦時中即有過生華而時家非時更无勝功
逕以非時為名下之二種加法得正多時從法緣強故從法受名也
問曰時食過中不得食至明日時中還得食此非時漿至明旦名非
時不得飲還至過中非時中得那飲以不　答不得何以然諸此時
非漿體自十二時中皆得飲但時時須手受而那今為病故不可
時時得人受故開聽加受法一日一夜不失受法而此以時今至明相
出失此受法名時既是非時多有過生亦不任那故不同時食也
局曰時為時不以受法為時食體无過至時中還得食非時所以
不得如上解　問曰問此藥為體合故得為四名體不合由加法故
得為四也以體合由加法得有四種云何言體合復言由法得有四
種解云體雖合若不加口法不得過一時雖加口法若體不合即
時得失法罪不容得那何以故不成受故如盡形藥善柳等體
合盡形壽那得加法以為盡形藥也七日藥蘇油蜜等體合
七日壽那故得加法作七日藥八種漿等體合一宿故得加法一宿那時食

合盡形壽那得加法以為盡形藥也七日藥蘇油蜜等體合
七日壽那故得加法作七日藥八種漿等體合一宿故得加法一宿那時食
時藥體正合從旦至中未得食故不可加法以過多時也非時亦介
若正多時體變成酒不任藥那故言體合非時一宿也七日盡形
亦然　第二解其四種受有長短不同　問曰何者是受而言受
有長短受有二種一手口受二口受時藥食等正有手受无口受法
那以然解有二種一時食資身勢強曰曰須濟供身得以修道暫中乞
食那是資成一日修道但作手受得食盡不聽遣留口受是難要
手受得竟還對大比丘方得作法比立獨處山澤云何常得伴隨
是故檢其難法手受便得一解時藥食等時中是近清旦受得
至日中未得食過則不得食故正有手受无口受法若介非時漿
十二時中隨時失受此時食云何得至中也　答曰不同非時者為
病開那故隨一時失受此時食一切常須若比丘入聚洛乞得食
來出須以越時失受者更覓人須受若不得人則失一日修道之
益是故得使一受至中也餘三種藥病開故要須口受
問曰既為病何以要須口受者　答曰解有二種一解所以須口受
者為欲表其情為云何表為瑕者既開无病之人亦假病那藥今
使對人方得作口受法前人那知有病无无之人不敢吐稱對人受故
須口受一解時為病那藥病非卒除要逕多時療除但患有不等
隨藥勢強弱故受法口有其三種非時漿此藥體勢入正得一
日一夜故雖加口法正得一日過則體變生患七日藥者就贊治病

隨藥勢殘弱故更法〻口有其三種非時據此藥體勢入正得一
日一夜故雖加口法正得一日過則體壞生患七日藥者既瞥治病
七日得力不得其有義勤故隨處病作若故正七日也盡形者此
藥療患勢微并一形崇那可資益故以盡形為口法也口受不
同義釋如斯即問此三種下口受宜手受得與時不失也解有二
種一解此藥手受正得十二時中一時那越一時失何以然此藥有美
味者人貪利為病開那得加口法過其多時今无病若飲隨時
即失為欲息貪故爾　又一解時者是中前莫問病不病一受皆
得至中來不失何以然此中前時出家在家一切食常不聽得食无其
識過也此時飽滿得一可寧心脩道皆有此一時開也故至中來不失
一受不失即此義文時受時療時濺時那聽非時受非時療那則
如法治此言者由非時療病便逐時失受故言如法治時中不失故
聽　問曰上來既明此二種受口受手受如此殘何者弱耶若體長
短過時口受是殘然口受之來要須手受為本如此時亦可手受殘
二此相假未量殘弱隨意有息然此二種受中手受莫問淨不淨
手受皆成口受要藥體清淨得成口受何以然口受是作法對人
為欲療患手受不得過時故加口法使得過時防失手受得如法那
今若藥體有過那則生累如何醒者使人得罪法加非藥何以得
知十誦受成離問下三種藥體有殘宿惡捉等得口受不答
不得故知唯清淨者得即問手受何以然盡得不問淨不淨亦十
誦文非時食若受无不受罪以此類知惡捉等皆成受既是非

不得故知唯清淨者得即問手受何以然盡得不問淨不淨亦十
誦文非時食若受无不受罪以此類知惡捉等皆成受既是非
法食何以成受手受本正為救達同大人之行不即取食亦息其
譏過得免俗相使以受无異法故成若成受者僧祇生穄栗等
不成受此文云不如法食得成耶即解時僧祇生穄栗不成者即不任
食若袁熟即失受故不成今此食雖非法體即可食无失受法耶
如此依僧祇以法生熟限可食者容有失受若作生熟法伴皆失
受法生時可食者熟則失受此不待言　第三料簡過意四得罪
有輕重時非時藥非時藥體現支盡即用資殘意義是弱何
以然非時據若過多時袁熟生過无其意義時食等體制在中
取濟一向不得自進是故此二意義是第正安吉羅盡形七日為病
所那然病非平除故過多時得有意義此二意雖是同然盡形資
用處微是故意心薄是故意正安吉羅耶七日藥資用處殘意
心亦強故得波逸提足薩耆　問曰四種皆聽為病何以故七日
藥獨聽說淨意耶　答此藥雖不得作藥那更有得異用資養
身故聽說淨意自餘種餘作藥那更无異用故无聽說淨耶　又解
正以聽作法意故今不作法故得足薩耆波逸提衣食比使有說
廣解不須重釋今且略釋衣食不同義食正取內資食則體盡
故食則得罪重以意心弱亦以大理一向不聽意義故意罪輕衣
外用體則常存〻則是意〻心殘意罪重用則輕七日藥所以意重
亦有外用義故意心殘何以知即文中由儲意生識以制義故智
義殘耶既則如上釋第四料簡四種意過限那得罪有多少不等

亦有外用義故畜心張何以知所文中由儲畜生譏以制戒故畜
義發耶飯則如上釋第四料簡四種畜過限服得罪有多少不等
時藥若過時復違宿皇非時中食得三波逸提內宿內煑自煑
惡捉得四突吉羅一咽七罪非時過亦波逸提同前得三突吉羅
无有自煑何以有內煑无自煑自煑惡煑生今以熟物故但內煑
一咽得六罪七日藥若過七日食則有三波逸提四突吉羅一吉羅
是用尼薩耆藥實去　一咽得七罪復不說淨尼薩耆波逸提
若以說淨者但有六罪无有罪可滅文言若過服者尼薩耆
問曰言捨今言服則體盡云何言若過服者尼薩耆解時但
是過畜得罪今言服者欲彰畜意但為其服是故言服者尼
薩耆又解畜義是隨若為墮是燃燈畜若說淨而畜皆是畜
名而體无過為彰畜心使別故以服名也　問曰長衣戒若畜長
衣尼薩言何此藥不言長解有義衣本有得畜三衣義過籌著
是長以對非長者并長耶今藥本无聽畜義但病時開聽作
藥服非是制得畜義云云不得畜者故不得言有長耶是故
戒本不得言長何以不言淨施亦有蘆故不得何以然此藥唯口
受作七日藥者不作淨施得尼薩耆若不作口受者雖畜不說
淨久无過有如是過故若安淨施以往時情謂莫問受不受者
皆須說淨畜是故戒本不得安淨施不同衣使三衣外者皆聽
說淨畜是長衣戒得安說也若過七日尼薩耆捨与僧解有二
種又解時此初之一日過限畜失法得除後六日中藥不失受法

BD00647 號　四分律戒本疏釋（擬）

（25–17）

說淨畜是長衣戒得安說也若過七日尼薩耆捨与僧解有二
種又解時此初之一日過限畜失法得除後六日中藥不失受法
何以不失受法各自別有七日法在但初之一日藥畜過限犯長後
六日雖未過限俱同是畜長故得相除犯長但不俱行使失受
法何以不得行使失受本防失受不防其長說淨防長既所防
不同故不得除使失受法是故僧中捨犯長過竟藥還淨諸
比丘應得食何以得知不失受法文言第七日藥与諸比丘食是
以證知不失受法若失受法則有過生不應与比丘使食義
者中間五日何故不還主使作藥服　答主本有病雖者開聽
七日稿餅口受共宿而服然不念更常時畜過限雖後者无過
以初日之藥畜心之愆今雖捨竟還聽服以注与本畜過不殊
是故代之聽還服非藥下年耶若爾長衣捨竟亦不應還
主作衣著　答不同但以然衣用遮身一切時須資身以備道
用處是寬故不得耶如相承解時以初一日犯長皆相除犯長
畜過得尼薩耆雖口法本悔其淨藥防失手受許服今有過
生不任藥服故失口受法何以知失口受法下文言五日中藥還
主遂是燃燈不言還主使作藥服以不還主作藥服故即知相導
犯長口受法亦失以失口法故手受逐時亦失若爾第七日藥諸比
丘云何得食　解時但以第七日藥棄得時近故仏開聽聞使
有勞備食體雖有過開則无犯如但時開八事敗賣以油貿
稼皆是開則无罪……生惡　開曰若作淨施受法在

BD00647 號　四分律戒本疏釋（擬）

（25–18）

有労僧食體雖有過罪則无犯如似時開八事敗責以由質
穢皆是開則无罪……生老　開曰若作淨施受法在
不　答曰在何以得在以作法属主前施主何故不失受我作
法防長非亦捨法故不失受耶若尒初曰者不說淨若犯長耶
相保犯長不　答不犯長故亦不失受法何以不犯我以作淨
法防故不保犯長若體自滿七日時失口受法手受亦更无長
過若遣与人我口受手受法在不斷有二種前人斷時口受手
受法在何以得在食以法通故尒若口受竟即与餘人此人得以
畜過七日則犯長得足薩耆罪何然食味同故受法亦通故
我受彼犯耶若我　一捉日捨与餘人然彼人得已畜四日
滿七不犯長何以故食味是通畜法是別故彼此皆不犯長何
知以我口受手受法捨与前人不失受法如餘食法一人作法多
人得食故知不失受耶食法通故耶若相承一種斷手受法通
口受不通以手受通我不捨時有口法在不失手受故餘人皆得
食若捨与餘人失其口法手受遂時亦失以失即有惡捉生不
得食耶　問曰失受時即有殘宿過不　答未有何故未有
殘宿要遂宿方有〻惡尊失受即生何以故惡尊不假遂宿皆
得有尊若尒過七日　……有殘宿過答即有何以
然任運曰滿法盡故有過即生若過緣失受者要更遂宿方
得有殘宿過生若尒我先以宿者豈非宿是宿有生法宿故无
過如受加綈耶衣中間過緣失受即无離衣宿罪要遂宿不

得有殘宿過生若尒我先以宿者豈非宿是宿有生法宿故无
過如受加綈耶衣中間過緣失受即无離衣宿罪要遂宿不
會則有罪此藥亦尒若如此以往我至八日明相出時亦應不犯何
以然前七日夜亦是有法不應有殘宿過耶　答曰不同前七
日法者不得度其明相至八日即是越其六齊故有宿過耶不
同向推同是一日未越六齊故无過耶何以故食味雖是同口受稱
已是別是故失受手受卜再子故通耶若尒一人作餘食法若
捨与餘人亦應失受不ㄗ食　答不失受何以故不失餘食法更无
有法着但對前人直成耶前殘食而已何以知要須前食便成不
食不成故知正耶殘食是故雖捨与餘人更无異此殘食法故不
失受何以知而病人殘食多人得食豈有法着食耶以此得知
无法着故得通耶又復此時昔時食中食更不過時是故不失
過時亦失我此即捨与人時亦得食由過時故失受耶藥本
我為已身病作法着藥稱已而作法病非共有法今捨与人則
非我已是故失受也若尒彼人得更作受不斷有二一斷得口
受法不通我今彼　……受法我更有口受應得耶
一斷不得何以不得以遂作法来更无一藥上重作口法耶若企
衣捨与餘人亦應不得受持斷不相似衣本来別屬非通受法
以非共受法故今捨与我得更受持作已衣用食本一人受時多
人通得食以先通得食故今捨与人不得更受耶若尒衣本亦
得無著　答雖得着不免无衣罪食通味得食得免不受

人通得食以先通得食故今捨与人不得受受致若尒衣本亦
得儭着　答雖得着不免无衣罪食通時得食得免不受
罪尼薩耆藥受貿餘藥尼薩耆解有二種一人解時還貿
得他異藥故即犯何以知若非口受藥則无序過故知是口
受藥〻相承解正果　貿得即犯何以體合比丘
作法故何由要得他口受法便犯此義不然正是淨藥使淨人知
來若比丘過得是藥來即作口受法竟即相續犯長故言受
貿餘藥尼薩耆若不受則不成罪

比丘雨浴衣戒　制戒所以緣中自明今問此雨衣以何為體也
解有三種一解以過前用為戒體何以知之以戒本文驗前用尼薩
耆過前乞突吉羅何以知過前乞突吉羅於結尼過乞突吉羅
准之比丘過前乞上應得突吉羅故言突吉羅更无異文
問曰何以過前乞得輕過前用得重罪答佛本聽非時乞但此人
忍至時難得防道故　前正有日之過猶義處少
故得輕突吉羅過前用遠處有二既得衣竟應侍時所用故
遠教過前用以是二義得罪重何以知有法以下文言不檢受餘
用突吉羅若不受持不名雨衣无用罪故知有過前受致一種
師解時正以過乞為戒本何以知曰緣中文但嘖河言不應一切時求
雨衣現有雨浴衣保浴不言受用故知以過前乞為戒本又淺
一人解以過前用過乞二事合為戒本何以知提戒本廣相文驗
戒本若比丘過前乞過前用者尼薩耆廣相亦尒故知二事

BD00647號　四分律戒本疏釋（擬）

（25-21）

一人解以過前用過乞二事合為戒本何以知提戒本廣相文驗
戒本若比丘過前乞過前用者尼薩耆廣相亦尒故知二事
合為戒若尒乞時得□　何得突吉羅用時成尼薩耆
波逸提也　問曰如前〻後遠二得罪重何以過前成受夏
安居過前不成　答曰雨衣本不制受之限齊故成受以成長
所用得罪安居本以夏為限過前是春分不名夏是故不成此
義亦可有此致　問曰歸衣宿過前用雨衣等同是受何故失
受得罪雨衣用罪得不失受何以知不失受若失受者正得一罪
後隨用得罪故不失受　答衣本受言不離宿正遠本要故然
受罪雨衣本受時許用今過前用有前用之罪不違本受故
得罪不失受即問六物〻　亦犯既俱不失受得罪何以雨衣
罪重坐具等輕　若用雨衣制有日限故用得罪重坐
具六物等本〻不言離故不違要教過故罪輕
急施衣戒　問曰此戒以何為體也　答此戒相難識別亦尒
以難識故解不同今且就二人俱一人解時過後為戒體何以知戒
本中文若比丘知是急施受過後畜者尼薩耆波逸提以此體
後知過後為戒也若以過後為戒者一切時十日何異解時有異
上聞者一切非時施得十日限今此中制者正以時衣雖遠一月者
過不犯亦過滿十日犯罪是故後制此戒去時疑情故得為異
如此解者何故不可　前解時何嘖過前者
□□□正過□急是文可責□何同常十日故不制戒過後正

BD00647號　四分律戒本疏釋（擬）

（25-22）

過不犯亦過滿十日犯罪是故復背山夷出時差十……
如此解者何故不可　　□前解時何嘖過前者
前受多生過患是故呵嘖得物同常十日故不制戒過後亦
亦時為異過即同常戒時疑不識故三衣亦是同罪故无呵辭
也作過後戒者若過前受一切比丘皆言羅何以知上呵嘖中但言不
應一切時亦乞衣亦受衣不結尼薩耆波逸提故知比丘皆言羅也
相本解比丘以過前受夏安居衣為戒何以得知就因緣中廣呵
嘖不聽一切時受夏衣此即應結戒本若不結云何得開急施
聽受比丘以前制戒竟得尼薩耆後有急施衣來受便得不受
便不得即文言訖　　若常乎安居未竟受衣乞衣故來白
佛佛言如是急施者聽受此是開過前受夏衣戒故知過前為戒
若爾云何戒本中但道知是急施衣應受過後畜者尼薩耆波
逸提　答為釋時疑故結過後云何為釋疑前因緣中廣呵嘖
不聽過前受夏衣恐時疑若過前受得罪我不過前者至
後時无有罪不須說淨是故須制雖前无罪過後不說淨
亦得尼薩耆是故言釋疑若過前犯者復无過後罪故不
結過前互故過前呵嘖不聽開急施得知以過前為戒本結不
聽過故知是釋疑也云云　　□言過前過後畜尼薩耆
如此以法應二家合者云云　　答不然今廣中為欲明捨法故捨
會來非是合為戒明捨何須捨會此二互得罪故須捨會兩

如此以法應二家合者云云　　答不然今……
會來非是合為戒明捨何須捨會此二互得罪故須捨會兩
家過前有罪時无過後時无前罪耶故須雙又復開中間
兩家故知過前為戒耶依此解五衣本時非急施乃至七
月十五日受亦得尼薩耆若是急施七日前受无罪　問曰過前
乞雨衣得罪所以輕過前受夏衣可以罪重耶　解時過乞雨
衣佛本聽非時乞遂損事少故輕罪過前受夏衣多生過患
長貪處處求覓夏衣後夏破前夏而去恐損檀主或則涉餘
傳鼓餘生為外譏可　　□罪耶復發訖道意
問曰開急施何以比丘夏未論自恣前日來開受前何以不聽耶若
十日前即須斷里防道夏中脩道不得異造十日內受即入時中
夏雨衣時得使斷里是故十日內開耶即問此衣急施衣前十日
受入時中不犯安居離衣宿亦得十五日去不破夏不離衣宿不
答不得何以不得盡十五日夜未應在界內宿无出界法不得在
外向受衣前後俱有開心法是故不犯長求後受七日亦爾前
後俱有法故得去　　問曰何以功德衣得捨加提月不捨十日耶解
有兩種一解斷中釋一□　　□□□又不捨一月五月功能處等
等故相捨云何等一月□五利五月亦得五利故相捨如十日一月
衣俱是開長亦相捨受七日受一月俱開得出界法亦相攝如此
功能處不等故不得相捨耶
離衣六宿戒　　問曰此離衣宿可以无加絺衣出者比丘以此之離

夏雨衣時得使斫里是故十日內開耶所問此衣急施衣前十日
受入時中不犯安居離衣宿亦得十五日去不破夏不離衣宿不
荅不得何以不得盡十五日夜來應在界內宿无出界法不得在
外向受衣前後俱有開心法是故不犯長衣後受七日亦介前
後俱有法故得去　問曰何以功德衣得捨加提月不捨十日耶解
有兩種一解斷中釋一[illegible]　[illegible]文不捨一月五月功能處等
等故相捨云何等一月[illegible]五利五月亦得五利故相捨如十日一月
衣俱是開長亦相捨受七日更一月俱用得出界法亦相橋如此
功能處不等故不得相捨耶
離衣六宿戒　問曰此離衣宿何以无加絺衣出者正以此之離
衣宿依十誦冬分得離宿若加絺衣出則趣時限无有離宿故
不得有加絺衣出也前離衣宿有加絺衣出者彼衣若出加絺衣
宿得罷故爾此中還臘月十五日十六日不聽離六宿何以然秋冬單涼
又有盜賊故聽至春分則无單亦在故不聽又一解此蘭若離衣
皆是上亍法偏懃之人[illegible]何以然故此衣皆是下人竟
[illegible]行之人故无加絺耶

BD00647 號　四分律戒本疏釋（擬）　　（25–25）

常樂奉持忍行精勤經无量劫超諸靜慮
念現前開闡慧門善修方便自在遊戲微妙
神通逮得揔持辯才无盡斷諸煩惱累染皆
亡不久當成一切種智降魔軍衆而擊法鼓
制諸外道令起淨心轉妙法輪度人天衆十方
佛土悉已莊嚴六趣有情无不蒙益成就大
智具足大忍住大慈悲心有大堅固力歷事
諸佛不般涅槃發弘誓心盡未來際廣於
佛所深種淨因於三世法悟无生忍逾於
二乘所行境界以大善巧化世間於大師教能
敷演秘密之法甚深空性皆已了知无復疑惑
其名曰無障礙轉法輪菩薩常發心轉法
輪菩薩常精進菩薩不休息菩薩慈氏菩
薩妙吉祥菩薩觀自在菩薩揔持自在王菩
薩大辯才莊嚴王菩薩妙高山王菩薩大海
深王菩薩寶幢菩薩大寶幢菩薩地藏菩
薩虛空藏菩薩寶手自在菩薩金剛手菩薩
歡喜力菩薩大法力菩薩大莊嚴光菩薩大
金光莊嚴菩薩淨戒菩薩常定菩薩極清淨
慧菩薩堅固精進菩薩心如虛空菩薩不斷大
願菩薩施藥菩薩療諸煩惱病菩薩醫王菩
薩歡喜高王菩薩得上授記菩薩大雲淨光
菩薩大雲持法菩薩大雲名稱喜樂菩薩大

BD00648 號　金光明最勝王經卷一　　（10–1）

慧菩薩堅固精進菩薩心如虛空藏菩薩不斷大
願菩薩施藥菩薩療諸煩惱病菩薩醫王菩
薩歡喜高王菩薩得上授記菩薩大雲淨光
菩薩大雲持法菩薩大雲名稱喜樂菩薩大
雲現无邊稱菩薩大雲師子吼菩薩大雲牛
王吼菩薩大雲吉祥菩薩大雲寶德菩薩大
雲日藏菩薩大雲月藏菩薩大雲星光菩薩
大雲火光菩薩大雲電光菩薩大雲雷音菩
薩大雲慧雨充遍菩薩大雲清淨雨王菩薩
大雲華樹王菩薩大雲青蓮花香菩薩大雲寶
旃檀香清涼身菩薩大雲除闇菩薩大雲破
翳菩薩如是等无量大菩薩衆各於晡時從
定而起往詣佛所頂礼佛足右繞三帀退坐一
面復有梨車毗童子五億八千其名日師子光
童子師子慧童子法授童子因陁羅授童
子大光童子大猛童子佛護童子法護童子
僧護童子金剛護童子虛空護童子虛空吼
童子寶藏童子吉祥妙藏童子如是等人而
爲上首悉皆安住无上菩提於大乘中深信
歡喜各於晡時往詣佛所頂礼佛足右繞三帀
退坐一面
復有四万二千天子其名曰喜見天子喜悅
天子日光天子月髻天子明慧天子虛空淨
慧天子除煩惱天子吉祥天子如是等天而
爲上首皆發弘願護持大乘紹隆正法能使
不絶各於晡時往詣佛所頂礼佛足右繞三
帀退坐一面復有二万八千龍王蓮花龍王
毉羅葉龍王大力龍王大吼龍王小波龍王

不絶各於晡時往詣佛所頂礼佛足右繞三
帀退坐一面復有二万八千龍王蓮花龍王
毉羅葉龍王大力龍王大吼龍王小波龍王
持駃水龍王金面龍王如意龍王是等龍王
而爲上首於大乘法常樂受持發深信心稱
楊擁護各於晡時往詣佛所頂礼佛足右繞
三帀退坐一面
復有三万六千諸藥叉衆毗沙門天王而爲
上首其名曰菴婆藥叉持菴婆藥叉蓮華
光藏藥叉蓮華面藥叉嚬眉藥叉現大怖藥
叉動地藥叉呑食藥叉是等藥叉悉皆愛樂
如來正法深心護持不生疲懈各於晡時往詣
佛所頂礼佛足右繞三帀退坐一面
復有四万九千揭路荼王香象勢力王而爲
上首及餘揵闥婆阿蘇羅緊那羅莫呼洛
伽等山林河海一切神仙并諸大國所有王衆
中宮后妃淨信男女人天大衆悉皆雲集咸
願擁護无上大乘讀誦受持書寫流布各
於晡時往詣佛所頂礼佛足右繞三帀退坐
一面如是等聲聞菩薩人天大衆龍神八部
雲集已各各至心合掌恭敬瞻仰尊容目未
曾捨願樂欲聞殊勝妙法爾時薄伽梵於日
晡時從定而起觀察大衆而說頌曰
金光明妙法　最勝諸經王　甚深難得聞　諸佛之境界
我當爲大衆　宣說如是經　并四方四佛　威神共加護
東方阿閦尊　南方寶相佛　西方无量壽　北方天鼓音
我復演妙法　吉祥懺中勝　能滅一切罪　淨除諸惡業
及消衆苦患　常與无量樂　一切智根本　諸功德莊嚴

我當為大眾　宣說如是經　并四方四佛　威神共加護
東方阿閦尊　南方寶相佛　西方无量壽　北方天鼓音
我復演妙法　吉祥懺中勝　能滅一切罪　淨除諸惡業
及消眾苦患　常與无量樂　一切智根本　諸功德莊嚴
眾生身不具　壽命將損減　諸惡相現前　天神皆捨離
親友懷瞋恨　眷屬悉分離　彼此共乖違　珍財皆散失
惡星為變怪　或被邪蠱侵　若復多憂愁　眾苦之所逼
睡眠見惡夢　因此生煩惱　是人當澡浴　應著鮮潔衣
於此妙經王　甚深佛所讚　專注心无亂　讀誦聽受持
由此經威力　能離諸災橫　及餘眾苦難　无不皆除滅
護世四王眾　及大臣眷屬　无量諸藥叉　一心皆擁衛
大辯才天女　尼連河水神　訶利底母神　堅牢地神眾
梵王帝釋主　龍王緊那羅　及金翅鳥王　阿蘇羅天眾
如是天神等　并將其眷屬　皆來護是人　晝夜常不離
我當說是經　甚深佛行處　諸佛秘密教　千万劫難逢
若有聞是經　能為他演說　若心生隨喜　或設於供養
如是諸人等　當於无量劫　常為諸天人　龍神所恭敬
此福聚无量　數過於恒沙　讀誦是經者　當獲斯功德
亦為十方尊　深行諸菩薩　擁護持經者　令離諸苦難
供養是經者　如前澡浴身　飲食及香華　恒起慈悲意
若欲聽是經　令心淨无垢　常生歡喜念　能長諸功德
若以尊重心　聽聞是經者　善生於人趣　遠離諸苦難
彼人善根熟　諸佛之所讚　方得聞是經　及以懺悔法

金光明最勝王經如來壽量品第二

尒時王舍大城有一菩薩摩訶薩名曰妙幢
已於過去无量俱胝那庾多百千佛所　承
事供養殖諸善根是時妙幢菩薩獨於靜處
作是思惟以何因緣釋迦牟尼如來壽命短促

BD00648 號　金光明最勝王經卷一　（10–4）

已於過去无量俱胝那庾多百千佛所　承
事供養殖諸善根是時妙幢菩薩獨於靜處
作是思惟以何因緣釋迦牟尼如來壽命短促
唯八十年復作是念如佛所說有二因緣得
壽命長云何為二一者不害生命二者施他
飲食然釋迦牟尼如來曾於无量百千万
億无數大劫不害生命行十善道常以飲食
惠施一切飢餓眾生乃至己身血肉骨髓
亦持施與令得飽滿況餘飲食時彼菩薩於世
尊所作是念時以佛威力其室忽然廣博嚴
淨帝青琉璃種種眾寶雜彩間飾如佛淨
土有妙香氣過諸天香芬馥充滿於其四
面各有上妙師子之座四寶所成以天寶衣
而敷其上復於此座有妙蓮花種種珍寶以
為嚴飾量等如來自然顯現於蓮華上有四如來
東方不動南方寶相西无量壽北天鼓　音是
四如來各於其座跏趺而坐放大光明周遍照
耀王舍大城及此三千大千世界乃至　十方
恒河沙等諸佛國土雨諸天華奏諸天樂尒
時於此贍部洲中及三千大千世界所有眾
生以佛威力受勝妙樂无有乏少若身不具
皆蒙具足盲者能視聾者得聽瘂者能言
愚者得智若心亂者得本心若无衣者得衣
服被惡賤者人所敬有垢穢者身清潔於此
世間所有利益未曾有事悉皆顯現
尒時妙幢菩薩見四如來及希有事歡喜踊
躍合掌一心瞻仰諸佛殊勝之相亦復思惟釋
迦牟尼如來无量功德唯於壽命生疑　惑

BD00648 號　金光明最勝王經卷一　（10–5）

世間所有[illegible]
尒時妙幢菩薩見四如來及希有事歡喜踊
躍合掌一心瞻仰諸佛殊勝之相亦復思惟釋
迦牟尼如來无量功德唯於壽命生疑惑
心云何如來功德无量壽命短促唯八十年
尒時四佛告妙幢菩薩言善男子汝今不應
思忖如來壽命長短何以故善男子我等不
見諸天世間梵魔沙門婆羅門等人及非人
有能筭知佛之壽量知其齊限唯除无上正
遍知者時四如來欲說釋迦牟尼佛所有壽
量以佛威力欲色界天諸龍鬼神揵闥婆阿
蘇羅揭路荼緊那羅莫呼洛伽及无量百千
億那庾多菩薩摩訶薩悉來集會入妙幢
菩薩淨妙室中尒時四佛於大衆中欲顯釋
迦牟尼如來所有壽量而說頌曰
一切諸海水　可知其滴數　无有能數知　釋迦之壽量
析諸妙高山　如芥可知數　无有能數知　釋迦之壽量
一切大地土　可知其塵數　无有能筭知　釋迦之壽量
假使量虛空　可得盡邊際　无有能度知　釋迦之壽量
若人住億劫　盡力常筭數　亦復不能知　世尊之壽量
不害衆生命　及施於飲食　由斯二種因　得壽命長遠
是故大覺尊　壽命難知數　如劫无邊際　壽量亦如是
妙幢汝當知　不應起疑惑　最勝壽无量　莫能知數者
尒時妙幢菩薩聞四如來說釋迦牟尼佛壽
量无限白言世尊云何如來示現如是短促壽
量時四世尊告妙幢菩薩言善男子彼釋迦
牟尼佛於五濁世出現之時人壽百年稟
性下劣善根微薄復无信解此諸衆生多有

量時四世尊告妙幢菩薩言善男子彼釋迦
牟尼佛於五濁世出現之時人壽百年稟
性下劣善根微薄復无信解此諸衆生多有
我見人見衆生壽者養育邪見我我所見斷
常見等為欲利益此諸異生及衆外道如是
等類令生正解速得成就无上菩提是故釋
迦牟尼如來示現如是短促壽命善男子然
彼如來欲令衆生見涅槃已生難遭想憂
苦等想於佛世尊所說經教速當受持讀誦
通利為人解說不生謗毀是故如來現斯短壽
何以故彼諸衆生若見如來不般涅槃不生
恭敬難遭之想如來所說甚深經典亦不受
持讀誦通利為人宣說所以者何以常見佛
不尊重故善男子譬如有人見其父母多有
財產珍寶豐盈便於財物不生希有難遭之
想所以者何於父財物生常想故善男子彼
諸衆生亦復如是若見如來不入涅槃不生
希有難遭之想所以者何由常見故善男子
譬如有人父母貧窮資財乏少然彼貧人或
詣王家或大臣舍見其倉庫種種珍財悉皆
盈滿生希有心難遭之想時彼貧人為欲求
財廣設方便策勤无怠所以者何為捨貧窮
受安樂故善男子彼諸衆生亦復如是若見
如來入於涅槃生難遭想乃至憂苦等想復
作是念於无量劫諸佛如來出現於世如烏
曇跋華時乃一現彼諸衆生發希有心起難
遭想若遇如來心生敬信聞說正法生實語

作是念於无量劫諸佛如來出現於世如烏
曇跋華時乃一現彼諸衆生發希有心起難
遭想若遇如來心生敬信聞說正法生實語
想所有經典悉皆受持不生毀謗善男子
以是因緣彼佛世尊不久住世速入涅槃善男
子是諸如來以如是等善巧方便成就衆生
尒時四佛說是語已忽然不現
尒時妙幢菩薩摩訶薩與无量百千菩薩
及无量億那庾多百千衆生俱共往詣鷲峯
山中釋迦牟尼如來正遍知所頂礼佛足在一
面立時妙幢菩薩以如上事具白世尊時
四如來亦詣鷲峯至釋迦牟尼佛所各隨本
方就座而坐告侍者菩薩言善男子汝今可
詣釋迦牟尼佛所為我致問少病少惱起居
輕利安樂行不復作是言善哉善哉釋迦
牟尼如來今可演說金光明經甚深法要為
欲饒益一切衆生除去飢饉令得安樂我當隨
喜時彼侍者各詣釋迦牟尼佛所頂礼雙足却
住一面俱白佛言彼天人師致問无量少病
少惱起居輕利安樂行不復作是言善哉善
哉釋迦牟尼如來今可演說金光明經甚深
法要為欲利益一切衆生除去飢饉令得安
樂尒時釋迦牟尼如來應正等覺告彼侍
者諸菩薩言善哉善哉彼四如來乃能為諸衆
生饒益安樂勸請於我宣揚正法尒時世尊
而說頌曰
我常在鷲山 宣說此經寶 成就衆生故 示現般涅槃
凡夫起邪見 不信我所說 為成就彼故 示現般涅槃

BD00648號　金光明最勝王經卷一　(10–8)

哉釋迦牟尼如來今可演說金光明經甚深
法要為欲利益一切衆生除去飢饉令得安
樂尒時釋迦牟尼如來應正等覺告彼侍
者諸菩薩言善哉善哉彼四如來乃能為諸衆
生饒益安樂勸請於我宣揚正法尒時世尊
而說頌曰
我常在鷲山 宣說此經寶 成就衆生故 示現般涅槃
凡夫起邪見 不信我所說 為成就彼故 示現般涅槃
時大會中有婆羅門姓憍陳如名曰法師授記
與无量百千婆羅門衆供養佛已聞世尊說
入般涅槃涕淚交流前礼佛足白言世尊
若實如來於諸衆生有大慈悲憐愍利益令
得安樂猶如父母餘无等者能與世間作歸
依處如淨滿月以大智慧能為照明如日初
出普觀衆生愛无偏黨如羅怙羅唯願世尊
施我一願尒時世尊默然而止佛威力故於此
衆中有梨車毗童子名一切衆生喜見語婆
羅門憍陳如言大婆羅門汝今從佛欲乞何
願我能與汝婆羅門言童子我欲供養无上
世尊今從如來求請舍利如芥子許何以故
我曾聞說若善男子善女人得佛舍利如
芥子許恭敬供養是人當生三十三天而為
帝釋是時童子語婆羅門曰若欲願生三十
三天受勝報者應當至心聽是金光明最勝王
經於諸經中最為殊勝難解難入聲聞獨
覺所不能知此經能生无量无邊福德果報
乃至成辦无上菩提我今為汝略說其事婆
羅門言善哉童子此金光明甚深最上難解

BD00648號　金光明最勝王經卷一　(10–9)

羞實如來於諸衆生有大慈悲憐愍利益令
得安樂猶如父母餘无等者能與世間作歸
依處如淨滿月以大智慧能爲照明如日初
出善觀衆生愛无偏黨如羅怙羅唯願世尊
施我一願尒時世尊默然而止佛威力故於此
衆中有利車毗童子名一切衆生喜見語婆
羅門憍陳如言大婆羅門汝今從佛欲乞何
願我能與汝婆羅門言童子我欲供養无上
世尊今從如來求請舍利如芥子許何以故
我曾聞說若善男子善女人得佛舍利如
芥子許恭敬供養是人當生三十三天而爲
帝釋是時童子語婆羅門曰若欲願生三十
三天受勝報者應當至心聽是金光明最勝王
經於諸經中最爲殊勝難解難入聲聞獨
覺所不能知此經能生无量无邊福德果報
乃至成辦无上菩提我今爲汝略說其事婆
羅門言善哉童子此金光明甚深最上難解
難入聲聞獨覺尚不能知何況我等邊鄙之
人智慧微淺而能解了是故我今求佛舍利
如芥子許持還本處置寶函中恭敬供養
命終之後得爲帝釋常受安樂云何汝今不能
爲我從明行足求斯一願作是語已尒時童
子即爲婆羅門而說頌曰

BD00648 號　金光明最勝王經卷一　　（10–10）

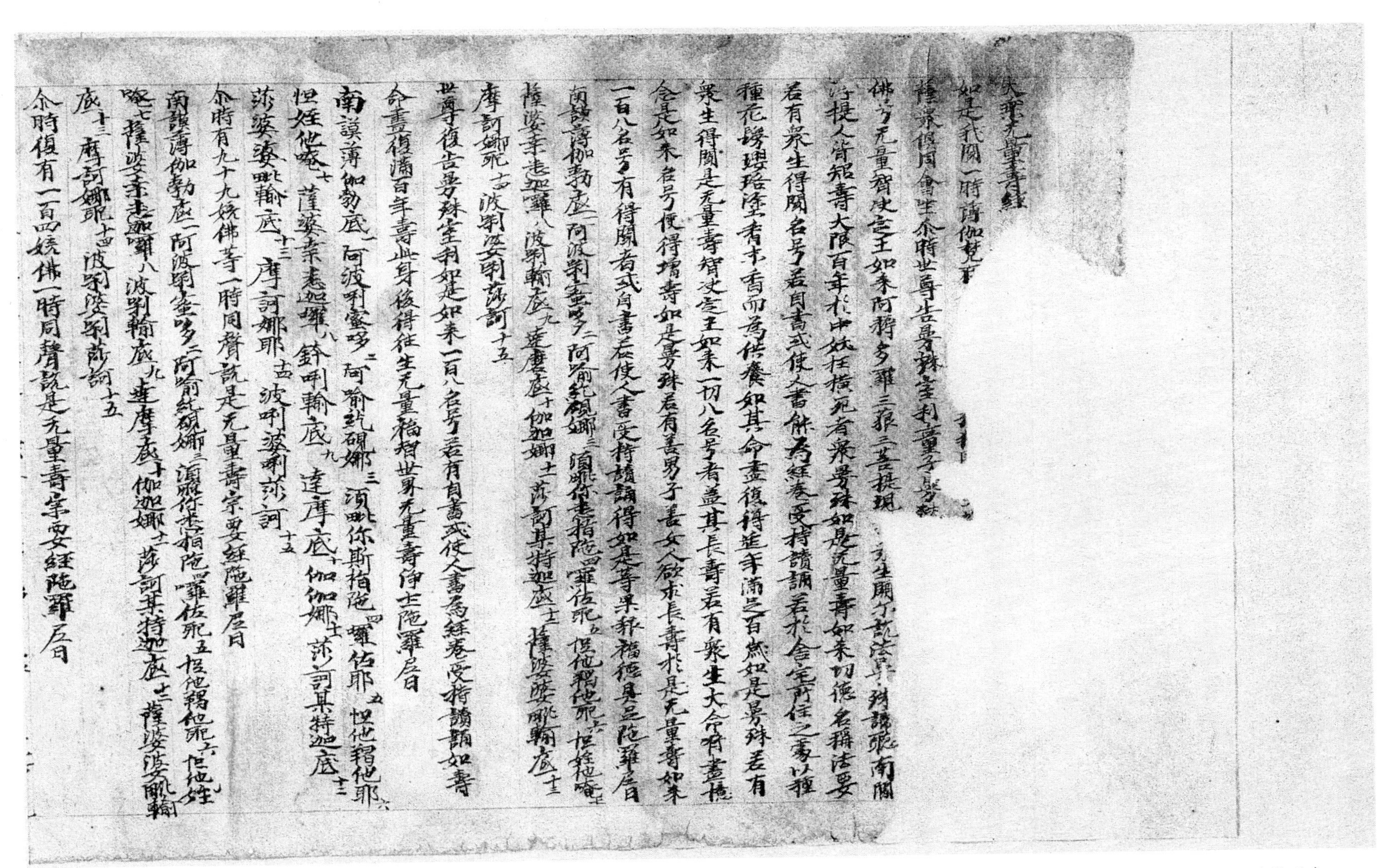

大乘无量壽宗要經
如是我聞一時薄伽梵在[illegible]
薩衆俱同會坐尒時世尊告曼殊室利童子曼殊[illegible]
佛號无量智决定王如來阿羅訶三藐三菩提現[illegible]生開示說法[illegible]殊諦聽南閻
浮提人皆短壽大限百年於中夭枉橫死者衆曼殊如是无量壽如來功德名稱法要
若有衆生得聞名號若自書或使人書能爲經卷受持讀誦若於舍宅所住之處以種
種花鬘瓔珞塗香末香而爲供養如其命盡復得延年滿足百歲如是曼殊若有
衆生得聞是无量壽智决定王如來一切八名號者益其長壽若有衆生大命將盡憶
念是如來名號便得增壽如是曼殊若有善男子善女人欲求長壽於是无量壽如來
一百八名號有得聞者或自書若使人書受持讀誦得如是等果報福德具足陀羅尼曰
南謨薄伽勃底一阿波唎蜜多二阿喻紇硯娜三須毗你室指陀四囉佐耶五怛他揭他耶六怛姪他唵七
薩婆桑悉迦囉八波唎輸底九達摩底十伽伽娜十一莎訶娑特迦底十二薩婆婆毗輸底十三
摩訶娜耶十四波唎婆唎莎訶十五
世尊復告曼殊室利如是如來一百八名號若有自書或使人書爲經卷受持讀誦如壽
命盡復滿百年壽此身後得往生无量福智世界无量壽淨土陀羅尼曰
南謨薄伽勃底一阿波唎蜜哆二阿喻紇硯娜三須毗你斯指陀四囉佐耶五怛他羯他耶六
怛姪他唵七薩婆桑悉迦囉八鉢唎輸底九達摩底十伽伽娜十一莎訶某特迦底十二
莎婆婆毗輸底十三摩訶娜耶十四波唎婆唎莎訶十五
尒時有九十九姟佛等一時同聲說是无量壽宗要經陀羅尼曰
南謨薄伽勃底一阿波唎蜜哆二阿喻紇硯娜三須毗你悉指陀四囉佐耶五怛他羯他耶六怛他姪
唵七薩婆桑悉迦囉八波唎輸底九達摩底十伽伽娜十一莎訶某特迦底十二薩婆婆毗輸
底十三摩訶娜耶十四波唎婆唎莎訶十五
尒時復有一百四姟佛一時同聲說是无量壽宗要經陀羅尼曰

BD00649 號　無量壽宗要經　　（6–1）

唵七薩婆桑悉迦囉八波唎輸底九達摩底十伽伽娜十一莎訶彌特迦底十二薩婆婆毗輸
底十三摩訶娜耶十四波唎婆唎莎訶十五
尒時復有一百四姟佛一時同聲説是无量壽宗要經陀羅尼曰
南謨薄伽勃底一阿波唎蜜多二阿喻紇硯娜三須毗你悉指陀四囉佐耶五怛他羯他耶六怛姪他
唵七薩婆桑悉迦囉八波唎輸底九達摩底十伽伽娜十一莎訶彌特迦底十二薩婆婆毗輸底十三
摩訶娜耶十四波唎婆唎莎訶十五
尒時復有七姟佛一時同聲説是无量壽宗要經陀羅尼曰
南謨薄伽勃底一阿波唎蜜多二阿喻紇硯娜三須毗你悉指陀四囉佐耶五怛他羯他耶六怛姪他
唵七薩婆桑悉迦囉八波唎輸底九達摩底十伽伽娜十一莎訶彌特迦底十二薩婆婆毗輸
底十三摩訶娜耶十四波唎婆唎莎訶十五
尒時復有六十五姟佛一時同聲説是无量壽宗要經陀羅尼曰
南謨薄伽勃底一阿波唎蜜多二阿喻紇硯娜三須毗你悉指陀四囉佐耶五怛他羯他耶六怛姪他唵七
薩婆桑悉迦囉八波唎輸底九達摩底十伽伽娜十一莎訶彌特迦底十二薩婆婆毗輸底十三
摩訶娜耶十四波唎婆唎莎訶十五
尒時復有五十五姟佛一時同聲説是无量壽宗要經陀羅尼曰
南謨薄伽勃底一阿波唎蜜多二阿喻紇硯娜三須毗你悉指陀四囉佐耶五怛他羯他耶六怛姪他
唵七薩婆桑悉迦囉八波唎輸底九達摩底十伽伽娜十一莎訶彌特迦底十二薩婆婆毗輸底十三
摩訶娜耶十四波唎婆唎莎訶十五
尒時復有四十五姟佛一時同聲説是无量壽宗要經陀羅尼曰
南謨薄伽勃底一阿波唎蜜多二阿喻紇硯娜三須毗你悉指陀四囉佐耶五怛他羯他耶六怛姪他
唵七薩婆桑悉迦囉八波唎輸底九達摩底十伽伽娜十一莎訶彌特迦底十二薩婆婆毗輸
底十三摩訶娜耶十四波唎婆唎莎訶十五
尒時復有三十六姟佛一時同聲説是无量壽宗要經陀羅尼曰
南謨薄伽勃底一阿波唎蜜多二阿喻紇硯娜三須毗你悉指陀四囉佐耶五怛他羯他耶六怛姪他
唵七薩婆桑悉迦囉八波唎輸底九達摩底十伽伽娜十一莎訶彌特迦底十二薩婆婆毗輸
底十三摩訶娜耶十四波唎婆唎莎訶十五
尒時復有二十五姟佛一時同聲説是无量壽宗要經陀羅尼曰
南謨薄伽勃底一阿波唎蜜多二阿喻紇硯娜三須毗你悉指陀四囉佐耶五怛他羯他耶六怛姪他
唵七薩婆桑悉迦囉八波唎輸底九達摩底十伽伽娜十一莎訶彌特迦底十二薩婆婆毗輸
底十三摩訶娜耶十四波唎婆唎莎訶十五

BD00649號　無量壽宗要經　（6–2）

南謨薄伽勃底一阿波唎蜜多二阿喻紇硯娜三須毗你悉指陀四囉佐耶五怛他羯他耶六怛姪他
唵七薩婆桑悉迦囉八波唎輸底九達摩底十伽伽娜十一莎訶彌特迦底十二薩婆婆毗輸
底十三摩訶娜耶十四波唎婆唎莎訶十五
尒時復有恒河沙姟佛一時同聲説是无量壽宗要經陀羅尼曰
南謨薄伽勃底一阿波唎蜜多二阿喻紇硯娜三須毗你悉指陀四囉佐耶五怛他羯他耶六怛
姪他唵七薩婆桑悉迦囉八波唎輸底九達摩底十伽伽娜十一莎訶彌特迦底十二薩婆婆毗輸
底十三摩訶娜耶十四波唎婆唎莎訶十五
善男子若有自書寫教人書寫是无量壽宗要經如其命盡復得長壽滿年陀羅尼曰
南謨薄伽勃底一阿波唎蜜多二阿喻紇硯娜三須毗你悉指陀四囉佐耶五怛他羯他耶六怛姪他
唵七薩婆桑悉迦囉八波唎輸底九達摩底十伽伽娜十一莎訶彌特迦底十二薩婆婆毗輸
底十三摩訶娜耶十四波唎婆唎莎訶十五
若有自書寫教人書寫是无量壽宗要經讀誦受持畢竟不墮地獄在在所生得宿命
智陀羅尼曰　南謨薄伽勃底一阿波唎蜜多二阿喻紇硯娜三須毗你悉指陀四囉佐耶五怛
他羯他耶六怛姪他唵七薩婆桑悉迦囉八波唎輸底九達摩底十伽伽娜十一莎訶彌特迦底十二薩
婆婆毗輸底十三摩訶娜耶十四波唎婆唎莎訶十五
若有自書寫教人書寫是无量壽宗要經受持讀誦如同書寫八万四千一切經典陀羅尼曰
南謨薄伽勃底一阿波唎蜜多二阿喻紇硯娜三須毗你悉指陀四囉佐耶五怛他羯他耶六怛姪他唵七
薩婆桑悉迦囉八波唎輸底九達摩底十伽伽娜十一莎訶彌特迦底十二薩婆婆毗輸底十三
摩訶娜耶十四波唎婆唎莎訶十五
若有自書寫教人書寫是无量壽宗要經即是書寫八万四千部建立塔廟陀羅尼曰
南謨薄伽勃底一阿波唎蜜多二阿喻紇硯娜三須毗你悉指陀四囉佐耶五怛他羯他耶六怛姪他唵七
薩婆桑悉迦囉八波唎輸底九達摩底十伽伽娜十一莎訶彌特迦底十二薩婆婆毗輸底十三
摩訶娜耶十四波唎婆唎莎訶十五
若有自書寫教人書寫是无量壽宗要經能消五无間等一切重罪陀羅尼曰
南謨薄伽勃底一阿波唎蜜多二阿喻紇硯娜三須毗你悉指陀四囉佐耶五怛他羯他耶六怛姪他唵七
薩婆桑悉迦囉八波唎輸底九達摩底十伽伽娜十一莎訶彌特迦底十二薩婆婆毗輸底十三
摩訶娜耶十四波唎婆唎莎訶十五
若有自書寫教人書寫是无量壽宗要經受持讀誦設有重罪猶如須彌盡能除滅陀
羅尼曰　南謨薄伽勃底一阿波唎蜜多二阿喻紇硯娜三須毗你悉指陀四囉佐耶五怛他羯他耶六
怛姪他唵七薩婆桑悉迦囉八波唎輸底九達摩底十伽伽娜十一莎訶彌特迦底十二薩婆婆

BD00649號　無量壽宗要經　（6–3）

若有自書寫教人書寫是无量壽宗要經受持讀誦設有重罪猶如須彌盡能除滅陁
羅尼曰 南謨薄伽勅底一 阿波唎蜜哆二 阿喻紇硯娜三 須毗你悉指陁四 囉佐耶五 怛他羯他耶六 怛
姪他唵七 薩婆桑悉迦囉八 波唎輸底九 達摩底十 伽伽娜十一 莎訶某特迦底十二 薩婆婆
毗輸底十三 摩訶娜耶十四 波唎婆唎莎訶十五
若有自書寫教人書寫是无量壽宗要經受持讀誦若魔魔之眷屬夜叉羅剎不
得其便終无枉死陁羅尼曰
南謨薄伽勅底一 阿波唎蜜哆二 阿喻紇硯娜三 須毗你悉指陁四 囉佐耶五 怛他羯他耶六 怛姪他
唵七 薩婆桑悉迦囉八 波唎輸底九 達摩底十 伽伽娜十一 莎訶某特迦底十二 薩婆婆毗輸
摩訶娜耶十四 波唎婆唎莎訶十五
若有自書寫教人書寫是无量壽宗要經受持讀誦當命終時有九十九俱胝佛現其人前
眾千佛授手能將一切佛剎莫於此經生於疑惑陁羅尼曰
南謨薄伽勅底一 阿波唎蜜哆二 阿喻紇硯娜三 須毗你悉指陁四 囉佐耶五 怛他羯他耶六 怛姪他
唵七 薩婆桑悉迦囉八 波唎輸底九 達摩底十 伽伽娜十一 莎訶某特迦底十二 薩婆婆毗
底十三 摩訶娜耶十四 波唎婆唎莎訶十五
若有自書寫教人書寫是无量壽宗要經受持讀誦常得四天大王隨其衛護陁羅尼曰
南謨薄伽勅底一 阿波唎蜜哆二 阿喻紇硯娜三 須毗你悉指陁四 囉佐耶五 怛他羯他耶六 怛姪他唵七
薩婆桑悉迦囉八 波唎輸底九 達摩底十 伽伽娜十一 莎訶某特迦底十二 薩婆婆毗輸底十三
摩訶娜耶十四 波唎婆唎莎訶十五
若有自書寫教人書寫是无量壽宗要經受持讀誦當得西方極樂世界阿彌陁淨土陁羅
尼曰 南謨薄伽勅底一 阿波唎蜜哆二 阿喻紇硯娜三 須毗你悉指陁四 囉佐耶五 怛他羯他耶六 怛姪他
唵七 薩婆桑悉迦囉八 波唎輸底九 達摩底十 伽伽娜十一 莎訶某特迦底十二 薩婆婆毗輸
底十三 摩訶娜耶十四 波唎婆唎莎訶十五
若有自書寫使人書寫是无量壽經典之處則為是塔皆應恭敬作禮若是畜生或為
鳥獸得聞是經如是等類皆當不久得成一切種智陁羅尼曰
南謨薄伽勅底一 阿波唎蜜哆二 阿喻紇硯娜三 須毗你悉指陁四 囉佐耶五 怛他羯他耶六 怛姪他
唵七 薩婆桑悉迦囉八 波唎輸底九 達摩底十 伽伽娜十一 莎訶某特迦底十二 薩婆婆毗輸
底十三 摩訶娜耶十四 波唎婆唎莎訶十五
若有自書寫量壽經自書寫若使人書寫畢竟不受女人之身陁羅尼曰
南謨薄伽勅底一 阿波唎蜜哆二 阿喻紇硯娜三 須毗你悉指陁四 囉佐耶五 怛他羯他耶六 怛
姪他唵七 薩婆桑悉迦囉八 波唎輸底九 達摩底十 伽伽娜十一 莎訶某特迦底十二 薩婆婆毗

BD00649號　無量壽宗要經　（6–4）

若有自書寫量壽經自書寫若使人書寫畢竟不受女人之身陁羅尼曰
南謨薄伽勅底一 阿波唎蜜哆二 阿喻紇硯娜三 須毗你悉指陁四 囉佐耶五 怛他羯他耶六 怛
姪他唵七 薩婆桑悉迦囉八 波唎輸底九 達摩底十 伽伽娜十一 莎訶某特迦底十二 薩婆婆毗
輸底十三 摩訶娜耶十四 波唎婆唎莎訶十五
若有能於是經少分能惠施者并於三千大千世界滿中七寶布施陁羅尼曰
南謨薄伽勅底一 阿波唎蜜哆二 阿喻紇硯娜三 須毗你悉指陁四 囉佐耶五 怛他羯他耶六 怛姪他唵七
薩婆桑悉迦囉八 波唎輸底九 達摩底十 伽伽娜十一 莎訶某特迦底十二 薩婆婆毗輸底十三
摩訶娜耶十四 波唎婆唎莎訶十五
若有能供養是經者則是供養一切諸經等无有別異陁羅尼曰
南謨薄伽勅底一 阿波唎蜜哆二 阿喻紇硯娜三 須毗你悉指陁四 囉佐耶五 怛他羯他耶六 怛姪
他唵七 薩婆桑悉迦囉八 波唎輸底九 達摩底十 伽伽娜十一 莎訶某特迦底十二 薩婆婆毗輸
底十三 摩訶娜耶十四 波唎婆唎莎訶十五
如是毗婆尸佛 尸棄佛 毗舍浮佛 俱留孫佛 俱那含牟尼佛 迦葉佛 釋迦牟尼佛 若有人以七
寶供養如是七佛其福有限書寫受持是无量壽經典所有功德不可限量陁羅尼曰
南謨薄伽勅底一 阿波唎蜜哆二 阿喻紇硯娜三 須毗你悉指陁四 囉佐耶五 怛他羯他耶六 怛姪
他唵七 薩婆桑悉迦囉八 波唎輸底九 達摩底十 伽伽娜十一 莎訶某特迦底十二 薩婆婆毗
輸底十三 摩訶娜耶十四 波唎婆唎莎訶十五
若有七寶等於須彌以用布施其福上能知其限量是无量壽宗要經其福不可知數陁羅尼曰
南謨薄伽勅底一 阿波唎蜜多二 阿喻紇硯娜三 須毗你悉指陁四 囉佐耶五 怛他羯他耶六 怛姪
他唵七 薩婆桑悉迦囉八 波唎輸底九 達摩底十 伽迦娜十一 莎訶某特迦底十二 薩婆婆
毗輸底十三 摩訶娜耶十四 波唎婆唎莎訶十五
如是四大海水可知渧數是无量壽經典所生果報不可數量陁羅尼曰
南謨薄伽勅底一 阿波唎蜜哆二 阿喻紇硯娜三 須毗你悉指陁四 囉佐耶五 怛他羯他耶六 怛姪他唵七
薩婆桑悉迦囉八 波唎輸底九 達摩底十 伽伽娜十一 莎訶某特迦底十二 薩婆婆毗輸底十三
摩訶娜耶十四 波唎婆唎莎訶十五
若有人自書寫使人書寫是无量壽經典又能讀持供養即如恭敬供養一切十方佛土如
來无有別異陁羅尼曰
南謨薄伽勅底一 阿波唎蜜哆二 阿喻紇硯娜三 須毗你悉指陁四 囉佐耶五 怛他羯他耶六
怛姪他唵七 薩婆桑悉迦囉八 波唎輸底九 達摩底十 伽伽娜十一 莎訶某特迦底十二 薩婆婆
毗輸底十三 摩訶娜耶十四 波唎婆唎莎訶十五
布施力能成正覺 悟布施力入師子 布施力能聲普聞 慈悲階漸眾能入

BD00649號　無量壽宗要經　（6–5）

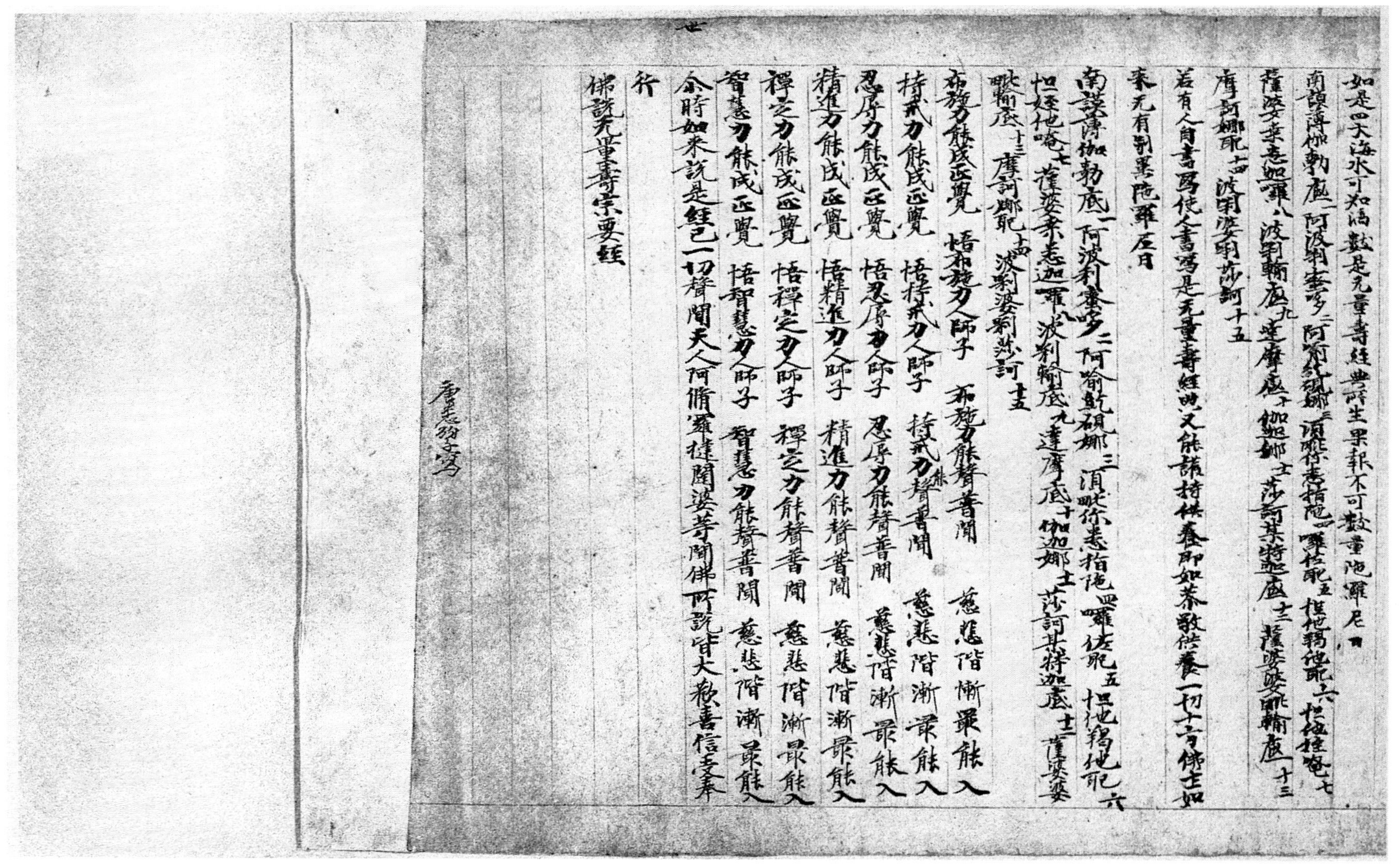

如是四大海水可知滴數，是无量壽經典所生果報不可數量。陀羅尼曰：
南謨薄伽勃底一 阿波唎蜜多二 阿喻紇硯娜三 須毗你悉指陀四 囉佐耶五 怛他羯他耶六 怛姪他唵七
薩婆桑塞迦囉八 波唎輸底九 達摩底十 伽伽娜十一 莎訶木揭底十二 薩婆婆毗輸底十三
摩訶娜耶十四 波唎婆唎莎訶十五
若有人自書寫使人書寫是无量壽經典，又能讀持供養，即如恭敬供養一切十方佛土如
來无有別異。陀羅尼曰：
南謨薄伽勃底一 阿波唎蜜多二 阿喻紇硯娜三 須毗你悉指陀四 囉佐耶五 怛他羯他耶六
怛姪他唵七 薩婆桑塞迦囉八 波唎輸底九 達摩底十 伽伽娜十一 莎訶木揭底十二 薩婆婆
毗輸底十三 摩訶娜耶十四 波唎婆唎莎訶十五
布施力能成正覺 悟布施力人師子 布施力能聲普聞 慈悲階漸最能入
持戒力能成正覺 悟持戒力人師子 持戒力能聲普聞 慈悲階漸最能入
忍辱力能成正覺 悟忍辱力人師子 忍辱力能聲普聞 慈悲階漸最能入
精進力能成正覺 悟精進力人師子 精進力能聲普聞 慈悲階漸最能入
禪定力能成正覺 悟禪定力人師子 禪定力能聲普聞 慈悲階漸最能入
智慧力能成正覺 悟智慧力人師子 智慧力能聲普聞 慈悲階漸最能入
尒時如來說是經已，一切世間天人阿脩羅揵闥婆等聞佛所說，皆大歡喜信受奉
行
佛說无量壽宗要經

唐[illegible][illegible]子寫

BD00649號　無量壽宗要經　（6–6）

終盡雲法經三大劫。其初資粮加行二位是初大劫。從通達位至七地
終是第二劫。從第八地盡第十地是第三劫。時畢三祇，行備四位，方登究竟菩提
果矣。　第二釋名者。初釋資粮。先總後別。總言資粮者，資益己身之粮
名為資粮。欲趣菩提要資於行，此位創脩入佛之因，名資粮位。依唯識云為
趣無上正等菩提脩集種種勝資粮故　順解脫分。言解脫者所謂涅
槃，離煩惱縛名為解脫。分者所求之順者不違，分者因義，即此脩行不違於
果，是果之因名為解脫分。依唯識云為有情故勤求解脫，由此亦名順解
脫分。釋別名者，下三十住菩薩於此創安其心於六度等行求殊勝位，得住名
此十別名。一此住菩薩創首發於大菩提心，名發心住。二名菩薩淨治三業，思及為
識名治地住。三名菩薩脩勝理觀起上妙行，名脩行住。四名菩薩從於聖法正
教中生，名生貴住。五名菩薩所脩善根皆為救物，名方便具足住。六名菩薩於
聞讚毀心定不動，名正心住。七名菩薩聞說三寶三際有無，心堅不轉，名不退住。
八名菩薩三業清潔，始二世間真簡虛妄，童表無染，猶漫嬰兒之行，名童
真住。九名菩薩解真俗諦，悟法王法將紹所襲，名法王子住。十名菩薩如王太子堪
受王位，行斷勝故，名灌頂住。　第二十名行十　此位菩薩行六度等諸行勝故名之為行。
言其十者。一此位菩薩為大施主，一切能捨，三時無悔，利益不希報，生喜故觀名
歡喜行。二菩薩常持淨戒，不染五欲，能令眾生遠一切眾生之無上戒，得果
名饒益行。三名菩薩常脩忍辱，謙卑恭敬，和顏愛語，不害自他，忍辱空
寂，怨對能忍，名無恚行。四名菩薩假設多處說劇苦，求法濟生，令不息，名無盡行。
五名菩薩常住正念，恆無散亂，於一切法乃至生死入住出胎無有癡亂，名離癡亂行。
六名菩薩了達人法性空，無性於三業寂滅，無縛無著，而復不捨化眾生，心恆能隨類
現生救攝，名善現行。七名菩薩歷經塵剎，供佛求法，傳燈度生，心無厭足，然以
寂滅觀法，法故而於一切心無所著，名無著行。八名菩薩尊重善根，智慧等法皆
悉成就，而由得斯，說尊重法二利之行，更須脩習，名尊重行。九名菩薩得四無
礙，演說法要，為眾生作清涼池，守護正法，令佛種不斷，名善法

BD00650號　大乘人道次第章（擬）

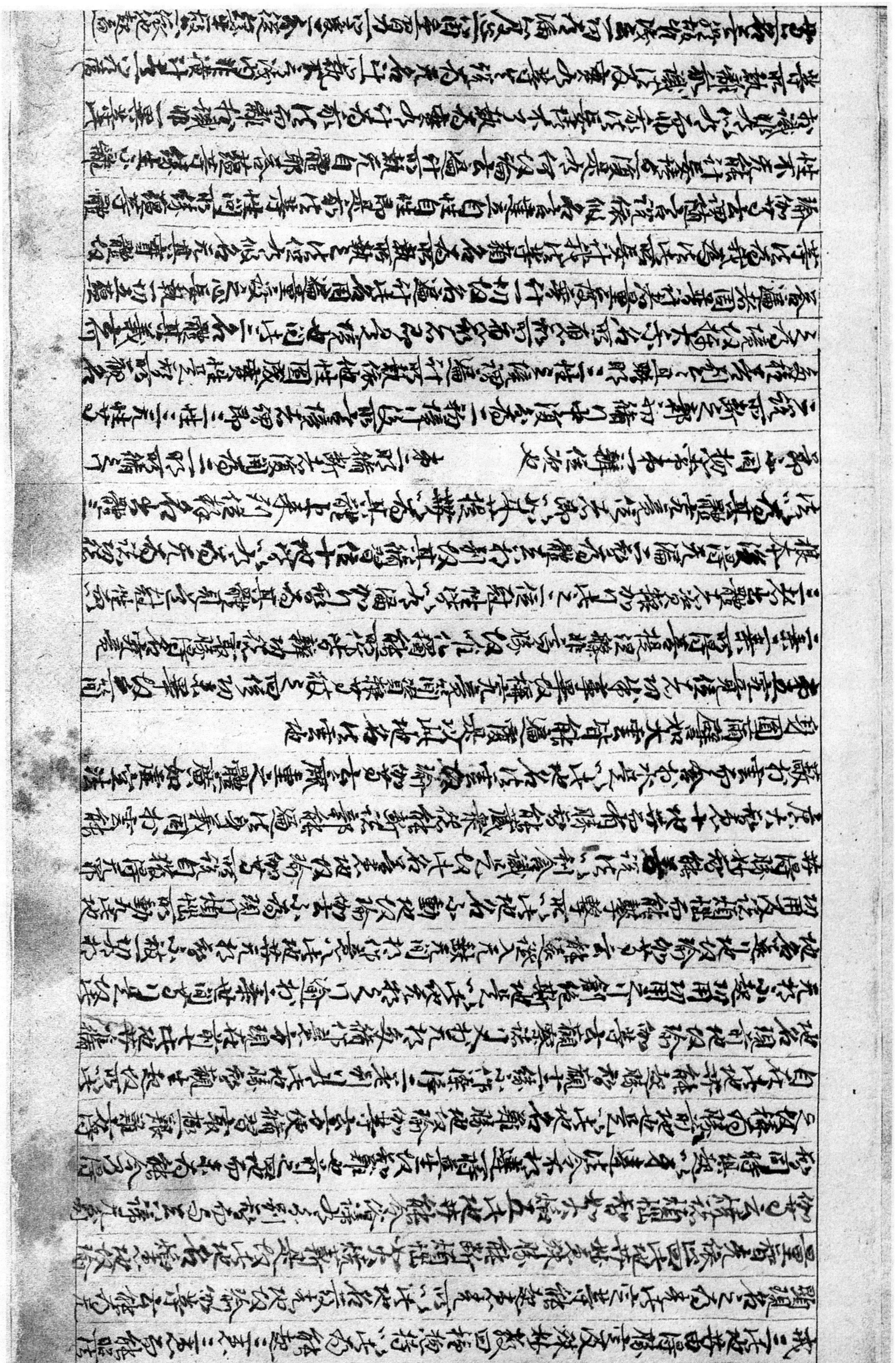

（23–4）

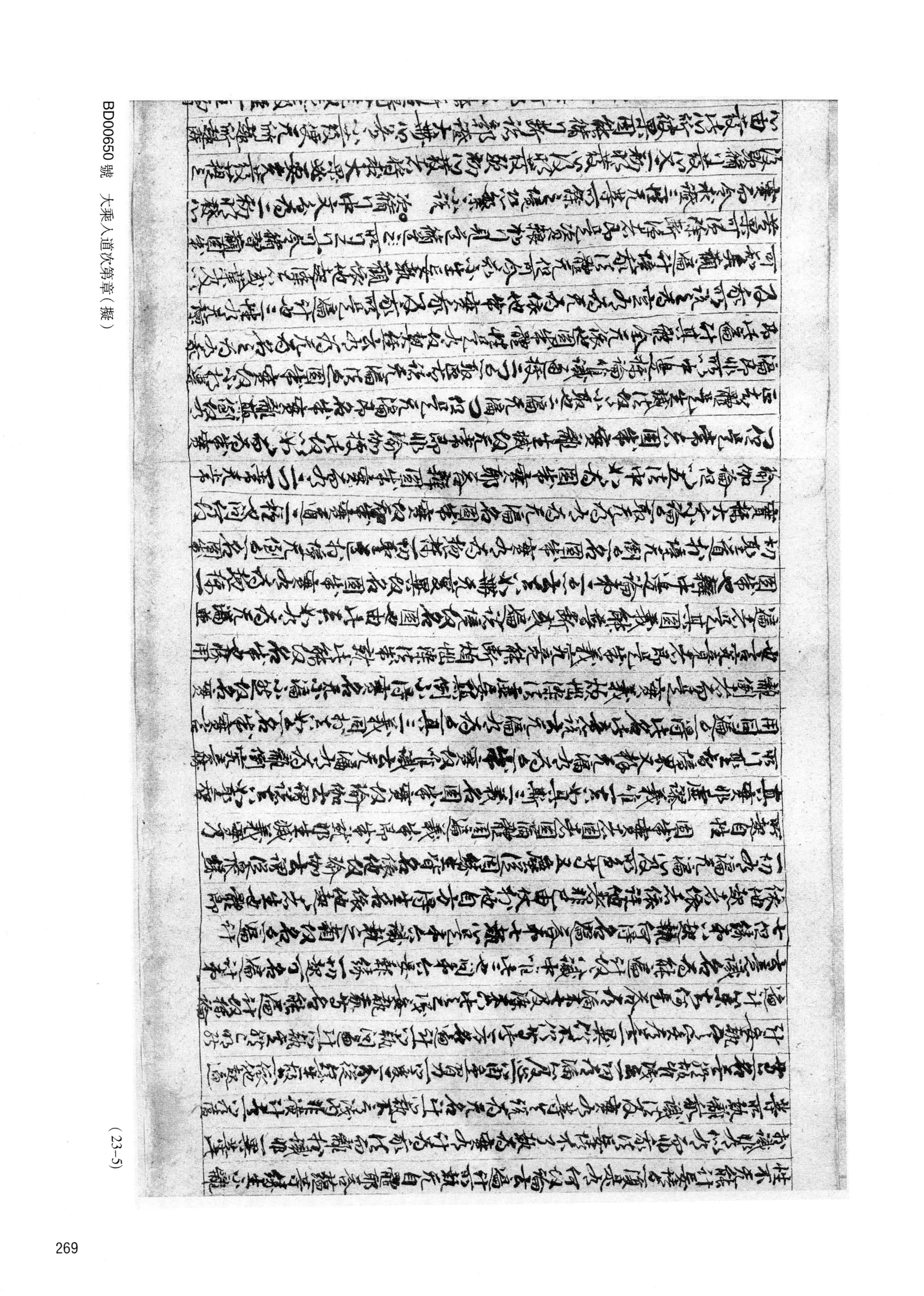

BD00650號　大乘入道次第章（擬）

（23–5）

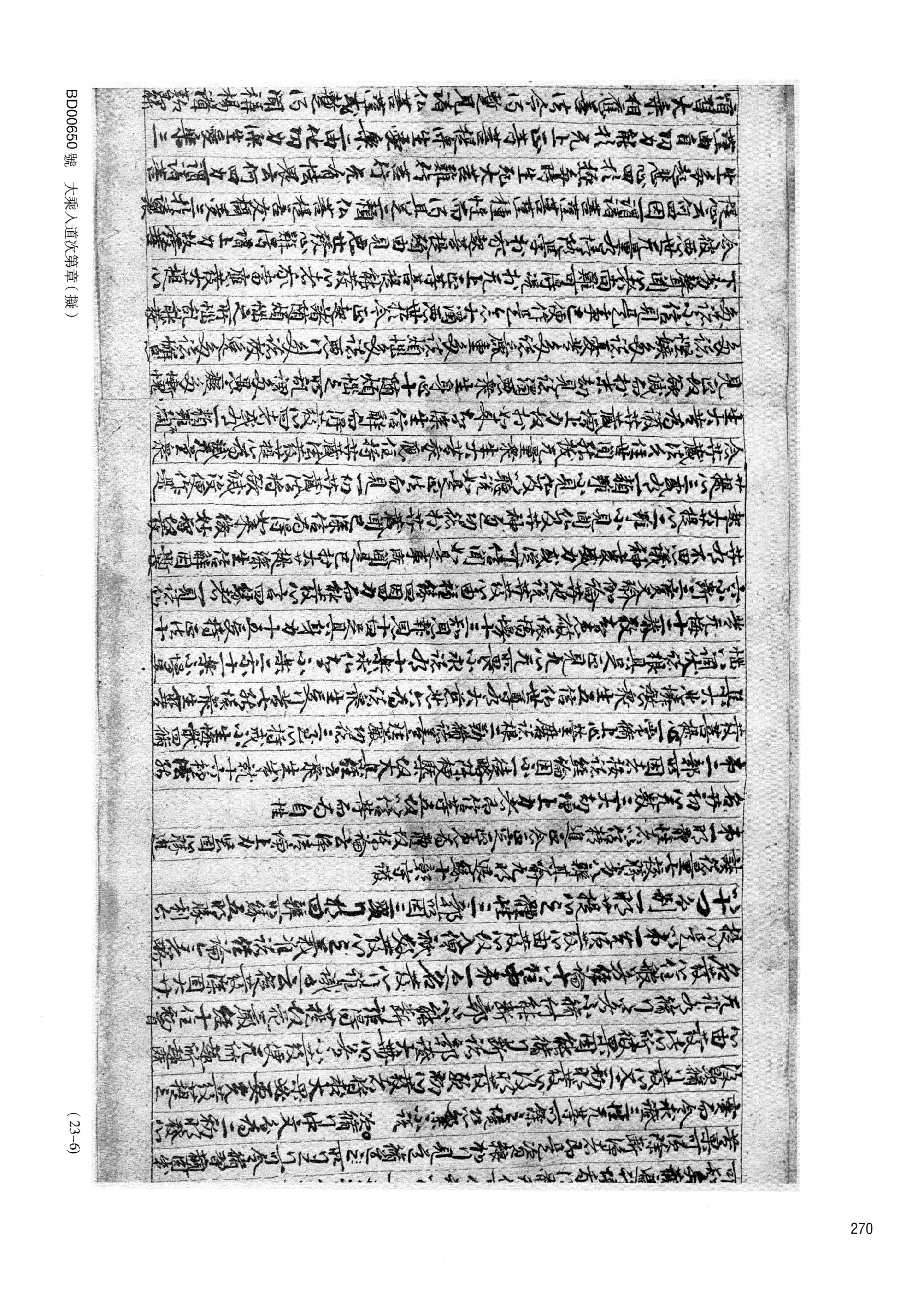

BD00650號　大乘入道次第章（擬）

（23-6）

提心。云何四因？一謂諸菩薩善知識種性而得具足；二種仏菩提善友攝受；三於諸衆
生多起悲心；四於極多時生死大苦難行苦行无有怯畏。云何四力？一謂諸菩
薩由自功力能於无上正等菩提深生愛樂；二由他功力深生愛樂；第三
宿習大乘相應善法，令得暫見諸仏菩薩威德，得聞稱揚讚歎；第四
速發大菩提心，况覩神力，聞其正法；四於現法中親近承事，聽聞正法，諦思惟，善長
時備習種種善法，由此加行發菩提心。　第三明所求者：希求為於希求，有二：一求菩提，
二求利生。故瑜伽云：菩薩起心求菩提時，發如是心說如是言：願我決定當證无上正等
菩提，能作有情一切義利。又取初發心於諸衆生發起二種意樂：一者利益
意樂，謂欲從彼不善處出，安置善處；二者安樂意樂，謂於貧匱遭无
依无怙諸衆生所，願除其行心，願與種種饒益樂具。又攝名經論發心門往而有
四義：一者廣大心，四生三界咸是我之所度；二者第一義心，咸令有情得无餘依
涅槃勝果；三者常心，攝度衆生，不見身外有衆生相，即於身故能常度一切
衆生；四不顛倒心，不起我執，有自他有情，亦當如是等。諸教皆以決定希求二利為發菩
提心之行相。　第四辨所緣者：恒以所求所度而為所緣。故大般若經云：菩薩觀自仏
尊，初發菩提心，菩薩何所思惟？仏言：正思惟一切智。又瑜伽論云：以大菩提及諸有情一切
義利為所緣境。緣菩提故自求當證，緣衆生故悲心希濟。
第五明勝利者：大集經頌云：若人善發菩提心，如是乃能斷惡趣，能為人天開正
路，能閉八難邪嶮徑，諸根具足亦皆離，悉皆由發菩提心。又頌云：能見十方諸世
尊，能飡无上甘露味，若能發心菩提是，故能破疑情煩无量，所求皆得自在，
能為衆生說法界。花嚴經云：若有發菩提心，則為不斷一切仏種，則為嚴淨一切
仏剎，則為成熟一切衆生，則為了達一切法性，則令一切諸衆生界未得安隱。瑜伽菩薩地云：
發心菩薩所攝善法，為二種勝：一因二果。謂所攝善法是无上正等菩提能證因，故最證无上
是此果故，尚勝二乘，況餘一切世間因果。又云：發心菩薩有二勝利：一入初發心已即為衆生尊
重福田，一切衆生皆應供養，作一切衆生父母；二者發心已即能得受无惱害福田。此菩薩
就如是无惱害福德，轉輪王護所行識，由得如是識所識故，若寢若悟若迷悶等，
一切魍魎人非人等不能嬈害。又此菩薩轉受餘生，由如是福所攝持故，少病少惱，不為
長時重病所觸，常為衆生无倦无厭。
第六讚德量者：華嚴經云：發
心功德不可充滿一切衆生界衆苦，其說无能盡，何況所餘諸妙行。又云：菩薩初發
心，誓求當證仏菩提，彼之功德无邊際，不可稱量无與等。又云：菩薩生死最初發心時，
向求菩提堅固不可動，彼一念功德深廣无邊際，如來分別說，窮劫猶不盡。莊嚴菩提心
論云：如來說言：如諸菩薩最初發心，下至一念福果，彼百千万劫說不能盡。假復一日一月一
歲乃至百千劫，習彼心福德，果報豈可說盡？何以故？於所有盡諸法一切衆生

BD00650號　大乘入道次第章（擬）

BD00650號　大乘入道次第章（擬）

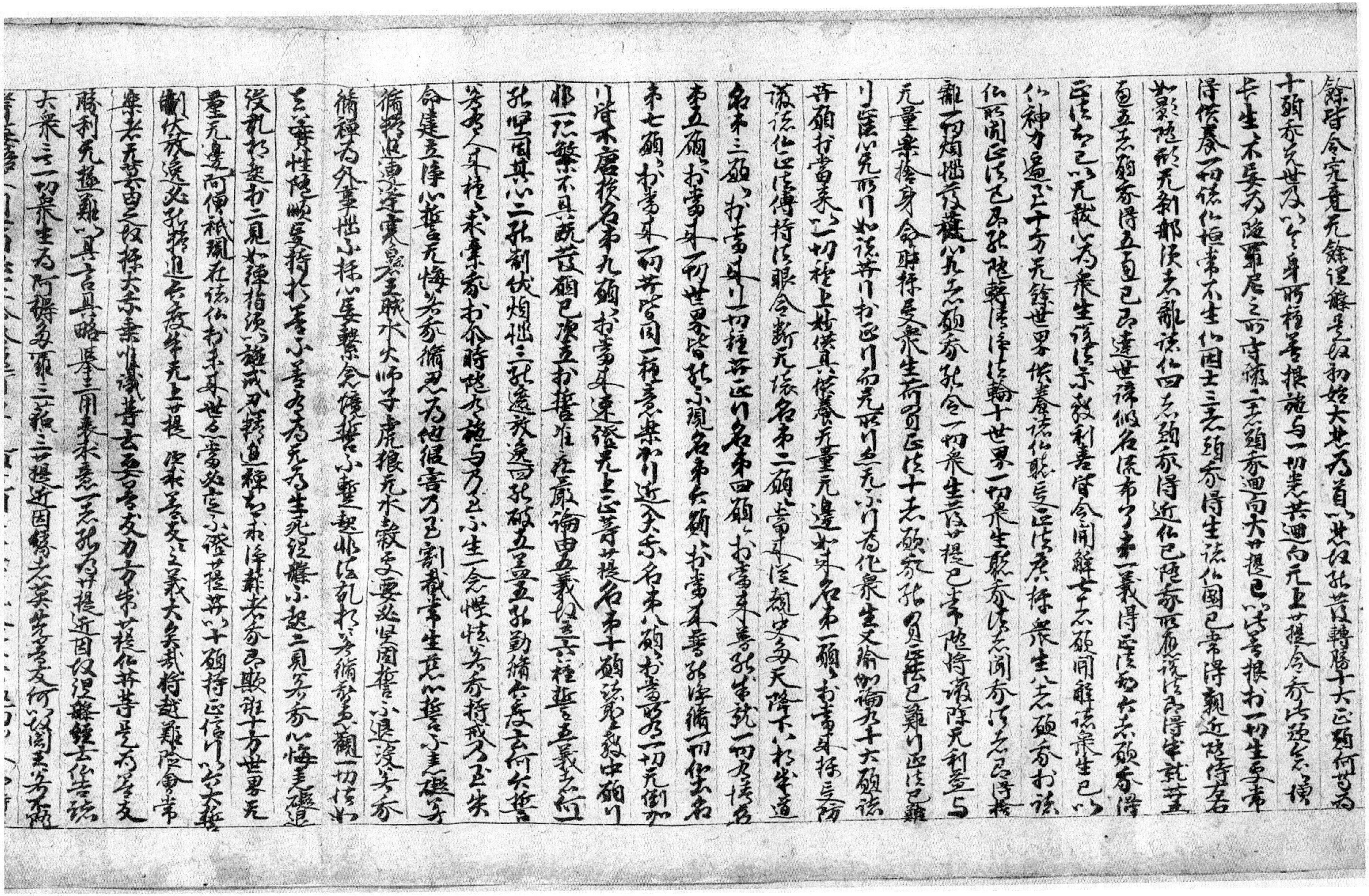

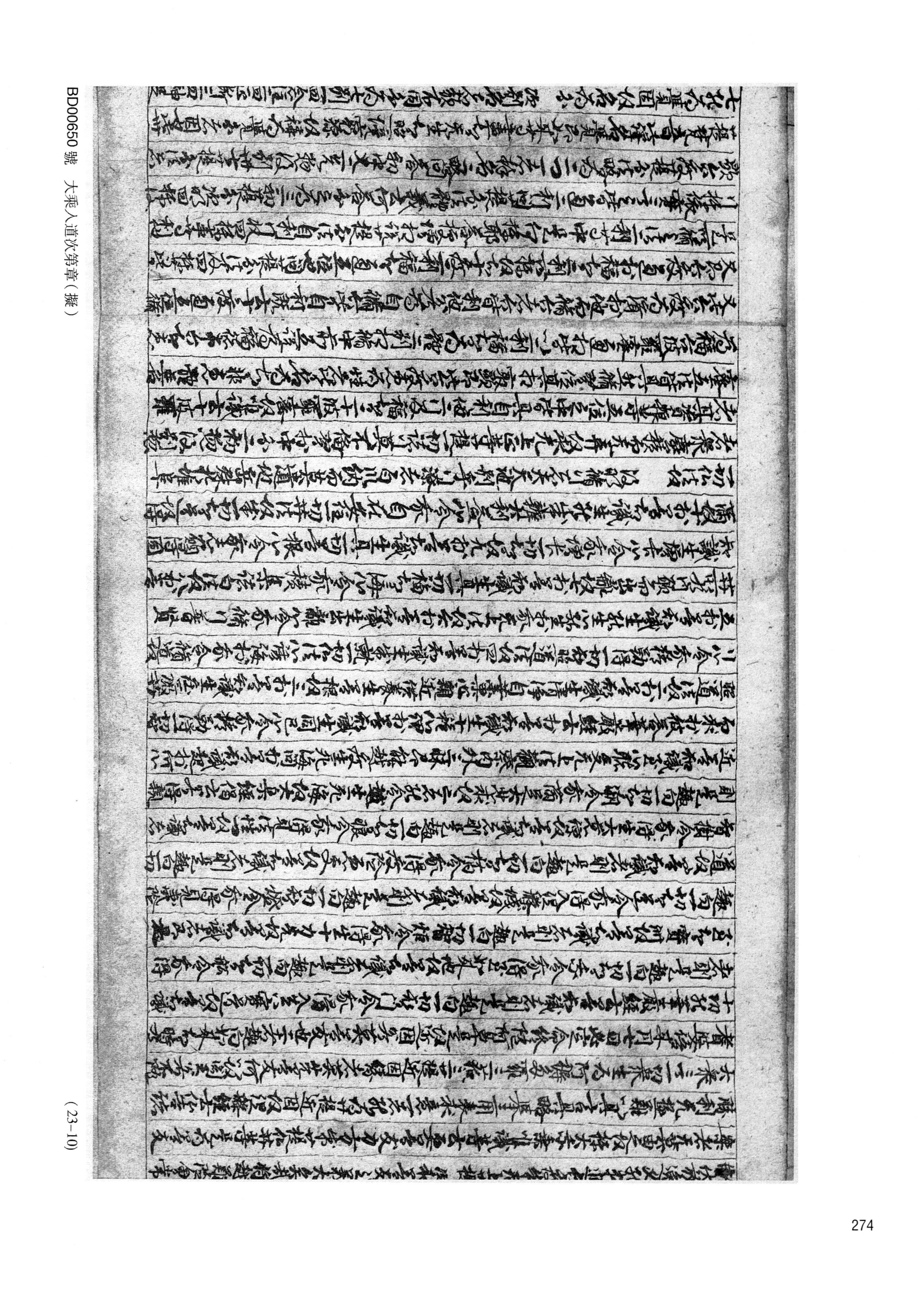

BD00650號　大乘入道次第章（擬）

（23-10）

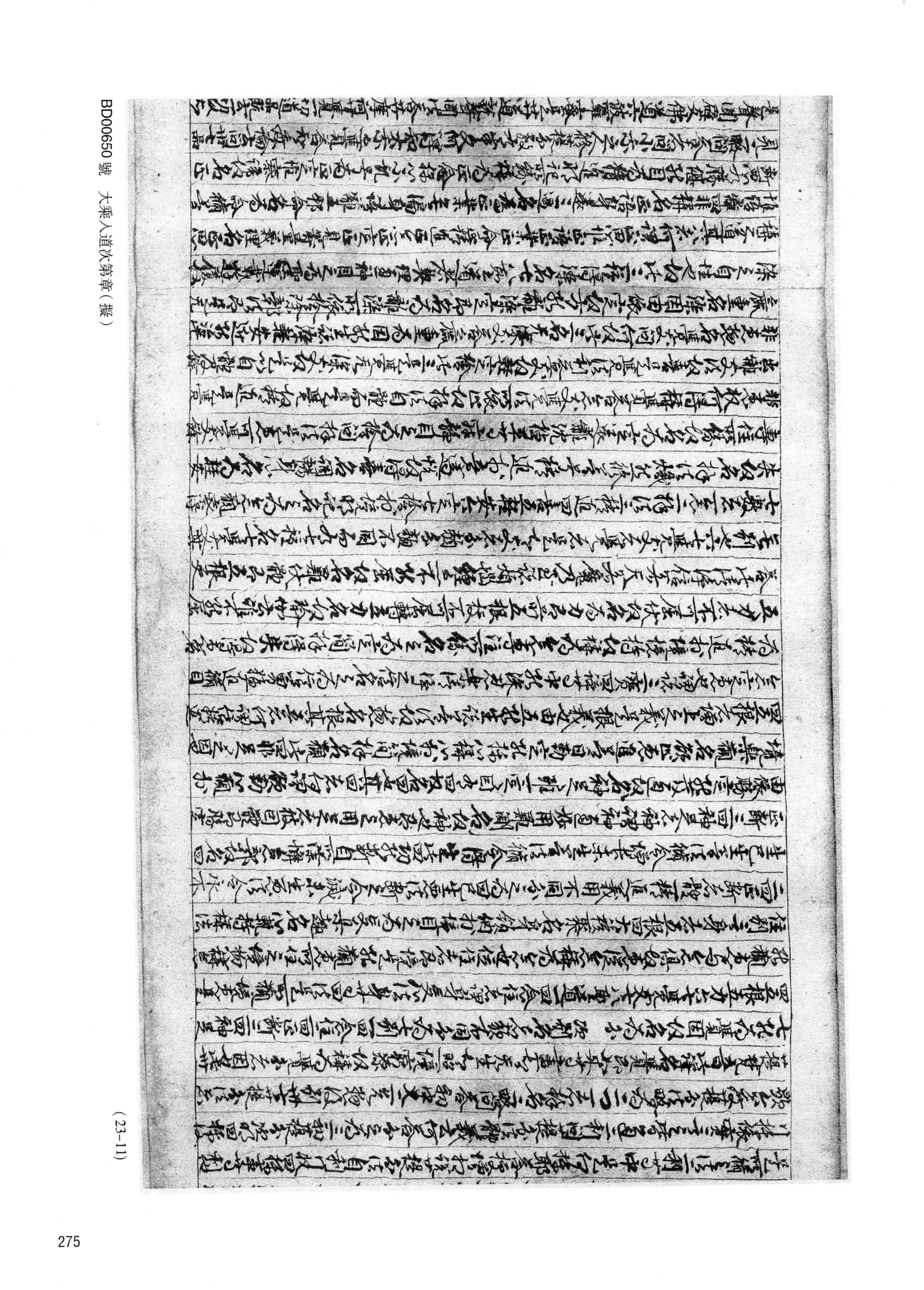

（23–11）

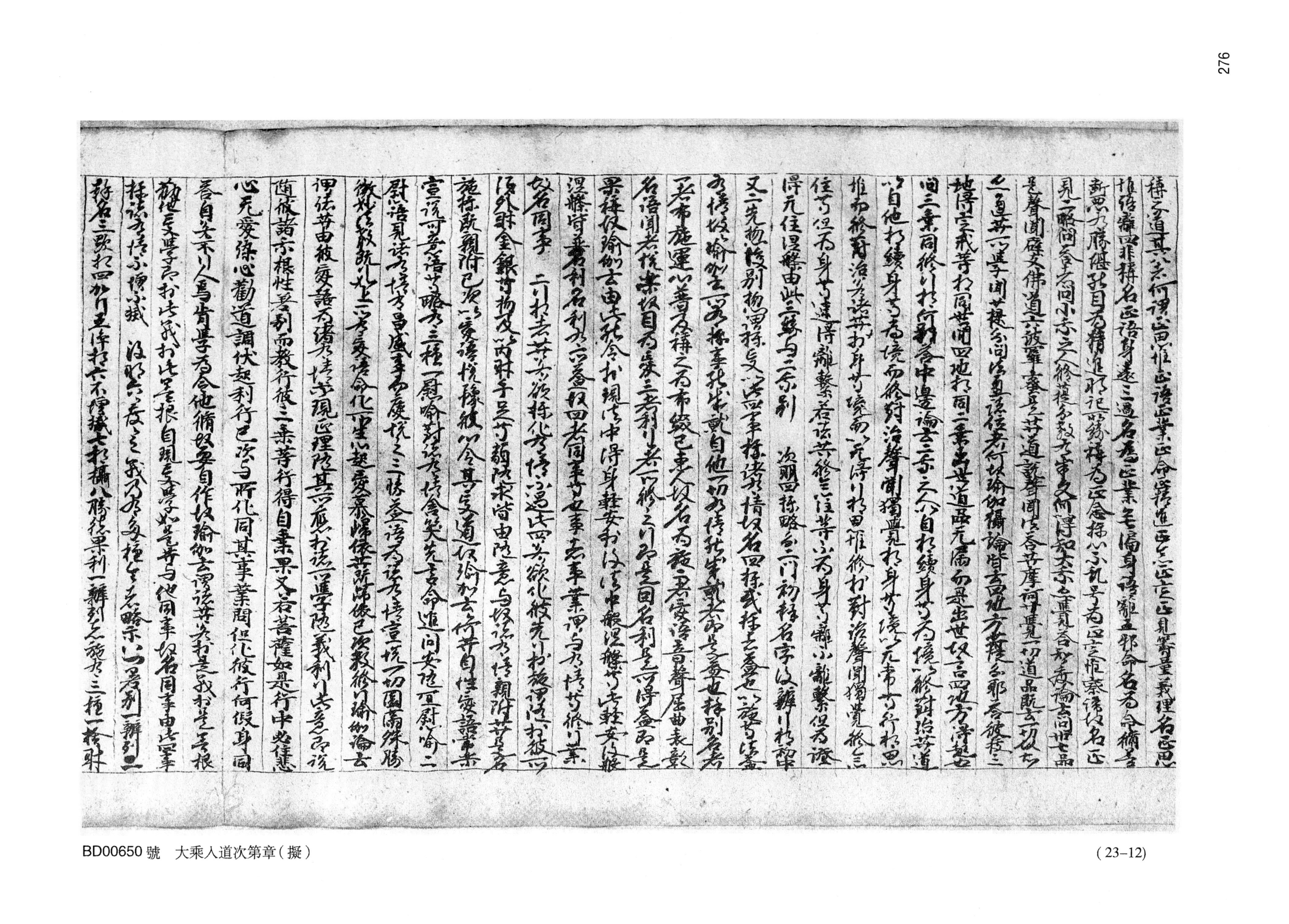

BD00650號　大乘入道次第章（擬）

（23–12）

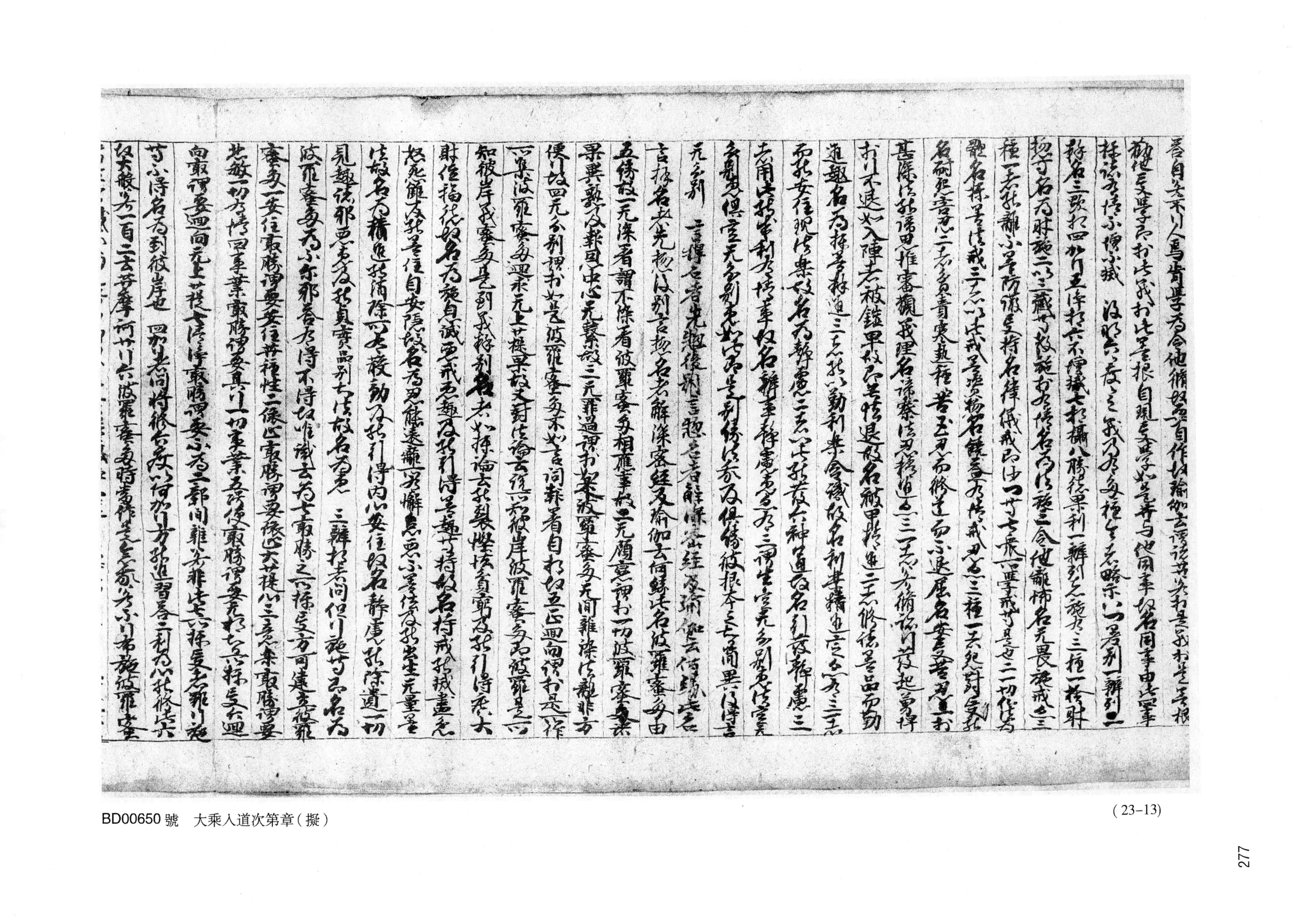

BD00650號　大乘入道次第章（擬）

（23-13）

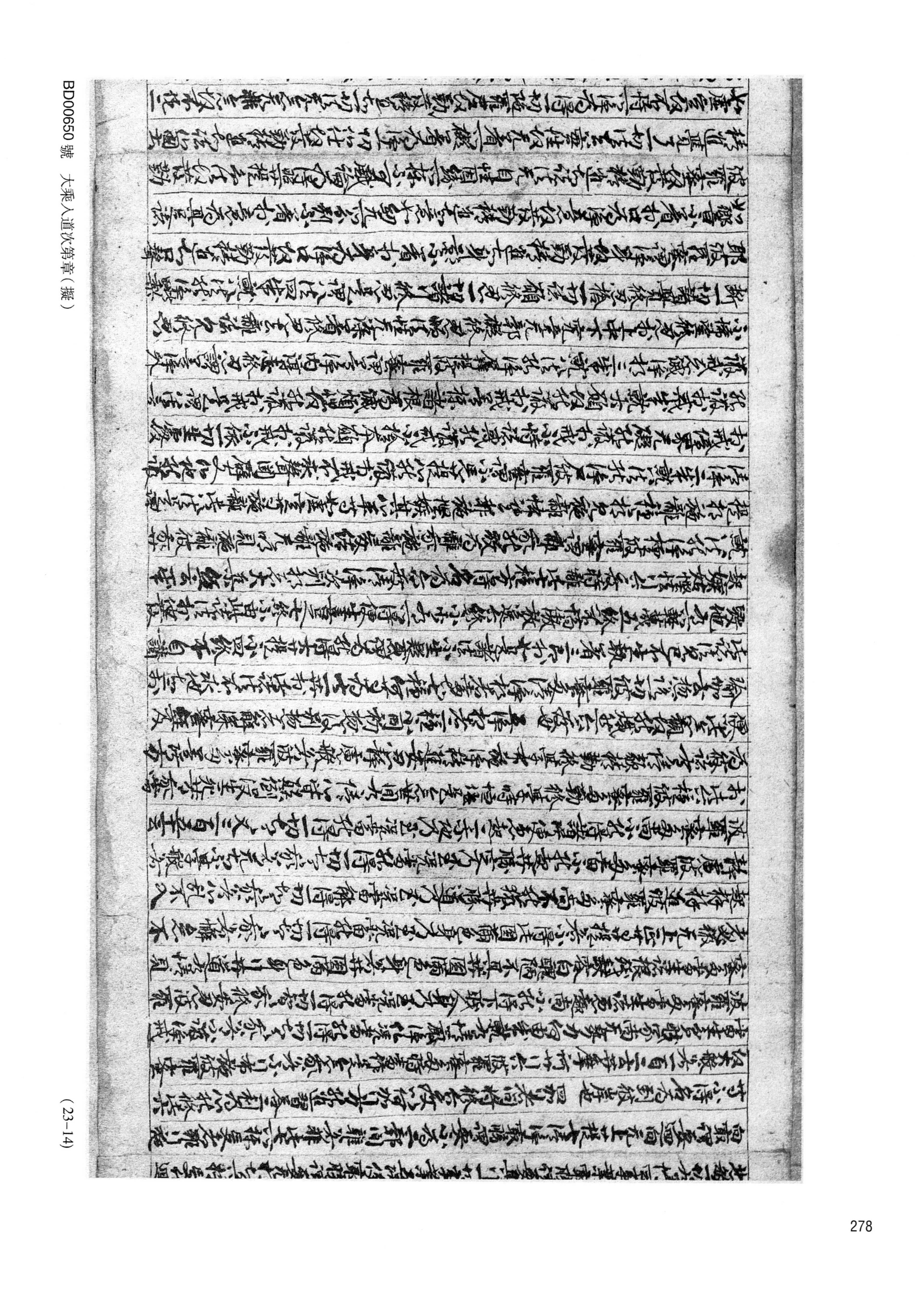

BD00650號　大乘入道次第章（擬）

（23–14）

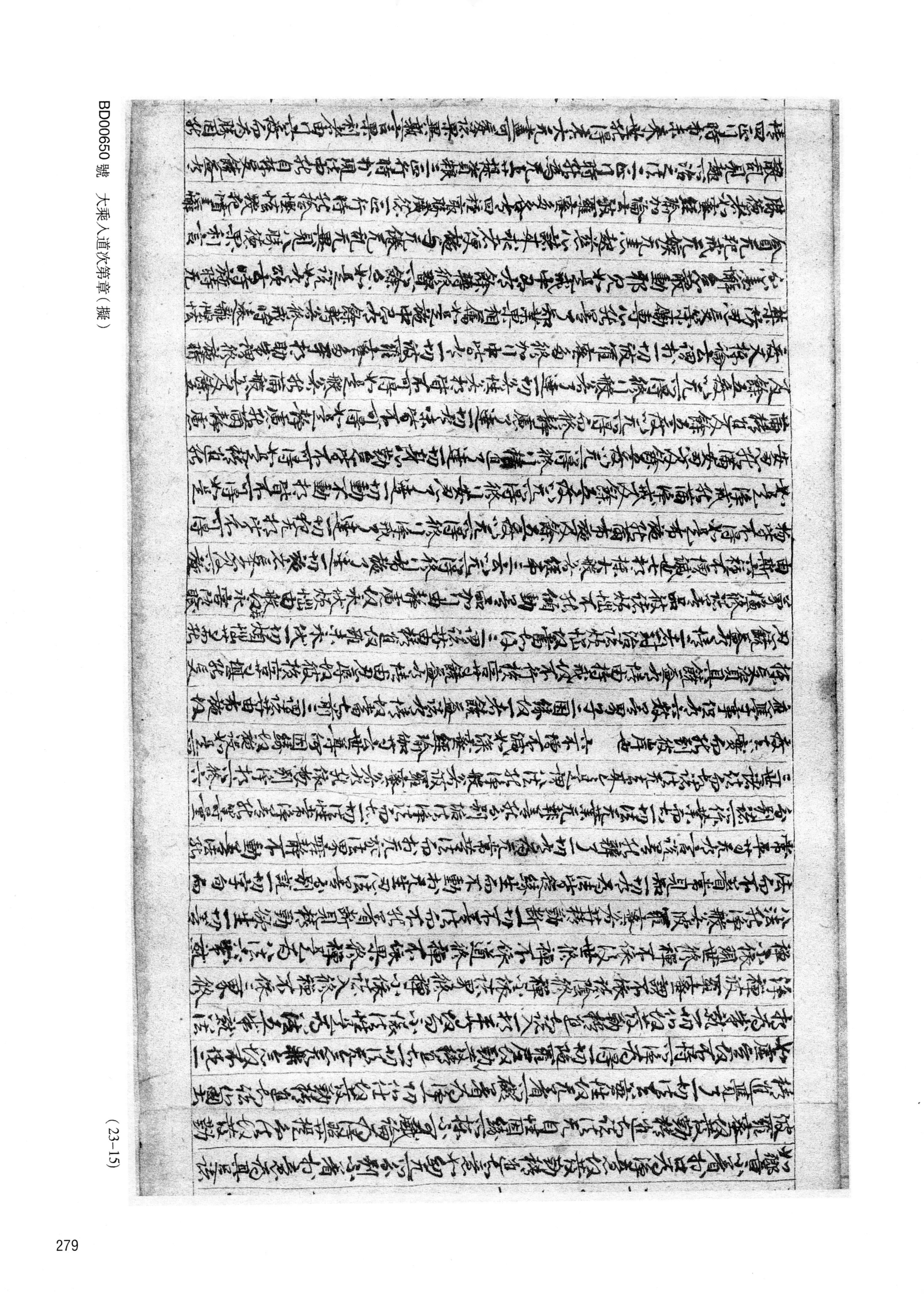

BD00650號　大乘入道次第章（擬）

（23–16）

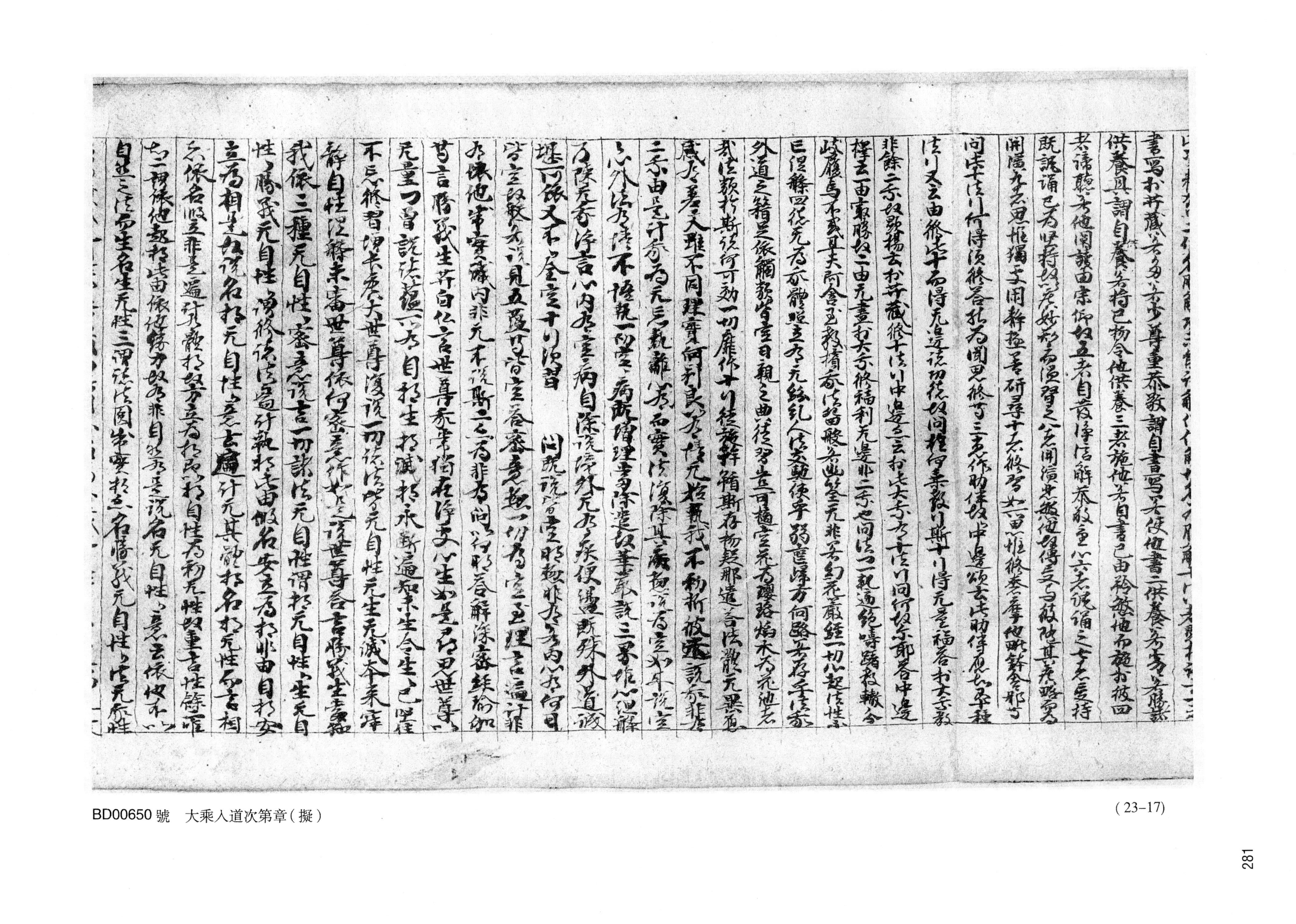

BD00650號　大乘入道次第章（擬）

（23–17）

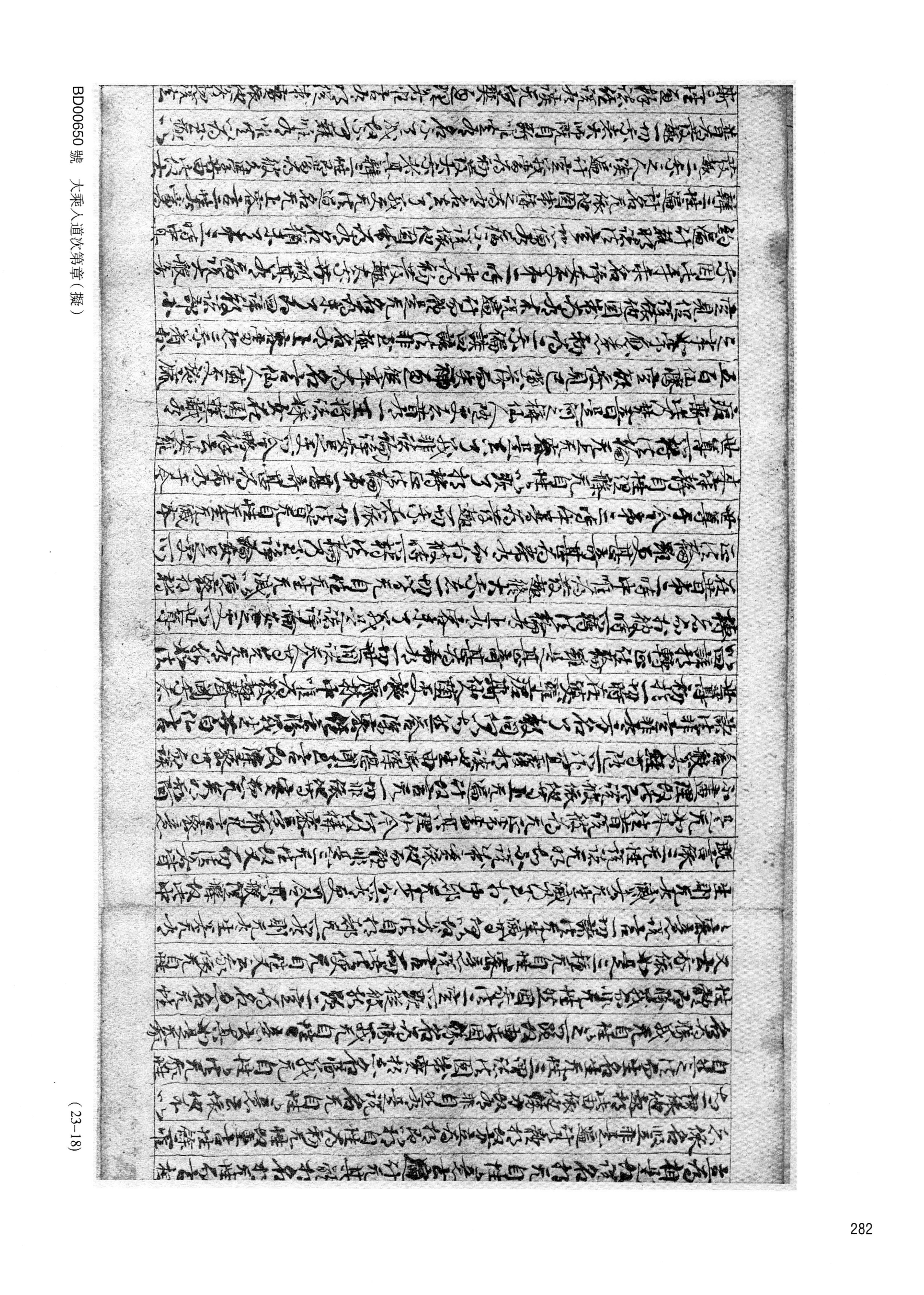

BD00650號　大乘入道次第章（擬）

（23–18）

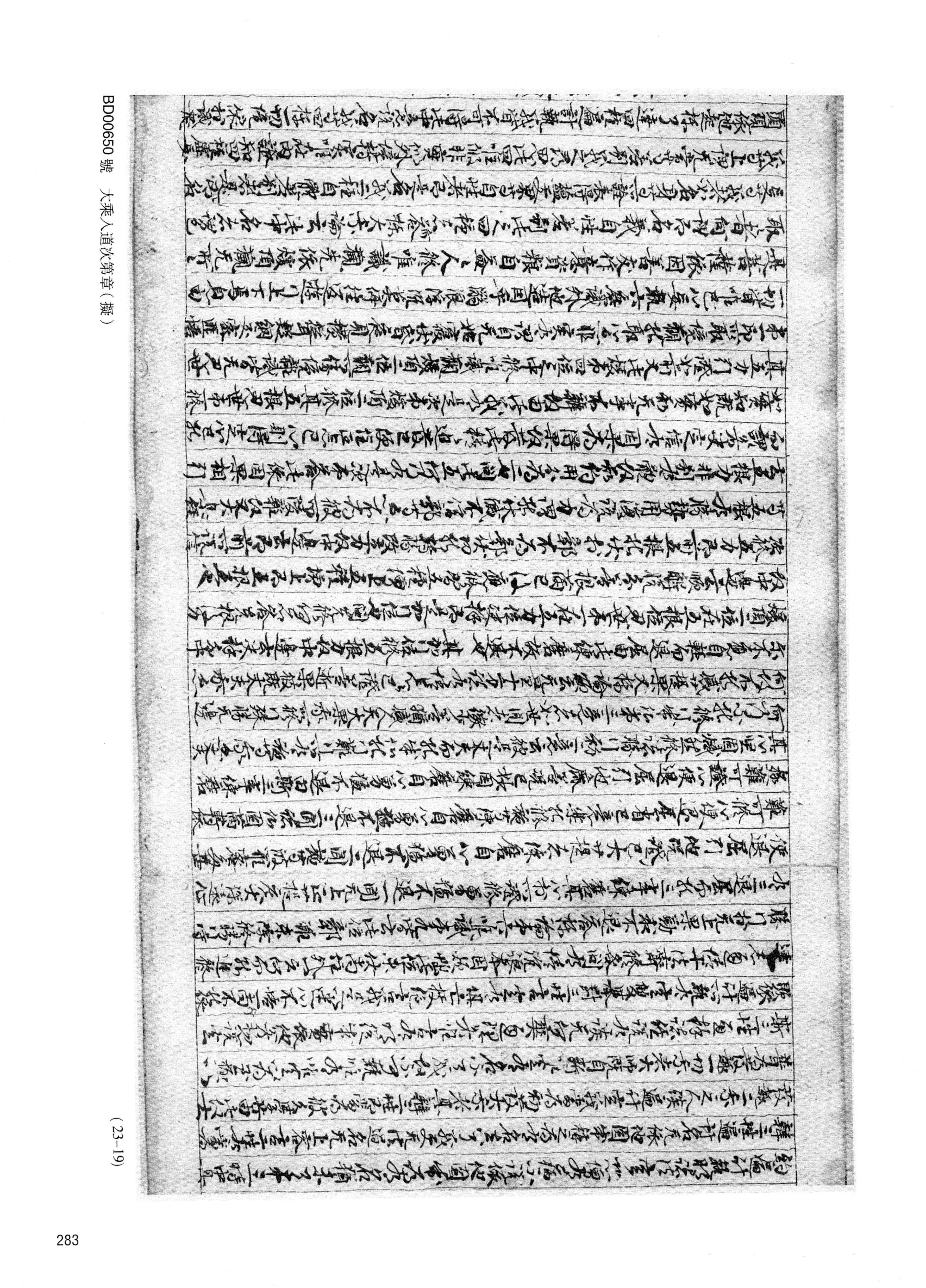

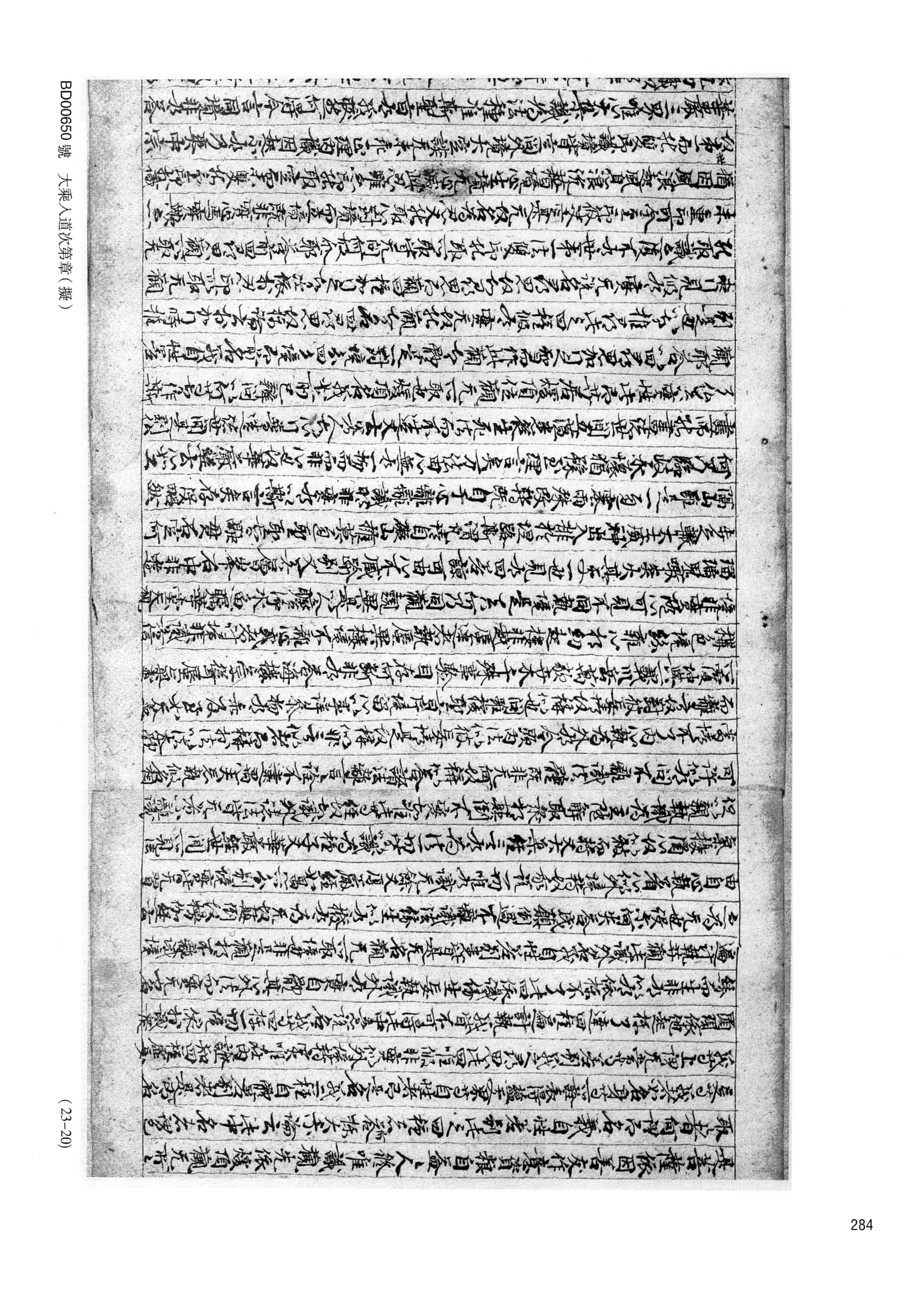

BD00650號　大乘入道次第章（擬）

（23–20）

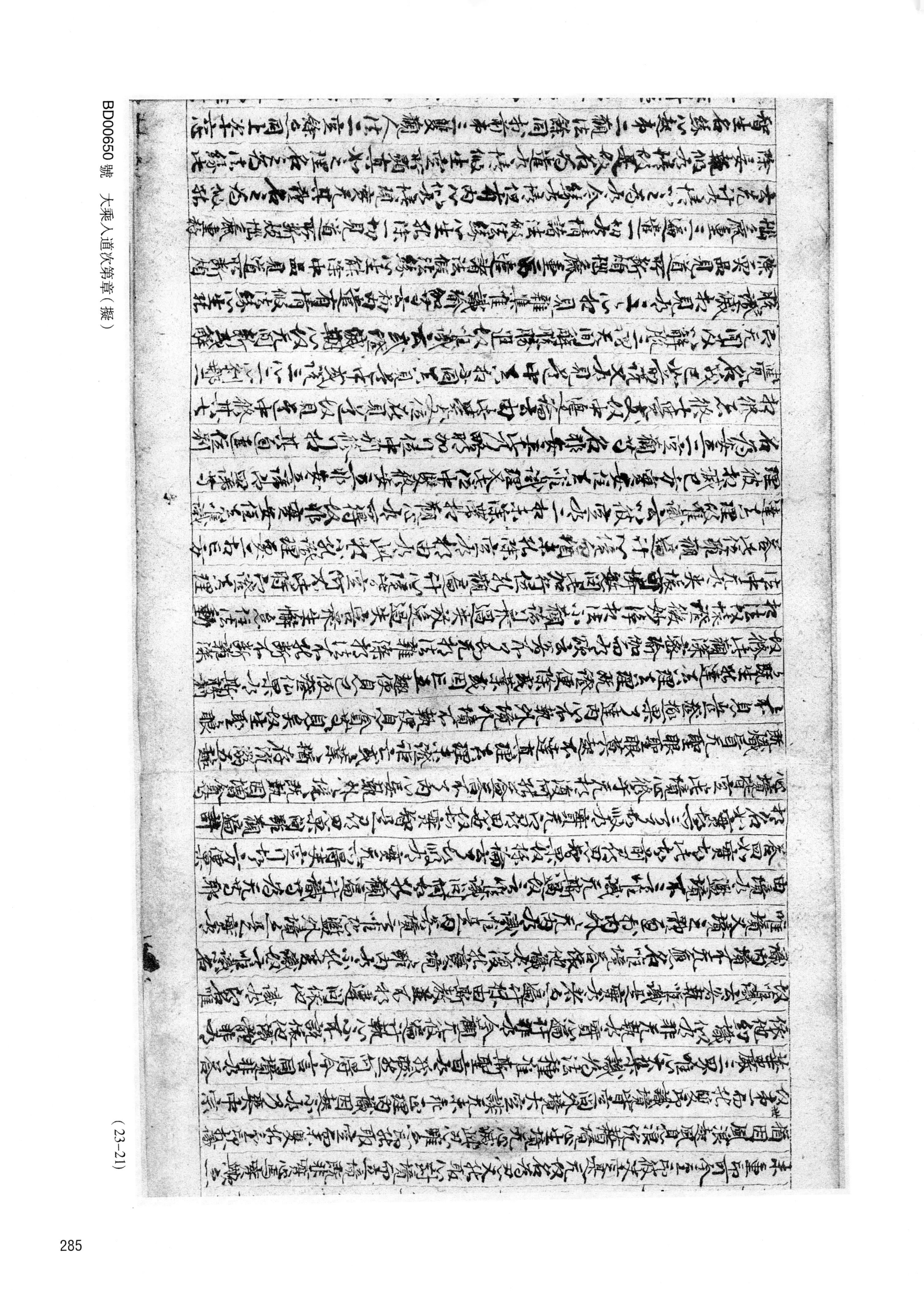

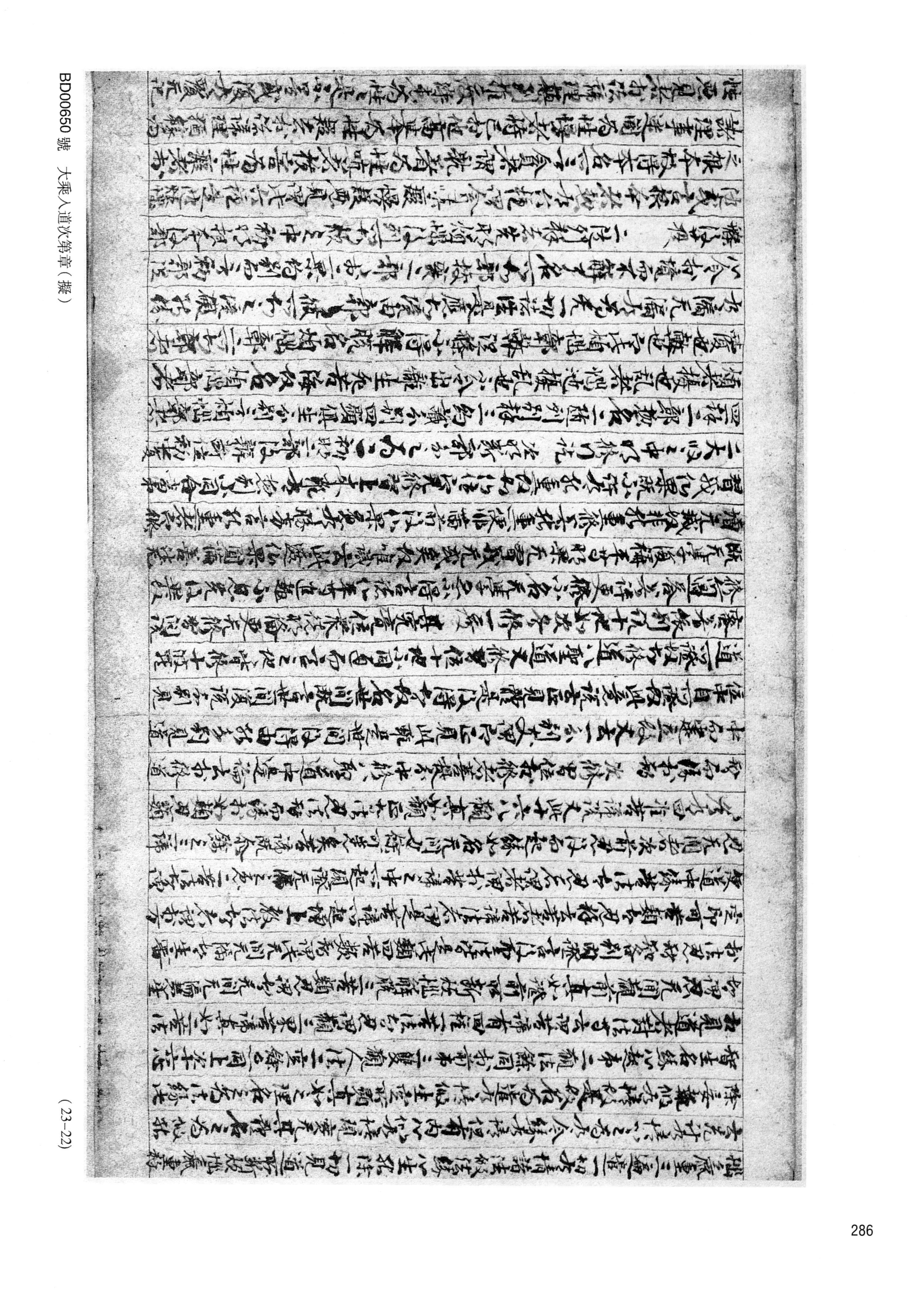

BD00650號　大乘入道次第章（擬）

（23–22）

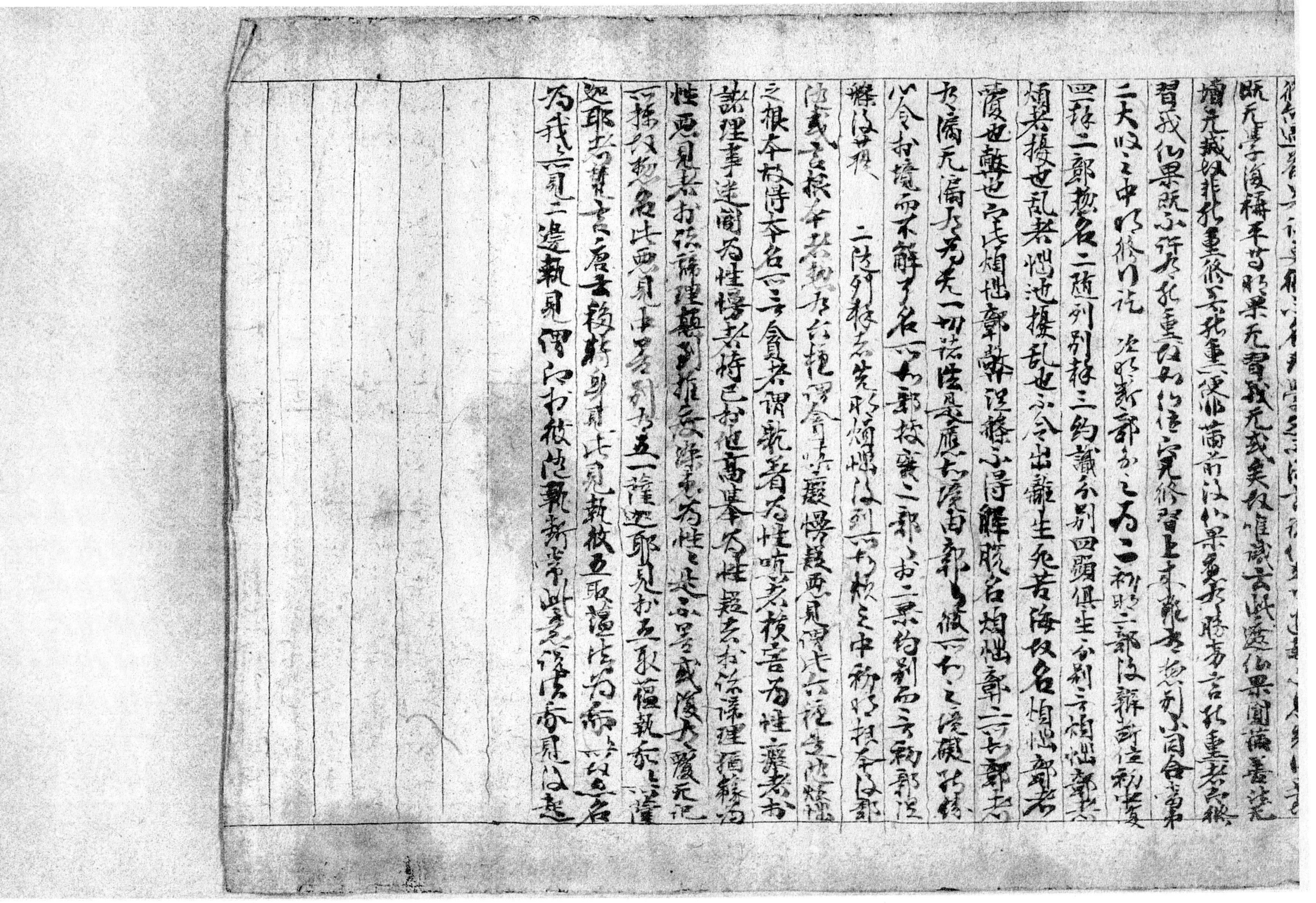

BD00650號　大乘入道次第章（擬）　(23–23)

然不住有為界亦不住[illegible]　我雖
如來所變化者雖不住有為界亦
界然有去來坐立等事善現是所化者若行
布施波羅蜜多亦行淨戒安忍精進靜慮般
若波羅蜜多是所化者若住內空亦住外空
內外空空空大空勝義空有為空无為空畢
竟空无際空散空无變異空本性空自相空
共相空一切法空不可得空无性空自性空
无性自性空是所化者若住真如亦住法界法
性不虛妄性不變異性平等性離生性法定
法住實際虛空界不思議界是所化者若脩
四念住亦脩四正斷四神足五根五力七等
覺支八聖道支是所化者若住苦聖諦亦住
集滅道聖諦是所化者若脩四靜慮亦脩四
无量四无色定是所化者若脩八解脫亦脩
八勝處九次第定十遍處是所化者若脩一
切三摩地門亦脩一切陁羅尼門是所化者
若脩空解脫門亦脩无相无願解脫門是所
化者若脩五眼亦脩六神通是所化者若脩

BD00651號　大般若波羅蜜多經卷三六三　（5–1）

无量四无色定是所化者若脩八解脫亦脩
八勝處九次第定十遍處是所化者若脩一
切三摩地門亦脩一切陁羅尼門是所化者
若脩空解脫門亦脩无相无願解脫門是所
化者若脩五眼亦脩六神通是所化者若脩
佛十力亦脩四无所畏四无礙解大慈大悲
大喜大捨十八佛不共法是所化者若脩无
忘失法亦脩恒住捨性是所化者若脩一切
智亦脩道相智一切相智是所化者若證无
上正等菩提轉妙法輪作諸佛事是所化者
復轉化作无量有情於中建立正性定等三
聚差別善現於汝意云何是諸如來所變化
者為實有去來乃至行住脩證无上正等菩
提轉妙法輪作諸佛事安立三聚有情別不
善現白言不也世尊不也善逝佛言善現如
來亦尒知一切法皆如變化說一切法皆如
變化雖有所作而无真實雖度有情而无
所度如所化者度化有情如是善現菩薩摩訶
薩脩行般若波羅蜜多應如諸佛所變化者
雖有所為而无執着
具壽善現白佛言世尊若一切法皆如變化
如來亦尒佛與化人有何差別佛言善現佛
与化人及一切法等无差別何以故善現佛
所作業佛所化人亦能作故善現白言設无
有佛佛所化人能作業不佛言能作善現白
言其事云何佛言善現如過去世有一如來
應正等覺名善寂慧自應度者皆已度訖時

BD00651號　大般若波羅蜜多經卷三六三　（5–2）

所作業佛所化人亦能作諸善現白言設无
有佛佛所化人能作業不佛言能作善現白
言其事云何佛言善現如過去世有一如來
應正等覺名善寂慧自應度者皆已度訖時
无菩薩堪受佛記遂化作一佛令住世間自
入无餘依大涅槃界時彼化佛於半劫中作
諸佛事過半劫已授一菩薩摩訶薩記現入
涅槃尒時天人阿素洛等皆謂彼佛令入涅
槃然化佛身實无起滅如是善現菩薩摩
訶薩脩行般若波羅蜜多應信諸法皆如變化
具壽善現白佛言世尊若如來身與化无異
云何能作真淨福田若諸有情為解脫故於
如來所恭敬供養其福无盡乃至究竟入无
餘依般涅槃界如是若有為解脫故供養化
佛所獲福聚亦應无盡乃至究竟後入无餘依
般涅槃界佛言善現如來身由法性故能
與天人阿素洛等作淨福田化佛亦尒由法
性故能與天人阿素洛等作淨福田如如來
身受他供養令彼施主窮生死際其福无盡
如是化佛受他供養亦令施主窮生死際其
福无盡善現且置供養如來及與化佛所獲
福聚若善男子善女人等於如來所起慈敬
心思惟憶念是善男子善女人等善根无盡
乃至究竟後作苦邊際善現復置以慈敬心憶
念如來所獲福聚若善男子善女人等為供
養佛下至一花用散虛空是善男子善女人
等善根无盡乃至究竟後作苦邊際善現復

念如來所獲福聚若善男子善女人等為供
養佛下至一花用散虛空是善男子善女人
等善根无盡乃至究竟後作苦邊際善現復
置為供養佛下至一花用散虛空所獲福聚若
善男子善女人等下至一稱南謨佛陁是善
男子善女人等善根无盡乃至究竟後作苦邊
際如是善現於如來所恭敬供養獲如是等
大功德利其量難測是故善現當知如來與
化佛身等无差別諸法法性為之量故
如是善現菩薩摩訶薩應以諸法法性而為
定量脩行般若波羅蜜多善巧方便入諸法法
性已而於諸法不壞法性謂不分別此是般
若波羅蜜多此是般若波羅蜜多法性此是
靜慮精進安忍淨戒布施波羅蜜多此是靜
慮乃至布施波羅蜜多法性此是內空此是
內空法性此是外空內外空空空大空勝義
空有為空无為空畢竟空无際空散空无變
異空本性空自相空共相空一切法空不可
得空无性空自性空无性自性空此是外
空乃至无性自性空法性此是真如此是真
如法性此是法界法性不虛妄性不變異性
平等性離生性法定法住實際虛空界不思
議界此是法界乃至不思議界法性此是四
念住此是四念住法性此是四正斷四神足
五根五力七等覺支八聖道支此是四正斷
乃至八聖道支法性此是苦聖諦此是苦聖
諦法性此是集滅道聖諦此是集滅道聖諦

平等性離生性法定法住實際虛空界不思
議界此是法界乃至不思議界法性此是四
念住此是四念住法性此是四正斷四神足
五根五力七等覺支八聖道支此是四正斷
乃至八聖道支法性此是苦聖諦此是苦聖
諦法性此是集滅道聖諦此是集滅道聖諦
法性此是四靜慮此是四靜慮法性此是四
无量四无色定此是四无量四无色定法性
此是八解脫此是八解脫法性此是八勝處九
次第定十遍處此是八勝處九次第定十
遍處法性此是一切三摩地門此是一切三
摩地門法性此是一切陀羅尼門此是一切
陀羅尼門法性此是空解脫門此是空解脫
門法性此是无相无願解脫門此是无相无
願解脫門法性此是五眼此是五眼法性此
是六神通此是六神通法性此是佛十力此
是佛十力法性此是四无所畏四无礙解大
慈大悲大喜大捨十八佛不共法此是四无
所畏乃至十八佛不共法法性此是无忘失
法此是无忘失法法性此是恒住捨性此是

BD00651號　大般若波羅蜜多經卷三六三　（5–5）

塵離垢得法眼淨
意解
方便品第二
尒時毗耶離大城中有長者名維摩詰已曾
供養无量諸佛深植善本得无生忍辯才
无礙遊戲神通逮諸總持獲无所畏降魔勞怨
入深法門善於智度通達方便大願成就明
了衆生心之所趣又能分別諸根利鈍久於
佛道心已純淑決定大乘諸有所作能善思量
住佛威儀心大如海諸佛咨嗟弟子釋梵世
主所敬欲度人故以善方便居毗耶離資
財无量攝諸貧民奉戒清淨攝諸毀禁以忍
調行攝諸恚怒以大精進攝諸懈怠一心禪
寂攝諸亂意以決定慧攝諸无智雖為白衣
奉持沙門清淨律行雖處居家不著三界示
有妻子常脩梵行現有眷屬常樂遠離雖服
寶飾而以相好嚴身雖復飲食而以禪悅為
味若至博弈戲處輙以度人受諸異道不毀
正信雖明世典常樂佛法一切見敬為供養
中最執持正法攝諸長幼一切治生諧偶雖獲
俗利不以喜悅遊諸四衢饒益衆生入治正
法救護一切入講論處導以大乘入諸學堂

BD00652號　維摩詰所說經卷上　（3–1）

正信雖明世典常樂佛法一切見敬為供養
中最執持正法攝諸長幼一切治生諧偶雖獲
俗利不以喜悅遊諸四衢饒益眾生入治正
法救護一切入講論處導以大乘入諸學堂
誘開童矇入諸婬舍示欲之過入諸酒肆
能立其志若在長者長者中尊為說勝法
若在居士居士中尊斷諸貪著若在剎利剎
利中尊教以忍辱若在婆羅門婆羅門中尊
除其我慢若在大臣大臣中尊教以正法若
在王子王子中尊示以忠孝若在內官內官
中尊化政宮女若在庶民庶民中尊令興福
力若在梵天梵天中尊誨以勝慧若在帝釋
帝釋中尊示現無常若在護世護世中尊護
諸眾生長者維摩詰以如是等無量方便饒益
眾生其以方便現身有疾以其疾故國王大
臣長者居士婆羅門等及諸王子并餘官屬
無數千人皆往問疾其往者維摩詰因以身
疾廣為說法諸仁者是身無常無強無力無
堅速朽之法不可信也為苦為惱眾病所集
諸仁者如此身明智者所不怙是身如聚沫
不可撮摩是身如泡不得久立是身如焰從
渴愛生是身如芭蕉中無有堅是身如幻從
顛倒起是身如夢為虛妄見是身如影從業
緣現是身如響屬諸因緣是身如浮雲須臾
變滅是身如電念念不住是身無主為如地
是身無我為如火是身無壽為如風是身無
人為如水是身不實四大為家是身為空離
我我所是身無知如草木瓦礫是身無作風

BD00652 號　維摩詰所說經卷上　（3–2）

臣長者居士婆羅門等及諸王子并餘官屬
無數千人皆往問疾其往者維摩詰因以身
疾廣為說法諸仁者是身無常無強無力無
堅速朽之法不可信也為苦為惱眾病所集
諸仁者如此身明智者所不怙是身如聚沫
不可撮摩是身如泡不得久立是身如焰從
渴愛生是身如芭蕉中無有堅是身如幻從
顛倒起是身如夢為虛妄見是身如影從業
緣現是身如響屬諸因緣是身如浮雲須臾
變滅是身如電念念不住是身無主為如地
是身無我為如火是身無壽為如風是身無
人為如水是身不實四大為家是身為空離
我我所是身無知如草木瓦礫是身無作風
力所轉是身不淨穢惡充滿是身為虛偽雖
假以澡浴衣食必歸磨滅是身為災百一病
惱是身如丘井為老所逼是身無定為要當
死是身如毒蛇如怨賊如空聚陰界諸入所
共合成諸仁者此可患厭當樂佛身所以者
何佛身者即法身也從無量功德智慧生從
戒定慧解脫解脫知見生從慈悲喜捨生從
布施持戒忍辱柔和勤行精進禪定解脫三
昧多聞智慧諸波羅蜜生從方便生從六通
生從三明生從卅七

BD00652 號　維摩詰所說經卷上　（3–3）

復次須菩提若善男子善女人受持讀誦此
經若為人輕賤是人先世罪業應墮惡道以
今世人輕賤故先世罪業則為消滅當得阿
耨多羅三藐三菩提須菩提我念過去无量
阿僧祇劫於然燈佛前得值八百四千万億
那由他諸佛悉皆供養承事无空過者若復
有人於後末世能受持讀誦此經所得功德
於我所供養諸佛功德百分不及一千万億
分乃至筭數譬喻所不能及須菩提若善男
子善女人於後末世有受持讀誦此經所得
功德我若具說者或有人聞心則狂亂狐疑
不信須菩提當知是經義不可思議果報
亦不可思議
尒時須菩提白佛言世尊善男子善女人發
阿耨多羅三藐三菩提心云何應住云何降
伏其心佛告須菩提善男子善女人發阿耨
多羅三藐三菩提者當生如是心我應滅度
一切衆生滅度一切衆生已而无有一衆生
實滅度者何以故若菩薩有我相人相衆生
相壽者相則非菩薩所以者何須菩提實无

多羅三藐三菩提者當生如是心我應滅度
一切衆生滅度一切衆生已而无有一衆生
實滅度者何以故若菩薩有我相人相衆生
相壽者相則非菩薩所以者何須菩提實无
有法發阿耨多羅三藐三菩提者須菩提於
意云何如來於然燈佛所有法得阿耨多羅
三藐三菩提不不也世尊如我解佛所說義
佛於然燈佛所无有法得阿耨多羅三藐三
菩提佛言如是如是須菩提實无有法如來
得阿耨多羅三藐三菩提
須菩提若有法如來得阿耨多羅三藐三菩
提者然燈佛則不與我受記汝於來世當
得作佛号釋迦牟尼以實无有法得阿耨多
羅三藐三菩提是故然燈佛與我受記作是
言汝於來世當得作佛号釋迦牟尼何以故
如來者即諸法如義若有人言如來得阿耨
多羅三藐三菩提須菩提實无有法佛得阿
耨多羅三藐三菩提須菩提如來所得阿耨
多羅三藐三菩提於是中无實无虛是故如
來說一切法皆是佛法須菩提所言一切法
者即非一切法是故名一切法須菩提譬如
人身長大須菩提言世尊如來說人身長大
則非大身是名大身須菩提菩薩亦如是若
作是言我當滅度无量衆生則不名菩薩何
以故須菩提實无有法名為菩薩是故佛

人身長大須菩提言世尊如來說人身長大
則非大身是名大身須菩提菩薩亦如是若
作是言我當滅度无量衆生則不名菩薩何
以故須菩提實无有法名為菩薩是故佛
說一切法无我无人无衆生无壽者須菩提
若菩薩作是言我當莊嚴佛土是不名菩薩
何以故如來說莊嚴佛土者即非莊嚴是名
莊嚴須菩提若菩薩通達无我法者如來
說名真是菩薩
須菩提於意云何如來有肉眼不如是世尊
如來有肉眼須菩提於意云何如來有天眼
不如是世尊如來有天眼須菩提於意云何
如來有慧眼不如是世尊如來有慧眼須菩
提於意云何如來有法眼不如是世尊如來
有法眼須菩提於意云何如來有佛眼不如
是世尊如來有佛眼須菩提於意云何恒河
中所有沙佛說是沙不如是世尊如來說是
沙須菩提於意云何如一恒河中所有沙有
如是等恒河是諸恒河所有沙數佛世界如
是寧為多不甚多世尊佛告須菩提尒所國
土中所有衆生若干種心如來悉知何以故
如來說諸心皆為非心是名為心所以者何
須菩提過去心不可得現在心不可得未來
心不可得須菩提於意云何若有人滿三千
大千世界七寶以用布施是人以是因緣得

BD00653 號　金剛般若波羅蜜經　（7–3）

如來說諸心皆為非心是名為心所以者何
須菩提過去心不可得現在心不可得未來
心不可得須菩提於意云何若有人滿三千
大千世界七寶以用布施是人以是因緣得
福多不如是世尊此人以是因緣得福甚多
須菩提若福德有實如來不說得福德多以
福德无故如來說得福德多
須菩提於意云何佛可以具足色身見不不
世世尊如來不應以具足色身見何以故如來說
具足色身即非具足色身是名具足色身須
菩提於意云何如來可以具足諸相見不不
世世尊如來不應以具足諸相見何以故如
來說諸相具足即非具足是名諸相具足須
菩提汝等勿謂如來作是念我當有所說法
莫作是念何以故若人言如來有所說法即
為謗佛不能解我所說故須菩提說法者无
法可說是名說法須菩提白佛言世尊佛得
阿耨多羅三藐三菩提為无所得耶如是如
是須菩提我於阿耨多羅三藐三菩提乃至
无有少法可得是名阿耨多羅三藐三菩提
復次須菩提是法平等无有高下是名阿耨
多羅三藐三菩提以无我无人无衆生无壽
者脩一切善法則得阿耨多羅三藐三菩提
須菩提所言善法者如來說非善法是名善
法須菩提若三千大千世界中所有諸須

BD00653 號　金剛般若波羅蜜經　（7–4）

者脩一切善法則得阿耨多羅三藐三菩提
須菩提所言善法者如來說非善法是名善
法須菩提若三千大千世界中所有諸須
弥山王如是等七寶聚有人持用布施若人以
此般若波羅蜜經乃至四句偈等受持讀誦
為他人說於前福德百分不及一百千万億
分乃至筭數譬喻所不能及
須菩提於意云何汝等勿謂如來作是念我
當度眾生須菩提莫作是念何以故實无有
眾生如來度者若有眾生如來度者如來則
有我人眾生壽者須菩提如來說有我者則
非有我而凡夫之人以為有我須菩提凡夫
者如來說則非凡夫須菩提於意云何可以
三十二相觀如來不須菩提言如是如是以
三十二相觀如來佛言須菩提若以三十二
相觀如來者轉輪聖王則是如來須菩提白
佛言世尊如我解佛所說義不應以三十二
相觀如來尒時世尊而說偈言
若以色見我　以音聲求我　是人行邪道　不能見如來
須菩提汝若作是念如來不以具足相故得阿
耨多羅三藐三菩提須菩提莫作是念如來
不以具足相故得阿耨多羅三藐三菩提須
菩提汝若作是念發阿耨多羅三藐三菩提
者說諸法斷滅相莫作是念何以故發阿
耨多羅三藐三菩提者於法不說斷滅相須

BD00653號　金剛般若波羅蜜經　（7-5）

菩提汝若作是念發阿耨多羅三藐三菩提
者說諸法斷滅相莫作是念何以故發阿
耨多羅三藐三菩提者於法不說斷滅相須
菩提若菩薩以滿恒河沙等世界七寶布施
若復有人知一切法无我得成於忍此菩薩
勝前菩薩所得功德須菩提以諸菩薩
不受福德故須菩提白佛言世尊云何菩薩
不受福德須菩提菩薩所作福德不應貪著
是故說不受福德須菩提若有人言如來若
來若去若坐若卧是人不解我所說義何以
故如來者无所從來亦无所去故名如來
須菩提若善男子善女人以三千大千世界
碎為微塵於意云何是微塵眾寧為多不
甚多世尊何以故若是微塵眾實有者佛則
不說是微塵眾所以者何佛說微塵眾則非微
塵眾是名微塵眾世尊如來所說三千大千
世界則非世界是名世界何以故若世界實
有者則是一合相如來說一合相則非一合
相是名一合相須菩提一合相者則是不可
說但凡夫之人貪著其事
須菩提若人言佛說我見人見眾生見壽者
見須菩提於意云何是人解如來所說義不不
也世尊是人不解如來所說義何以故世尊
說我見人見眾生見壽者見即非我見人見
眾生見壽者見是名我見人見眾生見壽者

BD00653號　金剛般若波羅蜜經　（7-6）

須菩提若人言佛說我見人見衆生見壽者
見須菩提於意云何是人解我所說義不不
也世尊是人不解如來所說義何以故世尊
說我見人見衆生見壽者見即非我見人見
衆生見壽者見是名我見人見衆生見壽者
見須菩提發阿耨多羅三藐三菩提心者於
一切法應如是知如是見如是信解不生法
相須菩提所言法相者如來說即非法相是
名法相須菩提若有人以滿无量阿僧祇世
界七寶持用布施若有善男子善女人發菩
薩心者持於此經乃至四句偈等受持讀誦
為人演說其福勝彼云何為人演說不取於
相如如不動何以故
一切有為法　如夢幻泡影　如露亦如電　應作如是觀
佛說是經已長老須菩提及諸比丘比丘尼
優婆塞優婆夷一切世間天人阿脩羅聞佛
所說皆大歡喜信受奉持
金剛般若波羅蜜經

BD00653 號　金剛般若波羅蜜經　（7–7）

世尊以是經典威神力故尒時隣敵更有
異怨為作留難於其境界起諸衰惱灾異
疫病尒時怨敵起如是等諸惡事已備具四
兵發向是國規往討罰我等尒時當與眷屬
无量无邊百千鬼神隱蔽其形為作護助令
彼怨敵自然退散起諸怖懅種種留難彼國
兵衆尚不能到況復當能有所破壞
尒時佛讚四天王等善哉善哉汝等四王乃能
擁護我百千億那由他劫所有脩集阿耨
多羅三藐三菩提及諸人王受持是經恭敬
供養者為消衰患令其安樂復能擁護宮
殿舍宅城邑村落國土邊壃乃至怨賊悉令
退散滅其衰惱令得安隱亦令一切閻浮提
內所有諸王无諸凶衰鬪訟之事四王當知此
閻浮提八万四千城邑聚落八万四千諸人王
等各於其國娛樂快樂各各於國而得自在
於自所有錢財珎寶各各自足不相侵奪如
其宿世所脩集業隨業受報不生惡心貪求
他國各各自生利益之心生於慈心安樂之
心不諍訟心不破壞心无繫縛心无楚撻
心各於其土自生愛樂上下和睦猶如水乳

BD00654 號　金光明經卷二　（2–1）

內所有諸王无諸凶衰鬪訟之事四王當知此
閻浮提八万四千城邑聚落八万四千諸人王
等各於其國娛樂快樂各各於國而得自在
於自所有錢財珎寶各各自足不相侵奪如
其宿世所脩集業隨業受報不生惡心貪求
他國各各自生利益之心生於慈心安樂之
心不諍訟心不破壞心无繫縛心无楚撻
心各於其土自生愛樂上下和穆猶如水乳
心相愛念增諸善根以是因緣故此閻浮提
安隱豐樂人民熾盛大地沃壤陰陽和調時
不越序日月星宿不失常度風雨隨時无諸
灾橫人民豐溢自足於財心无貪恡亦无嫉
妬等行十善其人壽終多生天上天宮充滿
增益天衆若未來世有諸人王聽是經典及
供養恭敬受持是經四部之衆是王則為安
樂利益汝等四王及餘眷屬无量百千諸鬼
神等何以故汝等四王若得時時聞是經典
則為已得正汝之水服甘露味增益身力心
進勇銳具諸威德是諸人王若能至心聽受
是經典則為已能養於我若供養我則是供
養過去未來現在諸佛若能供養過去未來
現在諸佛則得无量不可思議功德之聚以
是因緣是諸人王應得[illegible]安中

BD00654 號　金光明經卷二　　（2–2）

善現一切智智清淨
故四无量清淨何以[illegible]
五眼清淨若四无量[illegible]
无斷故善現一切智
六神通清淨故四无[illegible]
智智清淨若六神[illegible]
二无二分无別无斷
故佛十力清淨佛十
何以故若一切智智[illegible]
四无量清淨无二无
別无[illegible]一切
智智清淨故四无所畏四无礙解大慈大悲
大喜大捨十八佛不共法清淨四无所畏乃
至十八佛不共法清淨故四无量清淨何以
故若一切智智清淨若四无所畏乃至十八
佛不共法清淨若四无量清淨无二无二分
无別无斷故善現一切智智清淨故无忘失
法清淨无忘失法清淨故四无量清淨何以
故若一切智智清淨若无忘失法清淨若四
无量清淨无二无二分无別无斷故一切智
智清淨故恒住捨性清淨恒住捨性清淨故
四无量清淨何以故若一切智智清淨若恒
住捨性清淨若四无量清淨无二无二分无別
別无斷故善現一切智智清淨故一切智清
淨一切智清淨故四无量清淨何以故若一切

BD00655 號　大般若波羅蜜多經卷二六六　　（12–1）

住捨性清淨若四无量清淨无二无二分无別
无斷故善現一切智智清淨故一切智清
淨一切智清淨故四无量清淨何以故若一切
智智清淨若一切智清淨若四无量清淨
无二无二分无別无斷故一切智智清淨故
道相智一切相智清淨道相智一切相智清
淨故四无量清淨何以故若一切智智清淨
若道相智一切相智清淨若四无量清淨无
二无二分无別无斷故善現一切智智清淨
故一切陁羅尼門清淨一切陁羅尼門清淨
故四无量清淨何以故若一切智智清淨若
一切陁羅尼門清淨若四无量清淨无二无
二分无別无斷故一切智智清淨故一切三
摩地門清淨一切三摩地門清淨故四无量
清淨何以故若一切智智清淨若一切三摩
地門清淨若四无量清淨无二无二分无別
无斷故
善現一切智智清淨故預流果清淨預流果
清淨故四无量清淨何以故若一切智智清
淨若預流果清淨若四无量清淨无二无二
分无別无斷故一切智智清淨故一來不還
阿羅漢果清淨一來不還阿羅漢果清淨故
四无量清淨何以故若一切智智清淨若一
來不還阿羅漢果清淨若四无量清淨无二
无二分无別无斷故善現一切智智清淨故
獨覺菩提清淨獨覺菩提清淨故四无量
清淨何以故若一切智智清淨若獨覺菩提清

BD00655號　大般若波羅蜜多經卷二六六　（12–2）

來不還阿羅漢果清淨若四无量清淨无二
无二分无別无斷故善現一切智智清淨故
獨覺菩提清淨獨覺菩提清淨故四无量
清淨何以故若一切智智清淨若獨覺菩提清
淨若四无量清淨无二无二分无別无斷故
善現一切智智清淨故一切菩薩摩訶薩行
清淨一切菩薩摩訶薩行清淨故四无量清
淨何以故若一切智智清淨若一切菩薩摩
訶薩行清淨若四无量清淨无二无二分无
別无斷故善現一切智智清淨故諸佛无上
正等菩提清淨諸佛无上正等菩提清淨故
四无量清淨何以故若一切智智清淨若諸
佛无上正等菩提清淨若四无量清淨无二
无二分无別无斷故
復次善現一切智智清淨故色清淨色清淨
故四无色定清淨何以故若一切智智清淨
若色清淨若四无色定清淨无二无二分无
別无斷故一切智智清淨故受想行識清淨
受想行識清淨故四无色定清淨何以故若一
切智智清淨若受想行識清淨若四无色定
清淨无二无二分无別无斷故善現一切智
智清淨故眼處清淨眼處清淨故四无色定
清淨何以故若一切智智清淨若眼處清淨
若四无色定清淨无二无二分无別无斷故一
切智智清淨故耳鼻舌身意處清淨耳鼻
舌身意處清淨故四无色定清淨何以故若
一切智智清淨若耳鼻舌身意處清淨若四

BD00655號　大般若波羅蜜多經卷二六六　（12–3）

若四无色定清淨无二无二分无別无斷故一
切智智清淨故耳鼻舌身意處清淨耳鼻
舌身意處清淨故四无色定清淨何以故若
一切智智清淨若耳鼻舌身意處清淨若四
无色定清淨无二无二分无別无斷故善現
一切智智清淨故色處清淨色處清淨故四
无色定清淨何以故若一切智智清淨若色
處清淨若四无色定清淨无二无二分无別无
斷故一切智智清淨故聲香味觸法處清
淨聲香味觸法處清淨故四无色定清淨何
以故若一切智智清淨若聲香味觸法處清
淨若四无色定清淨无二无二分无別无斷
故善現一切智智清淨故眼界清淨眼界清
淨故四无色定清淨何以故若一切智智清淨
若眼界清淨若四无色定清淨无二无二分无
別无斷故一切智智清淨故色界眼識界
及眼觸眼觸為緣所生諸受清淨色界乃至
眼觸為緣所生諸受清淨故四无色定清淨
何以故若一切智智清淨若色界乃至眼觸
為緣所生諸受清淨若四无色定清淨无二
无二分无別无斷故善現一切智智清淨故
耳界清淨耳界清淨故四无色定清淨何以
故若一切智智清淨若耳界清淨若四无色
定清淨无二无二分无別无斷故一切智智
清淨故聲界耳識界及耳觸耳觸為緣所生
諸受清淨聲界乃至耳觸為緣所生諸受清
淨故四无色定清淨何以故若一切智智清
淨若聲界乃至耳觸為緣所生諸受清淨若

諸受清淨聲界乃至耳觸為緣所生諸受清
淨故四无色定清淨何以故若一切智智清
淨若聲界乃至耳觸為緣所生諸受清淨若
四无色定清淨无二无二分无別无斷故善現
一切智智清淨故鼻界清淨鼻界清淨故
四无色定清淨何以故若一切智智清淨若
鼻界清淨若四无色定清淨无二无二分无
別无斷故一切智智清淨故香界鼻識界及
鼻觸鼻觸為緣所生諸受清淨香界乃至鼻
觸為緣所生諸受清淨故四无色定清淨何
以故若一切智智清淨若香界乃至鼻觸為
緣所生諸受清淨若四无色定清淨无二无
二分无別无斷故善現一切智智清淨故舌
界清淨舌界清淨故四无色定清淨何以故
若一切智智清淨若舌界清淨若四无色定
清淨无二无二分无別无斷故一切智智清淨
故味界舌識界及舌觸舌觸為緣所生諸受
清淨味界乃至舌觸為緣所生諸受清淨故
四无色定清淨何以故若一切智智清淨若
味界乃至舌觸為緣所生諸受清淨若四无
色定清淨无二无二分无別无斷故
善現一切智智清淨故身界清淨身界清淨
故四无色定清淨何以故若一切智智清淨
若身界清淨若四无色定清淨无二无二分
无別无斷故一切智智清淨故觸界身識界
及身觸身觸為緣所生諸受清淨觸界乃至
身觸為緣所生諸受清淨故四无色定清淨

无別无斷故一切智智清淨故觸界身識界
及身觸身觸為緣所生諸受清淨觸界乃至
身觸為緣所生諸受清淨故四无色定清淨
何以故若一切智智清淨若觸界乃至身觸
為緣所生諸受清淨若四无色定清淨无二
无二分无別无斷故善現一切智智清淨故
意界清淨意界清淨故四无色定清淨何以
故若一切智智清淨若意界清淨若四无色
定清淨无二无二分无別无斷故一切智智
清淨故法界意識界及意觸意觸為緣所生
諸受清淨法界乃至意觸為緣所生諸受清
淨故四无色定清淨何以故若一切智智清
淨若法界乃至意觸為緣所生諸受清淨若
四无色定清淨无二无二分无別无斷故善
現一切智智清淨故地界清淨地界清淨故
四无色定清淨何以故若一切智智清淨若
地界清淨若四无色定清淨无二无二分无
別无斷故一切智智清淨故水火風空識界
清淨水火風空識界清淨故四无色定清
淨何以故若一切智智清淨若水火風空識界
清淨若四无色定清淨无二无二分无別无
斷故善現一切智智清淨故无明清淨无明
清淨故四无色定清淨何以故若一切智智
清淨若无明清淨若四无色定清淨无二无
二分无別无斷故一切智智清淨故行識名
色六處觸受愛取有生老死愁歎苦憂惱
清淨行乃至老死愁歎苦憂惱清淨故四无色

清淨若无明清淨若四无色定清淨无二无
二分无別无斷故一切智智清淨故行識名
色六處觸受愛取有生老死愁歎苦憂惱
清淨行乃至老死愁歎苦憂惱清淨故四无色
定清淨何以故若一切智智清淨若行乃至
老死愁歎苦憂惱清淨若四无色定清淨
无二无二分无別无斷故
善現一切智智清淨故布施波羅蜜多清
淨布施波羅蜜多清淨故四无色定清淨何
以故若一切智智清淨若布施波羅蜜多清
淨若四无色定清淨无二无二分无別无斷故
一切智智清淨故淨戒安忍精進靜慮般若
波羅蜜多清淨淨戒乃至般若波羅蜜多清
淨故四无色定清淨何以故若一切智智清
淨若淨戒乃至般若波羅蜜多清淨若四无
色定清淨无二无二分无別无斷故善現一
切智智清淨故内空清淨内空清淨故四无
色定清淨何以故若一切智智清淨若内空
清淨若四无色定清淨无二无二分无別无
斷故一切智智清淨故外空内外空空空大
空勝義空有為空无為空畢竟空无際空散
空无變異空本性空自相空共相空一切法空
不可得空无性空自性空无性自性空清淨
外空乃至无性自性空清淨故四无色定清
淨何以故若一切智智清淨若外空乃至无
性自性空清淨若四无色定清淨无二无二
分无別无斷故善現一切智智清淨故真如
清淨真如清淨故四无色定清淨何以故若一

性自性空清淨若四无色定清淨无二无二
分无別无斷故善現一切智智清淨故真如
清淨真如清淨故四无色定清淨何以故若一
切智智清淨若真如清淨若四无色定清淨
无二无二分无別无斷故一切智智清淨故法
界法性不虛妄性不變異性平等性離生
性法定法住實際虛空界不思議界清淨法
界乃至不思議界清淨故四无色定清淨何
以故若一切智智清淨若法界乃至不思議
界清淨若四无色定清淨无二无二分无別
无斷故善現一切智智清淨故苦聖諦清淨
苦聖諦清淨故四无色定清淨何以故若一
切智智清淨若苦聖諦清淨若四无色定清
淨无二无二分无別无斷故一切智智清淨
故集滅道聖諦清淨集滅道聖諦清淨故四
无色定清淨何以故若一切智智清淨若集
滅道聖諦清淨若四无色定清淨无二无二
分无別无斷故善現一切智智清淨故四靜
慮清淨四靜慮清淨故四无色定清淨何以
故若一切智智清淨若四靜慮清淨若四无
色定清淨无二无二分无別无斷故一切智
智清淨故四无量清淨四无量清淨故四无
色定清淨何以故若一切智智清淨若四无
量清淨若四无色定清淨无二无二分无別
无斷故善現一切智智清淨故八解脫清淨
八解脫清淨故四无色定清淨何以故若一
切智智清淨若八解脫清淨若四无色定清

BD00655 號　大般若波羅蜜多經卷二六六　（12–8）

无斷故善現一切智智清淨故八解脫清淨
八解脫清淨故四无色定清淨何以故若一
切智智清淨若八解脫清淨若四无色定清
淨无二无二分无別无斷故一切智智清淨
故八勝處九次第定十遍處清淨八勝處九
次第定十遍處清淨故四无色定清淨何以
故若一切智智清淨若八勝處九次第定十
遍處清淨若四无色定清淨无二无二分无
別无斷故善現一切智智清淨故四念住清
淨四念住清淨故四无色定清淨何以故若
一切智智清淨若四念住清淨若四无色定
清淨无二无二分无別无斷故一切智智清
淨故四正斷四神足五根五力七等覺支八
聖道支清淨四正斷乃至八聖道支清淨故
四无色定清淨何以故若一切智智清淨若
四正斷乃至八聖道支清淨若四无色定清
淨无二无二分无別无斷故善現一切智智
清淨故空解脫門清淨空解脫門清淨故四
无色定清淨何以故若一切智智清淨若空
解脫門清淨若四无色定清淨无二无二分
无別无斷故一切智智清淨故无相无願解
脫門清淨无相无願解脫門清淨故四无色
定清淨何以故若一切智智清淨若无相无
願解脫門清淨若四无色定清淨无二无二
分无別无斷故善現一切智智清淨故菩薩
十地清淨菩薩十地清淨故四无色定清淨
何以故若一切智智清淨若菩薩十地清淨

BD00655 號　大般若波羅蜜多經卷二六六　（12–9）

十地清淨菩薩十地清淨故四无色定清淨
何以故若一切智智清淨若菩薩十地清淨
若四无色定清淨无二无二分无別无斷故
善現一切智智清淨故五眼清淨五眼清淨
故四无色定清淨何以故若一切智智清淨
若五眼清淨若四无色定清淨无二无二分
无別无斷故善現一切智智清淨故六神通
清淨六神通清淨故四无色定清淨何以故
若一切智智清淨若六神通清淨若四无色
定清淨无二无二分无別无斷故善現一切
智智清淨故佛十力清淨佛十力清淨故四
无色定清淨何以故若一切智智清淨若佛
十力清淨若四无色定清淨无二无二分无別
別无斷故一切智智清淨故四无所畏四无
礙解大慈大悲大喜大捨十八佛不共法清
淨四无所畏乃至十八佛不共法清淨故四无
色定清淨何以故若一切智智清淨若四
无所畏乃至十八佛不共法清淨若四无色
定清淨无二无二分无別无斷故善現一切
智智清淨故无忘失法清淨无忘失法清淨
故四无色定清淨何以故若一切智智清淨
若无忘失法清淨若四无色定清淨无二无
无二分无別无斷故一切智智清淨故恒住捨
性清淨恒住捨性清淨故四无色定清淨何
以故若一切智智清淨若恒住捨性清淨
若四无色定清淨无二无二分无別无斷故善
現一切智智清淨故一切智清淨一切智清

若四无色定清淨无二无二分无別无斷故善
現一切智智清淨故一切智清淨一切智清
淨故四无色定清淨何以故若一切智智清淨
若一切智智清淨若四无色定清淨无二无
二分无別无斷故一切智智清淨故道相智
一切相智清淨道相智一切相智清淨故四
无色定清淨何以故若一切智智清淨若道
相智一切相智清淨若四无色定清淨无二
无二分无別无斷故善現一切智智清淨故
一切陁羅尼門清淨一切陁羅尼門清淨故
四无色定清淨何以故若一切智智清淨若
一切陁羅尼門清淨若四无色定清淨无二
无二分无別无斷故一切智智清淨故一切
三摩地門清淨一切三摩地門清淨故四无
色定清淨何以故若一切智智清淨若一切
三摩地門清淨若四无色定清淨无二无二
分无別无斷故
善現一切智智清淨故預流果清淨預流果
清淨故四无色定清淨何以故若一切智智
清淨若預流果清淨若四无色定清淨无二
无二分无別无斷故一切智智清淨故一來
不還阿羅漢果清淨一來不還阿羅漢果清
淨故四无色定清淨何以故若一切智智清
淨若一來不還阿羅漢果清淨若四无色定
清淨无二无二分无別无斷故善現一切智
智清淨故獨覺菩提清淨獨覺菩提清淨
故四无色定清淨何以故若一切智智清淨若

善現一切智智清淨故預流果清淨預流果
清淨故四无色定清淨何以故若一切智智
清淨若預流果清淨若四无色定清淨无二
无二分无別无斷故一切智智清淨故一来
不還阿羅漢果清淨一来不還阿羅漢果清
淨故四无色定清淨何以故若一切智智清
淨若一来不還阿羅漢果清淨若四无色定
清淨无二无二分无別无斷故善現一切智
智清淨故獨覺菩提清淨獨覺菩提清淨
故四无色定清淨何以故若一切智智清淨若
獨覺菩提清淨若四无色定清淨无二无二
分无別无斷故善現一切智智清淨故一切菩
薩摩訶薩行清淨一切菩薩摩訶薩行清
淨故四无色定清淨何以故若一切智智清
淨若一切菩薩摩訶薩行清淨若四无色定
清淨无二无二分无別无斷故善現一切智
智清淨故諸佛无上正等菩提清淨諸佛无
上正等菩提清淨故四无色定清淨何以故
若一切智智清淨若諸佛无上正等菩提清
淨若四无色定清淨无二无二分无別无斷

BD00655 號　大般若波羅蜜多經卷二六六　（12–12）

万人[illegible]多羅
[illegible]陁羅尼樂說辯才
千諸佛於諸佛
[illegible]歎以慈脩身
名稱普聞无
[illegible]其名曰文殊師
[illegible]菩薩得大勢菩薩常精進菩
息菩薩寶掌菩薩藥王菩薩勇施菩
[illegible]寶月菩薩月光菩薩滿月菩薩大力菩薩
无量力菩薩越三界菩薩跋陁婆羅菩薩弥
勒菩薩寶積菩薩導師菩薩如是等菩薩摩
訶薩八万人俱尒時釋提桓因與其眷屬二
万天子俱復有名月天子普香天子寶光天
子四大天王與其眷屬万天子俱自在天子
大自在天子與其眷屬三万天子俱娑婆世
界主梵天王尸棄大梵光明大梵等與其眷
屬万二千天子俱有八龍王難陁龍王跋難
陁龍王娑伽羅龍王和脩吉龍王德叉迦龍
王阿那婆達多龍王摩那斯龍王優鉢羅龍
王等各與若干百千眷屬俱有四緊那羅王
法緊那羅王妙法緊那羅王大法緊那羅王

BD00656 號　妙法蓮華經卷一　（21–1）

王阿那婆達多龍王摩那斯龍王優鉢羅龍
王等各與若干百千眷屬俱有四緊那羅王
法緊那羅王妙法緊那羅王大法緊那羅王
持法緊那羅王各與若干百千眷屬俱有四
乾闥婆王樂乾闥婆王樂音乾闥婆王美乾
闥婆王美音乾闥婆王各與若干百千眷屬
俱有四阿脩羅王婆稚阿脩羅王佉羅騫大
阿脩羅王毗摩質多羅阿脩羅王羅睺阿脩
羅王各與若干百千眷屬俱有四迦樓羅王
大威德迦樓羅王大身迦樓羅王大滿迦樓
羅王如意迦樓羅王各與若干百千眷屬俱
韋提希子阿闍世王與若干百千眷屬俱各
礼佛足退坐一面尒時世尊四衆圍繞供養
恭敬尊重讚歎為諸菩薩說大乘經名无量
義教菩薩法佛所護念佛說此經已結跏趺
坐入於无量義處三昧身心不動是時天雨
曼陀羅華摩訶曼陀羅華曼殊沙華摩訶曼
殊沙華而散佛上及諸大衆普佛世界六種
震動尒時會中比丘比丘尼優婆塞優婆夷
天龍夜叉乾闥婆阿脩羅迦樓羅緊那羅摩
睺羅伽人非人及諸小王轉輪聖王是諸大
衆得未曾有歡喜合掌一心觀佛尒時佛放
眉間白毫相光照東方万八千世界靡不周
遍下至阿鼻地獄上至阿迦尼吒天於此世
界盡見彼土六趣衆生又見彼土現在諸佛
及聞諸佛所說經法并見彼諸比丘比丘尼
優婆塞優婆夷諸脩行得道者復見諸菩薩

界盡見彼土六趣衆生又見彼土現在諸佛
及聞諸佛所說經法并見彼諸比丘比丘尼
優婆塞優婆夷諸脩行得道者復見諸菩薩
摩訶薩種種因緣種種信解種種相貌行菩
薩道復見諸佛般涅槃者復見諸佛般涅槃
後以佛舍利起七寶塔尒時弥勒菩薩作是
念今者世尊現神變相以何因緣而有此瑞
今佛世尊入于三昧是不可思議現希有事
當以問誰誰能荅者復作此念是文殊師利
法王之子已曾親近供養過去无量諸佛必
應見此希有之相我今當問尒時比丘比丘
尼優婆塞優婆夷及諸天龍鬼神等咸作此
念是佛光明神通之相今當問誰尒時弥勒
菩薩欲自決疑又觀四衆比丘比丘尼優婆
塞優婆夷及諸天龍鬼神等衆會之心而問
文殊師利言以何因緣而有此瑞神通之相
放大光明照于東方万八千土悉見彼佛國
界莊嚴於是弥勒菩薩欲重宣此義以偈問
曰
文殊師利　導師何故　眉間白毫　大光普照
雨曼陀羅　曼殊沙華　栴檀香風　悅可衆心
以是因緣　地皆嚴淨　而此世界　六種震動
時四部衆　咸皆歡喜　身意快然　得未曾有
眉間光明　照于東方　万八千土　皆如金色
從阿鼻獄　上至有頂　諸世界中　六道衆生
生死所趣　善惡業緣　受報好醜　於此悉見
又覩諸佛　聖主師子　演說經典　微妙第一
其聲清淨　出柔軟音　教諸菩薩　无數億万

其聲清淨 出柔軟音 教諸菩薩 无數億万
梵音微妙 令人樂聞 各於世界 講說正法
種種因緣 以无量喻 照明佛法 開悟衆生
若人遭苦 猒老病死 為說涅槃 盡諸苦際
若人有福 曾供養佛 志求勝法 為說緣覺
若有佛子 脩種種行 求无上慧 為說淨道
文殊師利 我住於此 見聞若斯 及千億事
如是衆多 今當略說 我見彼土 恒沙菩薩
種種因緣 而求佛道 或有行施 金銀珊瑚
真珠摩尼 車𤦲馬瑙 金剛諸珎 奴婢車乘
寶飾輦轝 歡喜布施 迴向佛道 願得是乘
三界第一 諸佛所歎 或有菩薩 駟馬寶車
欄楯華蓋 軒飾布施 復見菩薩 身肉手足
及妻子施 求无上道 又見菩薩 頭目身體
欣樂施與 求佛智慧 文殊師利 我見諸王
往詣佛所 問无上道 便捨樂土 宮殿臣妾
剃除鬚髮 而被法服 或見菩薩 而作比丘
獨處閑靜 樂誦經典 又見菩薩 勇猛精進
入於深山 思惟佛道 又見離欲 常處空閑
深脩禪定 得五神通 又見菩薩 安禪合掌
以千万偈 讚諸法王 復見菩薩 智深志固
能問諸佛 聞悉受持 又見佛子 定慧具足
以无量喻 為衆講法 欣樂說法 化諸菩薩
破魔兵衆 而擊法鼓 又見菩薩 寂然宴默
天龍恭敬 不以為喜 又見菩薩 處林放光
濟地獄苦 令入佛道 又見佛子 未甞睡眠
經行林中 勤求佛道 又見具戒 威儀无數

BD00656號　妙法蓮華經卷一　（21–4）

天龍恭敬 不以為喜 又見菩薩 處林放光
濟地獄苦 令入佛道 又見佛子 未甞睡眠
經行林中 勤求佛道 又見具戒 威儀无數
淨如寶珠 以求佛道 又見佛子 住忍辱力
增上慢人 惡罵捶打 皆悉能忍 以求佛道
又見菩薩 離諸戲咲 及癡眷屬 親近智者
一心除亂 攝念山林 億千万歲 以求佛道
或見菩薩 餚饍飲食 百種湯藥 施佛及僧
名衣上服 價直千万 或无價衣 施佛及僧
千万億種 栴檀寶舍 衆妙卧具 施佛及僧
清淨園林 華菓茂盛 流泉浴池 施佛及僧
如是等施 種種微妙 歡喜无猒 求无上道
或有菩薩 說寂滅法 種種教詔 无數衆生
或見菩薩 觀諸法性 无有二相 猶如虛空
又見佛子 心无所著 以此妙慧 求无上道
文殊師利 又有菩薩 佛滅度後 供養舍利
又見佛子 造諸塔廟 无數恒沙 嚴飾國界
寶塔高妙 五千由旬 縱廣正等 二千由旬
一一塔廟 各千幢幡 珠交露幔 寶鈴和鳴
諸天龍神 人及非人 香華伎樂 常以供養
文殊師利 諸佛子等 為供舍利 嚴飾塔廟
國界自然 殊特妙好 如天樹王 其華開敷
佛放一光 我及衆會 見此國界 種種殊妙
諸佛神力 智慧希有 放一淨光 照无量國
我等見此 得未曾有 佛子文殊 願決衆疑
四衆欣仰 瞻仁及我 世尊何故 放斯光明
佛子時荅 決疑令喜 何所饒益 演斯光明
佛坐道場 所得妙法 為欲說此 為當授記

BD00656號　妙法蓮華經卷一　（21–5）

我等見此　得未曾有　佛子文殊　願決衆疑
四衆欣仰　瞻仁及我　世尊何故　放斯光明
佛子時荅　決疑令喜　何所饒益　演斯光明
佛坐道場　所得妙法　為欲說此　為當授記
示諸佛土　衆寶嚴淨　及見諸佛　此非小緣
文殊當知　四衆龍神　瞻察仁者　為說何等
尒時文殊師利語弥勒菩薩摩訶薩及諸大
士善男子等如我惟忖今佛世尊欲說大法
雨大法雨吹大法螺擊大法鼓演大法義諸
善男子我於過去諸佛曾見此瑞放斯光已
即說大法是故當知今佛現光亦復如是欲
令衆生咸得聞知一切世間難信之法故現
斯瑞諸善男子如過去无量无邊不可思議
阿僧祇劫尒時有佛号日月燈明如來應供
正遍知明行足善逝世間解无上士調御丈
夫天人師佛世尊演說正法初善中善後善
其義深遠其語巧妙純一无雜具足清白梵
行之相為求聲聞者說應四諦法度生老病
死究竟涅槃為求辟支佛者說應十二因緣
法為諸菩薩說應六波羅蜜令得阿耨多羅
三藐三菩提成一切種智復次有佛亦名日
月燈明次復有佛亦名日月燈明如是二万
佛皆同一字号日月燈明又同一姓姓頗羅
墮弥勒當知初佛後佛皆同一字名日月燈
明十号具足所可說法初中後善其最後佛
未出家時有八子一名有意二名善意三名
无量意四名寶意五名增意六名除疑意七
名響意八名法意是八王子威德自在各領

BD00656號　妙法蓮華經卷一　（21–6）

名響意八名法意是八王子威德自在各領
四天下是諸王子聞父出家得阿耨多羅三
藐三菩提悉捨王位亦隨出家發大乘意常
脩梵行皆為法師已於千万佛所植諸善本
是時日月燈明佛說大乘經名无量義教菩
薩法佛所護念說是經已即於大衆中結跏
趺坐入於无量義處三昧身心不動是時天
雨曼陁羅華摩訶曼陁羅華曼殊沙華摩訶
曼殊沙華而散佛上及諸大衆普佛世界六
種震動尒時會中比丘比丘尼優婆塞優婆
夷天龍夜叉乾闥婆阿脩羅迦樓羅緊那羅
摩睺羅伽人非人及諸小王轉輪聖王等是
諸大衆得未曾有歡喜合掌一心觀佛尒時
如來放眉間白毫相光照東方万八千佛土
靡不周遍如今所見是諸佛土弥勒當知尒
時會中有二十億菩薩樂欲聽法是諸菩薩
見此光明普照佛土得未曾有欲知此光所
為因緣時有菩薩名曰妙光有八百弟子是
時日月燈明佛從三昧起因妙光菩薩說大
乘經名妙法蓮華教菩薩法佛所護念六十
小劫不起于座時會聽者亦坐一處六十小
劫身心不動聽佛所說謂如食頃是時衆中
无有一人若身若心而生懈惓日月燈明佛
於六十小劫說是經已即於梵魔沙門婆羅
門及天人阿脩羅衆中而宣此言如來於今
日中夜當入无餘涅槃時有菩薩名曰德藏
日月燈明佛即授其記告諸比丘是德藏菩
薩次當作佛号曰淨身

BD00656號　妙法蓮華經卷一　（21–7）

日中夜當入无餘涅槃時有菩薩名曰德藏
日月燈明佛即授其記告諸比丘是德藏菩
薩次當作佛号曰淨身多陁阿伽度阿羅訶
三藐三佛陁佛授記已便於中夜入无餘涅
槃佛滅度後妙光菩薩持妙法蓮華經滿八
十小劫為人演說日月燈明佛八子皆師妙
光妙光教化令其堅固阿耨多羅三藐三菩
提是諸王子供養无量百千万億佛已皆成
佛道其㝡後成佛者名曰燃燈八百弟子中
有一人号曰求名貪著利養雖復讀誦衆經
而不通利多所忘失故号求名是人亦以種
諸善根因緣故得值无量百千万億諸佛供
養恭敬尊重讚歎彌勒當知尒時妙光菩薩
豈異人乎我身是也求名菩薩汝身是也今
見此瑞與本无異是故惟忖今日如來當說
大乘經名妙法蓮華教菩薩法佛所護念尒
時文殊師利於大衆中欲重宣此義而說偈
言
我念過去世　无量无數劫　有佛人中尊　号日月燈明
世尊演說法　度无量衆生　无數億菩薩　令入佛智慧
佛未出家時　所生八王子　見大聖出家　亦隨脩梵行
時佛說大乘　經名无量義　於諸大衆中　而為廣分別
佛說此經已　即於法座上　跏趺坐三昧　名无量義處
天雨曼陁華　天鼓自然鳴　諸天龍鬼神　供養人中尊
一切諸佛土　即時大震動　佛放眉間光　現諸希有事
此光照東方　万八千佛土　示一切衆生　生死業報處
有見諸佛土　以衆寶莊嚴　琉璃頗梨色　斯由佛光照

BD00656號　妙法蓮華經卷一　（21–8）

一切諸佛土　即時大震動　佛放眉間光　現諸希有事
此光照東方　万八千佛土　示一切衆生　生死業報處
有見諸佛土　以衆寶莊嚴　琉璃頗梨色　斯由佛光照
及見諸天人　龍神夜叉衆　乾闥婆緊那羅　各供養其佛
又見諸如來　自然成佛道　身色如金山　端嚴甚微妙
如淨琉璃中　內現真金像　世尊在大衆　敷演深法義
一一諸佛土　聲聞衆无數　因佛光所照　悉見彼大衆
或有諸比丘　在於山林中　精進持淨戒　猶如護明珠
又見諸菩薩　行施忍辱等　其數如恒沙　斯由佛光照
又見諸菩薩　深入諸禪定　身心寂不動　以求无上道
又見諸菩薩　知法寂滅相　各於其國土　說法求佛道
尒時四部衆　見日月燈佛　現大神通力　其心皆歡喜
各各自相問　是事何因緣　天人所奉尊　適從三昧起
讚妙光菩薩　汝為世間眼　一切所歸信　能奉持法藏
如我所說法　唯汝能證知　世尊既讚歎　令妙光歡喜
說是法華經　滿六十小劫　不起於此座　所說上妙法
是妙光法師　悉皆能受持　佛說是法華　令衆歡喜已
尋即於是日　告於天人衆　諸法實相義　已為汝等說
我今於中夜　當入於涅槃　汝一心精進　當離於放逸
諸佛甚難值　億劫時一遇　世尊諸子等　聞佛入涅槃
各各懷悲惱　佛滅一何速　聖主法之王　安慰无量衆
我若滅度時　汝等勿憂怖　是德藏菩薩　於无漏實相
心已得通達　其次當作佛　号曰為淨身　亦度无量衆
佛此夜滅度　如薪盡火滅　分布諸舍利　而起无量塔
比丘比丘尼　其數如恒沙　倍復加精進　以求无上道
是妙光法師　奉持佛法藏　八十小劫中　廣宣法華經
是諸八王子　妙光所開化　堅固无上道　當見无數佛
供養諸佛已　隨順行大道　相繼得成佛　轉次而授記

BD00656號　妙法蓮華經卷一　（21–9）

是妙光法師 奉持佛法藏 八十小劫中 廣宣法華經
是諸八王子 妙光所開化 堅固无上道 當見无數佛
供養諸佛已 隨順行大道 相繼得成佛 轉次而授記
最後天中天 号曰燃燈佛 諸仙之導師 度脫无量衆
是妙光法師 時有一弟子 心常懷懈怠 貪著於名利
求名利无猒 多遊族姓家 棄捨所習誦 廢忘不通利
以是因緣故 号之為求名 亦行衆善業 得見无數佛
供養於諸佛 隨順行大道 具六波羅蜜 今見釋師子
其後當作佛 号名曰弥勒 廣度諸衆生 其數无有量
彼佛滅度後 懈怠者汝是 妙光法師者 今則我身是
我見燈明佛 本光瑞如此 以是知今佛 欲說法華經
今相如本瑞 是諸佛方便 今佛放光明 助發實相義
諸人今當知 合掌一心待 佛當雨法雨 充足求道者
諸求三乘人 若有疑悔者 佛當為除斷 令盡无有餘

妙法蓮華經方便品第二

尒時世尊從三昧安詳而起告舍利弗諸佛
智慧甚深无量其智慧門難解難入一切聲
聞辟支佛所不能知所以者何佛曾親近百
千万億无數諸佛盡行諸佛无量道法勇猛
精進名稱普聞成就甚深未曾有法隨宜所
說意趣難解舍利弗吾從成佛已來種種因
緣種種譬喻廣演言教无數方便引導衆生
令離諸著所以者何如來方便知見波羅蜜
皆已具足舍利弗如來知見廣大深遠无量
无礙力无所畏禪定解脫三昧深入无際成
就一切未曾有法舍利弗如來能種種分別
巧說諸法言辭柔軟悅可衆心舍利弗取要
言之无量无邊未曾有法佛悉成就止舍利

BD00656號 妙法蓮華經卷一 （21–10）

就一切未曾有法舍利弗如來能種種分別
巧說諸法言辭柔軟悅可衆心舍利弗取要
言之无量无邊未曾有法佛悉成就止舍利
弗不須復說所以者何佛所成就第一希有
難解之法唯佛與佛乃能究盡諸法實相所
謂諸法如是相如是性如是體如是力如是
作如是因如是緣如是果如是報如是本末
究竟等尒時世尊欲重宣此義而說偈言
世雄不可量 諸天及世人 一切衆生類 无能知佛者
佛力无所畏 解脫諸三昧 及佛諸餘法 无能測量者
本從无數佛 具足行諸道 甚深微妙法 難見難可了
於无量億劫 行此諸道已 道場得成果 我已悉知見
如是大果報 種種性相義 我及十方佛 乃能知是事
是法不可示 言辭相寂滅 諸餘衆生類 无有能得解
除諸菩薩衆 信力堅固者 諸佛弟子衆 曾供養諸佛
一切漏已盡 住是最後身 如是諸人等 其力所不堪
假使滿世間 皆如舍利弗 盡思共度量 不能測佛智
正使滿十方 皆如舍利弗 及餘諸弟子 亦滿十方剎
盡思共度量 亦復不能知 辟支佛利智 无漏最後身
亦滿十方界 其數如竹林 斯等共一心 於億无量劫
欲思佛實智 莫能知少分 新發意菩薩 供養无數佛
了達諸義趣 又能善說法 如稻麻竹葦 充滿十方剎
一心以妙智 於恒河沙劫 咸皆共思量 不能知佛智
不退諸菩薩 其數如恒沙 一心共思求 亦復不能知
又告舍利弗 无漏不思議 甚深微妙法 我今已具得
唯我知是相 十方佛亦然 舍利弗當知 諸佛語无異
於佛所說法 當生大信力 世尊法久後 要當說真實
告諸聲聞衆 及求緣覺乘 我令脫苦縛 逮得涅槃者

BD00656號 妙法蓮華經卷一 （21–11）

又告舍利弗　无漏不思議　甚深微妙法　我今已具得
唯我知是相　十方佛亦然　舍利弗當知　諸佛語无異
於佛所說法　當生大信力　世尊法久後　要當說真實
告諸聲聞衆　及求緣覺乘　我令脫苦縛　逮得涅槃者
佛以方便力　示以三乘教　衆生處處著　引之令得出
尒時大衆中有諸聲聞漏盡阿羅漢阿若憍
陳如等千二百人及發聲聞辟支佛心比丘
比丘尼優婆塞優婆夷各作是念今者世尊
何故慇懃稱歎方便而作是言佛所得法甚
深難解有所言說意趣難知一切聲聞辟支
佛所不能及佛說一解脫義我等亦得此法
到於涅槃而今不知是義所趣尒時舍利弗
知四衆心疑自亦未了而白佛言世尊何因
何緣慇懃稱歎諸佛第一方便甚深微妙難
解之法我自昔來未曾從佛聞如是說今者
四衆咸皆有疑唯願世尊敷演斯事世尊何
故慇懃稱歎甚深微妙難解之法尒時舍利
弗欲重宣此義而說偈言
慧日大聖尊　久乃說是法　自說得如是　力无畏三昧
禪定解脫等　不可思議法　道場所得法　无能發問者
我意難可測　亦无能問者　无問而自說　稱歎所行道
智慧甚微妙　諸佛之所得　无漏諸羅漢　及求涅槃者
今皆墮疑網　佛何故說是　其求緣覺者　比丘比丘尼
諸天龍鬼神　及乾闥婆等　相視懷猶豫　瞻仰兩足尊
是事為云何　願佛為解說　於諸聲聞衆　佛說我第一
我今自於智　疑惑不解了　為是究竟法　為是所行道
佛口所生子　合掌瞻仰待　願出微妙音　時為如實說
諸天龍神等　其數如恒沙　求佛諸菩薩　大數有八万

BD00656號　妙法蓮華經卷一　（21–12）

諸天龍神等　其數如恒沙　求佛諸菩薩　大數有八万
又諸万億國　轉輪聖王至　合掌以敬心　欲聞具足道
尒時佛告舍利弗止止不須復說若說是事
一切世間諸天及人皆當驚疑舍利弗重白
佛言世尊唯願說之唯願說之所以者何是
會无數百千万億阿僧祇衆生曾見諸佛諸
根猛利智慧明了聞佛所說則能敬信尒時
舍利弗欲重宣此義而說偈言
法王无上尊　唯說願勿慮　是會无量衆　有能敬信者
佛復止舍利弗若說是事一切世間天人阿
脩羅皆當驚疑增上慢比丘將墜於大坑尒
時世尊重說偈言
止止不須說　我法妙難思　諸增上慢者　聞必不敬信
尒時舍利弗重白佛言世尊唯願說之唯願
說之今此會中如我等比百千万億世世已
曾從佛受化如此人等必能敬信長夜安隱
多所饒益尒時舍利弗欲重宣此義而說偈
言
无上兩足尊　願說第一法　我為佛長子　唯垂分別說
是會无量衆　能敬信此法　佛已曾世世　教化如是等
皆一心合掌　欲聽受佛語　我等千二百　及餘求佛者
願為此衆故　唯垂分別說　是等聞此法　則生大歡喜
尒時世尊告舍利弗汝已慇懃三請豈得不
說汝今諦聽善思念之吾當為汝分別解說
說此語時會中有比丘比丘尼優婆塞優婆
夷五千人等即從座起禮佛而退所以者何
此輩罪根深重及增上慢未得謂得未證謂

BD00656號　妙法蓮華經卷一　（21–13）

說此語時會中有比丘比丘尼優婆塞優婆
夷五千人等即從座起礼佛而退所以者何
此輩罪根深重及增上慢未得謂得未證謂
證有如此失是以不住世尊默然而不制止
尒時佛告舍利弗我今此衆无復枝葉純有
貞實舍利弗如是增上慢人退亦佳矣汝今
善聽當為汝說舍利弗言唯然世尊願樂欲
聞佛告舍利弗如是妙法諸佛如来時乃說
之如優曇鉢華時一現耳舍利弗汝等當信
佛之所說言不虛妄舍利弗諸佛隨宜說法
意趣難解所以者何我以无數方便種種因
緣譬喻言辭演說諸法是法非思量分別之
所能解唯有諸佛乃能知之所以者何諸佛
世尊唯以一大事因緣故出現於世舍利弗
云何名諸佛世尊唯以一大事因緣故出現
於世諸佛世尊欲令衆生開佛知見使得清
淨故出現於世欲示衆生佛知見故出現於
世欲令衆生悟佛知見故出現於世欲令衆
生入佛知見道故出現於世舍利弗是為諸
佛以一大事因緣故出現於世佛告舍利弗
諸佛如来但教化菩薩諸有所作常為一事
唯以佛之知見示悟衆生舍利弗如来但以
一佛乘故為衆生說法无有餘乘若二若三
舍利弗一切十方諸佛法亦如是舍利弗過
去諸佛以无量无數方便種種因緣譬喻言
辭而為衆生演說諸法是法皆為一佛乘故
是諸衆生從諸佛聞法究竟皆得一切種智
舍利弗未来諸佛當出於世亦以无量无數

BD00656號　妙法蓮華經卷一　（21–14）

辭而為衆生演說諸法是法皆為一佛乘故
是諸衆生從諸佛聞法究竟皆得一切種智
舍利弗未来諸佛當出於世亦以无量无數
方便種種因緣譬喻言辭而為衆生演說諸
法是法皆為一佛乘故是諸衆生從佛聞法
究竟皆得一切種智舍利弗現在十方无量
百千万億佛土中諸佛世尊多所饒益安樂
衆生是諸佛亦以无量无數方便種種因緣
譬喻言辭而為衆生演說諸法是法皆為一
佛乘故是諸衆生從佛聞法究竟皆得一切
種智舍利弗是諸佛但教化菩薩欲以佛之
知見示衆生故欲以佛之知見悟衆生故欲
令衆生入佛之知見故舍利弗我今亦復如
是知諸衆生有種種欲深心所著隨其本性
以種種因緣譬喻言辭方便力故而為說法
舍利弗如此皆為得一佛乘一切種智故舍
利弗十方世界中尚无二乘何況有三舍利
弗諸佛出於五濁悪世所謂劫濁煩惱濁衆
生濁見濁命濁如是舍利弗劫濁亂時衆生
垢重慳貪嫉妬成就諸不善根故諸佛以方
便力於一佛乘分別說三舍利弗若我弟子
自謂阿羅漢辟支佛者不聞不知諸佛如来
但教化菩薩事此非佛弟子非阿羅漢非辟
支佛又舍利弗是諸比丘比丘尼自謂已得
阿羅漢是冣後身究竟涅槃便不復志求阿
耨多羅三藐三菩提當知此輩皆是增上慢
人所以者何若有比丘實得阿羅漢若不信
此法无有是處除佛滅度後現前无佛所以

BD00656號　妙法蓮華經卷一　（21–15）

阿羅漢是最後身究竟涅槃便不復志求阿
耨多羅三藐三菩提當知此輩皆是增上慢
人所以者何若有比丘實得阿羅漢若不信
此法无有是處除佛滅度後現前无佛所以
者何佛滅度後如是等經受持讀誦解義者
是人難得若遇餘佛於此法中便得決了舍
利弗汝等當一心信解受持佛語諸佛如來
言无虛妄无有餘乘唯一佛乘尒時世尊欲
重宣此義而說偈言
比丘比丘尼　有懷增上慢　優婆塞我慢　優婆夷不信
如是四衆等　其數有五千　不自見其過　於戒有缺漏
護惜其瑕疵　是小智已出　衆中之糟糠　佛威德故去
斯人尟福德　不堪受是法　此衆无枝葉　唯有諸貞實
舍利弗善聽　諸佛所得法　无量方便力　而為衆生說
衆生心所念　種種所行道　若干諸欲性　先世善惡業
佛悉知是已　以諸緣譬喻　言辭方便力　令一切歡喜
或說脩多羅　伽陀及本事　本生未曾有　亦說於因緣
譬喻并祇夜　優波提舍經　鈍根樂小法　貪著於生死
於諸无量佛　不行深妙道　衆苦所惱亂　為是說涅槃
我設是方便　令得入佛慧　未曾說汝等　當得成佛道
所以未曾說　說時未至故　今正是其時　決定說大乘
我此九部法　隨順衆生說　入大乘為本　以故說是經
有佛子心淨　柔軟亦利根　无量諸佛所　而行深妙道
為此諸佛子　說是大乘經　我記如是人　來世成佛道
以深心念佛　脩持淨戒故　此等聞得佛　大喜充遍身
佛知彼心行　故為說大乘　聲聞若菩薩　聞我所說法
乃至於一偈　皆成佛无疑　十方佛土中　唯有一乘法

BD00656號　妙法蓮華經卷一　（21–16）

以深心念佛　脩持淨戒故　此等聞得佛　大喜充遍身
佛知彼心行　故為說大乘　聲聞若菩薩　聞我所說法
乃至於一偈　皆成佛无疑　十方佛土中　唯有一乘法
无二亦无三　除佛方便說　但以假名字　引導於衆生
說佛智慧故　諸佛出於世　唯此一事實　餘二則非真
終不以小乘　濟度於衆生　佛自住大乘　如其所得法
定慧力莊嚴　以此度衆生　自證无上道　大乘平等法
若以小乘化　乃至於一人　我則墮慳貪　此事為不可
若人信歸佛　如來不欺誑　亦无貪嫉意　斷諸法中惡
故佛於十方　而獨无所畏　我以相嚴身　光明照世間
无量衆所尊　為說實相印　舍利弗當知　我本立誓願
欲令一切衆　如我等无異　如我昔所願　今者已滿足
化一切衆生　皆令入佛道　若我遇衆生　盡教以佛道
无智者錯亂　迷惑不受教　我知此衆生　未曾脩善本
堅著於五欲　癡愛故生惱　以諸欲因緣　墜墮三惡道
輪迴六趣中　備受諸苦毒　受胎之微形　世世常增長
薄德少福人　衆苦所逼迫　入邪見稠林　若有若无等
依止此諸見　具足六十二　深著虛妄法　堅受不可捨
我慢自矜高　諂曲心不實　於千万億劫　不聞佛名字
亦不聞正法　如是人難度　是故舍利弗　我為設方便
說諸盡苦道　示之以涅槃　我雖說涅槃　是亦非真滅
諸法從本來　常自寂滅相　佛子行道已　來世得作佛
我有方便力　開示三乘法　一切諸世尊　皆說一乘道
今此諸大衆　皆應除疑惑　諸佛語无異　唯一无二乘
過去无數劫　无量滅度佛　百千万億種　其數不可量
如是諸世尊　種種緣譬喻　无數方便力　演說諸法相
是諸世尊等　皆說一乘法　化无量衆生　令入於佛道
又諸大聖主　知一切世間　天人群生類　深心之所欲

BD00656號　妙法蓮華經卷一　（21–17）

今此諸大衆 皆應除疑惑 諸佛語无異 唯一无二乘
過去无數劫 无量滅度佛 百千万億種 其數不可量
如是諸世尊 種種緣譬喻 无數方便力 演說諸法相
是諸世尊等 皆說一乘法 化无量衆生 令入於佛道
又諸大聖主 知一切世間 天人羣生類 深心之所欲
更以異方便 助顯第一義 若有衆生類 值諸過去佛
若聞法布施 或持戒忍辱 精進禪智等 種種脩福德
如是諸人等 皆已成佛道 諸佛滅度已 若人善軟心
如是諸衆生 皆已成佛道 諸佛滅度已 供養舍利者
起万億種塔 金銀及頗梨 車璖與馬瑙 玫瑰琉璃珠
清淨廣嚴飾 莊挍於諸塔 或有起石廟 栴檀及沉水
木蜜并餘材 塼瓦泥土等 若於曠野中 積土成佛廟
乃至童子戲 聚沙為佛塔 如是諸人等 皆已成佛道
若人為佛故 建立諸形像 刻雕成衆相 皆已成佛道
或以七寶成 鍮石赤白銅 白鑞及鈆錫 鐵木及與泥
或以膠漆布 嚴飾作佛像 如是諸人等 皆已成佛道
綵畫作佛像 百福莊嚴相 自作若使人 皆已成佛道
乃至童子戲 若草木及筆 或以指爪甲 而畫作佛像
如是諸人等 漸漸積功德 具足大悲心 皆已成佛道
但化諸菩薩 度脫无量衆 若人於塔廟 寶像及畫像
以華香幡蓋 敬心而供養 若使人作樂 擊鼓吹角貝
簫笛琴箜篌 琵琶鐃銅鈸 如是衆妙音 盡持以供養
或以歡喜心 歌唄頌佛德 乃至一小音 皆已成佛道
若人散亂心 乃至以一華 供養於畫像 漸見无數佛
或有人礼拜 或復但合掌 乃至舉一手 或復小低頭
以此供養像 漸見无量佛 自成无上道 廣度无數衆
入无餘涅槃 如薪盡火滅 若人散亂心 入於塔廟中
一稱南无佛 皆已成佛道 於諸過去佛 在世或滅後

BD00656號 妙法蓮華經卷一 （21–18）

以此供養像 漸見无量佛 自成无上道 廣度无數衆
入无餘涅槃 如薪盡火滅 若人散亂心 入於塔廟中
一稱南无佛 皆已成佛道 於諸過去佛 在世或滅後
若有聞是法 皆已成佛道 未來諸世尊 其數无有量
是諸如來等 亦方便說法 一切諸如來 以无量方便
度脫諸衆生 入佛无漏智 若有聞法者 无一不成佛
諸佛本誓願 我所行佛道 普欲令衆生 亦同得此道
未來世諸佛 雖說百千億 无數諸法門 其實為一乘
諸佛兩足尊 知法常无性 佛種從緣起 是故說一乘
是法住法位 世間相常住 於道場知已 導師方便說
天人所供養 現在十方佛 其數如恒沙 出現於世間
安隱衆生故 亦說如是法 知第一寂滅 以方便力故
雖示種種道 其實為佛乘 知衆生諸行 深心之所念
過去所習業 欲性精進力 及諸根利鈍 以種種因緣
譬喻亦言辭 隨應方便說 今我亦如是 安隱衆生故
以種種法門 宣示於佛道 我以智慧力 知衆生性欲
方便說諸法 皆令得歡喜 舍利弗當知 我以佛眼觀
見六道衆生 貧窮无福慧 入生死險道 相續苦不斷
深著於五欲 如犛牛愛尾 以貪愛自蔽 盲瞑无所見
不求大勢佛 及與斷苦法 深入諸邪見 以苦欲捨苦
為是衆生故 而起大悲心 我始坐道場 觀樹亦經行
於三七日中 思惟如是事 我所得智慧 微妙最第一
衆生諸根鈍 著樂癡所盲 如斯之等類 云何而可度
尒時諸梵王 及諸天帝釋 護世四天王 及大自在天
并餘諸天衆 眷屬百千万 恭敬合掌礼 請我轉法輪
我即自思惟 若但讚佛乘 衆生沒在苦 不能信是法
破法不信故 墜於三惡道 我寧不說法 疾入於涅槃
尋念過去佛 所行方便力 我今所得道 亦應說三乘

BD00656號 妙法蓮華經卷一 （21–19）

并餘諸天衆　眷屬百千万　恭敬合掌礼　請我轉法輪
我即自思惟　若但讃佛乘　衆生没在苦　不能信是法
破法不信故　墜於三惡道　我寧不說法　疾入於涅槃
尋念過去佛　所行方便力　我今所得道　亦應說三乘
作是思惟時　十方佛皆現　梵音慰喻我　善哉釋迦文
第一之導師　得是无上法　随諸一切佛　而用方便力
我等亦皆得　最妙第一法　為諸衆生類　分別說三乘
少智樂小法　不自信作佛　是故以方便　分別說諸果
雖復說三乘　但為教菩薩　舍利弗當知　我聞聖師子
深淨微妙音　稱南无諸佛　復作如是念　我出濁惡世
如諸佛所說　我亦随順行　思惟是事已　即趣波羅柰
諸法寂滅相　不可以言宣　以方便力故　為五比丘說
是名轉法輪　便有涅槃音　及以阿羅漢　法僧差別名
從久遠劫来　讃示涅槃法　生死苦永盡　我常如是說
舍利弗當知　我見佛子等　志求佛道者　无量千万億
咸以恭敬心　皆来至佛所　曾從諸佛聞　方便所說法
我即作是念　所以出於世　為說佛慧故　今正是其時
舍利弗當知　鈍根小智人　著相憍慢者　不能信是法
今我喜无畏　於諸菩薩中　正直捨方便　但說无上道
菩薩聞是法　疑網皆已除　千二百羅漢　悉亦當作佛
如三世諸佛　說法之儀式　我今亦如是　說无分別法
諸佛興出世　懸遠值遇難　正使出于世　說是法復難
无量无數劫　聞是法亦難　能聽是法者　斯人亦復難
譬如優曇華　一切皆愛樂　天人所希有　時時乃一出
聞法歡喜讃　乃至發一言　則為已供養　一切三世佛
是人甚希有　過於優曇華　汝等勿有疑　我為諸法王
普告諸大衆　但以一乘道　教化諸菩薩　无聲聞弟子
汝等舍利弗　聲聞及菩薩　當知是妙法　諸佛之祕要

BD00656 號　妙法蓮華經卷一　（21–20）

舍利弗當知　我見佛子等　志求佛道者　无量千万億
咸以恭敬心　皆来至佛所　曾從諸佛聞　方便所說法
我即作是念　所以出於世　為說佛慧故　今正是其時
舍利弗當知　鈍根小智人　著相憍慢者　不能信是法
今我喜无畏　於諸菩薩中　正直捨方便　但說无上道
菩薩聞是法　疑網皆已除　千二百羅漢　悉亦當作佛
如三世諸佛　說法之儀式　我今亦如是　說无分別法
諸佛興出世　懸遠值遇難　正使出于世　說是法復難
无量无數劫　聞是法亦難　能聽是法者　斯人亦復難
譬如優曇華　一切皆愛樂　天人所希有　時時乃一出
聞法歡喜讃　乃至發一言　則為已供養　一切三世佛
是人甚希有　過於優曇華　汝等勿有疑　我為諸法王
普告諸大衆　但以一乘道　教化諸菩薩　无聲聞弟子
汝等舍利弗　聲聞及菩薩　當知是妙法　諸佛之祕要
以五濁惡世　但樂著諸欲　如是等衆生　終不求佛道
當来世惡人　聞佛說一乘　迷惑不信受　破法墮惡道
有慚愧清淨　志求佛道者　當為如是等　廣讃一乘道
舍利弗當知　諸佛法如是　以万億方便　随宜而說法
其不習學者　不能曉了此　汝等既已知　諸佛世之師
随宜方便事　无復諸疑惑　心生大歡喜　自知當作佛

妙法蓮華經卷第一

BD00656 號　妙法蓮華經卷一　（21–21）

若有人王恭敬供養此金光明最勝經典汝
等應當勤加守護令得安隱汝諸四王及餘
眷屬无量无數百千藥叉護是經者即是護
持去來現在諸佛正法汝等四王及餘天衆
并諸藥叉與阿蘇羅共鬪戰時常得勝利汝
等若能護持是經由經力故能除衆苦怨
賊飢饉及諸疾疫是故汝等若見四衆受持
讀誦此經王者亦應勤心共加守護爲除
惱施與安樂
尒時四天王即從座起偏袒右肩右膝著地
合掌恭敬白佛言世尊此金光明最勝經王
於未來世若有國土城邑聚落山林曠野隨
所至處流布之時若彼國王於此經典至心
聽受稱歎供養并復供給受持是經四部之
衆深心擁護令離衰惱以是因緣我護彼王
及諸人衆皆令安隱遠離憂苦增益壽
命威德具足世尊若彼國王見於四衆受持
經者恭敬守護猶如父母一切所須悉皆供
給我等四王常爲守護令諸有情无不尊敬
是故我等并與无量藥叉諸神隨此經王所流

BD00657 號　金光明最勝王經卷六

(20–1)

命威德具足世尊若彼國王見於四衆受持
經者恭敬守護猶如父母一切所須悉皆供
給我等四王常爲守護令諸有情无不尊敬
是故我等并與无量藥叉諸神隨此經王所流
布處潛身擁護令无留難亦當護念聽是經人
諸國王等除其衰患悉令安隱他方怨賊皆
使退散若有人王聽是經時隣國怨敵興如是
念當具四兵壞彼國土世尊以是經王威神
力故是時隣敵更有異怨而來侵擾於
其境界多諸災變疫病流行時王見已即嚴
四兵發向彼國欲爲討罰我等尒時當與眷
屬无量无邊藥叉諸神各自隱形爲作護助
令彼怨敵自然降伏尚不敢來至其國界豈
復得有兵戈相罰
尒時佛告四天王善哉善哉汝等四王乃能
擁護如是經典我於過去百千俱胝那庾多
劫修諸苦行得阿耨多羅三藐三菩提證一
切智今說是法若有人王受持是經恭敬供
養者爲消衰患令其安隱亦復擁護城邑聚
落乃至惡賊悉令退散亦令一切贍部洲內
所有諸王永无衰惱鬪諍之事四王當知此贍
部洲八万四千城邑聚落八万四千諸人王等
各於其國受諸快樂皆得自在所有財寶
豐足受用不相侵奪隨彼宿因而受其報
不起惡念貪求他國咸生少欲利樂之心无
有鬪戰繫縛等苦其土人民自然愛樂上下
和睦猶如水乳情相愛重歡喜遊戲慈悲謙

BD00657 號　金光明最勝王經卷六

(20–2)

不起惡念貪求他國咸生少欲利樂之心无
有鬪戰繫縛等苦其土人民自然愛樂上下
和穆猶如水乳情相愛重歡喜遊戲慈悲謙
讓增長善根以是因緣此贍部洲安隱豐樂
人民熾盛大地沃壤寒暑調和時不乖序日
月星宿常度无虧風雨隨時離諸災橫資
產財寶皆悉豐盈心无慳鄙常行惠施具十
善業若人命終多生天上增益天衆大王若未
來世有諸人王聽受是經恭敬供養并受持
經四部之衆尊重稱讚復欲安樂饒益汝等
及諸眷屬无量百千諸藥叉衆是故彼王常
當聽受是妙經王由得聞此正法之水甘露
上味增益汝等身心勢力精進勇猛福德
威光悉令充滿是諸人王若能至心聽受是
經則為廣大希有供養供養於我釋迦牟尼應
正等覺若供養我則是供養過去未來現在
百千俱胝那庾多佛若能供養三世諸佛則
得无量不可思議功德之聚以是因緣汝等
應當擁護彼王后妃眷屬令无衰惱及宮宅
神常受安樂功德難思是諸國土所有人民
亦受種種五欲之樂一切惡事皆令消殄
尒時四天王白佛言世尊於未來世若有人
王樂聽如是金光明經為欲擁護自身后妃
王子乃至內宮諸婇女等城邑宮殿皆得第
一不可思議最上歡喜寂靜安樂於現世中
王位尊高自在昌盛常得增長復欲攝受无

王子乃至內宮諸婇女等城邑宮殿皆得第
一不可思議最上歡喜寂靜安樂於現世中
王位尊高自在昌盛常得增長復欲攝受无
量无邊難思福聚於自國土令无怨敵及
諸憂惱災厄事者世尊如是人王不應放逸
令心散亂當生恭敬至誠慇重聽受如是最
勝經王欲聽之時先當在嚴最上宮室王所
愛重顯敞之處香水灑地散衆名花安置師
子殊勝法座以諸珎寶而為校飾張施種種寶
蓋幢幡燒无價香奏諸音樂其王尒時當淨
澡浴以香塗身著新淨衣及諸瓔珞坐小卑
座不生高舉捨自在位離諸憍慢端心正
念聽是經王於法師所起大師想復於宮內后
妃王子婇女眷屬生慈愍心喜悅相視和顏
耎語於自身心大喜充遍作如是念我今獲
得難思殊勝廣大利益於此經王盛興供養既
敷設已見法師至當起虔敬渴仰之心
尒時佛告四天王不應如是不迎法師時彼人
王應著純潔之衣種種瓔珞以為嚴飾
自持白蓋及以香花備整軍儀盛陳音樂
步出城闕迎彼法師運想虔恭為吉祥事
四王以何因緣令彼人王親作如是恭敬供
養由彼人王舉足下足步步即是恭敬供養
承事尊重百千万億那庾多諸佛世尊復得
超越如是劫數生死之苦復於來世如是數
劫當受輪王殊勝尊位隨其步步亦於現世

承事尊重百千万億那庾多諸佛世尊復得
超越如是劫數生死之苦復於来世如是數
劫當受輪王殊勝尊位隨其步步亦於現世
福德增長自在為王感應難思衆所欽重當
於无量百千億劫人天受用七寶宮殿所在
生處常得為王增益壽命言詞辯了人天信受无
所畏懼有大名稱咸共瞻仰天上人中受勝
妙樂獲大力勢有大威德身相奇妙端嚴无
比值天人師遇善知識成就具足无量福聚
四王當知彼諸人王見如是等種種无量功
德利益故應自往奉迎法師若一踰繕那乃
至百千踰繕那於説法師應生佛想還至城
已作如是念今日釋迦牟尼如来應正等覺
入我宮中受我供養為我説法我聞法已即
於阿耨多羅三藐三菩提不復退轉即是
值遇百千万億那庾多諸佛世尊我於今日
即是種種廣大殊勝上妙樂具供養過去未
来現在諸佛我於今日即是永拔琰摩王界
地獄餓鬼傍生之苦便為已種无量百千万
億轉輪聖王釋梵天主善根種子當令无量
百千万億衆生出生死苦得涅槃樂積集无
量无邊不可思議福德之聚後宮眷屬及諸人
民皆蒙安隱國土清泰无諸灾厄毒害惡人
他方怨敵不来侵擾遠離憂患四王當知時
彼人王應作如是尊重正法亦於受持是妙
經典苾芻苾芻尼鄔波索迦鄔波斯迦供
養恭敬尊重讃歎所獲善根先以勝福施

BD00657 號　金光明最勝王經卷六　（20–5）

彼人王應作如是尊重正法亦於受持是妙
經典苾芻苾芻尼鄔波索迦鄔波斯迦供
養恭敬尊重讃歎所獲善根先以勝福施
與汝等及諸眷屬彼之人王有大福德善業
因緣於現世中得大自在增益威光吉祥妙
相皆悉莊嚴一切怨敵能以正法而摧伏之尒
時四天王白佛言世尊若有人王能作如是恭
敬正法聽此經王并於四衆持經之人恭
敬供養尊重讃歎時彼人王欲為我等生
歡喜故當在一邊近於法座香水灑地散衆
名花安置處所設四王座我與彼王共聽正
法其王所有自利善根亦以福分施及我等
世尊時彼人王請説法者昇座之時便為我
等燒衆名香供養是經世尊時彼香烟於一
念頃上昇虚空即至我等諸天宮殿於虚空
中變成香蓋我等天衆聞彼妙香香有金
光照曜我等所居宮殿乃至梵宮及以帝釋
大辯才天大吉祥天堅牢地神正了知大將二
十八部諸藥叉神大自在天金剛密主寶賢大
將訶利底母五百眷屬无熱惱池龍王大
海龍王所居之處世尊如是等衆於自宮殿
見彼香烟一剎那頃變成香蓋聞香芬馥覩
色光明遍至一切諸天神宮佛告四天王是
香光明非但至此宮殿變成香蓋放大光明
由彼人王手執香爐燒衆名香供養經時其
香烟氣於一念須遍至三千大千世界百億

BD00657 號　金光明最勝王經卷六　（20–6）

色光明遍至一切諸天神宮佛告四天王是
香光明非但至此宮殿變成香蓋放大光明
由彼人王手執香爐燒衆名香供養經時其
香烟氣於一念須遍至三千大千世界百億
日月百億妙高山王百億四洲於此三千大
千世界一切天龍藥叉健闥婆阿蘇羅揭路
荼緊那羅莫呼洛伽宮殿之所於虛空中充
滿而住種種香烟變成雲蓋其蓋金色普照
天宮如是三千大千世界所有種種香雲
香蓋皆是金光明最勝王經威神之力是諸
人王手持香爐供養經時種種香氣非但
遍此三千大千世界於一念須亦遍十方无
量无邊恒河沙等百千万億諸佛國土於諸
佛上虛空之中變成香蓋金色普照亦復如
是時彼諸佛聞此妙香覩斯雲蓋及以金色
於十方界恒河沙等諸佛世尊現神變已彼
諸世尊悉共觀察異口同音讚法師曰善哉
善哉汝大丈夫能廣流布如是甚深微
妙經典則為成就无量无邊不可思議福德
之聚若有聽聞如是經者所獲功德其量甚多
何況書寫受持讀誦為他敷演如說修行何以故
善男子若有衆生聞此金光明最勝王經者
即於阿耨多羅三藐三菩提不復退轉
尒時十方有百千俱胝那庾多无量无數恒
河沙等諸佛剎土彼諸剎土一切如來異口
同音於法座上讚彼法師言善哉善哉善

善男子若有衆生聞此金光明最勝王經者
即於阿耨多羅三藐三菩提不復退轉
尒時十方有百千俱胝那庾多无量无數恒
河沙等諸佛剎土彼諸剎土一切如來異口
同音於法座上讚彼法師言善哉善哉善
男子汝於未來世以精勤力當修无量百千苦
行具足資糧超諸聖衆出過三界為最勝尊
當坐菩提樹王之下殊勝莊嚴能救三千大
千世界有緣衆生善能降伏可畏形儀諸
魔軍衆覺了諸法最勝清淨甚深无上正等
菩提善男子汝當坐於金剛之座轉於无
上諸佛所讚十二妙行甚深法輪能擊无上
最大法鼓能吹无上極妙法蠡能建无上殊
勝法幢能然无上極明法炬能降无上甘露法
雨能斷无量煩惱惡結能令无量百千万億那
庾多有情度於无涯可畏大海解脫生死无
際輪迴值遇无量百千万億那庾多佛
尒時四天王復白佛言世尊是金光明最勝
王經能於未來現在成就如是无量功德是
故人王若得聞是微妙經典即是已於百千万
億无量佛所種諸善根於彼人王我當護念
復見无量福德利故我等四王及餘眷屬无
量百千万億諸神於自宮殿見是種種香烟
雲蓋神變之時我當隱蔽不現其身為聽
法故當至是王清淨嚴飾所止宮殿講法之
處如是乃至梵宮帝釋大辯才天大吉祥天

雲蓋神變之時我當隱蔽不現其身為彼
法故當至是王清淨嚴飾所止宮殿講法之
處如是乃至梵宮帝釋大辯才天大吉祥天
堅牢地神正了知神大將二十八部諸藥叉
神大自在天金剛密主寶賢大將訶利底母
五百眷屬无熱惱池龍王大海龍王无量百千
万億那庾多諸天藥叉如是等衆為聽法故
皆不現身至彼人王殊勝宮殿莊嚴高座說法
之所世尊我等四王及餘眷屬藥叉諸神皆
當一心共彼人王為善知識因是无上大法施
主以甘露味充足於我是故我等當護是王
除其衰患令得安隱及其宮殿城邑國土諸
惡災變悉令消滅尒時四天王俱共合掌白
佛言世尊若有人王於其國土雖有此經未
嘗流布心生捨離不樂聽聞亦不供養尊重
讚歎見四部衆持經之人亦復不能尊重
供養遂令我等及餘眷屬无量諸天不得聞
此甚深妙法背甘露味失正法流无有威光
及以勢力增長惡趣損減人天墜生死河乖
涅槃路世尊我等四王并諸眷屬及藥叉等
見如斯事捨其國土无擁護心非但我等捨
棄是王亦有无量守護國土諸大善神悉
皆捨去既捨離已其國當有種種災禍喪失
國位一切人衆皆无善心唯有繫縛殺害瞋
諍互相讒諂枉及无辜疾疫流行彗星數出
兩日並現薄蝕无恒黑白二虹表不祥相星
流地動井內發聲暴雨惡風不依時節常

BD00657號　金光明最勝王經卷六　（20–9）

國位一切人衆皆无善心唯有繫縛殺害瞋
諍互相讒諂枉及无辜疾疫流行彗星數出
兩日並現薄蝕无恒黑白二虹表不祥相星
流地動井內發聲暴雨惡風不依時節常
遭飢饉苗實不成多有他方怨賊侵掠國
內人民受諸苦惱土地无有可樂之處世尊我
等四王及與无量百千天神并護國土諸舊
善神遠離去時生如是等无量百千災恠惡
事世尊若有人王欲護國土常受快樂欲令
衆生咸蒙安隱欲得摧伏一切外敵於自國
境永得昌盛欲令正教流布世間苦惱惡法
皆除滅者世尊是諸國主必當聽受是妙
經王亦應恭敬供養讚誦受持經者我等
及餘无量天衆以是聽法善根威力得服
无上甘露法味增益我等所有眷屬并餘天
神皆得勝利何以故以是人王至心聽受是經
典故世尊如大梵天於諸有情常為宣說世
出世論帝釋復說種種諸論五通神仙亦說諸論
世尊梵天帝釋五通仙人雖有百千俱胝那
庾多无量諸論然佛世尊慈悲哀愍為人天
衆說金光明微妙經典比前所說勝彼百
千俱胝那庾多倍不可為喻何以故由此能令
諸贍部洲所有王等正法化世能與衆生安
樂之事為護自身及諸眷屬令无苦惱又无
他方怨賊侵害所有諸惡悉皆遠去亦令國
土災厄屏除化以正法无有諍訟是故人王

BD00657號　金光明最勝王經卷六　（20–10）

他方惡賊侵害所有諸惡悉皆遠去亦令國
土災厄屏除化以正法无有諍訟是故人王
各於國土當然法炬明照无邊增益天衆并
諸眷屬世尊我等四王无量天神藥叉之
衆贍部洲內所有天神以是因緣得服无上
甘露法味獲大威德勢力光明无不具足一
切衆生皆得安隱復於來世无量百千不可
思議那庾多劫常受快樂復得值遇无量諸
佛種諸善根然後證得阿耨多羅三藐三菩
提如是无量无邊勝利皆是如來應正等覺以
大慈悲過梵衆以大智慧逾帝釋修諸苦行
勝五通仙百千万億那庾多倍不可稱計為
諸衆生演說如是微妙經典令贍部洲一切
國主及諸人衆明了世間所有法式治國化
人勸導之事由此經王流通力故普得安樂
此等福利皆是釋迦大師於此經典廣為流
通慈悲力故世尊以是因緣諸人王等皆應
受持供養恭敬尊重讚歎此妙經王何以故以
如是等不可思議殊勝功德利益一切是故名
日最勝經王
尒時世尊復告四天王汝等四王及餘眷屬
无量百千俱胝那庾多諸天大衆見彼人王
若能至心聽是經典供養恭敬尊重讚歎者
應當擁護除其衰患能令汝等亦受安樂若
四部衆能廣流布是經王者於人天中廣作
佛事普能利益无量衆生如是之人汝等四

BD00657號　金光明最勝王經卷六　（20–11）

應當擁護除其衰患能令汝等亦受安樂若
四部衆能廣流布是經王者於人天中廣作
佛事普能利益无量衆生如是之人汝等四
王常當擁護如是四衆勿使他緣共相侵擾
令彼身心寂靜安樂於此經王廣宣流布令不
斷絕利益有情盡未來際
尒時多聞天王從座而起白佛言世尊我有
如意寶珠陁羅尼法若有衆生樂受持者功
德无量我常擁護令彼衆生離苦得樂能成
福智二種資糧欲受持者先當誦此護身之
呪即說呪曰
南謨薜室羅末拏也莫訶曷羅闍也（但是也上之字皆須引聲）
怛姪他　羅囉羅囉　矩怒　矩怒
區怒區怒　窶怒窶怒　颯縛颯縛
羯囉羯囉　莫訶毗羯喇麼　莫訶毗羯喇麼
莫訶曷羅社　曷路叉曷路叉　覩湯（自稱己名）
薩婆薩埵難者　莎訶（此之二字皆長引聲）
世尊誦此呪者當以白線呪之七遍一遍一結
繫之肘後其事必成應取諸香所謂安息旃
檀龍腦蘇合多揭羅薰陸皆須等分和合一
處手執香爐燒香供養清淨澡浴著鮮潔衣
於一靜室可誦神呪
請我薜室羅末拏天王即說呪曰
南謨薜室羅　末拏引也　南謨檀那馱也
檀泥說囉引也　阿揭橹　阿鉢喇弭哆
檀泥說囉　鉢囉麼　迦留尼　迦

BD00657號　金光明最勝王經卷六　（20–12）

南謨薜室囉　末拏引也　南謨檀那䭾也
檀泥訖囉引也　阿揭捨　阿鉢唎弭哆
檀泥訖囉　鉢囉麼　迦留尼迦
薩婆薩埵　呬哆振哆　麼麼名已檀那
末拏鉢唎栰捨　碎闍摩揭捨　莎訶
此呪誦滿一七遍已次誦本呪欲誦呪時先
當稱名敬礼三寶及薜室羅末拏大王能施
財物令諸衆生所求願滿悉能成就與其安
樂如是礼已次誦薜室羅末拏王如意末
尼寶心神呪能施衆生隨意安樂尒時多聞
天王即於佛前說如意末尼寶心呪曰
南謨曷喇怛娜　怛喇夜引也
南謨薜室囉末拏引也　莫訶囉闍引也
怛姪他　四弭四弭　蘇母蘇母
旃荼旃荼　折囉折囉　薩囉薩囉
羯囉羯囉　枳哩枳哩　矩嚕矩嚕
母嚕母嚕　主嚕主嚕　娑大也頞貪
我名某甲　昵店頞他　達達都莎訶
南謨薜室囉末拏也莎訶檀那䭾也莎訶
曼奴喇他鉢喇脯喇迦引也　莎訶
受持呪時先誦千遍然後於淨室中瞿摩
塗地作小壇場隨時飲食一心供養常然妙
香令烟不絕誦前心呪晝夜繫心唯自耳聞
勿令他解時有薜室囉末拏王子名禪膩師
現童子形來至其所問言何故須喚我父即
可報言我為供養三寶事須財物願當施與

BD00657號　金光明最勝王經卷六　（20–13）

勿令他解時有薜室囉末拏王子名禪膩師
現童子形來至其所問言何故須喚我父即
可報言我為供養三寶事須財物願當施與
時禪膩師聞是語已即還父所白其父言今
有善人發至誠心供養三寶少乏財物為斯請
召其父報曰汝可速去日日與彼一百迦　利
沙波拏　此是根本梵音唯目貝齒而隨方不定或是貝齒
或是金銀銅鐵等錢然摩揭陁現今通用一迦利沙波
拏有一千六百貝齒總數可以准知若作物直隨處不定若人持呪
得成就者獲物之時自知其數有本云每日與一百陳那羅即金
金錢也乃至盡形日日常得西方
求者多有神驗除不至心也
其持呪者見是相已知事得成當須獨處淨室
燒香而臥可於牀邊置一香篋每至天曉觀
其篋中獲所求物每得物時當日即須供
養三寶香花飲食兼施貧乏皆令罄盡不得
停留於諸有情起慈悲念勿生瞋誑諂害之
心若起瞋者即失神驗常可護心勿令瞋恚
又持此呪者於每日中憶我多聞天王及男
女眷屬稱揚讚歎恒以十善共相資助令彼
天等福力增明衆善普臻證菩提處彼諸天
衆見是事已皆大歡喜共來擁衛持呪之人
又持呪者壽命長遠經無量歲永離三塗常
無災厄亦令獲得如意寶珠及以伏藏神通
自在所願皆成若求官榮無不稱意亦解一
切禽獸之語
世尊若持呪時欲得見我自身現者可於月
八日或十五日於白疊上畫佛形像當用木
膠雜彩莊飾其畫像人為受八戒於佛左邊作

BD00657號　金光明最勝王經卷六　（20–14）

切舍既之諸
世尊若持呪時欲得見我自身現者可於月
八日或十五日於白疊上畫佛形像當用木
膠雜彩莊飾其畫像人為受八戒於佛左邊作
吉祥天女像於佛右邊作我多聞天像并畫
男女眷屬之類安置坐處咸令如法布烈
花彩燒衆名香然燈續明晝夜无歇上妙
飲食種種珍奇發慇重心隨時供養受持神
呪不得輕心請召我時應誦此呪
南謨室利健那也　勃陀引也
南謨薜室囉末拏也　藥叉囉闍引也
莫訶囉闍　阿地囉闍也
南摩室唎耶曩　莫訶提鼙引曩
怛姪他　怛囉怛囉咄嚕咄嚕
末囉末囉　窣窣吐窣窣吐
漢娜漢娜　末尼羯諾迦
跋折囉薜琉璃也　目底迦楞訖栗多
設唎囉曩　蒱引薩婆薩埵
呬多迦引摩　薜室羅末拏
室唎夜提鼻　跋攞婆引也
醫呬醫呬麼毗藍婆　瞿栗拏瞿栗拏
䄹及廉八喇婆䄹喇婆　達昧呬麼麼
阿目迦那末寫自稱己名　達哩設那迦末寫
達哩設南　麼麼末那
鉢喇遏羅大也　莎訶
世尊我若見此誦呪之人復見如是盛興供

達哩設南　麼麼末那
鉢喇遏羅大也　莎訶
世尊我若見此誦呪之人復見如是盛興供
養即生慈愛歡喜之心我即變身作小兒形
或作老人苾芻之像手持如意末尼寶珠并
持金囊入道場內身現恭敬口稱佛名語
持呪者曰隨汝所求皆令如願或隱林藪或
造寶珠或欲衆人愛寵或求金銀等物欲持
諸呪皆令有驗或欲神通壽命長遠及勝
妙樂无不稱心我今且說如是之事若更求
餘皆隨所願悉得成就寶藏无盡功德无窮
假使日月墜墮于地或可大地有時移轉我
此實語終不虛然常得安隱隨心快樂世尊
若有人能受持讀誦是經王者誦此呪時不
假疲勞法速成就世尊我今為彼貧窮困厄
苦惱衆生說此神呪令獲大利皆得富樂自
在无患乃至盡形我當擁護隨逐是人為除
災厄亦復令此持金光明最勝王經流通之
者及持呪人於百步內光明照燭我之所有
千藥叉神亦常侍衛隨欲驅使无不遂心我說實
語无有虛誑唯佛證知時多聞天王說此呪
已佛言善哉大王汝能破裂一切衆生貧
窮苦網令得富樂說是神呪復令此經廣行
於世時四天王俱從座起偏袒一肩頂礼雙
足右膝著地合掌恭敬以妙伽他讃佛功德
佛面猶如淨滿月　亦如千日放光明

於世時四天王俱從座起偏袒一肩頂礼雙
足右膝著地合掌恭敬以妙伽他讚佛功德
佛面猶如淨滿月　亦如千日放光明
目淨脩廣若青蓮　齒白齊密猶珂雪
佛德无邊如大海　无限妙寶積其中
智慧德水鎮恒盈　百千勝定咸充滿
足下輪相皆嚴飾　轂輞千輻悉齊平
手足鞔網遍莊嚴　猶如鵝王相具足
佛身光曜等金山　清淨殊特无倫疋
亦如妙高功德滿　故我稽首佛山王
相好如空不可測　逾於千月放光明
皆如焰幻不思議　故我稽首心无著
尒時四天王讚歎佛已世尊亦以伽他而荅之曰
此金光明冣勝經　无上十力之所說
汝等四王常擁衛　應生勇猛不退心
此妙經寶極甚深　能與一切有情樂
由彼有情安樂故　常得流通贍部洲
於此大千世界中　所有一切有情類
餓鬼傍生及地獄　如是苦趣悉皆除
住此南洲諸國王　及餘一切有情類
由經威力常歡喜　皆蒙擁護得安寧
亦使此中諸有情　除衆病苦无賊盜
賴此國土弘經故　安隱豐樂无違惱
若人聽受此經王　欲求尊貴及財利
國土豐樂无違諍　隨心所願悉皆從
能令他方賊退散　於自國界常安隱

BD00657號　金光明最勝王經卷六　(20–17)

賴此國土弘經故　安隱豐樂无違惱
若人聽受此經王　欲求尊貴及財利
國土豐樂无違諍　隨心所願悉皆從
能令他方賊退散　於自國界常安隱
由此冣勝經王力　離諸苦惱无憂怖
如寶樹王在宅內　能生一切諸樂具
冣勝經王亦復然　能與人王勝功德
譬如澄潔清冷水　能除飢渴諸熱惱
冣勝經王亦復然　令樂福者心滿足
如人室有妙寶篋　隨所受用悉從心
冣勝經王亦復然　福德隨心无所乏
汝等天主及天衆　應當供養此經王
若能依教奉持經　智慧威神皆具足
現在十方一切佛　咸共護念此經王
見有讀誦及受持　稱歎善哉甚希有
若有人能聽此經　身心踊躍生歡喜
常有百千藥叉衆　隨所住處護斯人
於此世界諸天衆　其數无量不思議
悉共聽受此經王　歡喜護持无退轉
若人聽受此經王　威德勇猛常自在
增益一切人天衆　令離衰惱益光明
尒時四天王聞是頌已歡喜踊躍白佛言
世尊我從昔來未曾得聞如是甚深微妙
之法心生悲喜涕淚交流舉身戰動證不思
議希有之事以天曼陁羅花摩訶曼陁羅花
而散佛上作是殊勝供養佛已白佛言世尊
我等四王各有五百藥叉眷屬常當處處擁

BD00657號　金光明最勝王經卷六　(20–18)

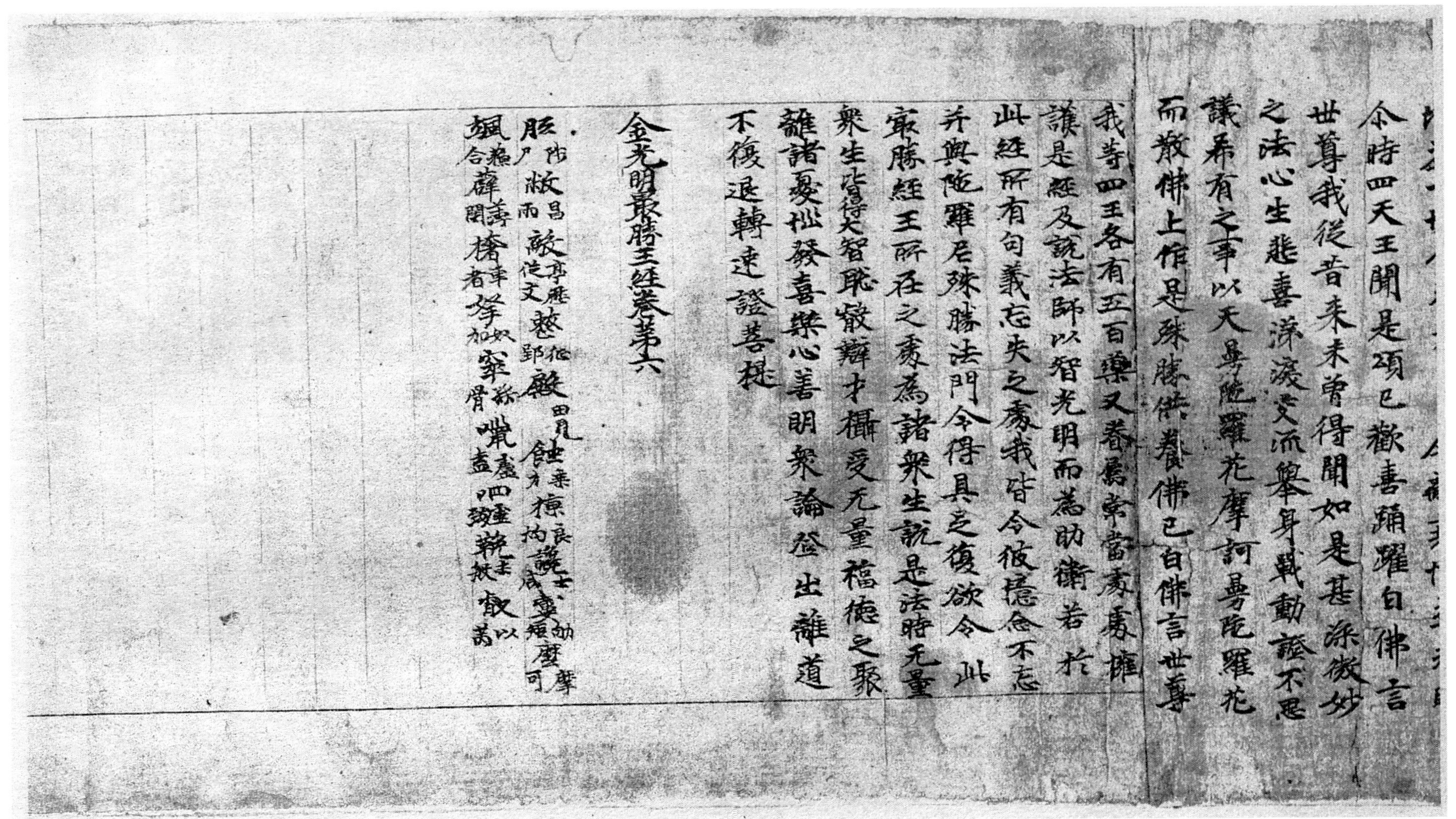
尒時四天王聞是頌已歡喜踊躍白佛言
世尊我從昔來未曾得聞如是甚深微妙
之法心生悲喜涕淚交流舉身戰動證不思
議希有之事以天曼陁羅花摩訶曼陁羅花
而散佛上作是殊勝供養佛已白佛言世尊
我等四王各有五百藥叉眷屬常當處處擁
護是經及說法師以智光明而為助衛若於
此經所有句義忘失之處我皆令彼憶念不忘
并與陁羅尼殊勝法門令得具足復欲令此
最勝經王所在之處為諸衆生說是法時无量
衆生皆得大智聡叡辯才攝受无量福德之聚
離諸憂惱發喜樂心善明衆論登出離道
不復退轉速證菩提

金光明最勝王經卷第六

BD00657號　金光明最勝王經卷六　（20–19）

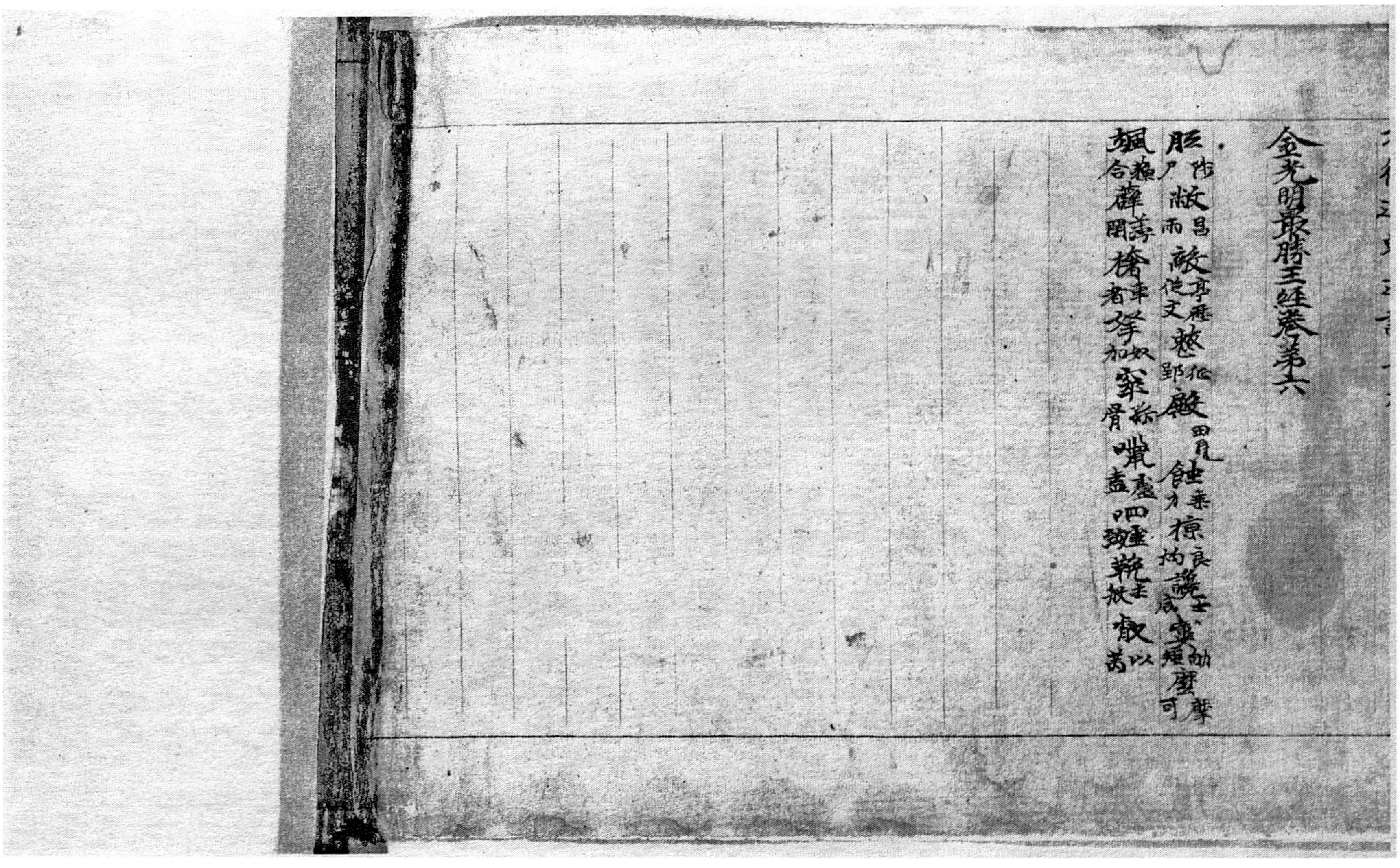

金光明最勝王經卷第六

BD00657號　金光明最勝王經卷六　（20–20）

大般若波羅蜜多經卷第二百五十九　三藏法師玄奘奉　詔譯
初分難信解品第卅四之七十八
善現一切智智清淨故地界清淨地界清淨
故不虛妄性清淨何以故若一切智智清淨
若地界清淨若不虛妄性清淨無二無二分
無別無斷故一切智智清淨故水火風空識
界清淨水火風空識界清淨故不虛妄性清
淨何以故若一切智智清淨若水火風空識
界清淨若不虛妄性清淨無二無二分無別
無斷故善現一切智智清淨故無明清淨無
明清淨故不虛妄性清淨何以故若一切智
智清淨若無明清淨若不虛妄性清淨無二
無二分無別無斷故一切智智清淨故行識
名色六處觸受愛取有生老死愁歎苦憂
惱清淨行乃至老死愁歎苦憂惱清淨故不虛
妄性清淨何以故若一切智智清淨若行乃
至老死愁歎苦憂惱清淨若不虛妄性清淨
無二無二分無別無斷故
善現一切智智清淨故布施波羅蜜多清淨
布施波羅蜜多清淨故不虛妄性清淨何以

BD00658 號 A　大般若波羅蜜多經（兌廢稿）卷二五九　（2–1）

智清淨若無明清淨若不虛妄性清淨無二
無二分無別無斷故一切智智清淨故行識
名色六處觸受愛取有生老死愁歎苦憂
惱清淨行乃至老死愁歎苦憂惱清淨故不虛
妄性清淨何以故若一切智智清淨若行乃
至老死愁歎苦憂惱清淨若不虛妄性清淨
無二無二分無別無斷故
善現一切智智清淨故布施波羅蜜多清淨
布施波羅蜜多清淨故不虛妄性清淨何以
故若一切智智清淨若布施波羅蜜多清淨
若不虛妄性清淨無二無二分無別無斷故
一切智智清淨故淨戒安忍精進靜慮般若
波羅蜜多清淨淨戒乃至般若波羅蜜多清
淨故不虛妄性清淨何以故若一切智智清淨
若淨戒乃至般若波羅蜜多清淨若不虛妄
別無斷故一切智智清淨故聲香味觸法處
清淨聲香味觸法處清淨故不異性清淨
何以故若一切智智清淨若聲香味觸法處
清淨若不變異性清淨無二無二分無別無
斷故善現一切智智清淨故眼界清淨眼界
清淨故善現一切智智清淨故眼界清淨眼界

BD00658 號 A　大般若波羅蜜多經（兌廢稿）卷二五九　（2–2）

兌

慮般若波羅蜜多精勤修學內空外空內外
空空空大空勝義空有為空無為空畢竟
空無際空散空無變異空本性空自相空共
相空一切法空不可得空無性空自性空無性
自性空觀精勤修學諸法真如法界法性不
虛妄性不變異性平等性離生性法定法住
實際虛空界不思議界觀精勤修學無明緣
行行緣識識緣名色名色緣六處六處緣觸
觸緣受受緣愛愛緣取取緣有有緣生生緣老
死觀精勤修學無明滅故行滅行滅故識滅
識滅故名色滅名色滅故六處滅六處滅故
觸滅觸滅故受滅受滅故愛滅愛滅故取滅
取滅故有滅有滅故生滅生滅故老死滅觀
精勤修學若苦若無常若空若無我 苦聖
諦觀精勤修學若因若集若生若緣集聖諦
觀精勤修學若滅若靜若妙若離滅聖諦觀
精勤修學若道若如若行若出道聖諦觀精
勤修學慈悲喜捨四無量觀精勤修學四念住
四正斷四神足五根五力七等覺支八聖道
支精勤修覺八解脫八勝處九次第定十
遍處精勤修學空無相無願解脫門精勤修

BD00658 號 B　大般若波羅蜜多經（兌廢稿）卷五九一　（2–1）

兌

觸緣受受緣愛愛緣取取緣有有緣生生緣老
死觀精勤修學無明滅故行滅行滅故識滅
識滅故名色滅名色滅故六處滅六處滅故
觸滅觸滅故受滅受滅故愛滅愛滅故取滅
取滅故有滅有滅故生滅生滅故老死滅觀
精勤修學若苦若無常若空若無我 苦聖
諦觀精勤修學若因若集若生若緣集聖諦
觀精勤修學若滅若靜若妙若離滅聖諦觀
精勤修學若道若如若行若出道聖諦觀精
勤修學慈悲喜捨四無量觀精勤修學四念住
四正斷四神足五根五力七等覺支八聖道
支精勤修覺八解脫八勝處九次第定十
遍處精勤修學空無相無願解脫門精勤修
學淨觀地種姓地第八地具見地薄地離欲
地已辦地獨覺地菩薩地如來地智精勤修
學極喜地離垢地發光地如來地智精勤修
覺極喜地離垢地發光地焰慧地極難勝地
現前地遠行地不動地善慧地法雲地精勤
修覺陀羅尼門三摩地門精勤修覺清淨五
眼六神通精勤修學如來十力四無所畏四

BD00658 號 B　大般若波羅蜜多經（兌廢稿）卷五九一　（2–2）

[illegible]

者若使彼去若不避明相須應明相出至第四日旦即犯一提。若避明相
是時未犯，於第四夜通宿得罪一提罪。今戒本中真對不避明相遠說
了邊而結，故言過二宿至三宿提。若避明相過三未犯，第四夜若三夜
犯竟未懺悔，無二夜開通宿結罪。若懺竟得開二夜。 十誦若通夜
坐，若病得與臥，經過宿病人臥者開，餘不病比丘不應臥。四分言彼送
者是犯名。母論云：若至第三夜比丘無去處者，不應臥坐至明相現。若
至第四宿又無去處，明相欲現時若自去，若遣彼去，若不爾者犯提
罪。若與非人畜生男共過三宿，一切吉羅。餘不犯緣並同前戒。 共未
受具人同誦戒第六 制意者，多論四種義故佛制此戒。一為異外
道故，二為師與弟子位別故，三分別言語明了故，四為依實義不貴音聲
故。 別緣有五：一是佛所說法，二字句味，三未受具人，四齊聲同誦，五言說
了了便犯。 士下此明戒本。此戒因六群比丘與諸長者在講堂高
聲同誦經語，惱亂坐禪比丘，佛便制戒。 若比丘與未受
具戒人同誦者，波逸提。 此滿足戒本文。有四句：一犯人，二受具，
三同誦，四結罪。前二句知。三言同誦法者，誦謂名文。不前
不後同時而誦，或抄前抄後，二誦皆名同誦。所言法者，
佛所說，聲聞所說，仙人所說，諸天所說，皆是正法。四言波逸
提者是遠犯罪。故律云：若聲聞弟子、餘人等說者，
印可即名為法。此法若抄前抄後而說，皆犯提罪。故律云共誦者，誦
句義、句味、字義。非句義而名亦言句義者，二人前誦聲同，句表三行
理周，名句為義，犯提。 十誦云：齊聲句異，吉羅。言非句義者，前人說
諸惡莫作，未竟，後人抄前言諸惡莫作，使前人言教表正行不圓，
故曰非句義。然犯提罪，以句同聲相接故。言句味者，句表無常理周，有
資神之益，名曰句味。抄集前言，表理不周，無資神之用，故曰非句義。
言字義者，齊聲同誦，表名體理圓，名為字義。抄集前言，名體不圓，
故曰非字義。見論云：一切律藏、阿毗曇、脩多羅是佛所說。後五百羅漢
法集此法，誦必犯提罪。 十誦[illegible]若自說己意異集

BD00659 號　四分律戒本疏卷三　　（3–1）

故曰非句義名犯提罪以句同聲相接故言句味者句義无常理周有
資神之益名曰句味抄集前言表理不周无資神之用故曰非句義
言字義者齊聲同誦表名體理但名為字義抄集前言名體不備
故曰非字義見論云一切律藏阿毗曇脩多羅是佛所說後五百羅漢
結集此等誦者犯提罪十誦頌一品一章一頌各得提總若自以己意撰集
文字乃至書非佛所說故无罪不犯中律云應言我說竟汝說若在一
人誦竟一人書若二人同業所誦若戲說若此字不犯　向未受具人說
他麁罪戒第七　制意者出家僧衆理宜清顯善名外彰生人信敬以
此比丘麁惡事向俗人說前人聞之於彼僧實情生薄淡失其敬信崇
重之意損壞受誤故須聖制　別緣有七一是比丘及尼二犯初二篇罪三
知犯麁罪四无僧作開五向未受具人說六言辭了了七前人聞知已下
正明戒本此戒六群比丘向白衣說犯僧殘比丘遍彼犯者聞聲慚愧餘比
丘白佛佛便制戒　若比丘知他犯麁惡罪向未受大戒人說除僧羯磨波
逸提　此滿足戒本文有五句一犯人二知麁罪三向未受人說四除僧羯
磨五結犯罪初句可知第二句言知他麁罪者律云犯初二兩篇名為
麁惡罪第三句言向未受戒人說者律云除比丘比丘尼餘人是第四句言
除僧羯磨者是開限文第五句言波逸提者是違犯罪故多論云寧
破塔壞像不說他麁罪若破佛塔其罪有限說他麁罪破壞法身
罪同五逆故律云不問前人有罪无罪衆僧不作羯磨向一人說一一
墮　五分尼向白衣說僧殘尒小小罪過皆墮僧祇若人問言其甲比丘犯
婬飲酒否答云彼自當知除上二篇說餘罪一一犯吉又不若說名字若種姓
若衣服若房舍若得白守犯提罪說下三篇得吉若自說麁罪名
犯吉罪不犯者不知若僧差若非麁惡若白衣先已聞不犯非
不犯不有小罪　實得道向未受具戒人說第八　論云二義故制為
大人法故理宜切德覆藏諸惡發露今自說德行隱覆罪過非大人之
法二自頌聖德刑現愚有異前人聞之偏心尊敬失於平等淨善之
心是故聖制　別緣有五一內有實德翻者僧上慢人憑虛不犯二自言
已有三向未受具人說四言辭了了五前人聞知然復此戒不別有緣
舉大妄語中或有實得者以制斷彼此聖人制竟不更復犯謂是
制聖遮犯　若比丘向未受大戒人說過人法言我見是我知是實者
波逸提　此戒文有四句一人二前境三已所得四罪結言比丘者義如
上辨言未受具戒者除比丘比丘尼餘人是言過人法者是聖所證法是言
波逸提者是違犯罪故律云比丘實是四果四向或得四禪四空或成就

BD00659號　四分律戒本疏卷三

（3–2）

[illegible]

罪同五逆故律云不問前人有罪无罪衆僧不住羯磨向一人說一吉

覆 五分云向白衣說僧沉尔小罪過等頭僧殘若人問言某甲比丘犯

婬飲酒答云彼自當知除上二篇說餘罪已犯吉又云若說名字若種姓

若衣服若房舍若相貌等犯提罪說下三篇得吉若自說僉麁罪亦

犯吉羅不犯者若不知若僧差若非麁惡若白衣先已聞不犯非

不犯不有小罪 實得道向未受具戒人說第八 論云二義故制為

大人法故理宜同德覆藏諱惡發露今日說德行隱屋罪過非大人之

法二自顯聖德則賢愚有異前人聞之偏心尊敬失於平等淨善之

心是故聖制 別緣有五一內有實德顯者增上慢人濫虛不犯二自言

已有三向未受具人說四言辭了了五前人聞知然後成此戒不別有緣

舉大妄語中或有實得者此制斯或此聖人制竟不更復犯謂是

制聖遮免 若比丘向未受大戒說過人法言我見是我知是實者

波逸提 此戒文有四句一人二向前境三已所得四罪結言比丘者義如

上弁言未受具戒者除比丘尼餘人是言過人法者是聖所證法是言

波逸提者是遮犯罪故十律云比丘實是四果四向或得四禪四空或成就

慈悲喜捨不淨阿那等說者得犯提罪或見實諸天龍鬼來至我

所說者犯提 問說已得罪別義提所以現通但有吉罪 答若論口說

義通凡聖事同虛實則過重實則愍發故別義提神通聖能更

无有濫但得吉罪 問義罪境所對譏七衆犯齊除二具現神足者唯

二俗犯所以不同 答咸儀過有增發故此降然復此戒不別有緣舉

大妄語中 與女人說法過五六語戒第九 制意者凡說法生善事

須應時不請而說理无過標大本无信敬情壞其慢既因斯以到與過

非不免世呵又女人形异相緣難惡若全不說无由生善於法長隔不

論若誨故復聽說齊五六義過制犯 別緣有六一是人女二不請四无

有智俗人男子五言辭了了六過語便犯 已下四明戒本此戒因迦留陀夷

在姑前與兒婦耳語欲令便起譏謗佛便制斷後因請說故聽齊五六

語及有智男除開過限說 若比丘與女人說法過五六語除有男子

[illegible]一犯人二所為女人三說過限四除開五結

藥師經

BD00660 號背　藥師瑠璃光如來本願功德經護首　（1–1）

藥師瑠璃光如來本願功德經
如是我聞一時薄伽梵遊化諸國至廣嚴城住
樂音樹下與大苾芻衆八千人俱菩薩摩訶
薩三万六千及國王大臣婆羅門居士天龍

BD00660 號　藥師瑠璃光如來本願功德經　（14–1）

樂音樹下與大苾芻衆八千人俱菩薩摩訶
薩三万六千及國王大臣婆羅門居士天龍
藥叉人非人等无量大衆恭敬圍遶而為說法
尒時曼殊室利法王子承佛威神從座而起
偏袒一肩右膝著地向薄伽梵曲躬合掌白
言世尊惟願演說如是相類諸佛名号及本
大願殊勝功德令諸聞者業鄣銷除為欲利
樂像法轉時諸有情故
尒時世尊讚曼殊室利童子言善哉善哉曼
殊室利汝以大悲勸請我說諸佛名号本願
功德為拔業鄣所纏有情利益安樂像法
轉時諸有情故汝今諦聽極善思惟當為
汝說曼殊室利言唯然願說我等樂聞
佛告曼殊室利東方去此過十殑伽沙等佛土
有世界名淨瑠璃佛号藥師瑠璃光如來應
正等覺明行圓滿善逝世間解無上丈夫調
御士天人師佛薄伽梵曼殊室利彼世尊藥
師瑠璃光如來行菩薩道時發十二大願令
諸有情所求皆得
第一大願願我來世得阿耨多羅三藐三
菩提時自身光明熾然照曜无量无數无邊
世界以三十二大丈夫相八十隨好莊嚴其
身令一切有情如我無異
第二大願願我來世得菩提時身如瑠璃內
外明徹淨無瑕穢光明廣大功德巍巍身
善安住焰網莊嚴過於日月幽冥衆生悉蒙
開曉隨意所趣作諸事業

BD00660號　藥師瑠璃光如來本願功德經　（14–2）

第二大願願我來世得菩提時身如瑠璃內
外明徹淨無瑕穢光明廣大功德巍巍身
善安住焰網莊嚴過於日月幽冥衆生悉蒙
開曉隨意所趣作諸事業
第三大願願我來世得菩提時以无量无邊
智慧方便令諸有情皆得无盡所受用物
莫令衆生有所乏少
第四大願願我來世得菩提時若有諸情
行邪道者悉令安住菩提道中若行聲聞
獨覺乘者皆以大乘而安立之
第五大願願我來世得菩提時若有无量
无邊有情於我法中脩行梵行一切皆令得
不缺戒具三聚戒設有毀犯聞我名已還得
清淨不墮惡趣
第六大願願我來世得菩提時若諸有情
其身下劣諸根不具醜陋頑愚盲聾瘖啞
攣躄背僂白癩顛狂種種病苦聞我名已
一切皆得端正黠慧諸根完具无諸疾苦
第七大願願我來世得菩提時若諸有情衆
病逼切无救无歸无醫无藥无親无家貧窮
多苦我之名号一經其耳衆病悉除身心安
樂家屬資具悉皆豊足乃至證得无上菩提
第八大願願我來世得菩提時若有女人為女
百惡之所逼惱極生厭離願捨女身聞我名
已一切皆得轉女成男具丈夫相乃至證得
无上菩提
第九大願願我來世得菩提時令諸有情
出魔羂網解脫一切外道纏縛若墮種種

BD00660號　藥師瑠璃光如來本願功德經　（14–3）

无上菩提
第九大願願我來世得菩提時令諸有情
出魔羂網解脫一切外道纏縛若墮種種
惡見稠林皆當引攝置於正見漸令脩習
諸菩薩行速證无上正等菩提
第十大願願我來世得菩提時若諸有情王
法所錄縲縛鞭撻繫閉牢獄或當刑戮及
餘无量災難陵辱悲愁煎迫身心受苦若
聞我名以我福德威神力故皆得解脫一切憂
苦
第十一大願願我來世得菩提時若諸有情飢
渴所惱為求食故造諸惡業得聞我名專
念受持我當先以上妙飲食飽足其身後
以法味畢竟安樂而建立之
第十二大願願我來世得菩提時若諸有情
貧无衣服蚊虻寒熱晝夜逼惱若聞我名
專念受持如其所好即得種種上妙衣服亦
得一切寶莊嚴具華鬘塗香鼓樂衆伎隨
心所翫皆令滿足
曼殊室利是為彼世尊藥師瑠璃光如來應
正等覺行菩薩道時所發十二微妙上願
復次曼殊室利彼世尊藥師瑠璃光如來行
菩薩道時所發大願及彼佛土功德莊嚴我
若一劫若一劫餘說不能盡然彼佛土一向
清淨无有女人亦无惡趣及苦音聲瑠璃為地
金繩界道城闕宮閣軒窓羅網皆七寶成亦

BD00660號　藥師瑠璃光如來本願功德經　（14–4）

清淨无有女人亦无惡趣及苦音聲瑠璃為地
金繩界道城闕宮閣軒窓羅網皆七寶成亦
如西方極樂世界功德莊嚴等无差別於其
國中有二菩薩摩訶薩一名日光遍照二名月
光遍照是彼无量无數菩薩衆之上首悉能
持彼世尊藥師瑠璃光如來正法寶藏是故
曼殊室利諸有信心善男子善女人等應當
願生彼佛世界
尒時世尊復告曼殊室利童子言曼殊室
利有諸衆生不識善惡唯懷貪悋不知布施
及施果報愚癡无智闕於信根多聚財寶勤
加守護見乞者來其心不喜設不獲已而行布
施時如割身肉深生痛惜復有无量慳貪有
情積集資財於其自身尚不受用何況能與
父母妻子奴婢作使及來乞者彼諸有情從此
命終生餓鬼界或傍生趣由昔人間曾得暫
聞藥師瑠璃光如來名故今在惡趣暫得憶
念彼如來名即於念時從彼處沒還生人中得
宿命念畏惡趣苦不樂欲樂好行惠施讚歎
施者一切所有悉无貪惜漸次尚能以頭目
手足血肉身分施來求者況餘財物復次曼
殊室利若諸有情雖於如來受諸學處而
破尸羅有雖不破尸羅而破軌則有於尸羅
軌則雖得不壞然毀正見有雖不毀正見而棄

BD00660號　藥師瑠璃光如來本願功德經　（14–5）

施者一切所有悉无貪惜漸次尚能以頭目
手足血肉身分施來求者況餘財物復次曼
殊室利若諸有情雖於如來受諸學處而
破尸羅有雖不破尸羅而破軌則有於尸羅
軌則雖得不壞然毀正見有雖不毀正見而棄
多聞於佛所說契經深義不能解了有雖多
聞而增上慢由增上慢覆蔽心故自是非他
嫌謗正法為魔伴黨如是愚人自行邪見
復令无量俱胝有情墮大火坑此諸有情
應於地獄傍生鬼趣流轉无窮若得聞此藥
師瑠璃光如來名号便捨惡行修諸善法不墮
惡趣設有不能捨諸惡行修行善法墮惡趣者
以彼如來本願威力令其現前暫聞名号從彼
命終還生人趣得正見精進善調意樂便能
捨家趣於非家如來法中受持學處无有毀犯
正見多聞解甚深義離增上慢不謗正法不為
魔伴漸次修行諸菩薩行速得圓滿
復次曼殊室利若諸有情慳貪嫉妬自讚毀
他當墮三惡趣中无量千歲受諸劇苦受劇
苦已從彼命終來生人間作牛馬駝驢恒被
鞭撻飢渴逼惱又常負重隨路而行或得為人
生居下賤作人奴婢受他驅使恒不自在若昔人
中曾聞世尊藥師瑠璃光如來名号由此善因
今復憶念至心歸依以佛神力眾苦解脫諸根

BD00660 號　藥師瑠璃光如來本願功德經　（14–6）

鞭撻飢渴逼惱又常負重隨路而行或得為人
生居下賤作人奴婢受他驅使恒不自在若昔人
中曾聞世尊藥師瑠璃光如來名号由此善因
今復憶念至心歸依以佛神力眾苦解脫諸根
聰利智慧多聞恒求勝法常遇善友永斷
魔羂破无明㲉竭煩惱河解脫一切生老病
死憂悲苦惱
復次曼殊室利若諸有情好喜乖離更相鬪訟
惱亂自他以身語意造作增長種種惡業展轉
常為不饒益事互相謀害告召山林樹塚等神
殺諸眾生取其血肉祭祀藥叉羅剎婆等書怨
人名作其形像以惡呪咀之厭媚蠱道呪起屍鬼
令斷彼命及壞其身是諸有情若得聞此藥
師瑠璃光如來名号彼諸惡事悉不能害一切
展轉皆起慈心利益安樂无損惱意及嫌恨
心各各歡悅於自所受生於喜足不相侵淩互
為饒益
復次曼殊室利若有四眾苾芻苾芻尼鄔波索
迦鄔波斯迦及餘淨信善男子善女人等有能受
持八分齋戒或經一年或復三月受持學處以此善
根願生西方極樂世界无量壽佛所聽聞正
法而未定者若聞世尊藥師瑠璃光如來
名号臨命終時有八菩薩乘神通來示
其道路即於彼界種種雜色眾寶華中

BD00660 號　藥師瑠璃光如來本願功德經　（14–7）

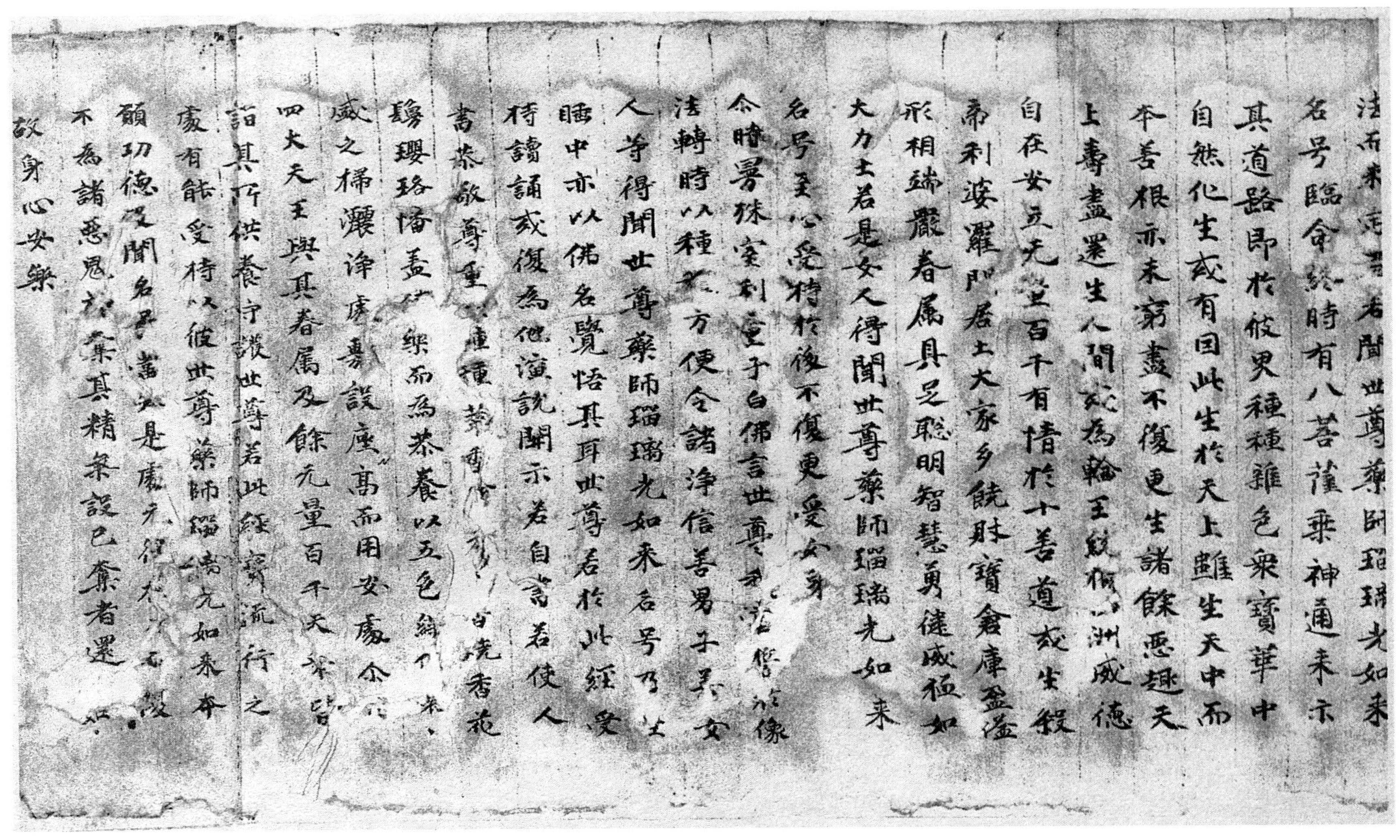

BD00660號　藥師瑠璃光如來本願功德經　　（14–8）

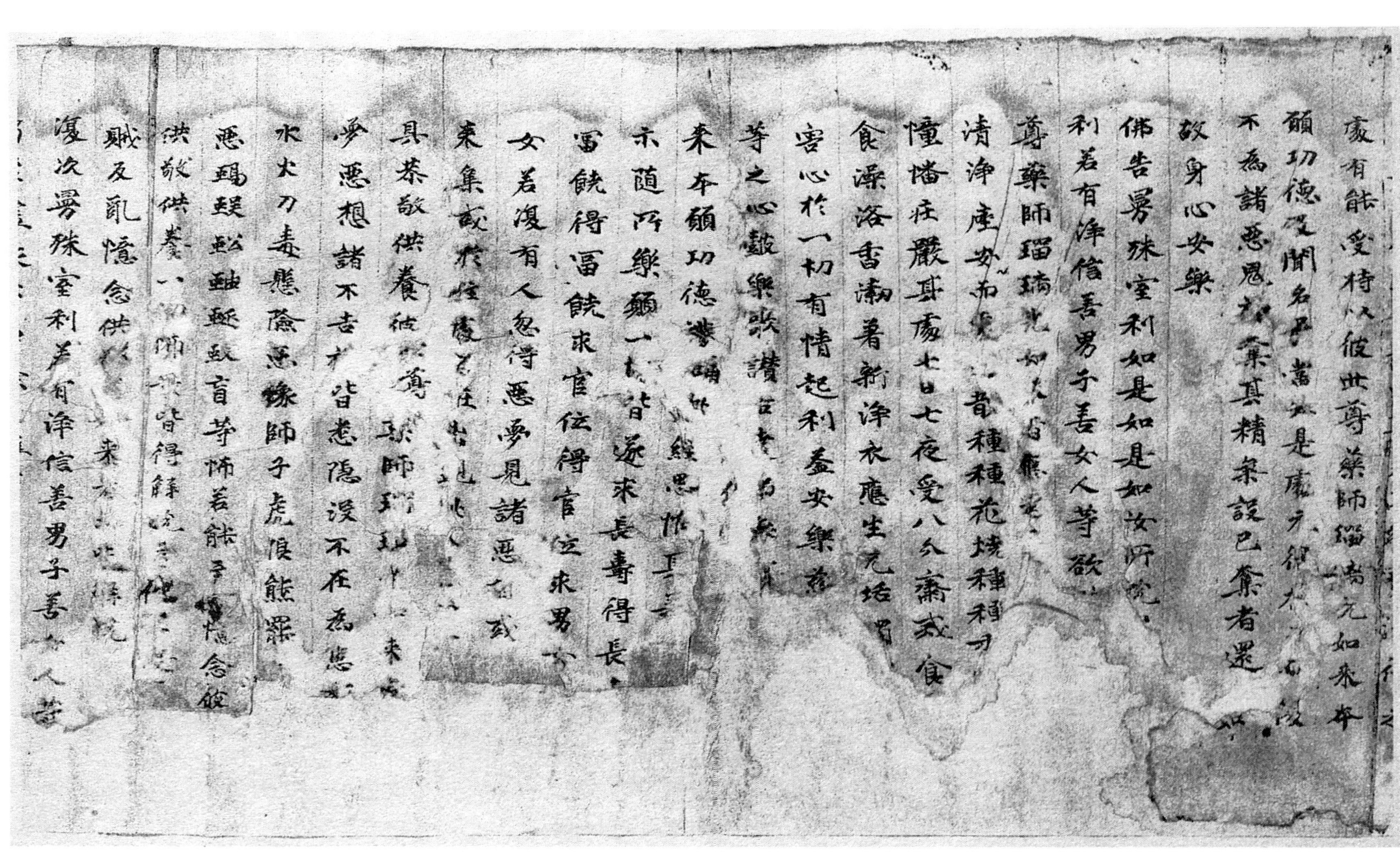

BD00660號　藥師瑠璃光如來本願功德經　　（14–9）

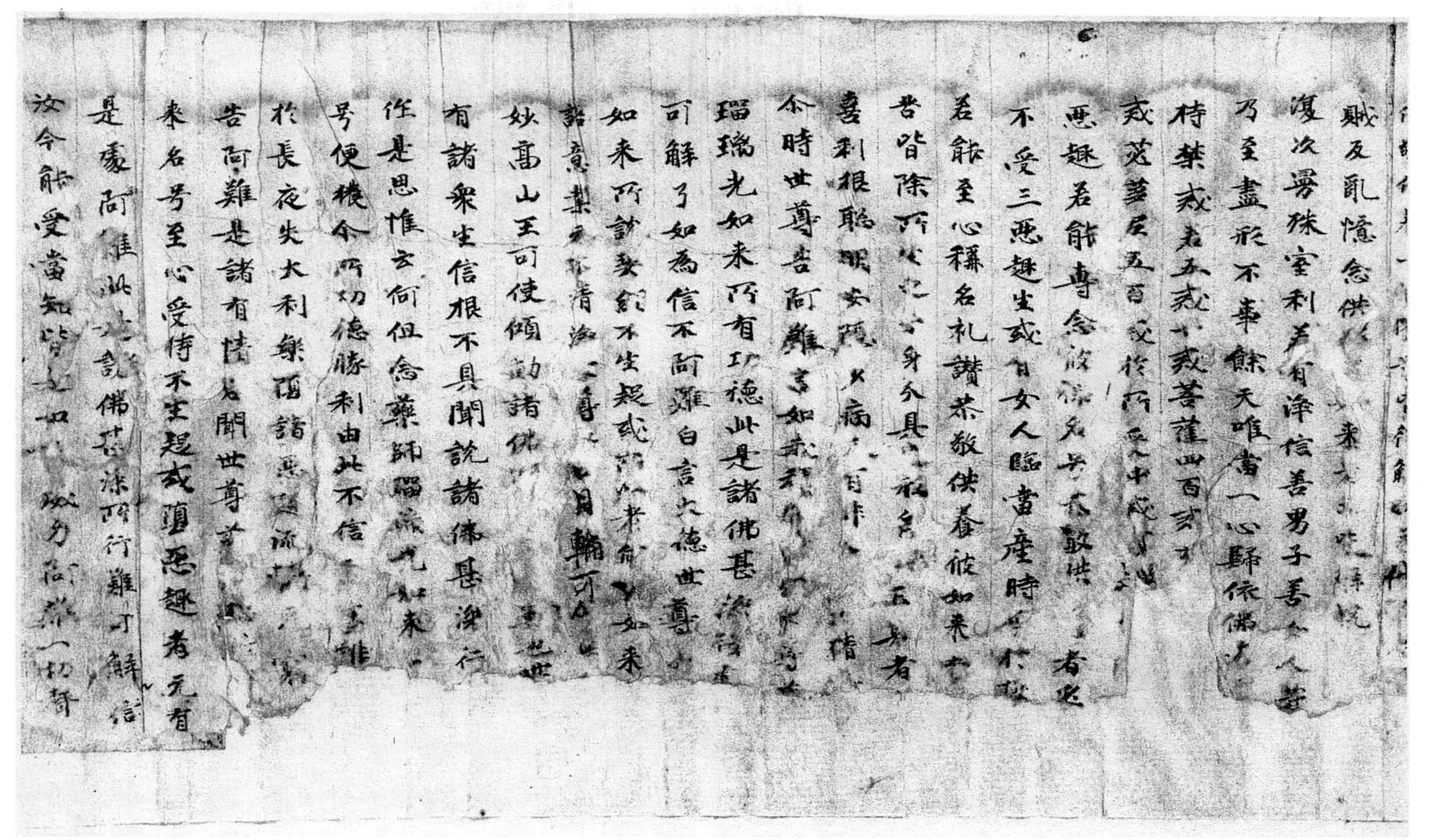

[illegible]
瞋及亂憶念佛[illegible]來[illegible]
復次曼殊室利若有淨信善男子善女人等
乃至盡形不事餘天唯當一心歸依佛法
持禁戒若五戒十戒菩薩四百戒苾
戒苾芻尼五百戒於所受中或有
惡趣若能專念彼佛名號恭敬供養者必定
不受三惡趣生或有女人臨當產時受於極
若能至心稱名禮讚恭敬供養彼如來者眾
苦皆除所生之子身分具足形色端正見者
喜利根聰明安隱少病無有非人奪其精
尒時世尊告阿難言如我稱揚彼世尊藥師
瑠璃光如來所有功德此是諸佛甚深行處
可解了汝為信不阿難白言大德世尊
如來所說契經不生疑惑所以者何一切如來
語意業無不清淨世尊此日月輪可令墮落
妙高山王可使傾動諸佛所言無有異也
有諸眾生信根不具聞說諸佛甚深行
作是思惟云何但念藥師瑠璃光如來
號便獲尒所功德勝利由此不信反生誹
於長夜失大利樂墮諸惡趣流轉無窮
告阿難是諸有情若聞世尊藥師瑠璃光
來名號至心受持不生疑惑墮惡趣者無有
是處阿難此是諸佛甚深所行難可解信
汝今能受當知皆是如來威力阿難一切聲

BD00660號　藥師瑠璃光如來本願功德經　（14–10）

來名號至心受持不生疑惑墮惡趣者無有
是處阿難此是諸佛甚深所行難可解信
汝今能受當知皆是如來威力阿難一切聲
聞獨覺及未登地諸菩薩等皆悉不能如實
信解唯除一生所繫菩薩阿難人身難得於三
寶中信敬尊重亦難可得聞世尊藥師
瑠璃光如來名號復難於是阿難彼藥師
瑠璃光如來無量菩薩行無量善巧方便無量
大願我若一劫若一劫餘而廣說者劫可
彼佛行願善巧方便無有盡也尒時眾中有
菩薩摩訶薩名曰救脫即從座起偏袒一肩
右膝著地曲躬合掌而白佛言大德世尊像法
轉時有諸眾生為種種患之所困厄長病
羸瘦不能飲食喉脣乾燥見諸方暗死
現前父母親屬朋友知識啼泣圍遶
卧在本處見琰魔使引其神識至
法王之前然諸有情有俱生神隨其
罪若福皆具書之盡持授與琰魔
彼王推問其人算計所作隨其罪福
之時彼病人親屬知識若能為彼
師瑠璃光如來請諸眾僧轉讀此經
燈懸五色續命神幡或有是處彼識得
在夢中明了自見
或四十九日彼識還時如從夢覺皆自憶知

BD00660號　藥師瑠璃光如來本願功德經　（14–11）

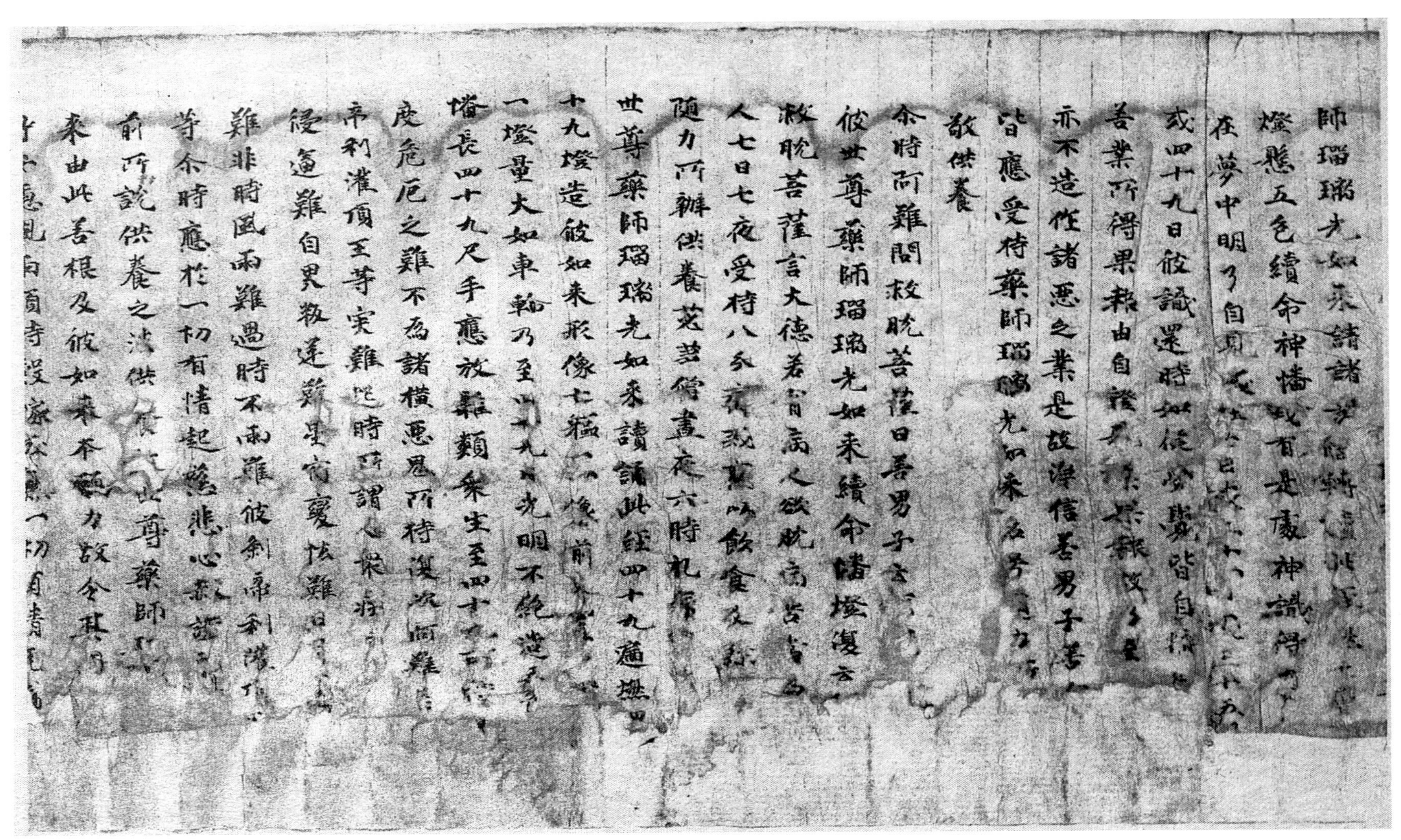

BD00660 號　藥師瑠璃光如來本願功德經　（14–12）

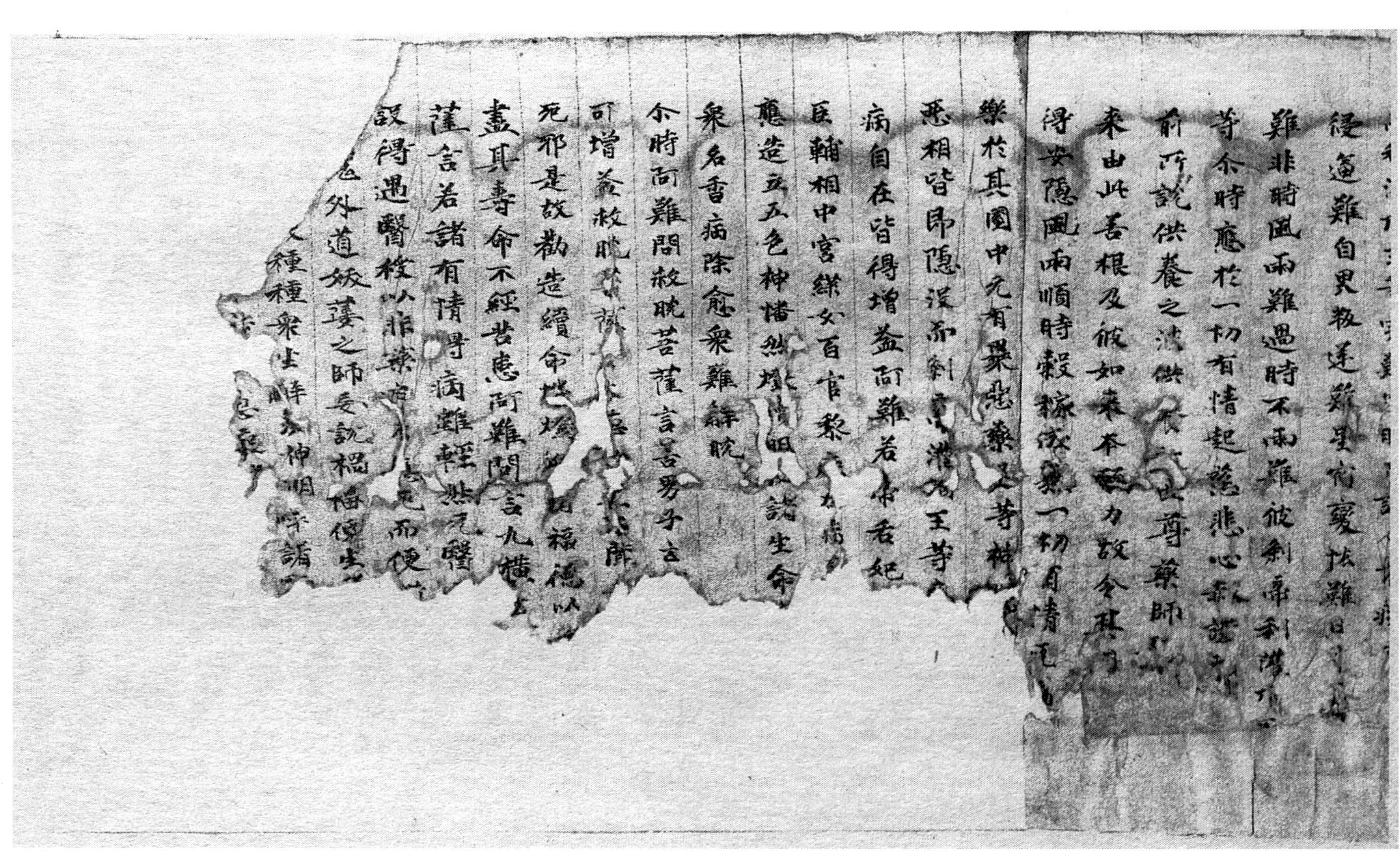

BD00660 號　藥師瑠璃光如來本願功德經　（14–13）

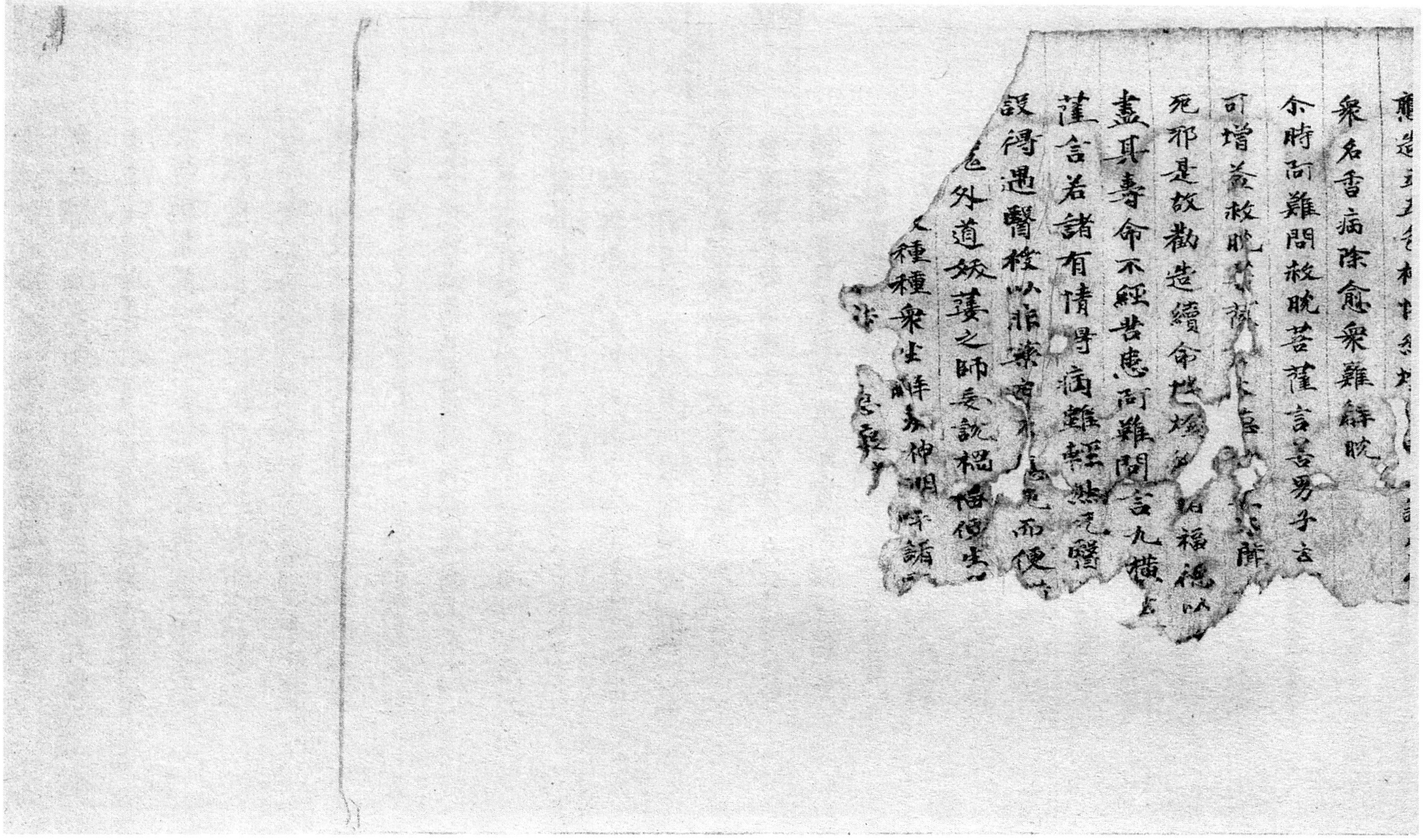

[illegible]
衆名香病除愈衆難解脫
尒時阿難問救脫菩薩言善男子云
可增益救脫菩[illegible]解
死耶是故勸造續命[illegible]福德以
盡其壽命不經苦患阿難問言九橫云
薩言若諸有情得病雖輕然无醫
設得遇醫授以非藥[illegible]而便
[illegible]外道妖蘖之師妄說禍福便生
[illegible]種種衆生解奏神明呼諸
[illegible]

BD00660 號　藥師瑠璃光如來本願功德經　（14–14）

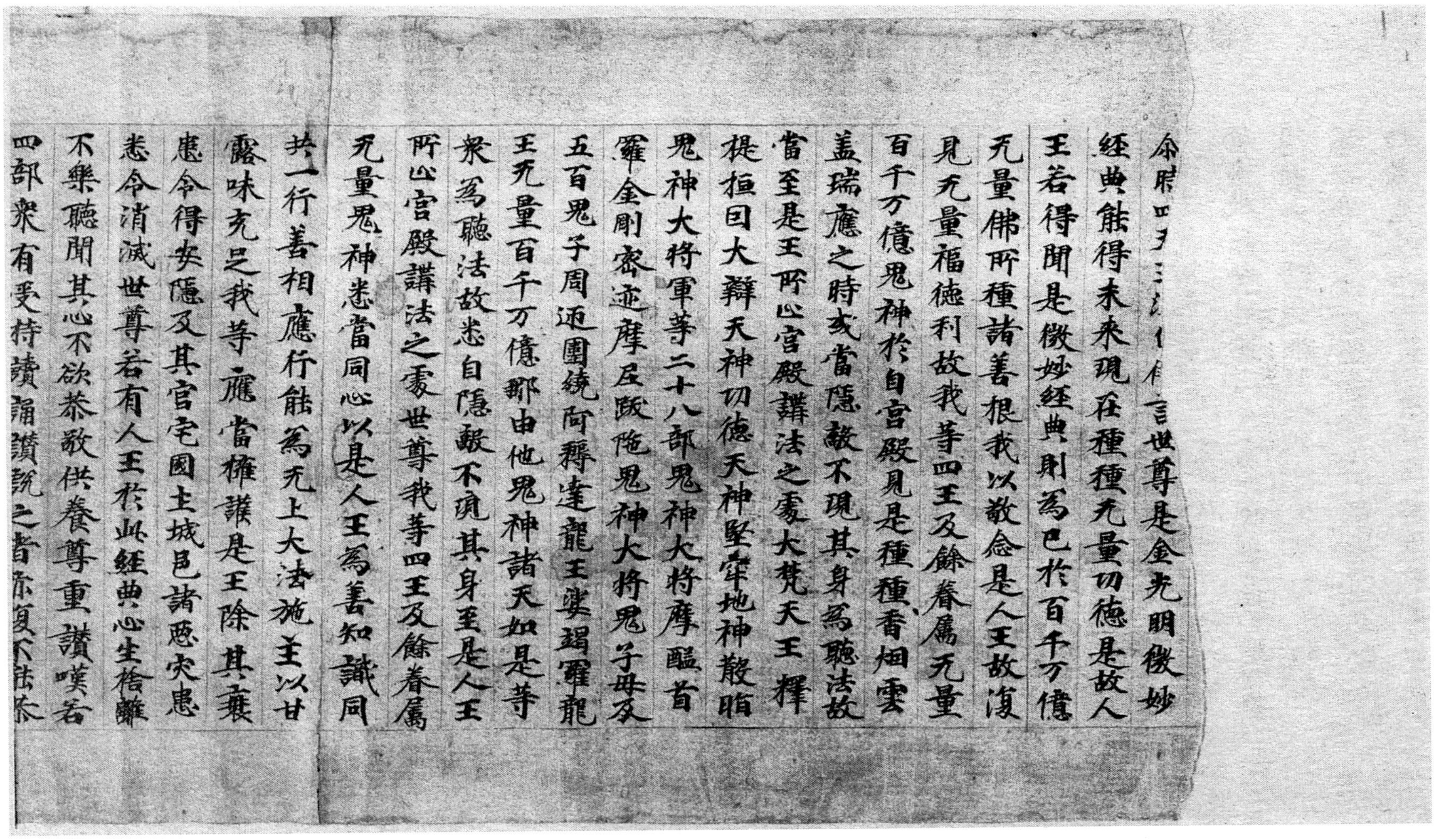

尒時四[illegible]言世尊是金光明微妙
經典能得未來現在種種无量功德是故人
王若得聞是微妙經典則爲已於百千万億
无量佛所種諸善根我以敬念是人王故復
見无量福德利故我等四王及餘眷屬无量
百千万億鬼神於自宮殿見是種種香烟雲
蓋瑞應之時或當隱蔽不現其身爲聽法故
當至是王所止宮殿講法之處大梵天王釋
提桓因大辯天神功德天神堅牢地神散脂
鬼神大將軍等二十八部鬼神大將摩醯首
羅金剛密迹摩尼跋陁鬼神大將鬼子母及
五百鬼子周迊圍繞阿耨達龍王娑竭羅龍
王无量百千万億那由他鬼神諸天如是等
衆爲聽法故悉自隱蔽不現其身至是人王
所止宮殿講法之處世尊我等四王及餘眷屬
无量鬼神悉當同心以是人王爲善知識同
共一行善相應行能爲无上大法施主以甘
露味充足我等應當擁護是王除其衰
患令得安隱及其宮宅國土城邑諸惡災患
悉令消滅世尊若有人王於此經典心生捨離
不樂聽聞其心不欲恭敬供養尊重讚嘆若
四部衆有受持讀誦讚說之者亦復不能恭

BD00661 號　金光明經卷二　（4–1）

露味充足我等應當擁護是王除其衰
患令得安隱及其宮宅國土城邑諸惡災患
悉令消滅世尊若有人王於此經典心生捨離
不樂聽聞其心不欲恭敬供養尊重讚嘆若
四部衆有受持讀誦讚說之者亦復不能恭
敬供養尊重讚嘆我等四王及餘眷屬无量
鬼神即使不得聞此正法背甘露味失大法
利无有勢力及以威德減損天衆增長惡趣
世尊我等四王及无量鬼神捨其國土不但
我等亦有无量守護國土諸舊善神皆悉捨
去我等諸天及諸鬼神既捨離已其國當有
種種災異一切人民失其善心唯有繫縛瞋
恚鬪諍互相破壞多諸疾疫彗星現怪流星
崩落五星諸宿違失常度兩日並現日月博蝕
白黑惡虹數出現大地震動發大音聲暴
風惡雨无日不有穀米勇貴飢饉凍餓多
有他方怨賊侵掠其國人民多受苦惱其地
无有可愛樂處世尊我等四王及諸无量
百千鬼神并守國土諸舊善神遠離去時
生如是等无量事世尊若有人王欲得自
護及王國土多受安樂欲令國土一切衆生悉
皆成就具足快樂欲得摧伏一切外敵欲得
擁護一切國土欲以正法正治國土欲得除滅
衆生怖畏世尊是人王等應當畢定聽是經
典及恭敬供養讀誦受持是經典者我等
四王及无量鬼神以是法食善根因緣得服
甘露无上法味增長身力心進勇銳增益諸

衆生怖畏世尊是人王等應當畢定聽是經
典及恭敬供養讀誦受持是經典者我等
四王及无量鬼神以是法食善根因緣得服
甘露无上法味增長身力心進勇銳增益諸
天何以故由是人王至心聽受是經典故知
諸梵王說出欲論釋提桓因種種善論五通
之人神仙之論世尊梵天釋提桓因五通神人
雖有百千億那由他无量勝論是金光明於
中最勝所以者何如來說是金光明經爲
衆生故爲令一切閻浮提內諸人王等以正法
治爲與一切衆生安樂爲欲愛護一切衆生
欲令衆生无諸苦惱无有他方怨賊棘刺
所有諸惡背而不向欲令國土无有憂惱
以正法教无有諍訟是故人王各於其國土
應然法炬熾然正法增益天衆我等四王及
无量鬼神閻浮提內諸天善神以是因緣得
服甘露法味充足得大威德進力具足閻浮
提內安隱豐樂人民熾盛安樂其處復於來
世无量百千不可思議那由他劫常受微妙
第一快樂復得值遇无量諸佛種諸善根然
後證成阿耨多羅三藐三菩提得如是等无量
功德悉是如來正遍知說如來過於百千億
那由他諸梵天等以大悲力故亦過无量百千
億那由他釋提桓因以苦行力故是故如來
爲諸衆生演說如是金光明經若閻浮提一
切衆生及人王世間出世間所作國事所造

肥甘靈注味充足得大威德進力具足閻浮
提内安隱豐樂人民熾盛安樂其處復於未
世无量百千不可思議那由他劫常受微妙
藥一快樂復得值遇无量諸佛種諸善根然
後證成阿耨多羅三藐三菩提得如是等无量
功德悉是如來正遍知說如來過於百千億
那由他諸梵天等以大悲力故亦過无量百千
億那由他釋提桓因以昔行力故是故如來
爲諸衆生演說如是金光明經若閻浮提一
切衆生及人王世間出世間所作國事所造
世論皆因此經欲令衆生得安樂故釋迦
如來示現是經廣宣流布世尊以是因緣
故是諸人王應當畢定聽受供養恭敬尊
重讚嘆是經尒時佛復告四天王汝等四王及
餘眷屬无量百千那由他鬼神是諸人王若
能至心聽是經典恭養供敬尊重讚嘆汝等
四王正應擁護滅其衰患而與安樂若有人
能廣宣流布如是妙典於人天中大作佛事能
大利益无量衆生如是之人汝等四王必當
擁護莫令他緣而得擾亂令心澹淨受於快
樂續復當得廣宣是經尒時四天王即從
坐起偏袒右肩右膝著地長跪合掌於

BD00661 號　金光明經卷二　（4–4）

尒時阿難白佛言世尊如向所說甚難思
議亦難惻度如佛所說實將无虛令便問佛
云何名斯經佛告阿難此經名觀世音三
昧經我於往昔爲菩薩時常見過去諸佛
讀誦斯經令吾成佛亦復讀誦未曾休息
我今成佛良由此經此經明聖難可比度
喻如日光能照幽冥此經亦尒若有比丘比丘
尼優婆塞優婆夷受持此經者真我弟子
流通正法法將明矣三寶不滅興隆正覺旨
冥受悟若有衆生得聞此經念如不忘五劫
不墮阿鼻地獄當知此觀世音三昧經正是
良藥救人苦難拔除煩惱千劫万劫不墮惡
趣當知斯經名大法王化人受道百千万億此
經難聞亦復難見譬如摩尼寶珠甚明甚
盛照百千界人見歡喜都无憂惱此經亦尒
若人得聞必離惡道
尒時阿難重白佛言云何行此經復何應現
佛言阿難若欲行此經應淨房舍中懸諸
幡蓋散華燒香端坐七日念无異想誦此觀
世音三昧經尒時觀世音即自現身其形紫金
色身長丈二項背日光其色似白銀手捉蓮
華現其人前七日之中日有一事初一日時現

BD00662 號　觀世音三昧經　（9–1）

佛言阿難若欲於此幽應淨房舍中思諸
幡蓋散華燒香端坐七日念无異想誦此觀
世音三昧經尒時觀世音即自現身其形紫金
色身長丈二項背日光其色似白銀手捉蓮
華現其人前七日之中日有一事初一日時現
栴檀勳陸香使行人見之二日之時於夜半
中現大光明行人得見心大歡喜三日之時
現一蓮華大如車輪其華甚盛猶如白銀色
四日之時現天人身身長丈一身被天衣現
彼人前行人見已同共娛樂論說諸法五日
之時即自現身證得三昧自見過去生死劫
數六日之時復現天宮五色雜寶所作有四
菩薩端坐說法行人見已漸漸心明明徹十方
即大歡喜奉心敬禮七日之時觀世音菩薩
即自現身其光晃曜明過於日行人見已心
甚荒迫觀世音菩薩即舉左手摩行人頂心
得安隱復舉右手指於西方妙樂國土行人
尋時即見西方无量壽國國土清淨瑠璃寶
樹華蘭浴池處處皆有行人見已煩惱消除
无明根栽此諸行人等世世所生常與觀世
音相值復見閻浮提雜類國土猶如掌中
阿摩勒菓復見東方阿閦佛國不動如來
登王高坐其諸菩薩多有眷屬為人說法其
地平正名華浴池處處皆有復見北方欝單
越國土人民壽命長遠永无正法可以讀誦
命終之者當墮惡道復見上方香積佛國
蓮華林菀經行禪窟悉為香華多饒菩薩
復見下方百千万國金剛精舍金剛諸園

越國土人民壽命長遠永无正法可以讀誦
命終之者當墮惡道復見上方香積佛國
蓮華林菀經行禪窟悉為香華多饒菩薩
復見下方百千万國金剛精舍金剛諸園
金剛城金剛坐其諸菩薩悉在坐上為人
說法行人見已即得六通具八解脫得无导
智飛到十方隨意即至千劫万劫百千億
劫度人无量得神通力具陁羅尼辯才无
滞樂說甚多當知此經是大威力七日七
夜讀誦此經如前所說都无虛事若有虛
者我即妄語諸餘經典皆不可信阿難從
坐而起合掌讚佛
世尊金剛慧　出語皆真實　一切諸衆生
頗有能信者　若不信此經　將墮惡道中
巍巍天中天　頗有不歸佛　我見魔波旬
稽首來宗仰　今說觀世音　三昧正經典
尒時佛告阿難此經亦名安隱處亦名
脫告亦名歡喜亦名離苦患亦名除疑
惑亦名離惡道若有比丘犯四重禁五
无間罪若比丘比丘尼犯八重禁放恣精
神從串六情破壞正法若有優婆塞優
婆夷犯五逆罪若能行此觀世音三昧經
如向所說衆罪悉滅无餘亦見十方淨妙
國土如前所說等无有異
佛告阿難若人受持讀誦斯經典者應
持此呪此呪難聞亦復難遇若持此呪應
斷酒肉不食五辛貪瞋恚癡悉為當斷諸

如向所說衆罪悉滅无餘亦見十方淨妙
國土如前所說普无有異
佛告阿難若人受持讀誦斯經典者應
持此呪此呪難聞亦復難遇若持此呪應
斷酒肉不食五辛貪瞋恚癡慈悉當斷諸
婬女色悉復不爲清淨梵行之人乃能受持
斯經神呪
南无佛陁一 觀音大呪二 南无達摩三 觀音神呪
四南无僧伽五 觀音明呪六 拘摩賴陁七 陁波當八
阿達鄧九 豆唐十 賴波陁十一 賴摩尼伽尼伽十二
陁多達多十三 阿由陁十四 阿覆唐十五 豆唐十六
阿兜耶十七 覆兜耶十八 阿由提十九 斯摩賴陁廿
浮多耶廿一 伽陁波廿二 伽陁刹廿三 波神祛廿四
祛陁那刹廿五 伽陁波廿六 沙呵
如此神呪諸佛如來皆當讀誦不獨我也
佛告阿難若有受持讀誦斯方等經當
知此人是大菩薩於我滅後開化十方一切
衆生使得聞之皆離惡道終不墮地獄餓
鬼畜生持此經者若入大水水即乾竭若
入大火火即消滅若遭大賊刀箭即折若
遭縣官鎖即裂若入地獄苦痛變樂若
有衆生欲得天眼通者天耳通者他心智
通者宿命通者漏盡通者身中通者當持
此經七日七夜自觀身中內外穢惡流逸不淨
即得六通无号解脫者得離地獄者不作
畜生者欲得見十方世界者欲得長壽者
欲得值佛聞法者欲得淨妙國土生者欲得

BD00662 號　觀世音三昧經　（9–4）

此經七日七夜自觀身中內外穢惡流逸不淨
即得六通无号解脫者得離地獄者不作
畜生者欲得見十方世界者欲得長壽者
欲得值佛聞法者欲得淨妙國土生者欲得
捨惡身者欲得捨女人身者欲得遠離八難
者欲得作沙門者欲得中國生者欲得生
天者當持此經讀誦受持是經者慎莫放
逸也如所願
尒時阿難從坐而起而白佛言觀世音有
何神力威神乃尒佛尒稱嘆其德不輕佛
告阿難我今道實其事不虛我念觀世音
菩薩於我前成佛号曰正法明如來應供正
遍知明行足善逝世間解无上士調御丈
夫天人師佛世尊我於彼時爲彼佛下作苦
行弟子受持斯經七日七夜讀誦不忘復
不念食不念五欲即見十方百千諸佛在
我前立於斯悟道今得成佛号釋迦文佛
受持斯經猶故讀誦況復今日汝等諸
人宜應受持莫令懈怠何以故觀世音菩
薩有大威神力故現神通力故救衆生故
度苦難現紫磨身故欲使行人得成道故
當知此觀世音三昧經甚難思議叵可分別
汝等阿難於我滅後急應流通此經出時
當有衆魔比丘及比丘尼毀破諸戒无法自持
猶如天牛犢癡无法自持徒爲沙門飲酒食肉
昏婬五欲不自制斷猶如外道无戒可持命
終當墮阿鼻地獄億劫受罪出爲畜生如斷

BD00662 號　觀世音三昧經　（9–5）

當有衆魔比丘及比丘尼毀破諸戒无法自持
猶如天牛犛廐无法自持徒為沙門飲酒食肉
昏婬五欲不自制斷猶如外道无戒可持命
終當墮阿鼻地獄億劫受罪出為畜生如斯
人輩不信此經自相謂言此經非佛所說魔所
說耳便相告語焚燒此經競共破壞如斯人背
增益惡道千劫万劫終无有得復人身時諸三
昧經何其復聞唯有須陁洹人乃至十住菩
薩當信此經流通此經
佛告阿難此經出時當法明時白衣賢者生
天无量受道万億當有出家比丘比丘尼甚不
精進多貪財物聚積穀帛多作生業養育
畜生常與獵師婬女國主沽酒屠兒魁膾以
為親厚如斯人輩永不見佛若能讀誦受持
斯經典者罪漸漸自然消滅若不讀誦此
經必當墮惡道尒時世尊以偈頌曰
佛告阿難叵思議　光明其威照十方
摧滅三界魔波旬　扶除苦惱觀世音
普現一切大神通　受持斯經讀誦書
不墮惡道離諸見　七日七夜菩薩現
手摩行人頂上時　行人心中无有疑
掃地清淨嚴一方　思惟觀音三昧經
即現十方如眼前　備足六通一時間
受持斯經解苦空　觀三界理明眼徹
永離苦難三惡道　讀誦斯經是真實
除五蓋心離四魔　得離生死煩惱河
於時踊躍得身通　稽首禮佛觀世音

永離苦難三惡道　讀誦斯經是真實
除五蓋心離四魔　得離生死煩惱河
於時踊躍得身通　稽首禮佛觀世音
三昧方等度諸人　其不信者墮惡道
說此偈時有一樹　叢如車輪枝敷茂
普覆十方蓋大千　華中化佛異同音
其形甚好身紫金　演說法味義甚深
各各賷華下散佛　普及大衆觀世音
作天伎樂出妙音　於時十方佛來聽
魔王荒迫心中驚　釋迦如來垂空行
觀音菩薩即現身　於時大衆悟道真
度脫衆生果報恩　同時讚嘆奇哉佛
現金色身作十力　行人脩道得如是
阿難稽首過去佛　於先滅度今以出
号觀世音大菩薩　稽首无上天中天
大勢菩薩觀世音　能度十力苦難人
我今稽首難思議　普現十方魔皆知
摧滅魔宮碎殿時　是故稽首正法王
哀哉无量事難當　扶地獄苦生天堂
今故稽首現世間　威神无量淨國土
得離生死未來苦
尒時佛告阿難汝當受持此經開化聾盲
使得聞見必得悟道若有人能受持此經
當得五種果報何等為五一者離生死苦
滅煩惱賊二者常與十方諸佛同生一處出
則隨出滅則隨滅生生之處不離佛邊三者
弥勒出世之時常為三會初首不墮惡道

滅煩惱賊二者常與十方諸佛同生一處出
則隨出滅則隨滅生生之處不離佛邊三者
弥勒出世之時常為三會初首不墮惡道
地獄餓鬼畜生阿脩羅中五者生處常值
淨妙國土是為五種果報佛告阿難世有
五種人不得成佛一者邊地國王常懷怨惡
興衰相伐國國自相戰鬭共相煞害晝夜思
惟念欲相欺以是之故常生難處二者旃陁
羅人心中常念食噉人血肉行塚間見人死
尸无時停息三者破戒比丘及比丘尼於佛
法中是破戒賊心懷嫉妬加誣他人狂生是
非自稱喻好道他人惡見善不說自惡不道
猶無一念心生悔情四者多婬之人不避親
跡道俗尊卑晝夜思念无時停息无有
一念念眾善法五者出家還俗毀壞道法
向世間人稱說言語道佛无聖佛无神力
佛不能度人由毀謗故墮惡道中逕歷諸
趣常懷苦惱若能受持觀世音三昧經者
改往脩來受持斯經七日七夜讀誦通利
眾罪消滅如向果報復能終身行道讀誦
習經未曾癈忘若忘失者我於夢中即教
此人還令得故即說偈言
佛告諸比丘　我念過去世　苦行超九劫　初得菩提心
誦習此經典　於其七日間　即得見十方　過去未來佛
悉見在我前　受持觀世音　三昧方等經　是由成正覺
悉見金剛身　觀見三界事　猶若如掌中　有見地獄苦
救濟令得出　十力四无畏　得悟神通力　遊騰遍十方
或大還復小　今見觀世音　如我等无異　俱時成正覺

BD00662 號　觀世音三昧經　（9–8）

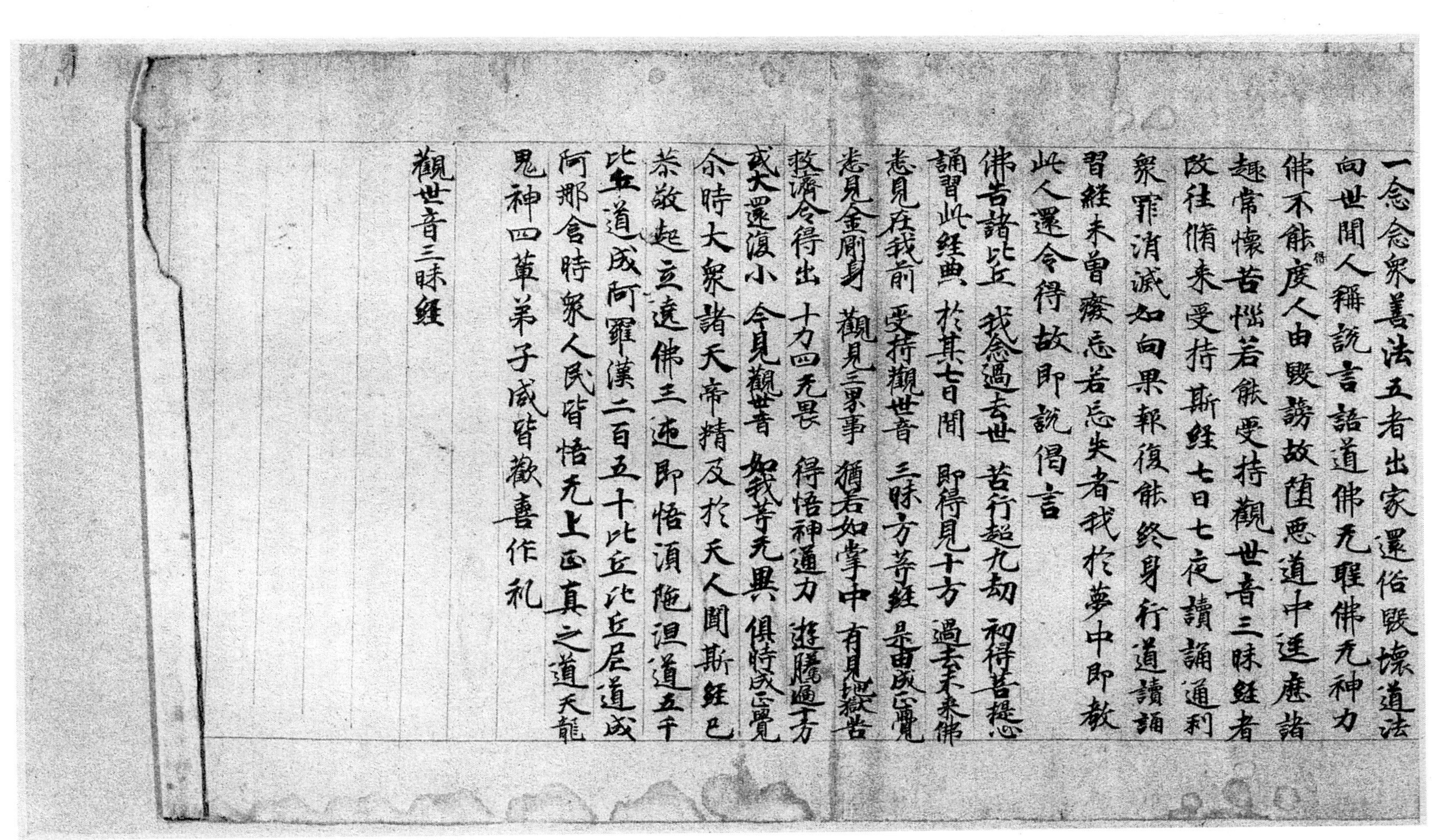
一念念眾善法五者出家還俗毀壞道法
向世間人稱說言語道佛无聖佛无神力
佛不能度人由毀謗故墮惡道中逕歷諸
趣常懷苦惱若能受持觀世音三昧經者
改往脩來受持斯經七日七夜讀誦通利
眾罪消滅如向果報復能終身行道讀誦
習經未曾癈忘若忘失者我於夢中即教
此人還令得故即說偈言
佛告諸比丘　我念過去世　苦行超九劫　初得菩提心
誦習此經典　於其七日間　即得見十方　過去未來佛
悉見在我前　受持觀世音　三昧方等經　是由成正覺
悉見金剛身　觀見三界事　猶若如掌中　有見地獄苦
救濟令得出　十力四无畏　得悟神通力　遊騰遍十方
或大還復小　今見觀世音　如我等无異　俱時成正覺
尒時大眾諸天帝精及於天人聞斯經已
恭敬起立遶佛三迊即悟須陁洹道五千
比丘道成阿羅漢二百五十比丘比丘尼道成
阿那含時眾人民皆悟无上正真之道天龍
鬼神四輩弟子咸皆歡喜作礼

觀世音三昧經

BD00662 號　觀世音三昧經　（9–9）

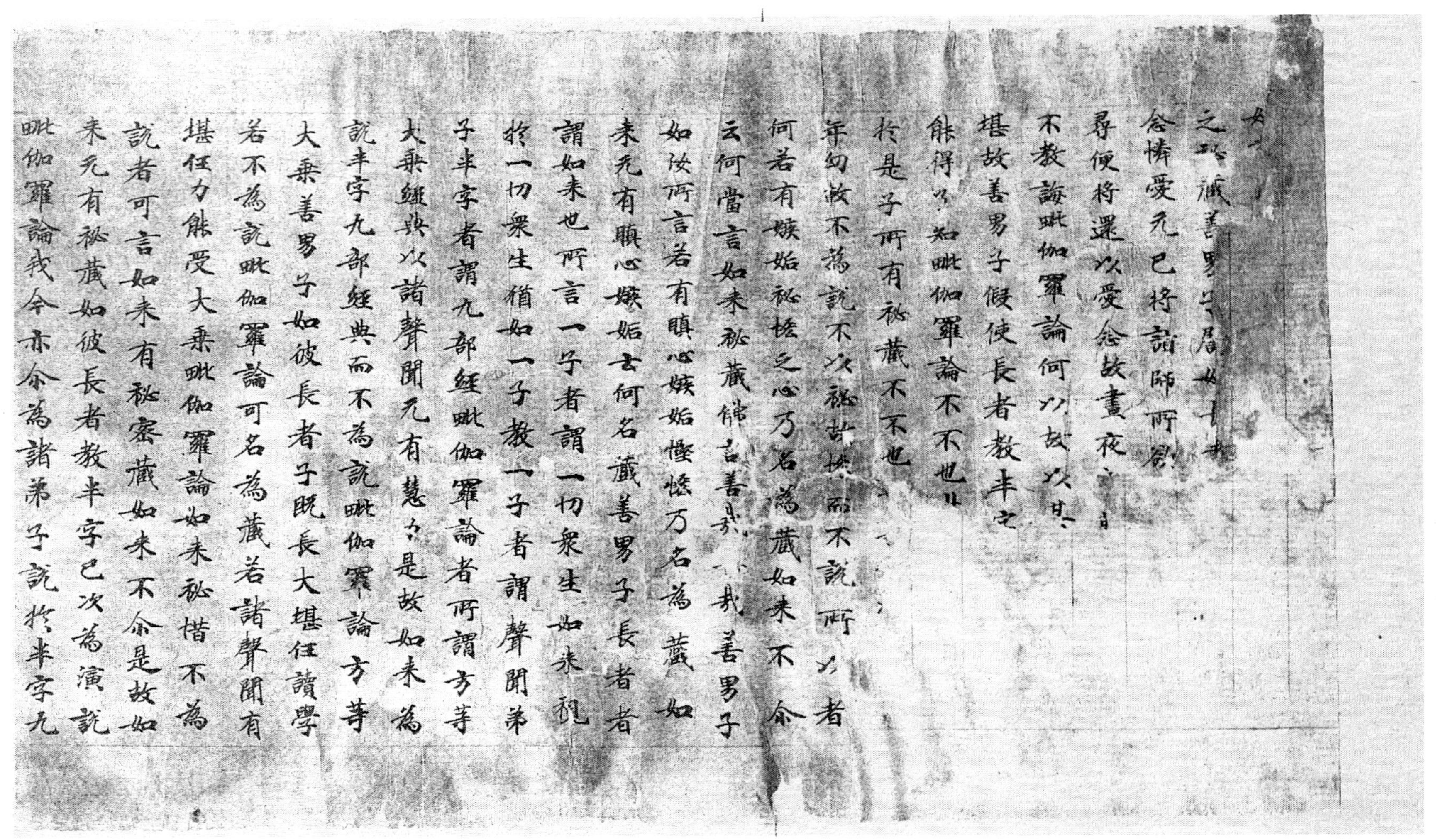

BD00663號　大般涅槃經(北本)卷五　　(24–1)

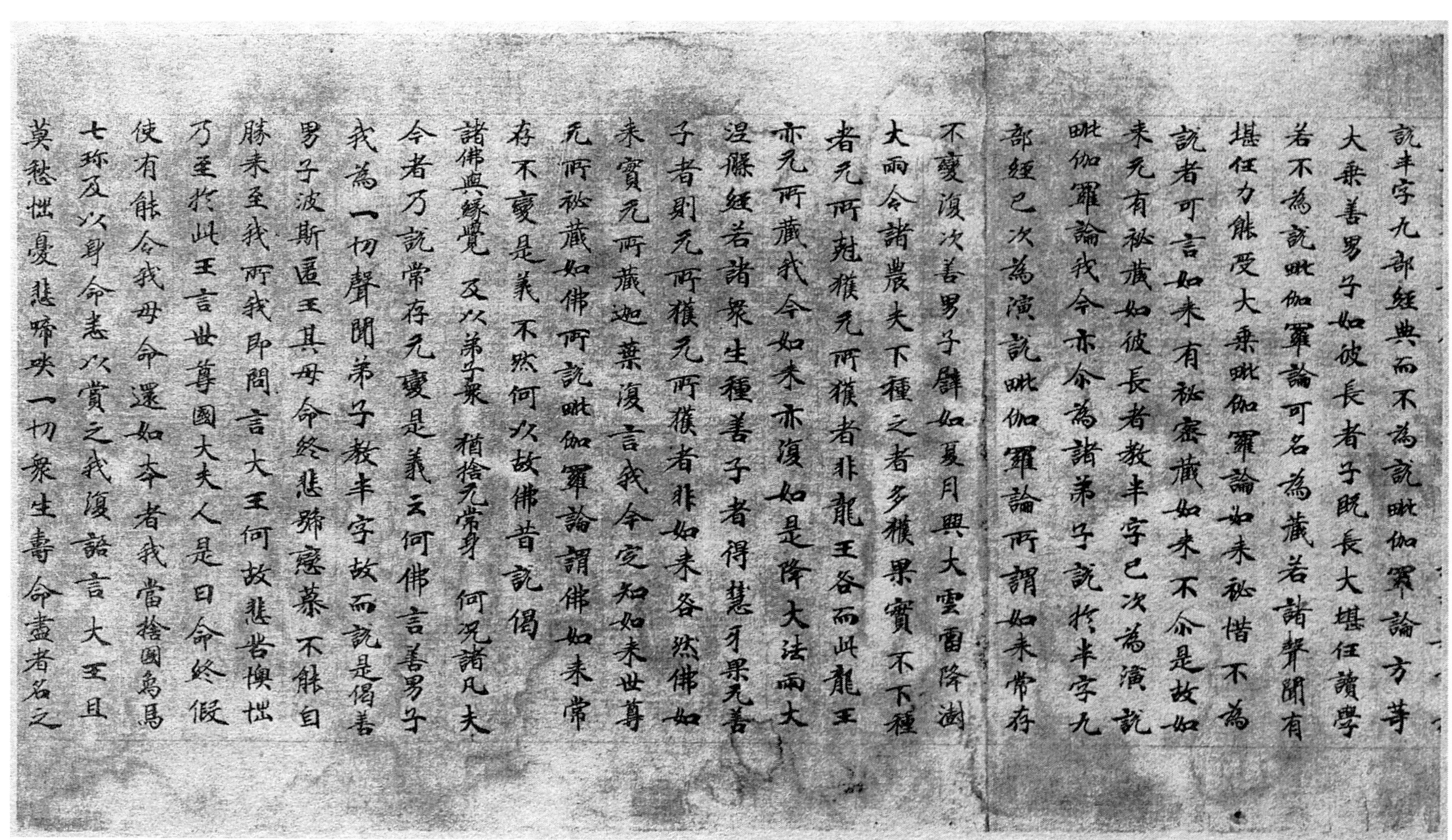

BD00663號　大般涅槃經(北本)卷五　　(24–2)

使有能令我毋命還如本者我當捨國為馬
七珎及以身命悉以賞之我復語言大王且
莫愁惱憂悲啼哭一切衆生壽命盡者名之
為死諸佛緣覺聲聞弟子尚捨此身况復凡
夫善男子我為波斯匿王教半字故而說是
偈我今為諸聲聞弟子說毗伽羅論謂如
来常存无有變易若有人言如来无常云何是
人舌不墮落迦葉復言如佛所說
无所聚積於食知足如鳥飛空跡不可尋
是義云何世尊於此衆中誰得名為无所積
聚誰復得名於食知足誰行於空跡不可尋
而此去者為至何方佛言迦葉夫積聚者名
為財寶善男子積聚有二種一者有為二者无
為有為積聚者即聲聞行无為積聚者即
如来行善男子僧亦有二種有為无為有為
僧者名曰聲聞聲聞僧者无有積聚所謂奴
婢非法之物庫藏穀米鹽豉胡麻大小諸豆
若有說言如来聽畜奴婢僕使如是之物舌
則卷縮我諸所有聲聞弟子名无積聚亦得
名為於食知足若有貪食名不知足不貪食
者是名知足跡難尋者則近无上菩提之道
我說是人雖去无至迦葉復言若有為僧尚
无積聚况无為僧无為僧者即是如来如来
云何當有積聚夫積聚者名為藏匿是故如
来凡有所說无所恡惜云何名藏跡不可尋

BD00663號　大般涅槃經（北本）卷五　（24–3）

我說是人雖去无至迦葉復言若有為僧尚
无積聚况无為僧无為僧者即是如来如来
云何當有積聚夫積聚者名為藏匿是故如
来凡有所說无所恡惜云何名藏跡不可尋
者所謂涅槃涅槃之中无有日月星辰諸宿
寒熱風雨生者病死廿五有離諸憂苦及諸
煩惱如是涅槃如来住處常不變易以是因
緣如来至是娑羅樹間於大涅槃而般涅槃
佛告迦葉所言大者其性廣博猶如有人壽
命无量名大丈夫是人若能安住正法名人
中勝如我所說八大人覺為一人有為多人
有若一人具八則為最勝所言涅槃者无諸
瘡疣善男子譬如有人為毒箭所射多受苦
痛值遇良醫為拔毒箭傅以妙藥令其離苦
得受安樂是醫即便遊於城邑及諸聚落隨
有患苦瘡疣之處即往其所為療衆苦善男
子如来亦尒成等正覺為大醫王見閻浮提
苦惱衆生无量劫中被淫怒癡煩惱毒箭受
大苦切為如是等說大乘經甘露法藥療治
此已復至他方諸有煩惱毒箭之處示現作
佛為其療治是故名曰大般涅槃大般涅槃
者名解脫處隨有調伏衆生之處如来於中
而作示現以是真實甚深義故名大涅槃迦
葉菩薩復白佛言世尊世間醫師悉能療治
一切衆生瘡疣病不善男子世間瘡疣凡有
二種一者可治二不可治凡可治者醫則能

BD00663號　大般涅槃經（北本）卷五　（24–4）

葉菩薩復白佛言世尊世間醫師悉能療治
一切衆生瘡疣病不善男子世間瘡疣凡有
二種一者可治二不可治凡可治者醫則能
治不可治者則不能治迦葉復言如佛言者
如来則為於閻浮提治衆生已若言治已是
諸衆生其中云何復有未能得涅槃者若未
悉得云何如来說言治竟欲至他方善男子
閻浮提內衆生有二種一者有信二者无信
有信之人則名可治何以故定得涅槃无瘡
疣故是故我說治閻浮提諸衆生已无信之
人名一闡提一闡提者名不可治除一闡提
餘悉治已是故涅槃名无瘡疣世尊何等名
涅槃善男子夫涅槃者名為解脫迦葉復言
所言解脫為是色耶為非色乎佛言善男子
或有是色或非是色言非色者即是聲聞緣
覺解脫言是色者即是諸佛如来解脫善男
子是故解脫亦色非色如来為諸聲聞弟子
說為非色世尊聲聞緣覺若非色者云何得
住善男子如非想非非想天亦色非色我亦
說為非色若人難言非想非非想天若非色
者云何得住去来進止如是之義諸佛境界
非諸聲聞緣覺所知解脫亦尒亦色非色說
為非色亦想非想說為非想如是之義諸佛
境界非諸聲聞緣覺所知尒時迦葉菩薩復
白佛言世尊唯願哀愍重垂廣說大涅槃行
解脫之義佛讚迦葉善哉善哉善男子真解

BD00663號　大般涅槃經（北本）卷五　（24-5）

非諸聲聞緣覺所知解脫亦尒亦色非色說
為非色亦想非想說為非想如是之義諸佛
境界非諸聲聞緣覺所知尒時迦葉菩薩復
白佛言世尊唯願哀愍重垂廣說大涅槃行
解脫之義佛讚迦葉善哉善哉善男子真解
脫者名曰遠離一切繫縛若真解脫離諸繫
縛則无有生亦无和合譬如父母和合生子
真解脫者則不如是是故解脫名曰不生迦
葉譬如醍醐其性清淨如来亦尒非因父母
和合而生其性清淨所以示現有父母者為
欲化度諸衆生故真解脫者即是如来如来
解脫无二无別譬如春月下諸種子得暖氣
已尋便出生真解脫者則不如是又解脫者
名曰虛无虛无即是解脫解脫即是如来如
来即是虛无非作所作凡是作者猶如城郭
樓觀却敵真解脫者則不如是是故解脫即
是如来又解脫者即无為法譬如陶師作已
還破解脫不尒真解脫者不生不滅是故解
脫即是如来如来亦尒不生不滅不老不死
不破不壞非有為法以是義故名曰如来入
大涅槃不老不死有何等義老者名為遷變
髮白面皺死者身壞命終如是等法解脫中
无以无是事故名解脫如来亦无髮白面皺
有為之法是故如来无有老也无有老故則
无有死又解脫者名曰无病所謂病者四百
四病及餘外来侵損身者是處无故故名解

BD00663號　大般涅槃經（北本）卷五　（24-6）

有為之法是故如來无有老也无有老故則
无有死又解脫者名曰无病所謂病者四百
四病及餘外來侵損身者是處无故故名解
脫无疾病者即真解脫真解脫者即是如來
如來无病是故法身亦无有病如是无病即
是如來死者名曰身壞命終是處无死即是
甘露是甘露者即真解脫真解脫者即是如
來如來成就如是功德云何當言如來无常
若言无常无有是處是金剛身云何无常是
故如來不名命終如來清淨无有垢穢如來
之身非胎所汙如分陁利本性清淨如來解
脫亦復如是如是解脫即是如來是故如來
清淨无垢又解脫者諸漏瘡疣永无遺餘如
來亦尒无有一切諸漏瘡疣又解脫者无有
鬪諍辟如飢人見他飲食生貪奪想解脫不
尒又解脫者名曰安靜凡夫人言夫安靜者
謂摩醯首羅如是之言即是虛妄真安靜者
畢竟解脫畢竟解脫即是如來又解脫者名
曰安隱如多賊處不名安隱清夷之處乃名
安隱是解脫中无有怖畏故名安隱是故安
隱即真解脫真解脫者即是如來如來者即
是法也又解脫者无有等侶有等侶者如有
國王有隣國等夫解脫者則无如是无等侶
者謂轉輪聖王无有能與作齊等者解脫亦
尒无有等侶无等侶者即真解脫真解脫者
即是如來轉法輪王是故如來无有等侶有

BD00663號　大般涅槃經（北本）卷五　（24–7）

國王有隣國等夫解脫者則无如是无等侶
者謂轉輪聖王无有能與作齊等者解脫亦
尒无有等侶无等侶者即真解脫真解脫者
即是如來轉法輪王是故如來无有等侶有
等侶者无有是處又解脫者名无憂愁有憂
愁者辟如國王畏難強隣而生憂愁夫解脫
者則无是事辟如壞怨則无憂慮解脫亦尒
是无憂畏无憂畏者即是如來又解脫者名
无憂喜辟如女人唯有一子從役遠行卒得
凶問聞之愁苦後復聞活便生歡喜夫解脫
中无如是事无憂喜者即真解脫真解脫者
即是如來又解脫者无有塵垢辟如春月日
沒之後風起塵霧夫解脫中无如是事无塵
霧者喻真解脫真解脫者即是如來辟如聖
王髻中明珠无有垢穢夫解脫性亦復如是
无有垢穢无垢穢者喻真解脫真解脫者即
是如來如真金性不雜沙石乃名真寶有人
得之生於財想夫解脫性亦復如是如彼真
寶彼真寶者喻真解脫真解脫者即是如來
辟如凡瓶破而聲嘶金剛寶瓶則不如是夫
解脫者亦无嘶破金剛寶瓶喻真解脫真解
脫者即是如來是故如來身不可壞其聲嘶
者如萞麻子盛熱之時置之日暴出聲振爆
夫解脫者无如是事如彼金剛真寶之瓶无
嘶破聲假使无量百千之人悉共射之无能
壞者无嘶破聲喻真解脫真解脫者即是如

BD00663號　大般涅槃經（北本）卷五　（24–8）

夫解脫者无如是事如彼金剛真寶之瓶无
毀破聲假使无量百千之人悉共射之无能
壞者无毀破聲喻真解脫真解脫者即是如
來如貧窮人負他物故為他所繫枷鏁策罰
受諸苦毒夫解脫中无如是事无有負責喻
如長者多有財寶无量億數勢力自在不負
他物夫解脫者亦復如是多有无量法財珎
寶勢力自在无所負也无所負者喻真解脫
真解脫者即是如來又解脫者名无逼切如
春涉熱夏日食甜冬日冷觸真解脫中无有
如是不適意事无逼切者喻真解脫真解脫
者即是如來又无逼切者譬如有人飽食魚
肉而復飲乳是人則為近死不久真解脫中
无如是事是人若得甘露良藥所患得除真
解脫者亦復如是甘露良藥喻真解脫真解
脫者即是如來云何逼切不逼切也譬如凡夫
我慢自高而作是念一切眾中誰能害我即
便携持蛇虎毒虫當知是人不盡壽命則為
横死真解脫中无如是事不逼切者如轉輪
王所有神珠能伏蟯蜋九十六種諸毒虫等
若有聞是神珠香者諸毒消滅真解脫者亦
復如是皆悉遠離廿五有毒消滅者喻真解
脫真解脫者即是如來又不逼切者譬如虛
空解脫亦尒彼虛空者喻真解脫真解脫者
即是如來又逼切者如近乾草然諸燈大近
則熾然真解脫中无如是事又不逼切者譬

BD00663號　大般涅槃經（北本）卷五　（24–9）

脫真解脫者即是如來又不逼切者譬如虛
空解脫亦尒彼虛空者喻真解脫真解脫者
即是如來又逼切者如近乾草然諸燈大近
則熾然真解脫中无如是事又不逼切者譬
如日月不逼眾生解脫亦尒於諸眾生无有
逼切无有逼切喻真解脫真解脫者即是如
來又解脫者名无動法喻如怨親真解脫中
无如是事又不動者如轉輪王更无聖王以
為親友若更有親則无是處解脫亦尒更无
有親若有親者亦无是處彼王无親喻真解
脫真解脫者即是如來如來者即是法也又
无動者譬如素衣易受染色解脫不尒又無
動者如婆師華欲令有臭及青色者无有是
處解脫亦尒欲令有臭及諸色者亦无是處
是故解脫即是如來又解脫者名為希有譬
如水中生於蓮華非為希有太中生者是乃
希有有人見之便生歡喜真解脫者亦復如
是其有見者心生歡喜彼希有者喻真解脫
真解脫者即是如來其如來者即是法身又
希有者譬如嬰兒其齒未生漸漸長大然後
乃生解脫不尒无有生與不生又解脫者名
曰虛寂无有不定不定者如一闡提究竟不
移犯重禁者不成佛道无有是處何以故是
人若於佛正法中心得淨信尒時即便滅一
闡提若復得作優婆塞者亦得斷滅於一闡
提犯重禁者滅此罪已則得成佛是故若言

BD00663號　大般涅槃經（北本）卷五　（24–10）

移犯重禁者不成佛道无有是處何以故是
人若於佛正法中心得淨信尒時即便滅一
闡提若復得作優婆塞者亦得斷滅於一闡
提犯重禁者滅此罪已則得成佛是故若言
畢定不移不成佛道无有是處真解脫中都
无如是滅盡之事又虛空者墮於法界如法
界性即真解脫真解脫者即是如來又一闡
提若盡滅者則不得稱一闡提也何等名為
一闡提耶一闡提者斷滅一切諸善根本心
不攀緣一切善法乃至不生一念之善真解
脫中都无是事无是事故即真解脫真解脫
者即是如來又解脫者名不可量譬如穀聚
其量可知真解脫者則不如是譬如大海不可
度量解脫亦尒不可度量不可量者即真解
脫真解脫者即是如來又解脫者名无量法
如一切衆生多有業報解脫亦尒有无量報
无量報者即真解脫真解脫者即是如來又
解脫者名為廣大譬如大海无與等者解脫
亦尒无能與等无與等者即真解脫真解脫
者即是如來又解脫者名曰最上譬如虛空
最高无比解脫亦尒最高无比高无比者即
真解脫真解脫者即是如來又解脫者名无
能過譬如師子所住之處一切百獸无能過
者解脫亦尒无有能過无能過者即真解脫
真解脫者即是如來又解脫者名為无上譬
如北方諸方中上解脫亦尒為无有上无有

BD00663號　大般涅槃經（北本）卷五　（24–11）

真解脫真解脫者即是如來又解脫者名无
能過譬如師子所住之處一切百獸无能過
者解脫亦尒无有能過无能過者即真解脫
真解脫者即是如來又解脫者名為无上譬
如北方諸方中上解脫亦尒為无有上无有
上者即真解脫真解脫者即是如來又解脫
者名无上上譬如北方之於東方為无上上
解脫亦尒无有上上无上上者即真解脫真
解脫者即是如來又解脫者名曰恒法譬如
人天身壞命終是名曰恒非不恒也解脫亦
尒非是不恒非不恒者即真解脫真解脫者
即是如來又解脫者名曰堅住如佉陀羅旃
檀沉水其性堅實解脫亦尒其性堅實性堅
實者即真解脫真解脫者即是如來又解脫
者名曰不虛譬如竹葦其體空疏解脫不尒
當知解脫即是如來又解脫者名不可汙譬
如牆壁未見塗治蚊䖟在上止住遊戲若以
塗治綵畫雕飾虫聞綵香即便不住如是不
住喻真解脫真解脫者即是如來又解脫者
名曰无邊譬如村落皆有邊表解脫不尒譬
如虛空无有邊際解脫亦尒樂无邊際如是
解脫即是如來又解脫者名不可見譬如空
中鳥跡難見如是難見喻真解脫真解脫者
即是如來又解脫者名曰甚深何以故聲聞
緣覺所不能入不能入者即真解脫
者即是如來又甚深者諸佛菩薩之所恭敬

BD00663號　大般涅槃經（北本）卷五　（24–12）

即是如來又解脫者名曰甚深何以故聲聞
緣覺所不能入不能入者即真解脫真解脫
者即是如來又甚深者諸佛菩薩之所恭敬
譬如孝子供養父母功德甚深功德甚深喻
真解脫真解脫者即是如來又解脫者名不
可見譬如有人不見自項解脫亦尒聲聞緣
覺所不能見不能見者即真解脫真解脫
者即是如來又解脫者名屋宅譬如虛空无
有屋宅解脫亦尒言屋宅者喻二十五有无有
屋宅喻真解脫真解脫者即是如來又解脫
者名不可取如阿摩勒菓人可取持解脫不
尒不可取持不可取持即真解脫真解脫者
即是如來又解脫者名不可執譬如幻物不
可執持解脫亦尒不可執持不可執持即真
解脫真解脫者即是如來又解脫者无有身
體譬如有人體生瘡癬及諸癰疽癲狂乾枯
真解脫中无如是病无如是病喻真解脫真
解脫者即是如來又解脫者名為一味如乳
一味解脫亦尒唯有一味如是一味即真解
脫真解脫者即是如來又解脫者名曰清淨
如水无泥澄靜清淨解脫亦尒澄靜清淨澄
靜清淨即真解脫真解脫者即是如來又解
脫者名曰一味如空中雨一味清淨一味清
淨喻真解脫真解脫者即是如來又解脫者
名曰除却譬如滿月无諸雲翳解脫亦尒无
諸雲翳无諸雲翳即真解脫真解脫者即

BD00663號　大般涅槃經（北本）卷五　（24–13）

靜清淨即真解脫真解脫者即是如來又解
脫者名曰一味如空中雨一味清淨一味清
淨喻真解脫真解脫者即是如來又解脫者
名曰除却譬如滿月无諸雲翳解脫亦尒无
諸雲翳无諸雲翳即真解脫真解脫者即
是如來又解脫者名曰寂靜譬如有人熱病除
愈身得寂靜解脫亦尒身得寂靜身得寂靜
即真解脫真解脫者即是如來又解脫者即
是平等譬如野田毒蛇鼠狼俱有殺心解脫
不尒无有殺心无殺心者即真解脫真解脫
者即是如來又平等者譬如父母等心於子
解脫亦尒其心平等心平等者即真解脫真
解脫者即是如來又解脫者名无異處譬如有
人唯居上妙清淨屋宅更无異處解脫亦尒
无有異處无異處者即真解脫真解脫者即
是如來又解脫者名曰知足譬如飢人值遇
甘饌食之无猒解脫不尒如食乳糜更无所
須更无所須喻真解脫真解脫者即是如來
又解脫者名曰斷絕如人被縛斷縛得脫解
脫亦尒斷絕一切疑心結縛如是斷疑即真
解脫真解脫者即是如來又解脫者名到彼
岸譬如大河有此彼岸解脫不尒雖无此岸
而有彼岸有彼岸者即真解脫真解脫者即
是如來又解脫者名曰默然譬如大海其水
汎長多諸音聲解脫不尒如是解脫即是如
來又解脫者名曰美妙譬如衆藥雜呵梨勒

BD00663號　大般涅槃經（北本）卷五　（24–14）

是如來又解脫者名曰默然譬如大海其水
汎長多諸音聲解脫不尒如是解脫即是如
來又解脫者名曰美妙譬如衆藥雜呵梨勒
其味則苦解脫不尒味如甘露味如甘露喻
真解脫真解脫者即是如來又解脫者除諸煩
惱譬如良醫和合諸藥善療衆病解脫亦尒
能除煩惱除煩惱者即真解脫真解脫者即
是如來又解脫者名曰无迮譬如小舍不容
多人解脫不尒多所容受多所容受即真解
脫真解脫者即是如來又解脫者名滅諸愛
不雜婬欲譬如女人多諸愛欲解脫不尒如
是解脫即是如來如來如是无有貪欲瞋恚
愚癡憍慢等結又解脫者名曰无愛愛有二
種一餓鬼愛二者法愛真解脫者離餓鬼愛
憐愍衆生故有法愛如是法愛即真解脫真
解脫者即是如來又解脫者離我我所如是
解脫即是如來如來者即是法也又解脫者
即是滅盡離諸有貪如是解脫即是如來如
來者即是法也又解脫者即是救護能救一
切諸怖畏者如是解脫即是如來如來者即
是法也又解脫者即是歸處若有歸依如是
解脫不求餘依譬如有人依恃於王不求餘
依雖復依王則有動轉依解脫者无有動轉
无動轉者即真解脫真解脫者即是如來如
來者即法也又解脫者名為屋宅譬如有
人行於曠野則有嶮難解脫不尒无有嶮難
无嶮難者即真解脫真解脫者即是如來又

无動轉者即真解脫真解脫者即是如來如
來者即法也又解脫者名為屋宅譬如有
人行於曠野則有嶮難解脫不尒无有嶮難
无嶮難者即真解脫真解脫者即是如來又
解脫者是无所畏如師子王於諸百獸不生
怖畏解脫亦尒於諸魔衆不生怖畏无怖畏
者即真解脫真解脫者即是如來又解脫者
无有迮陜譬如隘路乃至不受二人並行解
脫不尒如是解脫即是如來又有不迮譬如
有人畏虎墮井解脫不尒如是解脫即是如
來又有不迮如大海中捨壞小船得堅牢船
乘之度海到安隱處心得快樂解脫亦尒心
得快樂得快樂者即真解脫真解脫者即是
如來又解脫者拔諸因緣譬如因乳得酪因
酪得蘇因蘇得醍醐真解脫中都无是因无
是因者即真解脫真解脫者即是如來又解
脫者能伏憍慢譬如大王慢於小王解脫不
尒如是解脫即是如來如來者即是法也又
解脫者伏諸放逸謂放逸者多有貪欲真解
脫中无有是名无是名者即真解脫真解脫
者即是如來又解脫者能除无明如上妙蘇
除諸滓穢乃名醍醐解脫亦尒除无明滓生
於真明如是真明即真解脫真解脫者即是
如來又解脫者名為寂靜純一无二如空野
象獨一无侶解脫亦尒獨一无二獨一无二
即真解脫真解脫者即是如來又解脫者名

於真明如是真明即真解脫真解脫者即是
如來又解脫者名爲寂靜純一无二如空野
爲獨一无侶解脫亦尒獨一无二獨一无二
即真解脫真解脫者即是如來又解脫者名
爲堅實如竹葦蓖麻莖幹虛空而子堅實除
佛如來其餘人天皆不堅實真解脫者遠離
一切諸有流等如是解脫即是如來又解脫
者名能覺了增益於我真解脫者亦復如是
如是解脫即是如來又解脫者名捨諸有
譬如有人食已而吐解脫亦尒捨於諸有捨
諸有者即真解脫真解脫者即是如來又解
脫者名曰決定如婆師華香七葉中无解脫
亦尒如是解脫即是如來又解脫者名曰水
大譬如水大於諸大勝能潤一切草木穀子
解脫亦尒能潤一切有生之類如是解脫即
是如來又解脫者名曰爲入如有門戶則通
入路金性之處金則可得解脫亦尒如彼門
戶脩无我者則得入中如是解脫即是如來
又解脫者名曰爲善譬如弟子隨逐於師善
奉教勑得名爲善解脫亦尒如是解脫即是
如來又解脫者名出世法於一切法最爲出
過如衆味中蘇乳最勝解脫亦尒如是解脫
即是如來又解脫者名曰不動譬如門閫風
不能動真解脫者亦復如是如是解脫即是
如來又解脫者名无濤波如彼大海其水濤
波解脫不尒如是解脫即是如來又解脫者

BD00663號　大般涅槃經（北本）卷五　（24–17）

不能動真解脫者亦復如是如是解脫即是
如來又解脫者名无濤波如彼大海其水濤
波解脫不尒如是解脫即是如來又解脫者
譬如宮殿解脫亦尒當知解脫即是如來又
解脫者名曰所用如閻浮檀金多有所任无
有能說是金過惡解脫亦尒无有過惡无有
過惡即真解脫真解脫者即是如來又解脫
者捨嬰兒行譬如大人捨小兒行解脫亦尒除
捨五陰除捨五陰即真解脫真解脫者即
是如來又解脫者名曰究竟如被繫者從繫
得脫洗浴清淨然後還家解脫亦尒畢竟清
淨畢竟清淨即真解脫真解脫者即是如來
又解脫者名无作樂无作樂者貪欲瞋恚愚
癡吐故喻如有人誤飲蛇毒爲除毒故即服
吐藥既得吐已毒即除愈身得安樂解脫亦
尒吐於煩惱諸結縛毒身得安樂名无作樂
无作樂者即真解脫真解脫者即是如來又
解脫者名斷四種毒蛇煩惱斷煩惱者即真
解脫真解脫者即是如來又解脫者名離諸
有滅一切苦得一切樂永斷貪欲瞋恚愚癡
拔斷一切煩惱根本拔根本者即真解脫真
解脫者即是如來又解脫者名斷一切有爲
之法出生一切无漏善法斷塞諸道所謂若
我无我非我非无我唯斷取著不斷我見我
見者名爲佛性佛性者即真解脫真解脫者
即是如來又解脫者名不空空空空者名无

BD00663號　大般涅槃經（北本）卷五　（24–18）

之法出生一切无漏善法斷塞諸道所謂若
我无我非我非无我唯斷取著不斷我見我
見者名為佛性佛性者即真解脫真解脫者
即是如來又解脫者名不空空空空者名无
所有无所有者即是外道尼揵子等所計解
脫而是尼揵實无解脫故名空空真解脫者
則不如是不空空不空空者即真解脫真
解脫者即是如來又解脫者名曰不空如水
酒酪蘇蜜等瓶雖无水酒酪蘇蜜時猶得
名為水等瓶而是瓶等不可說空及以不空
若言空者則不得有色香味觸若言不空而
復无有水酒等實解脫亦尒不可說色及以
非色不可說空及以不空若言空者則不得
有常樂我淨若言不空誰受是常樂我淨者
以是義故不可說空及以不空空者謂无廿
五有及諸煩惱一切苦一切相一切有為行
如瓶无酪則名為空不空者謂真實善色常
樂我淨不動不變猶如彼瓶色香味觸故名
不空是故解脫喻如彼瓶彼瓶遇緣則有破
壞解脫不尒不可破壞不可破壞即真解脫
真解脫者即是如來又解脫者名曰離愛譬
如有人愛心希望釋提桓因大梵天王自在
天王解脫不尒若得成於阿耨多羅三藐三
菩提已无愛无疑无愛无疑即真解脫真解
脫者即是如來若言解脫有愛疑者无有是

BD00663號　大般涅槃經（北本）卷五　（24–19）

天王解脫不尒若得成於阿耨多羅三藐三
菩提已无愛无疑无愛无疑即真解脫真解
脫者即是如來若言解脫有愛疑者无有是
處又解脫者斷諸有貪斷一切相一切繫縛
一切煩惱一切生死一切因緣一切果報如
是解脫即是如來如來即是涅槃一切眾生
怖畏生死諸煩惱故受三歸譬如群鹿怖
畏獦師既得免離若得一跳則喻一歸如是
三跳則喻三歸以三跳故得受安樂眾生亦
尒怖畏四魔惡獦師故受三歸依三歸依故
則得安樂受安樂者即真解脫真解脫者即是
如來如來者即是涅槃涅槃者即是无盡无
盡者即是佛性佛性者即是決定決定者即
是阿耨多羅三藐三菩提迦葉菩薩白佛言
世尊若涅槃佛性決定如來是一義者云何
說言有三歸依佛告迦葉善男子一切眾生
怖畏生死故求三歸以三歸故則知佛性決
定涅槃善男子有法名一義異有法名義俱
異名一義異者佛常法常比丘僧常涅槃虛
空皆亦是常是名名一義異名義俱異者佛
名為覺法名不覺僧名和合涅槃名解脫虛
空名非善亦名无㝵是名名義俱異善男子三
歸依者亦復如是名義俱異云何為一是故
我告摩訶波闍波提憍曇彌莫供養我當供
養僧若供養僧則得具足供養三歸摩訶波
闍波提即答我言眾僧之中无佛无法云何

BD00663號　大般涅槃經（北本）卷五　（24–20）

歸依者亦復如是名義俱異云何為一是故
我告摩訶波闍波提憍曇弥莫供養我當供
養僧若供養僧則得具足供養三歸摩訶波
闍波提即答我言衆僧之中无佛无法云何
說言供養衆僧則得具足供養三歸我復告
言汝隨我語則供養佛為解脫故即供養法
衆僧受者則供養僧善男子是故三歸不得為
一善男子如來或時說一為三說三為一
如是之義諸佛境界非諸聲聞緣覺所知迦
葉復言如佛所說畢竟安樂名涅槃者是義
云何夫涅槃者捨身捨智若捨身智誰當受
樂佛言善男子譬如有人食已心悶出外欲
吐既得吐已而復迴還同伴問之汝今所患
竟為差不而復來還答言已差身得安隱
如來亦尒畢竟遠離二十五有永得涅槃安樂
之處不可動轉无有盡滅斷一切受名无受
樂如是无受名為常樂若言如來有受樂者
无有是處是故畢竟樂者即是涅槃涅槃者
即真解脫真解脫者即是如來迦葉復言不
生不滅是解脫耶如是如是善男子不生不
滅即是解脫如是解脫即是如來迦葉復言
若不生不滅是解脫者虛空之性亦无生滅
應是如來如如來性即是解脫佛告迦葉善男
子是事不然世尊何故不然善男子如迦蘭
伽鳥及命命鳥其聲清妙寧可同於烏鵲音
不不也世尊烏鵲之聲比命命等百千万倍

子是事不然世尊何故不然善男子如迦蘭
伽鳥及命命鳥其聲清妙寧可同於烏鵲音
不不也世尊烏鵲之聲比命命等百千万倍
不可為比迦葉復言迦蘭伽等其聲微妙身
亦不同如來云何比之烏鵲无異亭歷比須
弥山佛與虛空亦復如是迦蘭伽聲可喻佛
聲不可以喻烏鵲之音尒時佛讚迦葉菩薩
善哉善哉汝今善解甚深難解如來有時以
因緣故引彼虛空以喻解脫如是解脫即是
如來真解脫者一切人天无能為匹而此虛
空實非其喻為化衆生故以虛空非喻為喻
當知解脫即是如來如來之性即是解脫解
脫如來无二无別善男子非喻者如无比之
物不可引喻有因緣故可得引喻如經中說
面貌端正猶月盛滿白象鮮潔猶如雪山滿
月不得即同於面雪山不得即是白象善男
子不可以喻喻真解脫為化衆生故作喻耳
以諸譬喻知諸法性皆亦如是迦葉復言云何
如來作二種說佛言善男子譬如有人執持
刀劍以瞋恚心欲害如來如來和悅无患恨
色是人當得壞如來身成逆罪不不也世尊
何以故如來身界不可壞故所以者何以无
身聚唯有法性法性之性理不可壞是人云
何能壞佛身直以惡心故成无間以是因緣
引諸譬喻得知實法尒時佛讚迦葉菩薩善
哉善哉善男子我所欲說汝今已說又善男

何能壞佛身直以惡心故成无間以是因緣
引諸譬喻得知實法尒時佛讚迦葉菩薩善
哉善哉善男子我所欲說汝今已說又善男
子譬如惡人欲害其母住於野田在穀積下母
為送食其人見已尋生害心便前磨刀母時
知已逃入積中其人持刀遶積遍斫斫已歡
喜生已煞想其母尋後從穀積出還至家中
於意云何是人成就无間罪不世尊不可定
說何以故若說有罪母身應壞身若不壞云
何言有若說无罪生已煞想心懷歡喜云何
言无是人雖不具足逆罪而亦是逆以是因
緣引諸譬喻得知實法佛讚迦葉善哉善哉
善男子以是因緣我說種種方便譬喻以
喻解脫雖以无量阿僧祇喻而實不可以喻
為比或有因緣亦可喻說或有因緣不可喻
說是故解脫成就如是无量功德趣涅槃者
涅槃如來亦有如是无量功德以如是等无
量功德成就滿故名大涅槃
迦葉菩薩白佛言世尊我今始知如來至處
為无有盡處若无盡當知壽命亦應无盡佛
言善哉善哉善男子汝今善能護持正法若
有善男子善女人欲斷煩惱諸結縛者當
作如是護持正法

大般涅槃經卷第五

BD00663號　大般涅槃經（北本）卷五　（24–23）

於意云何是人成就无間罪不世尊不可定
說何以故若說有罪母身應壞身若不壞云
何言有若說无罪生已煞想心懷歡喜云何
言无是人雖不具足逆罪而亦是逆以是因
緣引諸譬喻得知實法佛讚迦葉善哉善哉
善男子以是因緣我說種種方便譬喻以
喻解脫雖以无量阿僧祇喻而實不可以喻
為比或有因緣亦可喻說或有因緣不可喻
說是故解脫成就如是无量功德趣涅槃者
涅槃如來亦有如是无量功德以如是等无
量功德成就滿故名大涅槃
迦葉菩薩白佛言世尊我今始知如來至處
為无有盡處若无盡當知壽命亦應无盡佛
言善哉善哉善男子汝今善能護持正法若
有善男子善女人欲斷煩惱諸結縛者當
作如是護持正法

大般涅槃經卷第五

BD00663號　大般涅槃經（北本）卷五　（24–24）

金剛般若波羅蜜經
如是我聞一時佛在舍
與大比丘衆千二百五
時著衣持鉢入舍衛大
第乞已還至本處飯食
座而坐時長老須菩提
偏袒右肩右膝著地合
有世尊如來善護念諸
世尊善男子善女人發
提心應云何住云何降伏
其須菩提如汝所說如來善護
付囑諸菩薩汝今諦聽當為汝
女人發阿耨多羅三藐三菩提
如是降伏其心唯然世尊願樂欲
佛告須菩提諸菩薩摩訶薩應如是
心所有一切衆生之類若卵生若胎生若濕
生若化生若有色若无色若有相若无相若
非有相若非无相我皆令入无餘涅槃而滅
度之如是滅度无量无數无邊衆生實无衆
生得滅度者何以故須菩提若菩薩有我相
人相衆生相壽者相即非菩薩
復次須菩提菩薩於法應无所住行於布施
所謂不住色布施不住聲香味觸法布施須
菩提菩薩應如是布施不住於相何以故若
菩薩不住相布施其福德不可思量須菩提

BD00664號　　金剛般若波羅蜜經　　（13–1）

人相衆生相壽者相即非菩薩
復次須菩提菩薩於法應无所住行於布施
所謂不住色布施不住聲香味觸法布施須
菩提菩薩應如是布施不住於相何以故若
菩薩不住相布施其福德不可思量須菩提
於意云何東方虛空可思量不不也世尊須
菩提南西北方四維上下虛空可思量不不
也世尊須菩提菩薩无住相布施福德亦復
如是不可思量須菩提菩薩但應如所教住
須菩提於意云何可以身相見如來不不也
世尊不可以身相得見如來何以故如來所
說身相即非身相佛告須菩提凡所有相皆
是虛妄若見諸相非相則見如來
須菩提白佛言世尊頗有衆生得聞如是言
說章句生實信不佛告須菩提莫作是說如
來滅後後五百歲有持戒脩福者於此章句
能生信心以此為實當知是人不於一佛二
佛三四五佛而種善根已於无量千万佛所
種諸善根聞是章句乃至一念生淨信者須
菩提如來悉知悉見是諸衆生得如是无量
福德何以故是諸衆生无復我相人相衆生
相壽者相无法相亦无非法相何以故是諸
衆生若心取相則為著我人衆生壽者若取
法相即著我人衆生壽者何以故若取非法
相即著我人衆生壽者是故不應取法不應
取非法以是義故如來常說汝等比丘知我
說法如筏喻者法尚應捨何況非法
須菩提於意云何如來得阿耨多羅三藐三
菩提耶如來有所說法耶須菩提言如我解

BD00664號　　金剛般若波羅蜜經　　（13–2）

耶非法以是義故如来常説汝等比丘知我
説法如筏喻者法尚應捨何况非法
須菩提於意云何如来得阿耨多羅三藐三
菩提耶如来有所説法耶須菩提言如我解
佛所説義无有定法名阿耨多羅三藐三菩
提亦无有定法如来可説何以故如来所説
法皆不可取不可説非法非非法所以者何
一切賢聖皆以无為法而有差別
須菩提於意云何若人滿三千大千世界七
寶以用布施是人所得福德寧為多不須菩
提言甚多世尊何以故是福德即非福德性
是故如来説福德多若復有人於此經中受
持乃至四句偈等為他人説其福勝彼何以故
須菩提一切諸佛及諸佛阿耨多羅三藐三菩
提法皆從此經出須菩提所謂佛法者即非佛
法須菩提於意云何須陁洹能作是念我得須
陁洹果不須菩提言不也世尊何以故須陁
洹名為入流而无所入不入色聲香味觸法
是名須陁洹須菩提於意云何斯陁含能作
是念我得斯陁含果不須菩提言不也世尊
何以故斯陁含名一往来而實无往来是名
斯陁含須菩提於意云何阿那含能作是念
我得阿那含果不須菩提言不也世尊何以
故阿那含名為不来而實无来是故名阿那
含須菩提於意云何阿羅漢能作是念我得
阿羅漢道不須菩提言不也世尊何以故實无
有法名阿羅漢世尊若阿羅漢作是念我得
阿羅漢道即為著我人衆生壽者世尊佛説
我得无諍三昧人中最為第一是第一離欲

舍須菩提於意云何阿羅漢能作是念我得
阿羅漢道不須菩提言不也世尊何以故實无
有法名阿羅漢世尊若阿羅漢作是念我得
阿羅漢道即為著我人衆生壽者世尊佛説
我得无諍三昧人中最為第一是第一離欲
阿羅漢我不作是念我是離欲阿羅漢世尊
我若作是念我得阿羅漢道世尊則不説須
菩提是樂阿蘭那行者以須菩提實无所行
而名須菩提是樂阿蘭那行
佛告須菩提於意云何如来昔在然燈佛所於
法有所得不世尊如来在然燈佛所於法實无所
得須菩提於意云何菩薩莊嚴佛土不不也世
尊何以故莊嚴佛土者則非莊嚴是名莊嚴
是故須菩提諸菩薩摩訶薩應如是生清淨
心不應住色生心不應住聲香味觸法生心
應无所住而生其心須菩提譬如有人身如
須弥山王於意云何是身為大不須菩提言
甚大世尊何以故佛説非身是名大身須菩
提如恒河中所有沙數如是沙等恒河於意
云何是諸恒河沙寧為多不須菩提言甚多
世尊但諸恒河尚多无數何况其沙須菩提
我今實言告汝若有善男子善女人以七
寶滿尒所恒河沙數三千大千世界以用布
施得福多不須菩提言甚多世尊佛告須菩
提若善男子善女人於此經中乃至受持四
句偈等為他人説而此福德勝前福德
復次須菩提隨説是經乃至四句偈等當知
此處一切世間天人阿脩羅皆應供養如佛
塔廟何况有人盡能受持讀誦須菩提當知

句偈等為他人說而此福德勝前福德
復次須菩提隨說是經乃至四句偈等當知
此處一切世間天人阿脩羅皆應供養如佛
塔廟何況有人盡能受持讀誦須菩提當知
是人成就最上第一希有之法若是經典所在
之處則為有佛若尊重弟子
尒時須菩提白佛言世尊當何名此經我等
云何奉持佛告須菩提是經名為金剛般若
波羅蜜以是名字汝當奉持所以者何須菩
提佛說般若波羅蜜則非般若波羅蜜須菩
提於意云何如來有所說法不須菩提白佛
言世尊如來无所說須菩提於意云何三千
大千世界所有微塵是為多不須菩提言甚
多世尊須菩提諸微塵如來說非微塵是名
微塵如來說世界非世界是名世界須菩提
於意云何可以三十二相見如來不不也世
尊不可以三十二相得見如來何以故如來說
三十二相即是非相是名三十二相須菩提
若有善男子善女人以恒河沙等身命布施
若復有人於此經中乃至受持四句偈等為
他人說其福甚多尒時須菩提聞說是經深
解義趣涕淚悲泣而白佛言希有世尊佛說
如是甚深經典我從昔來所得慧眼未曾得
聞如是之經世尊若復有人得聞是經信心
清淨則生實相當知是人成就第一希有功
德世尊是實相者則是非相是故如來說名
實相世尊我今得聞如是經典信解受持不
足為難若當來世後五百歲其有衆生得聞
是經信解受持是人則為第一希有何以故

BD00664號　金剛般若波羅蜜經　（13–5）

如[illegible]
聞如是之經世尊若復有人得聞是經信心
清淨則生實相當知是人成就第一希有功
德世尊是實相者則是非相是故如來說名
實相世尊我今得聞如是經典信解受持不
足為難若當來世後五百歲其有衆生得聞
是經信解受持是人則為第一希有何以故
此人无我相人相衆生相壽者相所以者何
我相即是非相人相衆生相壽者相即是非
相何以故離一切諸相則名諸佛佛告須
菩提如是如是若復有人得聞是經不
驚不怖不畏當知是人甚為希有何以故須菩
提如來說第一波羅蜜非第一波羅蜜是名第
一波羅蜜
須菩提忍辱波羅蜜如來說非忍辱波羅蜜
何以故須菩提如我昔為歌利王割截身體
我於尒時无我相无人相无衆生相无壽者相
何以故我於往昔節節支解時若有我相人
相衆生相壽者相應生瞋恨須菩提又念過
去於五百世作忍辱仙人於尒所世无我相
无人相无衆生相无壽者相是故須菩提菩
薩應離一切相發阿耨多羅三藐三菩提心
不應住色生心不應住聲香味觸法生心應
生无所住心若心有住則為非住是故佛說菩
薩心不應住色布施須菩提菩薩為利益
一切衆生應如是布施如來說一切諸相即
是非相又說一切衆生則非衆生須菩提如來
是真語者實語者如語者不誑語者不異語
者須菩提如來所得法此法无實无虛
須菩提若菩薩心住於法而行布施如人入

BD00664號　金剛般若波羅蜜經　（13–6）

薩心不應住色布施須菩提菩薩為利益
一切衆生應如是布施如来說一切諸相即
是非相又說一切衆生則非衆生須菩提如来
是真語者實語者如語者不誑語者不異語
者須菩提如来所得法此法无實无虛
須菩提若菩薩心住於法而行布施如人入
闇則无所見若菩薩心不住法而行布施如
人有目日光明照見種種色
須菩提當来之世若有善男子善女人能於
此經受持讀誦則為如来以佛智慧悉知是
人悉見是人皆得成就无量无邊功德
須菩提若有善男子善女人初日分以恒河
沙等身布施中日分復以恒河沙等身布施
後日分亦以恒河沙等身布施如是无量百
千万億劫以身布施若復有人聞此經典信心
不逆其福勝彼何況書寫受持讀誦為人解說
須菩提以要言之是經有不可思議不可稱
量无邊功德如来為發大乘者說為發冣上
乘者說若有人能受持讀誦廣為人說如来
悉知是人悉見是人皆得成就不可量不可
稱无有邊不可思議功德如是人等則為荷
擔如来阿耨多羅三藐三菩提何以故須菩
提若樂小法者著我見人見衆生見壽者見
則於此經不能聽受讀誦為人解說須菩提
在在處處若有此經一切世間天人阿脩羅
所應供養當知此處則為是塔皆應恭敬作
礼圍遶以諸華香而散其處
復次須菩提善男子善女人受持讀誦此經
若為人輕賤是人先世罪業應墮惡道以今

BD00664 號　金剛般若波羅蜜經　（13–7）

則於此經不能聽受讀誦為人解說須菩提
在在處處若有此經一切世間天人阿脩羅
所應供養當知此處則為是塔皆應恭敬作
礼圍遶以諸華香而散其處
復次須菩提善男子善女人受持讀誦此經
若為人輕賤是人先世罪業應墮惡道以今
世人輕賤故先世罪業則為消滅當得阿耨
多羅三藐三菩提須菩提我念過去无量阿
僧祇劫於然燈佛前得值八百四千万億那
由他諸佛悉皆供養承事无空過者若復有
人於後末世能受持讀誦此經所得功德於
我所供養諸佛功德百分不及一千万億分
乃至筭數譬喻所不能及須菩提若善男子
善女人於後末世有受持讀誦此經所得功德
我若具說者或有人聞心則狂亂狐疑不信須
菩提當知是經義不可思議果報亦不可思議
尒時須菩提白佛言世尊善男子善女人發
阿耨多羅三藐三菩提心云何應住云何降伏
其心佛告須菩提善男子善女人發阿耨多
羅三藐三菩提者當生如是心我應滅度一
切衆生滅度一切衆生已而无有一衆生實
滅度者何以故若菩薩有我相人相衆生相
壽者相則非菩薩所以者何須菩提實无有
法發阿耨多羅三藐三菩提者
須菩提於意云何如来於然燈佛所有法得
阿耨多羅三藐三菩提不不也世尊如我解
佛所說義佛於然燈佛所无有法得阿耨多
羅三藐三菩提佛言如是如是須菩提實无
有法如来得阿耨多羅三藐三菩提須菩提

BD00664 號　金剛般若波羅蜜經　（13–8）

須菩提於意云何如来於然燈佛所有法得
阿耨多羅三藐三菩提不不也世尊如我解
佛所說義佛於然燈佛所无有法得阿耨多
羅三藐三菩提佛言如是如是須菩提實无
有法如来得阿耨多羅三藐三菩提須菩提
若有法如来得阿耨多羅三藐三菩提者然
燈佛則不與我受記汝於来世當得作佛号
釋迦牟尼以實无有法得阿耨多羅三藐三
菩提是故然燈佛與我受記作是言汝於来世
當得作佛号釋迦牟尼何以故如来者即諸
法如義若有人言如来得阿耨多羅三藐三
菩提須菩提實无有法佛得阿耨多羅三藐
三菩提須菩提如来所得阿耨多羅三藐三菩
提於是中无實无虛是故如来說一切法皆是
佛法須菩提所言一切法者即非一切法是故
名一切法
須菩提譬如人身長大須菩提言世尊如来
說人身長大則為非大身是名大身
須菩提菩薩亦如是若作是言我當滅度无
量衆生則不名菩薩何以故須菩提實无有法
名為菩薩是故佛說一切法无我无人无衆
生无壽者須菩提若菩薩作是言我當莊嚴
佛土是不名菩薩何以故如来說莊嚴佛土者
即非莊嚴是名莊嚴須菩提若菩薩通達无
我法者如来說名真是菩薩
須菩提於意云何如来有肉眼不如是世尊
如来有肉眼須菩提於意云何如来有天眼
不如是世尊如来有天眼須菩提於意云何如
来有慧眼不如是世尊如来有慧眼須菩提

BD00664號　金剛般若波羅蜜經　（13–9）

即非莊嚴是名莊嚴須菩提若菩薩通達无
我法者如来說名真是菩薩
須菩提於意云何如来有肉眼不如是世尊
如来有肉眼須菩提於意云何如来有天眼
不如是世尊如来有天眼須菩提於意云何如
来有慧眼不如是世尊如来有慧眼須菩提
於意云何如来有法眼不如是世尊如来有
法眼須菩提於意云何如来有佛眼不如
是世尊如来有佛眼須菩提於意云何恒河
中所有沙佛說是沙不如是世尊如来說是
沙須菩提於意云何如一恒河中所有沙有
如是等恒河是諸恒河所有沙數佛世界如
是寧為多不甚多世尊佛告須菩提尒所國
土中所有衆生若干種心如来悉知何以故
如来說諸心皆為非心是名為心所以者何
須菩提過去心不可得現在心不可得未来
心不可得須菩提於意云何若有人滿三千
大千世界七寶以用布施是人以是因緣得
福多不如是世尊此人以是因緣得福甚多
須菩提若福德有實如来不說得福德多以
福德无故如来說得福德多
須菩提於意云何佛可以具足色身見不不
也世尊如来不應以具足色身見何以故如
来說具足色身即非具足色身是名具足色
身須菩提於意云何如来可以具足諸相見
不不也世尊如来不應以具足諸相見何以
故如来說諸相具足即非具足是名諸相具
足須菩提汝勿謂如来作是念我當有所說
法莫作是念何以故若人言如来有所說法

BD00664號　金剛般若波羅蜜經　（13–10）

身須菩提於意云何如來可以具足諸相見
不不也世尊如來不應以具足諸相見何以
故如來說諸相具足即非具足是名諸相具
足須菩提汝勿謂如來作是念我當有所說
法莫作是念何以故若人言如來有所說法
即為謗佛不能解我所說故須菩提說法者
无法可說是名說法
須菩提白佛言世尊佛得阿耨多羅三藐三
菩提為无所得耶如是如是須菩提我於阿
耨多羅三藐三菩提乃至无有少法可得是
名阿耨多羅三藐三菩提復次須菩提是法
平等无有高下是名阿耨多羅三藐三菩提
以无我无人无衆生无壽者脩一切善法則
得阿耨多羅三藐三菩提須菩提所言善法
者如來說非善法是名善法
須菩提若三千大千世界中所有諸須弥山
王如是等七寶聚有人持用布施若人以此
般若波羅蜜經乃至四句偈等受持讀誦為
他人說於前福德百分不及一百千万億分
乃至筭數譬喻所不能及
須菩提於意云何汝等勿謂如來作是念我
當度衆生須菩提莫作是念何以故實无有
衆生如來度者若有衆生如來度者如來則有
我人衆生壽者須菩提如來說有我者則非
有我而凡夫之人以為有我須菩提凡夫者
如來說則非凡夫
須菩提於意云何可以卅二相觀如來不須
菩提言如是如是以卅二相觀如來佛言須

如來說則非凡夫
須菩提於意云何可以卅二相觀如來不須
菩提言如是如是以卅二相觀如來佛言須
菩提若以卅二相觀如來者轉輪聖王則是如
來須菩提白佛言世尊如我解佛所說義不
應以卅二相觀如來尒時世尊而說偈言
若以色見我　以音聲求我　是人行邪道　不能見如來
須菩提汝若作是念如來不以具足相故得
阿耨多羅三藐三菩提須菩提莫作是念如
來不以具足相故得阿耨多羅三藐三菩提
須菩提汝若作是念發阿耨多羅三藐三菩
提者說諸法斷滅相莫作是念何以故發阿耨
多羅三藐三菩提者於法不說斷滅相須菩
提若菩薩以滿恒河沙等世界七寶布施若
復有人知一切法无我得成於忍此菩薩勝
前菩薩所得功德須菩提以諸菩薩不受福
德故須菩提白佛言世尊云何菩薩不受福
德須菩提菩薩所作福德不應貪著是故說
不受福德須菩提若有人言如來若來若去若坐
若卧是人不解我所說義何以故如來者无
所從來亦无所去故名如來
須菩提若善男子善女人以三千大千世界
碎為微塵於意云何是微塵衆寧為多不甚
多世尊何以故若是微塵衆實有者佛則不
說是微塵衆所以者何佛說微塵衆則非微
塵衆是名微塵衆世尊如來所說三千大千
世界則非世界是名世界何以故若世界實
有者則是一合相如來說一合相則非一合
相是名一合相須菩提一合相者則是不可

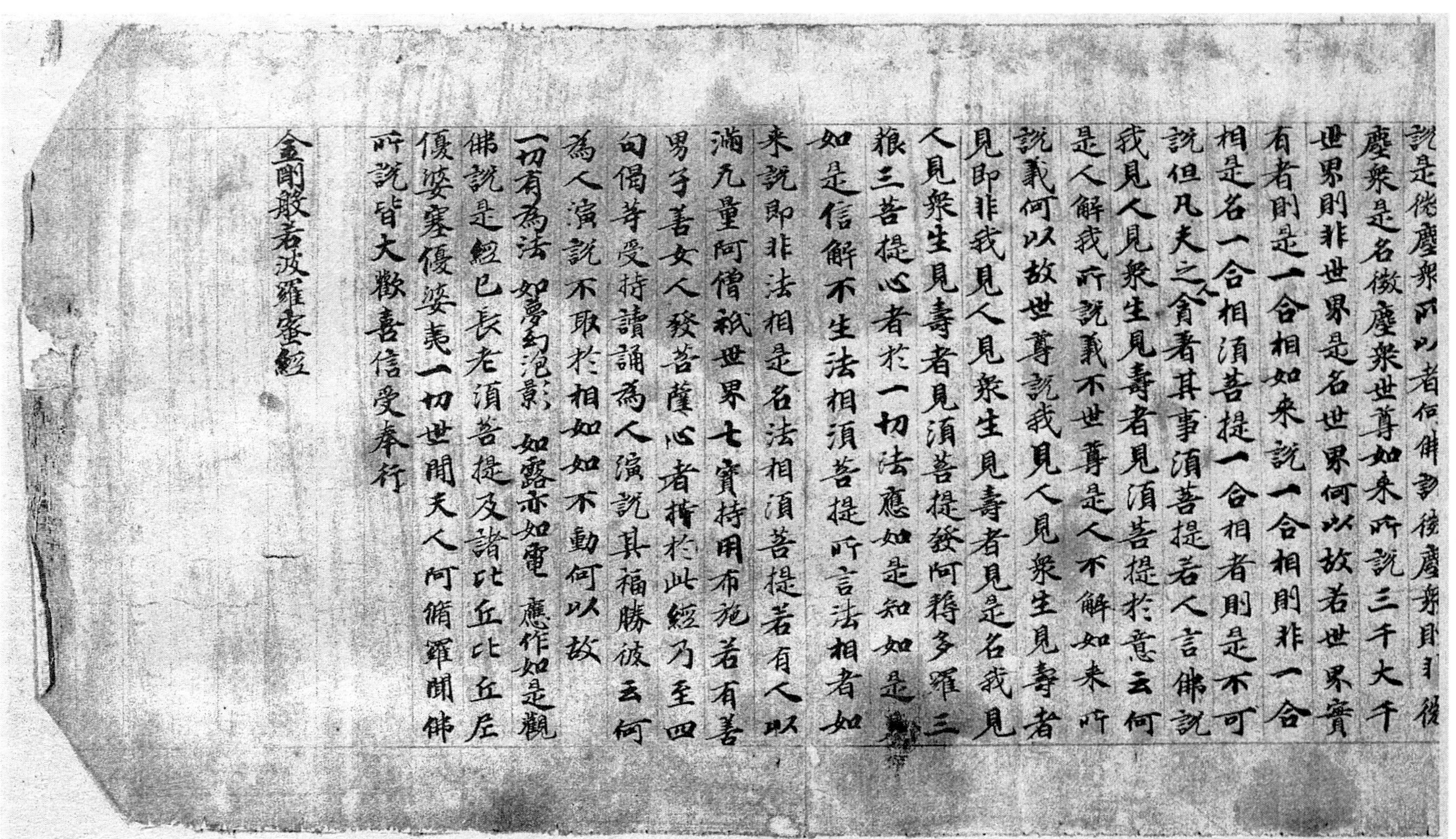

說是微塵衆所以者何佛說微塵衆則非微
塵衆是名微塵衆世尊如來所說三千大千
世界則非世界是名世界何以故若世界實
有者則是一合相如來說一合相則非一合
相是名一合相須菩提一合相者則是不可
說但凡夫之人貪著其事須菩提若人言佛說
我見人見衆生見壽者見須菩提於意云何
是人解我所說義不世尊是人不解如來所
說義何以故世尊說我見人見衆生見壽者
見即非我見人見衆生見壽者見是名我見
人見衆生見壽者見須菩提發阿耨多羅三
藐三菩提心者於一切法應如是知如是見
如是信解不生法相須菩提所言法相者如
來說即非法相是名法相須菩提若有人以
滿无量阿僧祇世界七寶持用布施若有善
男子善女人發菩薩心者持於此經乃至四
句偈等受持讀誦為人演說其福勝彼云何
為人演說不取於相如如不動何以故
一切有為法　如夢幻泡影　如露亦如電　應作如是觀
佛說是經已長老須菩提及諸比丘比丘尼
優婆塞優婆夷一切世間天人阿脩羅聞佛
所說皆大歡喜信受奉行
金剛般若波羅蜜經

BD00664號　金剛般若波羅蜜經　（13–13）

剩兩行究

多靜慮波羅蜜多般若波羅蜜多施設可得
由此般若波羅蜜多秘密藏中所說法故世
間便有內空外空內外空空空大空勝義空
有為空无為空畢竟空无際空散空无變異
空本性空自相空共相空一切法空不可得
空无性空自性空无性自性空施設可得由
此般若波羅蜜多秘密藏中所說法故世間
便有真如法界法性不虛妄性不變異性平
等性離生性法定法住實際虛空界不思議
界施設可得由此般若波羅蜜多秘密藏中
所說法故世間便有苦聖諦集聖諦滅聖諦
道聖諦施設可得由此般若波羅蜜多秘密
藏中所說法故世間便有四靜慮四无量四无
色定施設可得由此般若波羅蜜多秘密藏
中所說法故世間便有四靜慮四无量四无
色定施設可得由此般若波羅蜜多秘密
藏中所說法故世間便有八解脫八勝處九
次第定十遍處施設可得由此般若波羅蜜
多秘密藏中所說法故世間便有四念住四
正斷四神足五根五力七等覺支八聖道支
[illegible]波羅蜜多秘密藏中所

BD00665號　大般若波羅蜜多經（兌廢稿）卷一三〇　（2–1）

剩兩行兌

此般若波羅蜜多秘密藏中所説法故世間
便有真如法界法性不虛妄性不變異性平
等性離生性法定法住實際虛空界不思議
界施設可得由此般若波羅蜜多秘密藏中
所説法故世間便有苦聖諦集聖諦滅聖諦
道聖諦施設可得由此般若波羅蜜多秘密
藏中所説法故世間便有四靜慮四无量四无
色定施設可得由此般若波羅蜜多秘密藏
中所説法故世間便有四靜慮四无量四无
色定施設可得由此般若波羅蜜多秘密
藏中所説法故世間便有八解脫八勝處九
次第定十遍處施設可得由此般若波羅蜜
多秘密藏中所説法故世間便有四念住四
正斷四神足五根五力七等覺支八聖道支
施設可得由此般若波羅蜜多秘密藏中所
説法故世間便有空解脫門无相解脫門无
願解脫門施設可得由此般若波羅蜜多秘
密藏中所説法故世間便有五眼六神通施
設可得由此般若波羅蜜多秘密藏中所説
法故世間便有佛十力四无所畏四无礙解大
慈大悲大喜大捨十八佛不共法施設可
得由此般若波羅蜜多秘密藏中所説法故

BD00665 號　大般若波羅蜜多經（兌廢稿）卷一三〇　（2–2）

BD00666 號 A　題記　（1–1）

大般若波羅蜜多經卷第二百卅二
初分難信解品第卅四之五十一　三藏法師玄奘奉　詔譯
復次善現無相解脫門清淨故色清淨色清
淨故一切智智清淨何以故若無相解脫門
清淨若色清淨若一切智智清淨無二無二
分無別無斷故無相解脫門清淨故受想行
識清淨受想行識清淨故一切智智清淨何
以故若无相解脫門清淨若受想行識清淨
若一切智智清淨无二无二分无別無斷故
善現無相解脫門清淨故眼處清淨眼處
清淨故一切智智清淨何以故若无相解脫
門清淨若眼處清淨若一切智智清淨无二
无二分无別无斷故无相解脫門清淨故耳
鼻舌身意處清淨耳鼻舌身意處清淨故
耳鼻舌身意處清淨若一切智智清淨无二无
二分无別无斷故善現无相解脫門清淨故
色處清淨色處清淨故一切智智清淨何以
故若无相解脫門清淨若色處清淨若一切
智智清淨无二無二分无別无斷故無相解
脫門清淨故聲香味觸法處清淨聲香味觸

BD00666 號 A　大般若波羅蜜多經卷二三二　（2–1）

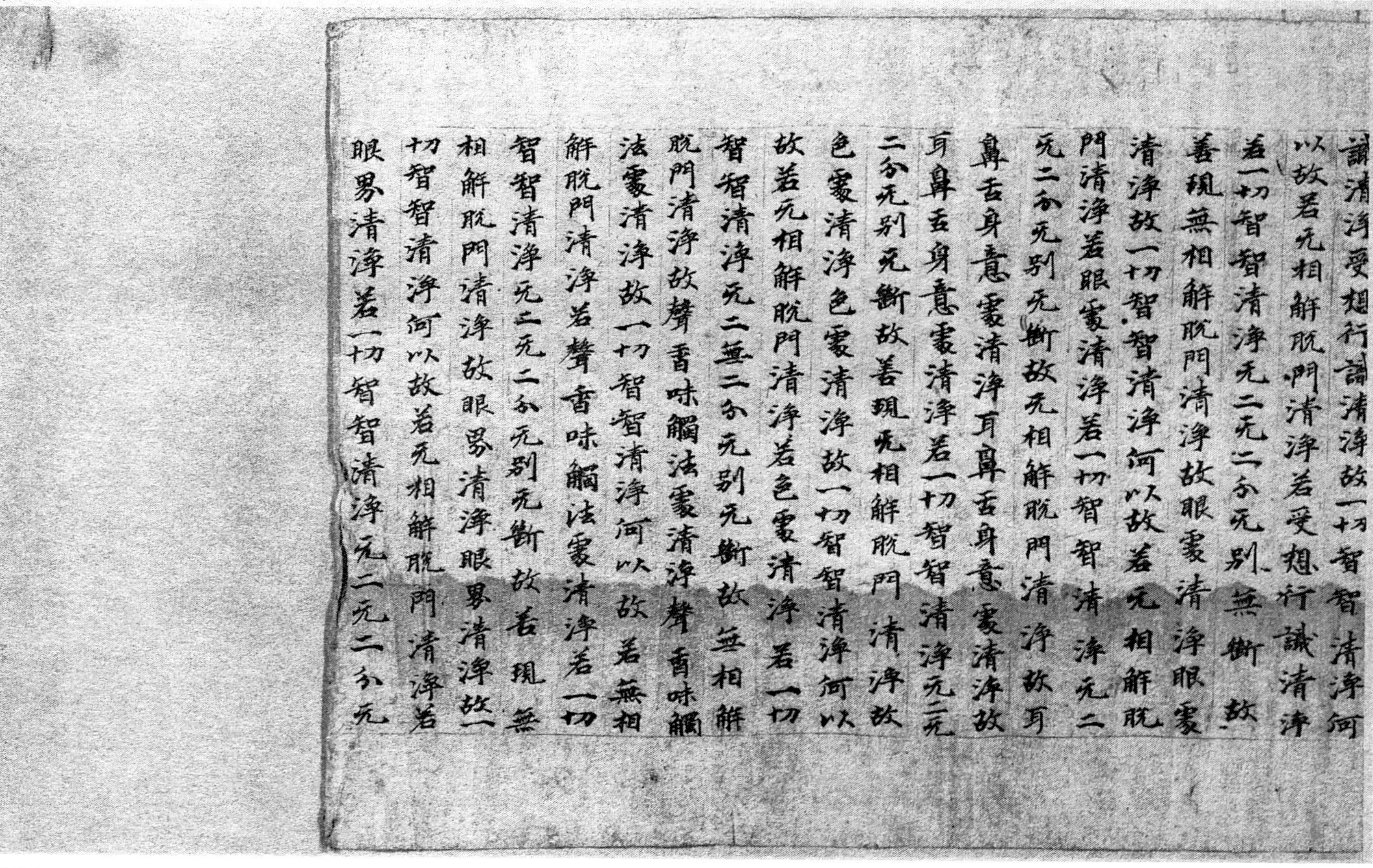
識清淨受想行識清淨故一切智智清淨何
以故若无相解脫門清淨若受想行識清淨
若一切智智清淨无二无二分无別無斷故
善現無相解脫門清淨故眼處清淨眼處
清淨故一切智智清淨何以故若无相解脫
門清淨若眼處清淨若一切智智清淨无二
无二分无別无斷故无相解脫門清淨故耳
鼻舌身意處清淨耳鼻舌身意處清淨故
耳鼻舌身意處清淨若一切智智清淨无二无
二分无別无斷故善現无相解脫門清淨故
色處清淨色處清淨故一切智智清淨何以
故若无相解脫門清淨若色處清淨若一切
智智清淨无二無二分无別无斷故無相解
脫門清淨故聲香味觸法處清淨聲香味觸
法處清淨故一切智智清淨何以故若無相
解脫門清淨若聲香味觸法處清淨若一切
智智清淨无二无二分无別无斷故善現無
相解脫門清淨故眼界清淨眼界清淨故一
切智智清淨何以故若无相解脫門清淨若
眼界清淨若一切智智清淨无二无二分无

BD00666 號 A　大般若波羅蜜多經卷二三二　（2–2）

如是不可思量須菩提菩薩但應如所教住
須菩提於意云何可以身相見如来不不也
世尊不可以身相得見如来何以故如来所
說身相即非身相佛告須菩提凡所有相
皆是虛妄若見諸相非相則見如来
須菩提白佛言世尊頗有衆生得聞如是言
說章句生實信不佛告須菩提莫作是說如
来滅後後五百歲有持戒脩福者於此章
句能生信心以此為實當知是人不於一佛二
佛三四五佛而種善根已於无量千万佛所
種諸善根聞是章句乃至一念生淨信者
須菩提如来悉知悉見是諸衆生得如是无
量福德何以故是諸衆生无復我相人相衆
生相壽者相无法相亦无非法相何以故是諸
法相即著我人衆生壽者何以故若取

BD00666 號 B　金剛般若波羅蜜經（兌廢稿）　　（2–1）

来滅後後五百歲有持戒脩福者於此章
句能生信心以此為實當知是人不於一佛二
佛三四五佛而種善根已於无量千万佛所
種諸善根聞是章句乃至一念生淨信者
須菩提如来悉知悉見是諸衆生得如是无
量福德何以故是諸衆生无復我相人相衆
生相壽者相无法相亦无非法相何以故是諸
法相即著我人衆生壽者何以故若取

BD00666 號 B　金剛般若波羅蜜經（兌廢稿）　　（2–2）

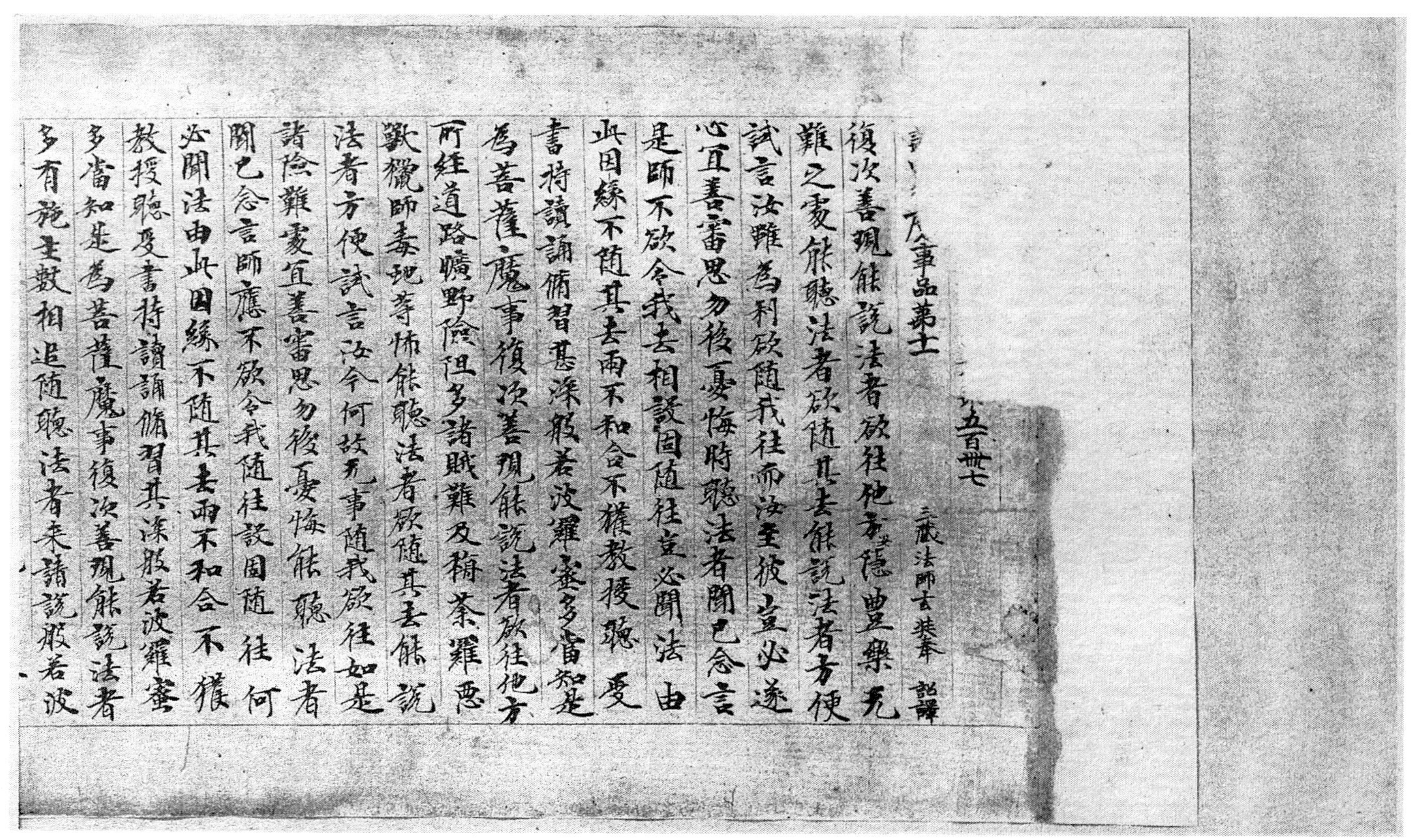

……五百卌七

三藏法師玄奘奉　詔譯

……魔事品第十一

復次善現能說法者欲往他方安隱豐樂无
難之處能聽法者欲隨其去能說法者方便
試言汝雖為利欲隨我往而汝至彼豈必遂
心宜善審思勿後憂悔時聽法者聞已念言
是師不欲令我去相試因隨往豈必聞法由
此因緣不隨其去兩不和合不獲教授聽受
書持讀誦脩習甚深般若波羅蜜多當知是
為菩薩魔事復次善現能說法者欲往他方
所經道路曠野險阻多諸賊難及栴荼羅惡
獸獵師毒虵等怖能聽法者欲隨其去能說
法者方便試言汝今何故无事隨我欲往如是
諸險難處宜善審思勿後憂悔能聽法者
聞已念言師應不欲令我隨往設固隨往何
必聞法由此因緣不隨其去兩不和合不獲
教授聽受書持讀誦脩習甚深般若波羅蜜
多當知是為菩薩魔事復次善現能說法者
多有施主數相追隨聽法者來請說般若波

BD00667號　大般若波羅蜜多經卷五四七　（22–1）

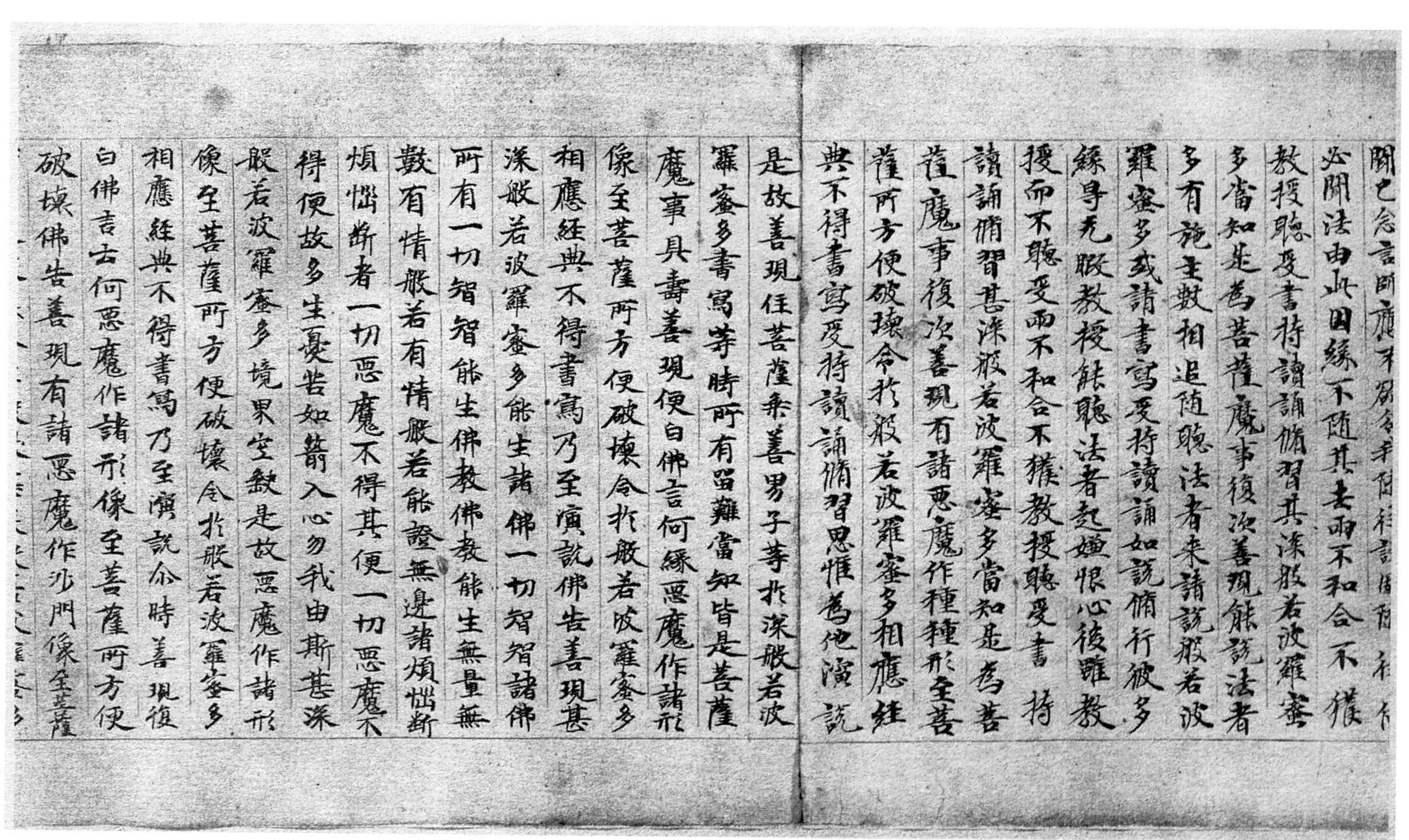

聞已念言師應不欲令我隨往設固隨往何
必聞法由此因緣不隨其去兩不和合不獲
教授聽受書持讀誦脩習甚深般若波羅蜜
多當知是為菩薩魔事復次善現能說法者
多有施主數相追隨聽法者來請說般若波
羅蜜多或請書寫受持讀誦如說脩行彼多
緣導无暇教授能聽法者起嫌恨心後雖教
授而不聽受兩不和合不獲教授聽受書持
讀誦脩習甚深般若波羅蜜多當知是為菩
薩魔事復次善現有諸惡魔作種種形至菩
薩所方便破壞令於般若波羅蜜多相應經
典不得書寫受持讀誦脩習思惟為他演說
是故善現住菩薩乘善男子等於深般若波
羅蜜多書寫等時所有留難當知皆是菩薩
魔事具壽善現便白佛言何緣惡魔作諸形
像至菩薩所方便破壞令於般若波羅蜜多
相應經典不得書寫乃至演說佛告善現甚
深般若波羅蜜多能生諸佛一切智智諸佛
所有一切智智能生佛教佛教能生無量無
數有情般若有情般若能證無邊諸煩惱斷
煩惱斷者一切惡魔不得其便一切惡魔不
得便故多生憂苦如箭入心勿我由斯甚深
般若波羅蜜多境界空缺是故惡魔作諸形
像至菩薩所方便破壞令於般若波羅蜜多
相應經典不得書寫乃至演說尒時善現復
白佛言云何惡魔作諸形像至菩薩所方便
破壞佛告善現有諸惡魔作沙門像至菩薩

BD00667號　大般若波羅蜜多經卷五四七　（22–2）

像至菩薩所方便破壞令於般若波羅蜜多
相應經典不得書寫乃至演說介時善現復
白佛言云何惡魔作諸形像至菩薩所方便
破壞佛告善現有諸惡魔作沙門像至菩薩
所方便破壞令其毀猒甚深般若波羅蜜多
謂作是言汝所習誦無相經典非真般若波
羅蜜多我所習誦有相經典是真般若波羅
蜜多作是語時有諸菩薩未得受記新學大
乘智慧狹劣便於般若波羅蜜多相應經
典心生疑惑由疑惑故便於般若波羅蜜多而
生毀猒由毀猒故遂不書寫受持讀誦脩習
思惟為他演說甚深般若波羅蜜多當知是
為菩薩魔事復次善現有諸惡魔作苾芻像
至菩薩所語菩薩言若諸菩薩行深般若波
羅蜜多唯證實際得預流果乃至或得獨覺
菩提終不能證無上佛果何緣於此虛設劬
勞菩薩既聞便不書寫受持讀誦脩習思惟
為他演說甚深般若波羅蜜多當知是為菩
薩魔事如是善現甚深般若波羅蜜多書寫
等時多諸魔事菩薩應覺已精勤正念正
知方便遠離具壽善現便白佛言如是世尊
如是善逝甚深般若波羅蜜多書寫等時多
諸魔事譬如無價大寶神珠雖有勝能而多
怨賊如是般若波羅蜜多雖有勝德而多留
難任菩薩乘善男子等少福德故書寫等 時
有諸惡魔為作留難雖有樂欲而不能成所

諸魔事譬如無價大寶神珠雖有勝能而多
怨賊如是般若波羅蜜多雖有勝德而多留
難任菩薩乘善男子等少福德故書寫等 時
有諸惡魔為作留難雖有樂欲而不能成所
以者何有愚癡者為魔所惑任菩薩乘善男
子等於深般若波羅蜜多書寫等時為作留
難世尊彼愚癡者覺慧微昧不能思議廣
大佛法自於般若波羅蜜多不能書寫受持讀
誦脩習思惟聽聞演說復樂鄣他書寫等事
佛告善現如是如是如汝所說有愚癡人為
魔所使未種善根福慧薄劣未於佛所發弘
誓願未為善友之所攝受自於般若波羅蜜
多不能書寫乃至演說新學大乘善男子等
於深般若波羅蜜多書寫等時為作留難於
當來世有善男子善女人等福慧薄劣善根
微少於諸如來廣大功德心不欣樂自於般若
波羅蜜多不能書寫受持讀誦脩習思惟聽
聞演說復樂鄣他書寫等事當知彼類獲罪
無邊復次善現有菩薩乘善男子等於深般
若波羅蜜多書寫等時多有魔事為作留難
令書寫等皆不得成由此不能圓滿功德善
根未熟福慧少故有菩薩乘善男子等於深
般若波羅蜜多書寫等時若無魔事當知
皆是諸佛神力慈悲護念所以者何惡魔眷
屬雖勤方便欲滅般若波羅蜜多諸佛世尊
亦勤方便慈悲護念令菩薩乘善男子等於
深般若波羅蜜多書寫等時無諸留難速證

皆是諸佛神力慈悲護念所以者何惡魔眷
屬雖勤方便欲滅般若波羅蜜多諸佛世尊
亦勤方便慈悲護念令菩薩乘善男子等於
深般若波羅蜜多書寫等時無諸留難速證
無上正等菩提
第四分現世間品第十二
復次善現譬如女人多有諸子或五或十或二
十三十四十五十若百若千其母得病諸子
各別勤求醫藥咸作是念云何令我母病除
愈命無留難身名不滅久住安樂苦受不生
諸妙樂具咸歸我母所以者何生育我等亦
世間事甚大艱辛作是念已競設方便求安
隱事覆護母身勿為蚊虻蛇蠍風雨人非人
等非愛所觸勤加脩飾令離眾病六根清淨
無諸憂苦又以種種上妙樂具供養恭敬而
作是言我母慈悲生育我等誨示一切世間
事業我等豈得不報母恩如是如來應正等
覺常以種種善巧方便護念般若波羅蜜多
若菩薩乘善男子等能於般若波羅蜜多書
寫受持讀誦脩習思惟演說無懈倦者如來
亦以種種方便勤加護念令無損惱十方現
在餘世界中一切如來應正等覺哀愍利樂
諸有情者亦以種種善巧方便護念般若波
羅蜜多令諸惡魔不能毀滅久住利樂一切
世間如是如來應正等覺皆以種種善巧方
便護持般若波羅蜜多所以者何甚深般若
波羅蜜多能生如來應正等覺能正顯了一

BD00667 號　大般若波羅蜜多經卷五四七　（22–5）

羅蜜多令諸惡魔不能毀滅久住利樂一切
世間如是如來應正等覺皆以種種善巧方
便護持般若波羅蜜多所以者何甚深般若
波羅蜜多能生如來應正等覺能正顯了一
切智智能示世間諸法實相一切智智亦從
彼生善現當知一切過去未來現在諸佛世
尊皆依如是甚深般若波羅蜜多精勤脩學
證得無上正等菩提我昔亦依甚深般若波
羅蜜多精勤脩學證得無上正等菩提是故
般若波羅蜜多能生如來應正等覺能正顯
了一切智智能示世間諸法實相爾時善現
便白佛言云何般若波羅蜜多能生如來應
正等覺能示世間諸法實相佛告善現甚深
般若波羅蜜多能生如來一切智智及餘功
德故說般若波羅蜜多能生如來應正等覺
能示世間諸法實相者謂能示世間五蘊實
相具壽善現復白佛言云何般若波羅蜜多
能示世間五蘊實相佛告善現甚深般若波
羅蜜多能示世間色等五蘊無變壞相故說
般若波羅蜜多能示世間諸法實相所以者
何色等五蘊無自性故說名為空無相無願
無造無作無生無滅即真法界非空等法可
有變壞故說般若波羅蜜多能示世間諸法
實相復次善現一切如來應正等覺皆依般
若波羅蜜多善能證知無量無數無邊有情
施設差別故說般若波羅蜜多能示世間諸
法實相復次善現一切如來應正等覺皆依

BD00667 號　大般若波羅蜜多經卷五四七　（22–6）

[illegible][illegible]故說般若波羅蜜多能示世間諸法
實相復次善現一切如來應正等覺皆依般
若波羅蜜多著能證知無量無數無邊有情
施設差別故說般若波羅蜜多能示世間諸
法實相復次善現一切如來應正等覺皆依
般若波羅蜜多如實證知無量數無邊有
情心行差別故說般若波羅蜜多能示世間
諸法實相復次善現一切如來應正等覺皆
依般若波羅蜜多如實證知無量無數無邊
有情自性非有故說般若波羅蜜多能示世
間諸法實相復次善現一切如來應正等覺
皆依般若波羅蜜多如實證知無量無數無
邊有情心無所住猶如虛空無所依止故說
般若波羅蜜多能示世間諸法實相復次善
現一切如來應正等覺皆依般若波羅蜜多
如實證知無量無數無邊有情所有略心盡
故離故無略心性故說般若波羅蜜多能示
世間諸法實相復次善現一切如來應正等
覺皆依般若波羅蜜多如實證知無量無數
無邊有情所有散心由法性故無散心性故
說般若波羅蜜多能示世間諸法實相復次
善現一切如來應正等覺皆依般若波羅蜜
多如實證知無量無數無邊有情諸染汙心
不可示故無染心性故說般若波羅蜜多能
示世間諸法實相復次善現一切如來應正
等覺皆依般若波羅蜜多如實證知無量無
數無邊有情不染汙心本性淨故无雜染性故

BD00667號　大般若波羅蜜多經卷五四七　（22-7）

不可示故無染心性故說般若波羅蜜多能
示世間諸法實相復次善現一切如來應正
等覺皆依般若波羅蜜多如實證知無量無
數無邊有情不染汙心本性淨故无雜染性故
說般若波羅蜜多能示世間諸法實相復次
善現一切如來應正等覺皆依般若波羅蜜
多如實證知无量无數无邊有情所有下心
不可隱故無下心性故說般若波羅蜜多能
示世間諸法實相復次善現一切如來應正
等覺皆依般若波羅蜜多如實證知无量无
數无邊有情所有舉心不可策故无舉心性
故說般若波羅蜜多能示世間諸法實相復
次善現一切如來應正等覺皆依般若波羅
蜜多如實證知无量无數无邊有情諸有漏
心无自性故无分別故无有漏性故說般若
波羅蜜多能示世間諸法實相復次善現一
切如來應正等覺皆依般若波羅蜜多如實
證知无量无數无邊有情諸无漏心无自性
故无發覺故非无漏性故說般若波羅蜜多
能示世間諸法實相復次善現一切如來應
正等覺皆依般若波羅蜜多如實證知无量
無數无邊有情諸有貪心如實之性非有貪
心故說般若波羅蜜多能示世間諸法實相
復次善現一切如來應正等覺皆依般若波
羅蜜多如實證知无量无數无邊有情諸離
貪心如實之性非離貪心故說般若波羅蜜

BD00667號　大般若波羅蜜多經卷五四七　（22-8）

心故說般若波羅蜜多能示世間諸法實相
復次善現一切如來應正等覺皆依般若波
羅蜜多如實證知无量无數无邊有情諸離
貪心如實之性非離貪心故說般若波羅蜜
多能示世間諸法實相復次善現一切如來
應正等覺皆依般若波羅蜜多實證知无
量无數无邊有情諸有瞋心如實之性非有
瞋心故說般若波羅蜜多能示世間諸法實
相復次善現一切如來應正等覺皆依般若
波羅蜜多如實證知無量无數无邊有情諸
離瞋心如實之性非離瞋心故說般若波羅
蜜多能示世間諸法實相復次善現一切如
來應正等覺皆依般若波羅蜜多如實證知
无量无數无邊有情諸有癡心如實之性非
有癡心故說般若波羅蜜多能示世間諸法
實相復次善現一切如來應正覺皆依般
若波羅蜜多如實證知无量无數无邊有
情諸離癡心如實之性非離癡心故說般若波
羅蜜多能示世間諸法實相復次善現一切
如來應正等覺皆依般若波羅蜜多如實證
知无量无數无邊有情所有小心无來无去
亦无繫屬无小心性故說般若波羅蜜多能
示世間諸法實相復次善現一切如來應正
等覺皆依般若波羅蜜多如實證知无量无
數无邊有情所有大心自性平等稱平等性
无大心性故說般若波羅蜜多能示世間諸
法實相復次善現一切如來應正等覺皆依

BD00667 號　大般若波羅蜜多經卷五四七　（22–9）

示世間諸法實相復次善現一切如來應正
等覺皆依般若波羅蜜多如實證知无量无
數无邊有情所有大心自性平等稱平等性
无大心性故說般若波羅蜜多能示世間諸
法實相復次善現一切如來應正等覺皆依
般若波羅蜜多如實證知无量无數无邊有
情所有狹心无起方便无所繫屬无狹心性
故說般若波羅蜜多能示世間諸法實相復
次善現一切如來應正等覺皆依般若波羅
蜜多如實證知无量无數无邊有情所有
廣心无增无減亦非遠離已遠離故无廣心性故
說般若波羅蜜多能示世間諸法實相復次
善現一切如來應正等覺皆依般若波羅蜜
多如實證知无量无數无邊有情諸有量心
自性空故非有量性故說般若波羅蜜多能
示世間諸法實相復次善現一切如來應正
等覺皆依般若波羅蜜多如實證知无量无
數无邊有情諸无量心无生无滅无住无異
无所依止如太虛空非无量心故說般若波
羅蜜多能示世間諸法實相復次善現一切
如來應正等覺皆依般若波羅蜜多如實證
知无量无數无邊有情諸有見心自性平等
故三眼不行故非有見心故說般若波羅蜜
多能示世間諸法實相復次善現一切如來
應正等覺皆依般若波羅蜜多如實證知无
量无數无邊有情諸无見心无相可得故離
種種境故非无見心故說般若波羅蜜多能

BD00667 號　大般若波羅蜜多經卷五四七　（22–10）

多能示世間諸法實相復次善現一切如來
應正等覺皆依般若波羅蜜多如實證知无
量无數无邊有情諸无見心无相可得故離
種種境故非无見心故說般若波羅蜜多能
示世間諸法實相復次善現一切如來應正
等覺皆依般若波羅蜜多如實證知无量无
數无邊有情諸有對心虛妄分別於所緣境
不自在故非有對心故說般若波羅蜜多能
示世間諸法實相復次善現一切如來應正
等覺皆依般若波羅蜜多如實證知无量无
數无邊有情諸无對心如實無盡亦无生起
非无對心故說般若波羅蜜多能示世間諸
法實相復次善現一切如來應正等覺皆依
般若波羅蜜多如實證知无量无數无邊有
情諸有上心如實之性无所思慮非有上心
故說般若波羅蜜多能示世間諸法實相復
次善現一切如來應正等覺皆依般若波羅
蜜多如實證知无量无數无邊有情諸无上
心離諸戲論少分心性亦不可得非无上心
故說般若波羅蜜多能示世間諸法實相復
次善現一切如來應正等覺皆依般若波羅
蜜多如實證知无量无數无邊有情諸不定
心如實之性无等等故非不定心故說般若
波羅蜜多能示世間諸法實相復次善現一
切如來應正等覺皆依般若波羅蜜多如實
證知无量无數无邊有情所有定心如實之
性平等平等猶若虛空无之心性故說般若

心如實之性无等等故非不定心故說般若
波羅蜜多能示世間諸法實相復次善現一
切如來應正等覺皆依般若波羅蜜多如實
證知无量无數无邊有情所有定心如實之
性平等平等猶若虛空无定心性故說般若
波羅蜜多能示世間諸法實相復次善現一
切如來應正等覺皆依般若波羅蜜多如實
證知无量无數无邊有情不解脫心自性遠
離故无性為性故非不解脫心故說般若波
羅蜜多能示世間諸法實相復次善現一切
如來應正等覺皆依般若波羅蜜多如實證
知無量無數無邊有情諸解脫心如實之性
非心性故三世推徵皆不可得非解脫心故
說般若波羅蜜多能示世間諸法實相復次
善現一切如來應正等覺皆依般若波羅蜜
多如實證知無量無數無邊有情不可見心
無自性故不可見故非真實故越根境故不
可了故非因成故尚非慧眼天眼所取況肉
眼取以一切眼皆不能見名不可見此不可
見亦不可得故不可說不可見心故說般若
波羅蜜多能示世間諸法實相如是善現甚
深般若波羅蜜多能示如來應正等覺世間
實相
復次善現一切如來應正等覺皆依般若波
羅蜜多如實證知無量無數無邊有情若出
若沒善現云何一切如來應正等覺皆依般
若波羅蜜多如實證知無量無數無邊有情

復次善現一切如來應正等覺皆依般若波
羅蜜多如實證知無量無數無邊有情若出
若沒善現云何一切如來應正等覺皆依般
若波羅蜜多如實證知無量無數無邊有情
若出若沒謂諸如來應正等覺皆依般若波
羅蜜多如實證知無量無數無邊有情心心
所法皆依色受想行識生如是如來應正等
覺皆依般若波羅蜜多如實證知無量無數
無邊有情若出若沒善現云何諸有情類心
心所法若出若沒皆依色受想行識生謂諸
有情心心所法或有依色受想行識執如來
死後或有或非有或亦有亦非有或非有非
非有此是諦實餘皆愚妄或有依色受想行
識執我及世間或常或無常或亦常亦無常
或非常非無常此是諦實餘皆愚妄或有依
色受想行識執我及世間或有邊或無邊或
亦有邊亦無邊或非有邊非無邊此是諦實
餘皆愚妄或有依色受想行識執命者即身
或復異身此是諦實餘皆愚妄如是善現一
切如來應正等覺皆依般若波羅蜜多如實
證知無量無數無邊有情心心所法若出若
沒皆依色受想行識生差別之相復次善現
一切如來應正等覺皆依般若波羅蜜多如
實證知無量無數無邊有情若出若沒善現
云何一切如來應正等覺皆依般若波羅蜜
多如實證知無量無數無邊有情若出若沒
謂諸如來應正等覺皆依般若波羅蜜多如

BD00667 號　大般若波羅蜜多經卷五四七　（22–13）

實證知無量無數無邊有情若出若沒善現
云何一切如來應正等覺皆依般若波羅蜜
多如實證知無量無數無邊有情若出若沒
謂諸如來應正等覺皆依般若波羅蜜多如
實知色受相行識皆如真如無二無別善現
當知如來真如即五蘊真如五蘊真如即世
間真如所以者何如世尊說依止五蘊立世
間名是故善現五蘊真如即世間真如世間
真如即預流果真如預流果真如即一來果
真如展轉乃至一切菩薩摩訶薩行真如即
諸佛無上正等菩提真如諸佛無上正等菩
提真如即一切如來應正等覺真如一切如
來應正等覺真如即一切有情真如善現當
知若一切如來應正等覺真如若一切有情
真如若一切法真如如是真如皆不相離非
一非異非一異故無盡無二亦無二分不可
分別善現當知一切如來應正等遍覺皆依
般若波羅蜜多證一切法真如究竟乃得無
上正等菩提由斯故說甚深般若波羅蜜多
能生諸佛是諸佛母能示諸佛世間實相善
現當知一切如來應正等覺皆依般若波羅
蜜多能如實覺諸法真如不虛妄性不變異
性由如實覺真如相故說名如來應正等覺
尒時善現便白佛言甚深般若波羅蜜多所
證真如不虛妄性不變異性撫為甚深難見
難覺一切如來應正等覺皆用真如顯示分
別諸佛無上正等菩提如是真如甚深甚妙誰

BD00667 號　大般若波羅蜜多經卷五四七　（22–14）

性由如實覺真如相故說名如來應正等覺
尒時善現便白佛言甚深般若波羅蜜多所
證真如不虛妄性不變異性極為甚深難見
難覺一切如來應正等覺皆用真如顯示分
別諸佛無上正等菩提如是真如甚深甚妙誰
能信解唯有不退轉菩薩摩訶薩及諸願滿
大阿羅漢并具正見善男子等聞佛說此甚
深真如能生信解如來為彼依自所證真如
之相顯示分別佛告善現如是如是如汝所
說所以者何真如無盡是故甚深唯有如來
現等正覺無盡真如甚深之相為諸菩薩摩
訶薩衆宣說開示令生信解
時天帝釋將領欲界十千天子大梵天王將
領色界二万天子俱詣佛所頂礼雙足却住
一面同白佛言如來所說諸甚深法以何為
相尒時佛告諸天子言我所說法以空無相
無願無造無生無滅無染寂滅涅槃法界為相所
以者何佛所說法無所依止譬如虛空不可
表示天子當知如來所說甚深法相不墮色
數亦不墮受想行識數不依於色亦復不依
受想行識天子當知如來所說甚深法相世
間天人阿素洛等不能安立亦不能壞何以
故世間天人阿素洛等皆是相故諸有相者
於無相相不能安立亦不能壞天子當知如
來所說甚深法相不可以手安立破壞亦不
可以所餘諸法安立破壞天子當知設有是
問誰立虛空誰復能壞作是問者為正問邪
諸天子言汝非正問何以故虛空無體無相

於無相相不能安立亦不能壞天子當知如
來所說甚深法相不可以手安立破壞亦不
可以所餘諸法安立破壞天子當知設有是
問誰立虛空誰復能壞作是問者為正問邪
諸天子言欲非正問何以故虛空無體無相
無為不可安立不可壞故尒時佛告諸天子
言如是如是如汝所說天子當知我所宣說
甚深法相亦復如是不可安立不可破壞有
佛無佛法界法尒時佛於此相如實覺知故名
如來應正等覺時諸天子復白佛言如來所
覺如是諸相極為甚深難見難覺如來現覺
如是相故於一切法無礙智轉一切如來應
正等覺住如是相分別開示甚深般若波羅
蜜多為諸有情集諸法相方便開示令於般
若波羅蜜多得無礙智甚深般若波羅蜜多
是諸如來常所行處一切來行是處故證得
無上正等菩提為諸有情分別開示尒時佛
告諸天子言如是如是如汝所說天子當知
一切法相如來如實覺為無相由此因緣我
說諸佛得無礙智無與等者尒時佛告具壽
善現甚深般若波羅蜜多是諸佛母能示世
間諸法實相是故如來應正等覺依法而住
供養恭敬尊重讚歎攝受護持所依住法此
法即是甚深般若波羅蜜多一切如來應正
等覺無不依止甚深般若波羅蜜多供養恭
敬尊重讚歎攝受護持所以者何甚深般若
波羅蜜多能生諸佛能與諸佛作依止處能
示世間諸法實相善現當知一切如來應正

供養恭敬尊重讚歎攝受護持所依住法
法即是甚深般若波羅蜜多一切如來應正
等覺無不依止甚深般若波羅蜜多供養恭
敬尊重讚歎攝受護持所以者何甚深般若
波羅蜜多能生諸佛能與諸佛作依止處能
示世間諸法實相善現當知一切如來應正
等覺是知恩者能報恩者若有問言誰是知
恩能報恩者應正答言佛是知恩能報恩者
何以故一切世間知恩報恩無過佛故具壽
善現便白佛言云何如來應正等覺知恩報
恩佛告善現一切如來應正等覺乘如是乘
行如是道來至無上正等菩提得菩提已於
一切時供養恭敬尊重讚歎攝受護持是乘
是道曾無暫廢此乘此道當知即是甚深般
若波羅蜜多是名如來應正等覺知恩報恩
復次善現一切如來應正等覺無不皆依甚
深般若波羅蜜多覺一切法無資作用以能
作者無所有故一切如來應正等覺無不皆
依甚深般若波羅蜜多覺一切法無所成辦
以諸形質不可得故善現當知以諸如來應
正等覺知依如是甚深般若波羅蜜多覺一
切法皆無作用無所成辦於一切時供養恭
敬尊重讚歎攝受護持曾無間斷故名真實
知恩報恩復次善現一切如來應正等覺無
不皆依甚深般若波羅蜜多於一切法無作
無成無生智轉復能知此無轉因緣是故應
知甚深般若波羅蜜多能生如來應正等覺
亦能如實示世間相尒時善現復白佛言如

知恩報恩復次善現一切如來應正等覺無
不皆依甚深般若波羅蜜多於一切法無作
無成無生智轉復能知此無轉因緣是故應
知甚深般若波羅蜜多能生如來應正等覺
亦能如實示世間相尒時善現便白佛言如
來常說一切法性無生無起無知無見如何
可說甚深般若波羅蜜多能生如來應正等
覺亦能如實示世間相佛告善現善哉善哉
能問如來如是深義如是如是如汝所說一
切法性無生無起無知無見依世俗說甚深
般若波羅蜜多能生如來應正等覺亦能如
實示世間相善現云何一切法性無生無起
無知無見以一切法空無所有無所依止無
所繫屬由此因緣無生無起無知無見善
現當知甚深般若波羅蜜多雖能生佛示世
間相而無所生亦無所示善現當知甚深般若
波羅蜜多不見色故名示色相不見受想行
識故名示受想行識相由如是義甚深般若
波羅蜜多能示世間諸法實相具壽善現便
白佛言云何如是甚深般若波羅蜜多不見
色故名示色相不見受相行識故名示受想
行識相佛告善現甚深般若波羅蜜多由
不緣色而起於識是為不見色故名示色相不
緣受想行識而起於識是為不見受想行識
故名示受想行識相由知是義甚深般若波
羅蜜多能示世間諸法實相復次善現甚深
般若波羅蜜多能示如來應正等覺世間

不緣色而起於諸是為不見色故名亦色相不
緣受想行識而起於識是為不見受想行識
故名亦受想行識相由知是義甚深般若波
羅蜜多能示世間諸法實相復次善現甚深
般若波羅蜜多能示如來應正等覺世間
空故世間遠離故世間清淨故世間寂靜故說
名能示世間實相何以故以空遠離清淨寂
靜是諸世間如實相故

第四分不思議等品第十三

尒時具壽善現便白佛言世尊甚深般若波
羅蜜多為大事故出現世間為不可思議事
故出現世間為不可稱量事故出現世間為
無數量事故出現世間為無等等事故出現
世間佛告善現如是如是如汝所說善現云
何甚深般若波羅蜜多為大事故出現世間
謂諸如來應正等覺皆以濟拔一切有情無
時暫捨而為大事甚深般若波羅蜜多為
此事故出現世間善現云何甚深般若波羅蜜
多為不可思議事故不可稱量事故無數量
事故無等等事故出現世間謂諸如來應正
等覺所有佛性如來性自然覺性一切智性
皆不可思議不可稱量無數量無等等甚
深般若波羅蜜多為此事故出現世間尒時善
現復白佛言為但如來應正等覺所有佛性
如來性自然覺性一切智性不可思議不可
稱量無數量無等等為色受想行識乃至一
切法亦不可思議不可稱量無數量無等等
佛告善現非但如來應正等覺所有佛性如

BD00667 號　大般若波羅蜜多經卷五四七　（22–19）

如來性自然覺性一切智性不可思議不可
稱量無數量無等等為色受想行識乃至一
切法亦不可思議不可稱量無數量無等等
佛告善現非但如來應正等覺所有佛性如
來性自然覺性一切智性不可思議不可稱
量無數量無等等色受想行識乃至一切法
亦不可思議不可稱量無數量無等等所以
者何於一切法真實性中心及心所皆不可
得善現當知諸所有色受想行識及一切法
皆不可施設故不可思議不可稱量無數量
無等等何以故如是諸法無自性故不可得
故自性空故復次善現諸所有色受想行識
及一切法皆不可得故不可思議不可稱量
無數量無等等何以故如是諸法無限量故
無所有故自性空故復次善現諸所有色受
想行識及一切法皆無限量故不可思議不
可稱量無數量無等等具壽善現便白佛言
何因緣故所有諸色受想行識及一切法皆
無限量佛告善現於意云何虛空為有心心
所法能限量不善現對曰不也世尊佛告善
現諸所有色受想行識及一切法亦復如是
自性空故心心所法不能限量由此因緣諸
所有色受想行識及一切法無限量故皆不
可思議不可稱量無數量無等等善現當
知以一切法皆不可思議不可稱量無數量無
等等故一切如來應正等覺所有佛法如來
法自然覺法一切智法亦不可思議不可稱

BD00667 號　大般若波羅蜜多經卷五四七　（22–20）

可思議不可稱量無數量無等等善現當
智以一切法皆不可思議不可稱量無數量無
等等故一切如來應正等覺所有佛法如來
法自然覺法一切智法亦不可思議不可稱
量無數量無等等善現當知如是諸法皆
不可思議思議滅故不可稱量稱量滅故無
數量數量滅故無等等等等滅故善現當
知如是諸法皆不可思議過思議故不可稱量過
稱量故無數量過數量故無等等過等等故
善現當知不可思議不可稱量無數量無等
等者但有增語都無真實善現當知不可思
議不可稱量無數量無等等者皆如虛空都
無所有由此因緣一切如來應正等覺所有
佛法如來法自然覺法一切智法皆不可思
議不可稱量無數量無等等聲聞獨覺世間
天人阿素洛等皆悉不能思議稱量數量等
等此諸法故佛說如是不可思議不可稱量
無數量無等等法時衆中有五百苾芻二千
苾芻尼不受諸漏心得解脫復有六十鄔波
索迦三十鄔波斯迦於諸法中遠塵離垢生
淨法眼復有二万菩薩摩訶薩得無生法忍
世尊記彼於賢劫中得受無上正等菩提不
退轉記即前所說鄔波索迦鄔波斯迦於諸
法中遠塵離垢生淨法眼者佛亦記彼不久
當證永盡諸漏心慧解脫

大般若波羅蜜多經卷第五百卌七

BD00667號　大般若波羅蜜多經卷五四七　（22–21）

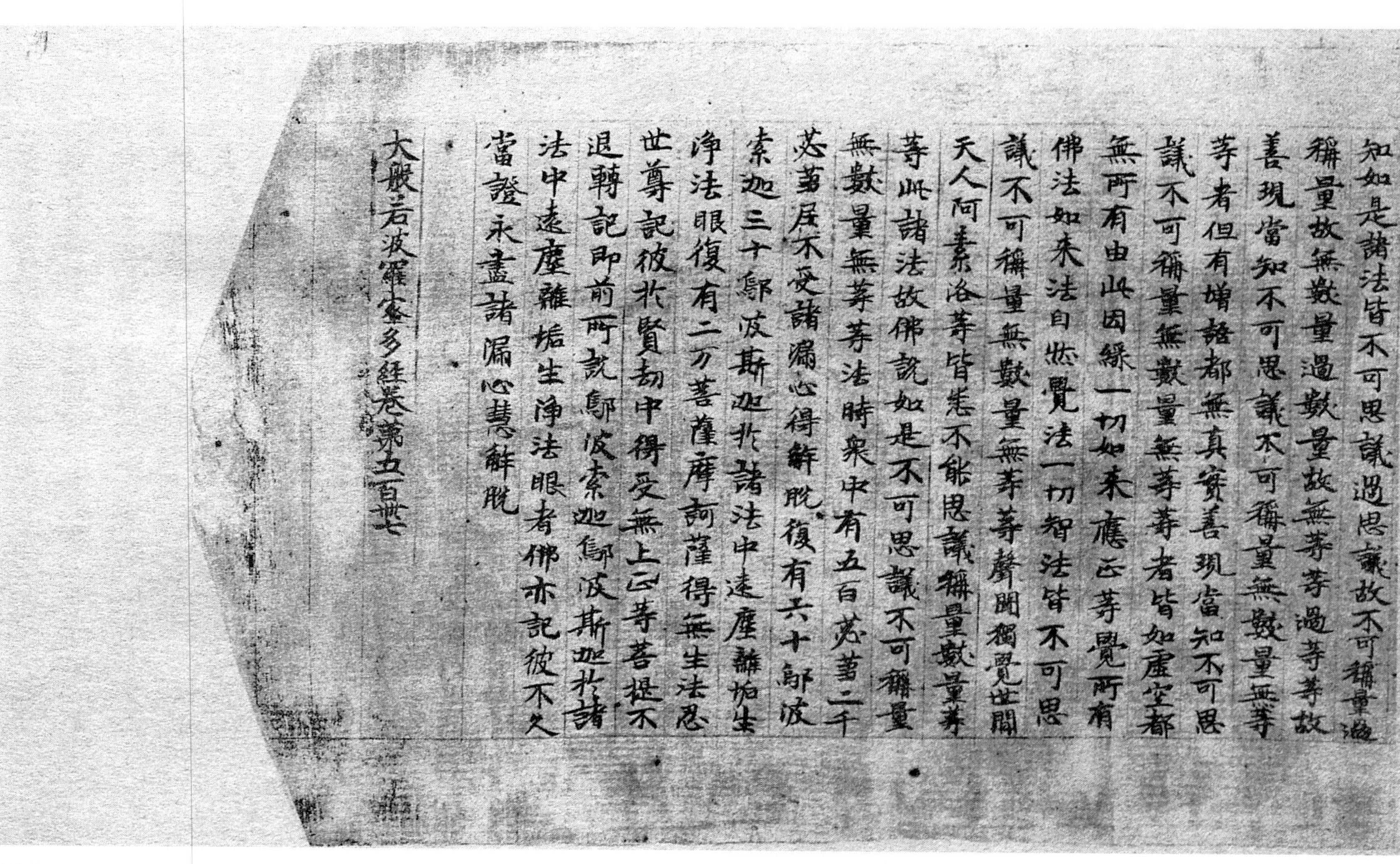

知如是諸法皆不可思議過思議故不可稱量過
稱量故無數量過數量故無等等過等等故
善現當知不可思議不可稱量無數量無等
等者但有增語都無真實善現當知不可思
議不可稱量無數量無等等者皆如虛空都
無所有由此因緣一切如來應正等覺所有
佛法如來法自然覺法一切智法皆不可思
議不可稱量無數量無等等聲聞獨覺世間
天人阿素洛等皆悉不能思議稱量數量等
等此諸法故佛說如是不可思議不可稱量
無數量無等等法時衆中有五百苾芻二千
苾芻尼不受諸漏心得解脫復有六十鄔波
索迦三十鄔波斯迦於諸法中遠塵離垢生
淨法眼復有二万菩薩摩訶薩得無生法忍
世尊記彼於賢劫中得受無上正等菩提不
退轉記即前所說鄔波索迦鄔波斯迦於諸
法中遠塵離垢生淨法眼者佛亦記彼不久
當證永盡諸漏心慧解脫

大般若波羅蜜多經卷第五百卌七

BD00667號　大般若波羅蜜多經卷五四七　（22–22）

尒時世尊說是偈已告諸大衆唱如是言我
此弟子摩訶迦葉於未來世當得奉覲三百
万億諸佛世尊供養恭敬尊重讚嘆廣宣諸
佛无量大法於冣後身得成為佛名曰光明
如來應供正遍知明行足善逝世間解无上
士調御丈夫天人師佛世尊國名光德劫名
大莊嚴佛壽十二小劫正法住世二十小劫
像法亦住二十小劫國界嚴飾无諸穢惡瓦
礫荊棘便利不淨其土平正无有高下坑坎
堆阜琉璃為地寶樹行列黃金為繩以界道
側散諸寶華周遍清淨其國菩薩无量千億
諸聲聞衆亦復无數无有魔事雖有魔及魔
民皆護佛法尒時世尊欲重宣此義而說偈
言
告諸比丘　我以佛眼　見是迦葉　於未來世
過无數劫　當得作佛　而於來世　供養奉覲
三百万億　諸佛世尊　為佛智慧　淨脩梵行

BD00668號　妙法蓮華經卷三　（16–1）

言
告諸比丘　我以佛眼　見是迦葉　於未來世
過无數劫　當得作佛　而於來世　供養奉覲
三百万億　諸佛世尊　為佛智慧　淨脩梵行
供養冣上　二足尊已　脩集一切　无上之慧
於冣後身　得成為佛　其土清淨　琉璃為地
多諸寶樹　行列道側　金繩界道　見者歡喜
常出好香　散衆名華　種種奇妙　以為莊嚴
其地平正　无有丘坑　諸菩薩衆　不可稱計
其心調柔　逮大神通　奉持諸佛　大乘經典
諸聲聞衆　无漏後身　法王之子　亦不可計
乃以天眼　不能數知　其佛當壽　十二小劫
正法住世　二十小劫　像法亦住　二十小劫
光明世尊　其事如是
尒時大目揵連須菩提摩訶迦旃延等皆悉
悚慄一心合掌瞻仰世尊目不蹔捨即共同
聲而說偈言
大雄猛世尊　諸釋之法王　哀愍我等故　而賜佛音聲
若知我深心　見為授記者　如以甘露灑　除熱得清涼
如從飢國來　忽遇大王膳　心猶懷疑懼　未敢即便食
若復得王教　然後乃敢食　我等亦如是　每惟小乘過
不知當云何　得佛无上慧　雖聞佛音聲　言我等作佛
心尚懷憂懼　如未敢便食　若蒙佛授記　尒乃快安樂
大雄猛世尊　常欲安世間　願賜我等記　如飢須教食
尒時世尊知諸大弟子心之所念告諸比丘

BD00668號　妙法蓮華經卷三　（16–2）

心尚懷憂懼　如未敢便食　若蒙佛授記　尒乃得安樂
大雄猛世尊　常欲安世間　願賜我等記　如飢須教食
尒時世尊知諸大弟子心之所念告諸比丘
是須菩提於當來世奉覲三百万億那由他
佛供養恭敬尊重讚嘆常脩梵行具菩薩道
於最後身得成為佛号曰名相如來應供正
遍知明行足善逝世間解无上士調御丈夫
天人師佛世尊劫名有寶國名寶生其土平
正頗梨為地寶樹莊嚴无諸丘坑沙礫荊蕀
便利之穢寶華覆地周遍清淨其土人民皆
處寶臺珎妙樓閣聲聞弟子无量无邊筭數
譬喻所不能知諸菩薩衆无數千万億那由
他佛壽十二小劫正法住世二十小劫像法
亦住二十小劫其佛常處虛空為衆說法度
脫无量菩薩及聲聞衆尒時世尊欲重宣此
義而說偈言
諸比丘衆　今告汝等　皆當一心　聽我所說
我大弟子　須菩提者　當得作佛　号曰名相
當供无數　万億諸佛　隨佛所行　漸具大道
最後身得　三十二相　端正姝妙　猶如寶山
其佛國土　嚴淨第一　衆生見者　无不愛樂
佛於其中　度无量衆　其佛法中　多諸菩薩
皆悉利根　轉不退輪　彼國常以　菩薩莊嚴
諸聲聞衆　不可稱數　皆得三明　具六神通
住八解脫　有大威德　其佛說法　現於无量

BD00668號　妙法蓮華經卷三　（16–3）

佛於其中　度无量衆　其佛法中　多諸菩薩
皆悉利根　轉不退輪　彼國常以　菩薩莊嚴
諸聲聞衆　不可稱數　皆得三明　具六神通
住八解脫　有大威德　其佛說法　現於无量
神通變化　不可思議　諸天人民　數如恒沙
皆共合掌　聽受佛語　其佛當壽　十二小劫
正法住世　二十小劫　像法亦住　二十小劫
尒時世尊復告諸比丘衆我今語汝是大迦
旃延於當來世以諸供具供養奉事八千億
佛恭敬尊重諸佛滅後各起塔廟高千由旬
縱廣正等五百由旬皆以金銀琉璃車𤦲馬
瑙真珠玫瑰七寶合成衆華瓔珞塗香末香
燒香繒蓋幢幡供養塔廟過是已後當復供
養二万億佛亦復如是供養是諸佛已具菩
薩道當得作佛号曰閻浮那提金光如來應
供正遍知明行足善逝世間解无上士調御丈
夫天人師佛世尊其土平正頗梨為地寶樹
莊嚴黃金為繩以界道側妙華覆地周遍清
淨見者歡喜无四惡道地獄餓鬼畜生阿脩
羅道多有天人諸聲聞衆及諸菩薩无量
万億莊嚴其國佛壽十二小劫正法住世二
十小劫像法亦住二十小劫尒時世尊欲重
宣此義而說偈言
諸比丘衆　皆一心聽　如我所說　真實无異
是迦旃延　當以種種　妙好供具　供養諸佛

BD00668號　妙法蓮華經卷三　（16–4）

宣此義而說偈言
諸比丘衆　皆一心聽　如我所說　真實无異
是迦旃延　當以種種　妙好供具　供養諸佛
諸佛滅後　起七寶塔　亦以華香　供養舍利
其冣後身　得佛智慧　成等正覺　國土清淨
度脫无量　万億衆生　皆為十方　之所供養
佛之光明　无能勝者　其佛号曰　閻浮金光
菩薩聲聞　斷一切有　无量无數　莊嚴其國
尒時世尊復告大衆我今語汝是大目揵連
當以種種供具供養八千諸佛恭敬尊重諸
佛滅後各起塔廟高千由旬縱廣正等五百
由旬以金銀琉璃車𤦲馬瑙真珠玫瑰七寶
合成衆華瓔珞塗香末香燒香繒蓋幢幡以
用供養過是已後當復供養二百万億諸佛
亦復如是當得成佛号曰多摩羅跋栴檀香
如來應供正遍知明行足善逝世間解无上
士調御丈夫天人師佛世尊劫名喜滿國名
意樂其土平正頗梨為地寶樹莊嚴散真珠
華周遍清淨見者歡喜多諸天人菩薩聲聞
其數无量佛壽二十四小劫正法住世四十
小劫像法亦住四十小劫尒時世尊欲重宣
此義而說偈言
我此弟子　大目揵連　捨是身已　得見八千
二百万億　諸佛世尊　為佛道故　供養恭敬

BD00668號　妙法蓮華經卷三　（16–5）

此義而說偈言
我此弟子　大目揵連　捨是身已　得見八千
二百万億　諸佛世尊　為佛道故　供養恭敬
於諸佛所　常脩梵行　於无量劫　奉持佛法
諸佛滅後　起七寶塔　長表金刹　華香伎樂
而以供養　諸佛塔廟　漸漸具足　菩薩道已
於意樂國　而得作佛　号多摩羅　栴檀之香
其佛壽命　二十四劫　常為天人　演說佛道
聲聞无量　如恒河沙　三明六通　有大威德
菩薩无數　志固精進　於佛智慧　皆不退轉
佛滅度後　正法當住　四十小劫　像法亦尒
我諸弟子　威德具足　其數五百　皆當授記
於未來世　咸得成佛　我及汝等　宿世因緣
吾今當說　汝等善聽

妙法蓮華經化城喻品第七

佛告諸比丘乃往過去无量无邊不可思議
阿僧祇劫尒時有佛名大通智勝如來應供
正遍知明行足善逝世間解无上士調御丈
夫天人師佛世尊其國名好成劫名大相諸
比丘彼佛滅度已來甚大久遠譬如三千大
千世界所有地種假使有人磨以為墨過於
東方千國土乃下一點大如微塵又過千國
土復下一點如是展轉盡地種墨於汝等意
云何是諸國土若筭師若筭師弟子能得邊

BD00668號　妙法蓮華經卷三　（16–6）

千世界所有地種假使有人磨以為墨過於
東方千國土乃下一點大如微塵又過千國
土復下一點如是展轉盡地種墨於汝等意
云何是諸國土若筭師若筭師弟子能得邊
際知其數不不也世尊諸比丘是人所經國
土若點不點盡末為塵一塵一劫彼佛滅度
已來復過是數无量无邊百千万億阿僧祇
劫我以如來知見力故觀彼久遠猶若今日
尒時世尊欲重宣此義而說偈言
我念過去世　无量无邊劫　有佛兩足尊　名大通智勝
如人以力磨　三千大千土　盡此諸地種　皆悉以為墨
過於千國土　乃下一塵點　如是展轉點　盡此諸塵墨
如是諸國土　點與不點等　復盡末為塵　一塵為一劫
此諸微塵數　其劫復過是　彼佛滅度來　如是无量劫
如來无㝵智　知彼佛滅度　及聲聞菩薩　如見今滅度
諸比丘當知　佛智淨微妙　无漏无所㝵　通達无量劫
佛告諸比丘大通智勝佛壽五百卌万億那
由他劫其佛本坐道場破魔軍已垂得阿耨
多羅三藐三菩提而諸佛法不現在前如是
一小劫乃至十小劫結加趺坐身心不動而
諸佛法猶不在前尒時忉利諸天先為彼佛
於菩提樹下敷師子座高一由旬佛於此坐
當得阿耨多羅三藐三菩提適坐此座時諸
梵天王雨衆天華面百由旬香風時來吹去
萎華更雨新者如是不絕滿十小劫供養於

於菩提樹下敷師子座高一由旬佛於此坐
當得阿耨多羅三藐三菩提適坐此座時諸
梵天王雨衆天華面百由旬香風時來吹去
萎華更雨新者如是不絕滿十小劫供養於
佛乃至滅度常雨此華四王諸天為供養佛
常擊天鼓其餘諸天作天伎樂滿十小劫至
于滅度亦復如是諸比丘大通智勝佛過十
小劫諸佛之法乃現在前成阿耨多羅三藐
三菩提其佛未出家時有十六子其第一
者名曰智積諸子各有種種珎異玩好之具
聞父得成阿耨多羅三藐三菩提皆捨所珎
往詣佛所諸母涕泣而隨送之其祖轉輪聖
王與一百大臣及餘百千万億人民皆共圍
繞隨至道場咸欲親近大通智勝如來供養
恭敬尊重讚歎到已頭面礼足遶佛畢已一
心合掌瞻仰世尊以偈頌曰
大威德世尊　為度衆生故　於无量億歲　尒乃得成佛
諸願已具足　善哉吉无上　世尊甚希有　一坐十小劫
身體及手足　靜然安不動　其心常惔怕　未曾有散亂
究竟永寂滅　安住无漏法　今者見世尊　安隱成佛道
我等得善利　稱慶大歡喜　衆生常苦惱　盲冥无導師
不識苦盡道　不知求解脫　長夜增惡趣　減損諸天衆
從冥入於冥　永不聞佛名　今佛得㝡上　安隱无漏道
我等及天人　為得㝡大利　是故咸稽首　歸命无上尊
尒時十六王子偈讚佛已勸請世尊轉於法輪

不識苦盡道　不知求解脫　長夜增惡趣　減損諸天眾
從冥入於冥　永不聞佛名　今佛得最上　安隱无漏道
我等及天人　為得最大利　是故咸稽首　歸命无上尊
尒時十六王子偈讚佛已勸請世尊轉於法輪
咸作是言世尊說法多所安隱憐愍饒益諸
天人民重說偈言
世雄无等倫　百福自莊嚴　得无上智慧　願為世間說
度脫於我等　及諸眾生類　為分別顯示　令得是智慧
若我等得佛　眾生亦復然　世尊知眾生　深心之所念
亦知所行道　又知智慧力　欲樂及脩福　宿命所行業
世尊悉知已　當轉无上輪
佛告諸比丘大通智勝佛得阿耨多羅三藐
三菩提時十方各五百万億諸佛世界六種
震動其國中間幽冥之處日月威光所不能
照而皆大明其中眾生各得相見咸作是言
此中云何忽生眾生又其國界諸天宮殿乃
至梵宮六種震動大光普照遍滿世界勝諸
天光尒時東方五百万億諸國土中梵天宮
殿光明照曜倍於常明諸梵天王各作是念
今者宮殿光明昔所未有以何因緣而現此
相是時諸梵天王即各相詣共議此事而彼
眾中有一大梵天王名救一切為諸梵眾而
說偈言
我等諸宮殿　光明昔未有　此是何因緣　宜各共求之
為大德天生　為佛出世間　而此大光明　遍照於十方
尒時五百万億國土諸梵天王與宮殿俱各

說偈言
我等諸宮殿　光明昔未有　此是何因緣　宜各共求之
為大德天生　為佛出世間　而此大光明　遍照於十方
尒時五百万億國土諸梵天王與宮殿俱各
以衣裓盛諸天華共詣西方推尋是相見大
通智勝如來處于道場菩提樹下坐師子座
諸天龍王乾闥婆緊那羅摩睺羅伽人非人
等恭敬圍遶及見十六王子請佛轉法輪即
時諸梵天王頭面礼佛遶百千匝即以天華
而散佛上其所散華如須弥山并以供養佛
菩提樹其菩提樹高十由旬華供養已各以
宮殿奉上彼佛而作是言唯見哀愍饒益我
等所獻宮殿願垂納處時諸梵天王即於佛
前一心同聲以偈頌曰
世尊甚希有　難可得值遇　具无量功德　能救護一切
天人之大師　哀愍於世間　十方諸眾生　普皆蒙饒益
我等所從來　五百万億國　捨深禪定樂　為供養佛故
我等先世福　宮殿甚嚴飾　今以奉世尊　唯願哀納受
尒時諸梵天王偈讚佛已各作是言唯願世
尊轉於法輪度脫眾生開涅槃道時諸梵天
王一心同聲而說偈言
世雄兩足尊　唯願演說法　以大慈悲力　度苦惱眾生
尒時大通智勝如來默然許之又諸比丘東
南方五百万億國土諸大梵王各自見宮殿
光明照曜昔所未有歡喜踊躍生希有心即

王一心同聲而說偈言
世雄兩足尊　唯願演説法　以大慈悲力　度苦惱衆生
尒時大通智勝如来黙然許之又諸比丘東
南方五百万億國土諸大梵王各自見宮殿
光明照曜昔所未有歡喜踊躍生希有心即
各相詣共議此事而彼衆中有一大梵天王
名曰大悲為諸梵衆而説偈言
是事何因緣　而現如此相　我等諸宮殿　光明昔未有
為大德天生　為佛出世間　未曾見此相　當共一心求
過千万億土　尋光共推之　多是佛出世　度脱苦衆生
尒時五百万億諸梵天王與宮殿俱各以衣
裓盛諸天華共詣西北方推尋是相見大通
智勝如来處于道場菩提樹下坐師子座諸
天龍王乾闥婆緊那羅摩睺羅伽人非人等
恭敬圍遶及見十六王子請佛轉法輪時諸
梵天王頭面礼佛遶百千迊即以天華而散
佛上所散之華如須弥山并以供養佛菩提
樹華供養已各以宮殿奉上彼佛而作是言
唯見哀愍饒益我等所獻宮殿願垂納處尒
時諸梵天王即於佛前一心同聲以偈頌曰
聖主天中天　迦陵頻伽聲　哀愍衆生者　我等今敬礼
世尊甚希有　久遠乃一現　一百八十劫　空過无有佛
三惡道充滿　諸天衆減少　今佛出於世　為衆生作眼
世間所歸趣　救護於一切　為衆生之父　哀愍饒益者
我等宿福慶　今得值世尊
尒時諸梵天王偈讚佛已各作是言唯願世

世尊甚希有　久遠乃一現　一百八十劫　空過无有佛
三惡道充滿　諸天衆減少　今佛出於世　為衆生作眼
世間所歸趣　救護於一切　為衆生之父　哀愍饒益者
我等宿福慶　今得值世尊
尒時諸梵天王偈讚佛已各作是言唯願世
尊哀愍一切轉於法輪度脱衆生時諸梵天
王一心同聲而説偈言
大聖轉法輪　顯示諸法相　度苦惱衆生　令得大歡喜
衆生聞是法　得道若生天　諸惡道減少　忍善者增益
尒時大通智勝如来黙然許之又諸比丘南
方五百万億國土諸大梵王各自見宮殿光
明照曜昔所未有歡喜踊躍生希有心即各
相詣共議此事以何因緣我等宮殿有此光
曜而彼衆中有一大梵天王名曰妙法為諸
梵衆而説偈言
我等諸宮殿　光明甚威曜　此非无因緣　是相宜求之
過於百千劫　未曾見此相　為大德天生　為佛出世間
尒時五百万億諸梵天王與宮殿俱各以衣
裓盛諸天華共詣北方推尋是相見大通智
勝如来處于道場菩提樹下坐師子座諸天
龍王乾闥婆緊那羅摩睺羅伽人非人等恭
敬圍遶及見十六王子請佛轉法輪時諸梵
天王頭面礼佛遶百千迊即以天華而散佛
上所散之華如須弥山并以供養佛菩提樹
華供養已各以宮殿奉上彼佛而作是言唯
見哀愍饒益我等所獻宮殿願垂納處尒時

敬圍遶[illegible]
天王頭面礼佛遶百千迊即以天華而散佛
上所散之華如須弥山并以供養佛菩提樹
華供養已各以宮殿奉上彼佛而作是言唯
見哀愍饒益我等所獻宮殿願垂納處時
諸梵天王即於佛前一心同聲以偈頌曰
世尊甚難值 破諸煩惱者 過百三十劫 今乃得一見
諸飢渴衆生 以法雨充滿 昔所未曾覩 无量智慧者
如優曇波羅 今日乃值遇 我等諸宮殿 蒙光故嚴飾
世尊大慈愍 唯願垂納受
尒時諸梵天王偈讚佛已各作是言唯願世
尊轉於法輪令一切世間諸天魔梵沙門婆
羅門皆獲安隱而得度脫時諸梵天王一心同
聲以偈頌曰
唯願天人尊 轉无上法輪 擊于大法鼓 而吹大法螺
普雨大法雨 度无量衆生 我等咸歸請 當演深遠音
尒時大通智勝如來黙然許之西南方乃至下
方亦復如是
尒時上方五百万億國土諸大梵王皆悉自
覩所止宮殿光明威曜昔所未有歡喜踊躍
生希有心即各相詣共議此事以何因緣我
等宮殿有斯光明而彼衆中有一大梵天王
名曰尸棄為諸梵衆而說偈言
今以何因緣 我等諸宮殿 威德光明曜 嚴飾未曾有
如是之妙相 昔所不聞見 為大德天生 為佛出世間
尒時五百万億諸梵天王與宮殿俱各以衣

BD00668號　妙法蓮華經卷三　（16–13）

等宮殿有斯光明而彼衆中有一大梵天王
名曰尸棄為諸梵衆而說偈言
今以何因緣 我等諸宮殿 威德光明曜 嚴飾未曾有
如是之妙相 昔所不聞見 為大德天生 為佛出世間
尒時五百万億諸梵天王與宮殿俱各以衣
裓盛諸天華共詣下方推尋此相見大通智
勝如來處于道場菩提樹下坐師子座諸天
龍王乾闥婆緊那羅摩睺羅伽人非人等恭
敬圍遶及見十六王子請佛轉法輪時諸梵
天王頭面礼佛遶百千迊即以天華而散佛
上所散之華如須弥山并以供養佛菩提樹
華供養已各以宮殿奉上彼佛而作是言唯
見哀愍饒益我等所獻宮殿願垂納處時諸
梵天王即於佛前一心同聲以偈頌曰
善哉見諸佛 救世之聖尊 能於三界獄 勉出諸衆生
普智天人尊 哀愍群萌類 能開甘露門 廣度於一切
於昔无量劫 空過无有佛 世尊未出時 十方常闇冥
三惡道增長 阿脩羅亦盛 諸天衆轉減 死多墮惡道
不從佛聞法 常行不善事 色力及智慧 斯等皆減少
罪業因緣故 失樂及樂想 住於邪見法 不識善儀則
不蒙佛所化 常墮於惡道 佛為世間眼 久遠時乃出
哀愍諸衆生 故現於世間 超出成正覺 我等甚欣慶
及餘一切衆 喜歎未曾有 我等諸宮殿 蒙光故嚴飾
今以奉世尊 唯垂哀納受 願以此功德 普及於一切
我等與衆生 皆共成佛道

BD00668號　妙法蓮華經卷三　（16–14）

哀愍諸衆生　故現於世間　超出成正覺　我等甚欣慶
及餘一切衆　喜嘆未曾有　我等諸宮殿　蒙光故嚴飾
今以奉世尊　唯垂哀納受　願以此功德　普及於一切
我等與衆生　皆共成佛道
尒時五百万億諸梵天王偈讚佛已各白佛
言唯願世尊轉於法輪多所安隱多所度脫
時諸梵王而說偈言
世尊轉法輪　擊甘露法鼓　度苦惱衆生　開示涅槃道
唯願受我請　以大微妙音　哀愍而敷演　无量劫集法
尒時大通智勝如來受十方諸梵天王及十六
王子請即時三轉十二行法輪若沙門婆
羅門若天魔梵及餘世間所不能轉謂是苦
是苦集是苦滅是苦滅道及廣說十二因緣
法无明緣行行緣識識緣名色名色緣六入
六入緣觸觸緣受受緣愛愛緣取取緣有有
緣生生緣老死憂悲苦惱无明滅則行滅行
滅則識滅識滅則名色滅名色滅則六入滅
六入滅則觸滅觸滅則受滅受滅則愛滅愛
滅則取滅取滅則有滅有滅則生滅生滅則
老死憂悲苦惱滅佛於天人大衆之中說是
法時六百万億那由他人以不受一切法故
而於諸漏心得解脫皆得深妙禪定三明六
通具八解脫第二第三第四說法時千万億
恒河沙那由他等衆生亦以不受一切法故
而於諸漏心得解脫從是已後諸聲聞衆无

BD00668號　妙法蓮華經卷三　（16–15）

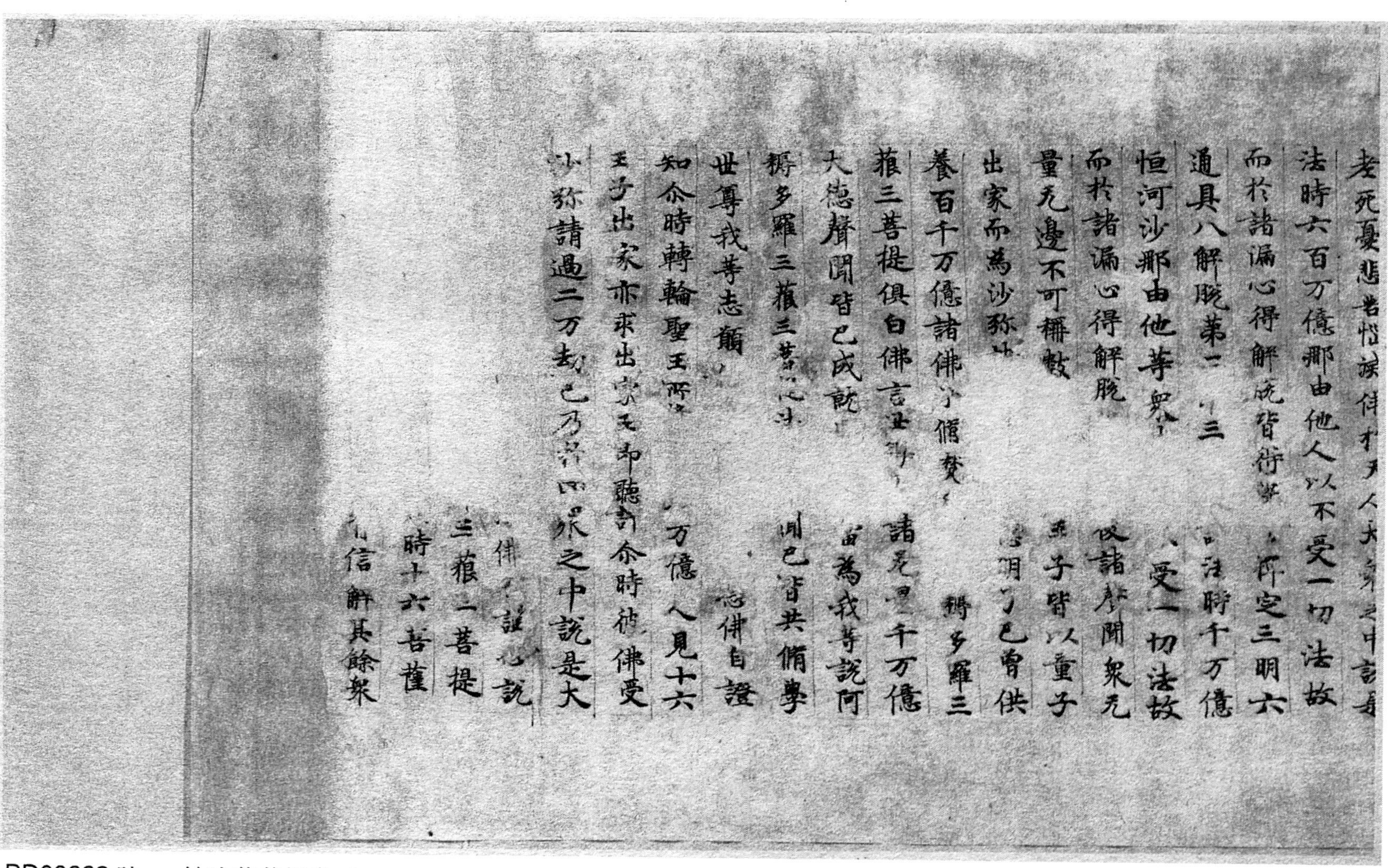
老死憂悲苦惱滅佛於天人大衆之中說是
法時六百万億那由他人以不受一切法故
而於諸漏心得解脫皆得深妙禪定三明六
通具八解脫第二第三第四說法時千万億
恒河沙那由他等衆生亦以不受一切法故
而於諸漏心得解脫從是已後諸聲聞衆无
量无邊不可稱數　尒時十六王子皆以童子
出家而為沙弥諸根通利智慧明了已曾供
養百千万億諸佛淨修梵行求阿耨多羅三
藐三菩提俱白佛言世尊是諸无量千万億
大德聲聞皆已成就世尊亦當為我等說阿
耨多羅三藐三菩提法我等聞已皆共修學
世尊我等志願如來知見深心所念佛自證
知尒時轉輪聖王所將衆中八万億人見十六
王子出家亦求出家王即聽許尒時彼佛受
沙弥請過二万劫已乃於四衆之中說是大
乘經名妙法蓮華教菩薩法佛所護念說
是經已十六沙弥為阿耨多羅三藐三菩提
皆共受持諷誦通利說是經時十六菩薩
沙弥皆悉信受聲聞衆中亦有信解其餘衆

BD00668號　妙法蓮華經卷三　（16–16）

道須菩提諸菩薩摩訶薩發心求阿耨多羅
三藐三菩提中少有如說行多住聲聞辟支
佛地多有菩薩摩訶薩行般若波羅蜜无方
便力故少所人住阿鞞跋致地須菩提以是
故菩薩摩訶薩欲在阿鞞跋致地欲在阿鞞
跋致數中應當學是深般若波羅蜜復次須
菩提菩薩摩訶薩學是般若波羅蜜時不生
慳貪心不生破戒瞋恚懈怠散亂愚癡心不
生諸餘過失心不生取色相取受想行識相
心不生取四念處想心乃至不生取阿耨多
羅三藐三菩提相心何以故是菩薩摩訶薩
行是深般若波羅蜜无有法可得以不可得
故於諸法不生心取相須菩提菩薩摩訶薩
如是學深般[illegible]蜜揔攝諸波羅蜜令諸
波羅蜜增長[illegible]羅蜜悉隨從何以故須菩
提是深般若波羅蜜諸波羅蜜悉入中須菩
提辟如我見中悉攝六十二見如是須菩提
是深般若波羅蜜悉攝諸波羅蜜須菩提辟
如人死命根滅故餘根悉隨滅如是須菩提
菩薩摩訶薩行深般若波羅蜜時諸波羅蜜
悉隨從須菩提菩薩摩訶薩欲令諸波羅蜜

BD00669 號　摩訶般若波羅蜜經卷二八　（16–1）

提辟如我見中悉攝六十二見如是須菩提
是深般若波羅蜜悉攝諸波羅蜜須菩提辟
如人死命根滅故餘根悉隨滅如是須菩提
菩薩摩訶薩行深般若波羅蜜時諸波羅蜜
悉隨從須菩提菩薩摩訶薩欲令諸波羅蜜
度彼岸應學深般若波羅蜜須菩提菩薩摩
訶薩學是深般若波羅蜜者出一切衆生之
上須菩提於汝意云何三千大千國土中衆
生多不須菩提言一閻浮提中衆生尚多何況
三千大千國土佛告須菩提若三千大千國
土中衆生一時皆得人身悉得阿耨多羅三
藐三菩提若有菩薩盡形壽供養介所佛衣
服飲食卧具湯藥資生所須菩提於汝意
云何是人以是因緣故得福德多不須菩提
言甚多甚多佛言不如是善男子善女人學
般若波羅蜜如說行正憶念得福多何以故
般若波羅蜜有勢力能令菩薩摩訶薩得阿
耨多羅三藐三菩提須菩提以是故菩薩摩
訶薩欲出一切衆生之上當學般若波羅蜜
欲爲无救護衆生作救護欲與无歸依衆生
作歸依欲與无究竟道衆生作究竟道欲爲
盲者作目欲得佛功德欲住諸佛自在遊戲
欲作佛師子吼欲撞擊佛鐘鼓欲吹佛貝欲
昇佛高坐說法欲斷一切衆生疑當學深般
若波羅蜜須菩提菩薩摩訶薩若學深般若
波羅蜜諸善功德无事不得須菩提白佛言
世尊寧復得聲聞辟支佛功德佛言聲聞辟
支佛功德皆能得但不於中住以智觀已直

BD00669 號　摩訶般若波羅蜜經卷二八　（16–2）

若波羅蜜須菩提菩薩摩訶薩若學深般若
波羅蜜諸善功德无事不得須菩提白佛言
世尊寧復得聲聞辟支佛功德佛言聲聞辟
支佛功德皆能得但不於中住以智觀已直
過入菩薩位中須菩提菩薩摩訶薩如是學
近薩婆若疾得阿耨多羅三藐三菩提須菩
提菩薩摩訶薩如是學爲一切世間天及人
阿脩羅作福田須菩提菩薩摩訶薩如是學
過諸聲聞辟支佛福田之上疾近薩婆若須
菩提菩薩摩訶薩如是學是名不捨不離般
若波羅蜜常行般若波羅蜜須菩提菩薩摩
訶薩如是學深般若波羅蜜當知是不退轉
菩薩疾近薩婆若遠離聲聞辟支佛近阿耨
多羅三藐三菩提須菩提菩薩摩訶薩行般
若波羅蜜時若作是念是般若波羅蜜我以
是般若波羅蜜得一切種智若如是念不名
行般若波羅蜜須菩提若不作是念是般若
波羅蜜是人般若波羅蜜是般若波羅蜜法
是人行般若波羅蜜得阿耨多羅三藐三菩
提是名行般若波羅蜜須菩提若菩薩作是
念无是般若波羅蜜无人有是般若波羅蜜
无有行是般若波羅蜜得阿耨多羅三藐三
菩提何以故一切法如法性實際常住故如
是行是爲菩薩摩訶薩行般若波羅蜜

摩訶般若波羅蜜經隨喜品第六十三

尒時釋提桓因作是念菩薩摩訶薩行般若
波羅蜜禪波羅蜜毗梨耶波羅蜜羼提波羅

摩訶般若波羅蜜經隨喜品第六十三
尒時釋提桓因作是念菩薩摩訶薩行般若
波羅蜜禪波羅蜜毗梨耶波羅蜜羼提波羅
蜜尸羅波羅蜜檀波羅蜜乃至十八不共法
時出一切衆生之上何況得阿耨多羅三藐
三菩提時是諸衆生聞是薩婆若信者得人
中之善利壽命中最何況發阿耨多羅三藐
三菩提意是衆生能發阿耨多羅三藐三菩
提意者具餘衆生應當願樂尒時釋提桓因
以天文陁羅華而散佛上發是言以此福德
若有求阿耨多羅三藐三菩提者令此人具
足佛法具足一切智具足自然法若求聲聞
者令具足聲聞法世尊若有菩薩發阿耨多
羅三藐三菩提意者我終不生一念令其轉
還我亦不生一念令其轉還墮聲聞辟支佛
地世尊我願諸菩薩倍復精進於阿耨多羅三
藐三菩提見衆生生死中種種苦惱欲利益
安樂一切世間天及人阿脩羅以是心住是
願我既自度亦當度未度者我既自脫當脫未
脫者我既安隱當安未安者我既滅度當使
未入滅度者得滅度世尊善男子善女人於
初發意菩薩功德隨喜心得幾許福德於久
發意菩薩功德隨喜心得幾許福德於阿鞞
跋致菩薩功德隨喜心得幾許福德於一生
補處菩薩功德隨喜心得幾許福德佛告釋
提桓因憍尸迦四天下國土可稱知斤兩是
隨喜福德不可稱量復次憍尸迦是三千

補處菩薩功德隨喜心得幾許福德佛告釋
提桓因憍尸迦四天下國土可稱知斤兩是
隨喜福德不可稱量復次憍尸迦是三千
大千國土皆可稱知斤兩是隨喜心福德不
可稱量復次憍尸迦三千大千國土滿中海
水取一髮破為百分以一分髮渧取海水可知
渧數是隨喜心福德不可數知釋提桓因白
佛言世尊若眾生心不隨喜阿耨多羅三藐
三菩提者皆是魔眷屬諸心不隨喜者從魔
中來生何以故世尊是諸發心菩薩為破魔
境界故生是故欲愛敬三尊者應生隨喜心
隨喜已應迴向阿耨多羅三藐三菩提以不
一不二相故佛言如是如是憍尸迦若有人於
菩薩能如是隨喜迴向者常值諸佛終不見
惡色終不聞惡聲終不嗅惡香終不食惡味
終不觸惡觸終无不隨念終不遠離諸佛從一
佛國至一佛國親近諸佛種善根何以故善
男子善女人為无量阿僧祇初發意菩薩諸
善根隨喜迴向為无量阿僧祇第二地第三
地乃至第十地一生補處諸菩薩摩訶薩善
根隨喜迴向阿耨多羅三藐三菩提以是善
根因緣故疾近阿耨多羅三藐三菩提是諸
菩薩得阿耨多羅三藐三菩提已度无量无邊
阿僧祇眾生憍尸迦以是因緣故善男子善
女人於初發意菩薩善根應隨喜迴向阿耨
多羅三藐三菩提非心非離心於久發意阿
鞞跋致一生補處善根隨喜迴向阿耨多羅

BD00669 號　摩訶般若波羅蜜經卷二八　（16–5）

女人於初發意菩薩善根應隨喜迴向阿耨
多羅三藐三菩提非心非離心於久發意阿
鞞跋致一生補處善根隨喜迴向阿耨多羅
三藐三菩提非心非離心須菩提白佛言世
尊是心如幻云何能得阿耨多羅三藐三菩
提佛告須菩提於汝意云何汝見是心如幻
不不也世尊我不見幻亦不見心幻幻須菩
提於汝意云何若无幻无心如幻汝見是
心不不也世尊須菩提於汝意云何離幻離
心如幻汝見更有法得阿耨多羅三藐三菩
提不不也世尊我不見離幻離心如幻更有
法得阿耨多羅三藐三菩提世尊我不見更
有法何等法可說若有若无是法相畢竟離
故不墮有不墮无若法畢竟離者不能得阿
耨多羅三藐三菩提无所有法亦不應得阿
耨多羅三藐三菩提何以故世尊一切法无
所有是中无垢者无淨者世尊以是故般若
波羅蜜畢竟離禪波羅蜜毗梨耶波羅蜜
羼提波羅蜜尸羅波羅蜜檀波羅蜜畢竟離乃
至阿耨多羅三藐三菩提亦畢竟離若法畢
竟離則不應脩不應壞行般若波羅蜜亦无
有法可得畢竟離故世尊若般若波羅蜜畢
竟離者云何因般若波羅蜜得阿耨多羅三
藐三菩提阿耨多羅三藐三菩提亦畢竟離
二離中云何能有所得佛告須菩提善哉善
哉是般若波羅蜜畢竟離禪波羅蜜毗梨耶
波羅蜜羼提波羅蜜尸羅波羅蜜檀波羅蜜

BD00669 號　摩訶般若波羅蜜經卷二八　（16–6）

藐三菩提阿耨多羅三藐三菩提亦畢竟離
二離中云何能有所得佛告須菩提善哉善
哉是般若波羅蜜畢竟離禪波羅蜜毗梨耶
波羅蜜羼提波羅蜜尸羅波羅蜜檀波羅蜜
畢竟離乃至一切種智畢竟離須菩提若般
波羅蜜畢竟離乃至一切種智畢竟離以是
故能得阿耨多羅三藐三菩提須菩提若般
若波羅蜜非畢竟離乃至一切種智非畢竟
離是不名般若波羅蜜不名禪波羅蜜乃至
一切種智須菩提若般若波羅蜜畢竟離乃
至一切種智畢竟離以是故須菩提非不因
般若波羅蜜得阿耨多羅三藐三菩提亦不以
離得離而得阿耨多羅三藐三菩提非不因
般若波羅蜜須菩提白佛言世尊菩薩摩訶
薩所行義甚深佛言如是須菩提菩薩摩訶
薩所行義甚深須菩提諸菩薩摩訶薩能為
難事所謂行是深義而不證聲聞辟支佛地
須菩提白佛言世尊如我從佛聞義菩薩摩
訶薩所行不為難何以故是菩薩摩訶薩不
得是義可作證亦不得般若波羅蜜作證亦
无作證者世尊若一切法不可得何等是義
可作證何等是般若波羅蜜作證何等是作
證者作證已得阿耨多羅三藐三菩提世尊
是名菩薩摩訶薩无所得行菩薩行是於一
切法皆得明了世尊若菩薩摩訶薩聞是法
心不驚不沒不怖不畏是名為行般若波羅
蜜是菩薩摩訶薩行般若波羅蜜時不見我
行般若波羅蜜亦不見是般若波羅蜜亦不

BD00669號　摩訶般若波羅蜜經卷二八　（16–7）

是名菩薩摩訶薩无所得行菩薩行是於一
切法皆得明了世尊若菩薩摩訶薩聞是法
心不驚不沒不怖不畏是名為行般若波羅
蜜是菩薩摩訶薩行般若波羅蜜時不見我
行般若波羅蜜亦不見是般若波羅蜜亦不
見我當得阿耨多羅三藐三菩提何以菩薩
摩訶薩行般若波羅蜜時不作是念聲聞辟支
佛地去我遠薩婆若去我近世尊譬如虛空
不作是念有法去我遠去我近何以故世尊
虛空无分別故世尊行般若波羅蜜菩薩亦
不作是念聲聞辟支佛地去我遠薩婆若去
我近何以故般若波羅蜜中无分別故世尊
譬如幻人不作是念幻師去我近觀人去我
遠何以故幻人无分別故行般若波羅蜜菩
薩不作是念聲聞辟支佛地去我遠薩婆若
去我近世尊譬如鏡中像不作是念所因者
去我近餘者去我遠何以故像无分別故行
般若波羅蜜菩薩亦不作是念聲聞辟支佛
地去我遠薩婆若去我近何以故般若波羅
蜜中无分別故世尊行般若波羅蜜菩薩无
愛无憎何以故般若波羅蜜自性不可得故
世尊譬如佛无愛无憎行般若波羅蜜菩薩
无愛无憎亦如是何以故般若波羅蜜中无
憎无愛故世尊譬如佛一切分別想斷行般
若波羅蜜菩薩亦如是一切分別想斷畢竟
空故世尊譬如佛所化人不作是念聲聞辟
支佛去我遠阿耨多羅三藐三菩提去我近
何以故佛所化人无分別故行般若波羅蜜

BD00669號　摩訶般若波羅蜜經卷二八　（16–8）

若波羅蜜菩薩亦如是一切分別想斷畢竟
空故世尊譬如佛所化人不住是念聲聞辟
支佛去我遠阿耨多羅三藐三菩提去我近
何以故佛所化人无分別故行般若波羅蜜
菩薩亦如是不住是念聲聞辟支佛去我遠
阿耨多羅三藐三菩提去我近世尊譬如有
所為故作化化所作事无分別世尊般若波
羅蜜亦如是有所為事而脩是事成就而般
若波羅蜜亦无分別世尊譬如工匠若工匠
弟子有所為故作木人若男女象馬牛羊是
所作亦能有所作是亦无分別世尊般若波
羅蜜亦如是有所為故說是事成就而般若
波羅蜜亦无分別舍利弗問須菩提但般若
波羅蜜无分別禪波羅蜜乃至檀波羅蜜亦
无分別須菩提語舍利弗禪波羅蜜无分別
乃至檀波羅蜜亦无分別舍利弗問須菩提
色无分別乃至識亦无分別眼乃至意无分
別色乃至法无分別眼識觸乃至意識觸无
分別眼觸因緣生受乃至意觸因緣生受四
禪四无量心四无色定四念處乃至八聖道分
空无相无作佛十力四无所畏四无导智大
慈大悲十八不共法阿耨多羅三藐三菩提
无為性亦无分別須菩提若色无分別乃至
无為性无分別若一切法无分別云何分別
有六道生死是地獄是餓鬼是畜生是天是
人是阿脩羅云何分別是須陁洹斯陁含阿

无為性亦无分別須菩提若色无分別乃至
无為性无分別若一切法无分別云何分別
有六道生死是地獄是餓鬼是畜生是天是
人是阿脩羅云何分別是須陁洹斯陁含阿
那含阿羅漢辟支佛諸佛須菩提報舍利弗
衆生顛倒因緣故造作身口意業隨欲本業
報受六道身地獄餓鬼畜生天人阿脩羅身
汝言云何分別有須陁洹乃至佛道舍利弗
須陁洹即是无分別故有須陁洹果亦是无
分別故有乃至阿羅漢阿羅漢果辟支佛辟
支佛道佛佛道亦是无分別故有舍利弗過
去諸佛亦是无分別斷分別故有以是故舍
利弗當知一切法无有分別不壞相諸法如
法性實際故舍利弗如是菩薩摩訶薩應行
无分別般若波羅蜜行无分別般若波羅蜜
已便得无分別阿耨多羅三藐三菩提

摩訶般若波羅蜜經稱揚品第六十四

舍利弗語須菩提菩薩摩訶薩行般若波羅
蜜為行真實法為行无真實法須菩提報舍
利弗菩薩摩訶薩行般若波羅蜜為行无真
實法何以故是般若波羅蜜无真實乃至一
切種智无真實故菩薩摩訶薩行般若波羅
蜜无真實不可得何況真實乃至行一切種
智无真實法不可得何況真實尒時欲色界
諸天子作是念諸有善男子善女人發阿耨
多羅三藐三菩提意如深般若波羅蜜所說

蜜无真實不可得何况真實乃至行一切種
智无真實法不可得何况真實尒時欲色界
諸天子作是念諸有善男子善女人發阿耨
多羅三藐三菩提意如深般若波羅蜜所說
義行於等法不作實際證不墮聲聞辟支佛
地應當爲作礼須菩提語諸天子諸菩薩摩
訶薩於等法不證聲聞辟支佛地不爲難諸
菩薩摩訶薩大莊嚴我當度无量无邊阿僧
祇衆生知衆生畢竟不可得而度衆生是乃
爲難諸天子諸菩薩摩訶薩發阿耨多羅三
藐三菩提心作是念我當度一切衆生衆生
實不可得是人欲度衆生爲欲度虛空何以
故虛空離故當知衆生亦離虛空空故當知
衆生亦空虛空无堅固當知衆生亦无堅固
虛空虛誑故當知衆生亦虛誑諸天子以是
因緣故當知菩薩所作爲難爲利益无所有
衆生故而大莊嚴是人爲衆生結誓爲欲與
虛空共鬪是菩薩結誓已亦不得衆生而爲
衆生結誓何以故衆生離故當知大誓亦離
衆生虛誑故當知大誓亦虛誑若菩薩摩訶
薩聞是法心不驚不沒當知是菩薩摩訶薩
行般若波羅蜜何以故色離即是衆生離受
想行識離即是衆生離色離即是六波羅蜜
離受想行識離即是六波羅蜜離乃至一切
種智離即是六波羅蜜離若菩薩摩訶薩聞
是一切諸法離相心不驚不沒不怖不畏當

BD00669號　摩訶般若波羅蜜經卷二八　（16–11）

離受想行識離即是六波羅蜜離乃至一切
種智離即是六波羅蜜離若菩薩摩訶薩聞
是一切諸法離相心不驚不沒不怖不畏當
知是菩薩摩訶薩行般若波羅蜜佛告須菩
提何因緣故菩薩摩訶薩於深般若波羅蜜
中心不沒須菩提白佛言世尊般若波羅蜜
无所有故不沒般若波羅蜜離故不沒般若
波羅蜜空滅故不沒世尊以是因緣故菩薩
於深般若波羅蜜中心不沒何以故是菩薩
不得沒者不得沒事不得沒處是一切法皆
不可得故世尊若菩薩摩訶薩聞是法心不
驚不沒不怖不畏當知是菩薩爲行般若波
羅蜜何以故沒者沒事沒處是法皆不可得
故菩薩摩訶薩如是行般若波羅蜜諸天
子及釋提桓因天梵天王天及世界主天皆爲
作礼佛告須菩提不但釋提桓因諸天梵王
及諸天世界主及諸天礼是菩薩摩訶薩行
般若波羅蜜者過是上光音天遍淨天廣果
天淨居天皆爲是菩薩摩訶薩作礼須菩提
今現在十方无量諸佛亦念是行般若波羅
蜜菩薩摩訶薩當知是菩薩爲如佛須菩提
若恒河沙等國土中衆生悉使爲魔是一一
魔復化作魔如恒河沙等魔是一切魔不能
留難菩薩行般若波羅蜜
須菩提菩薩摩訶薩成就二法魔不能壞何
等二觀一切法空不捨一切衆生須菩提菩

BD00669號　摩訶般若波羅蜜經卷二八　（16–12）

魔復化作魔如恒河沙等魔是一切魔不能
留難菩薩行般若波羅蜜
須菩提菩薩摩訶薩成就二法魔不能壞何
等二觀一切法空不捨一切衆生須菩提菩
薩成就此二法魔不能壞復次須菩提菩薩
摩訶薩復有二法成就魔不能壞何等二所
作如所言亦為諸佛所念菩薩成就此二法
魔不能壞須菩提菩薩如是行是諸天皆來
到菩薩所親近諮問勸喻安慰作是言善男
子汝疾得阿耨多羅三藐三菩提不久善男
子汝常當行是空无相无作行何以故善男
子汝行是行无護衆生汝為作護无依衆生
為作依无救衆生為作救无究竟道衆生為
作究竟道无歸衆生為作歸无洲衆生為作
洲冥者為作明盲者為作眼何以故是菩薩
摩訶薩行般若波羅蜜十方現在无量阿僧
祇諸佛在大衆中說法時自讚嘆稱揚是菩
薩摩訶薩名姓言某甲菩薩成就般若波羅
蜜功德須菩提如我今說法時自稱揚寶相
菩薩尸棄菩薩復有諸菩薩摩訶薩在阿
閦佛國中行般若波羅蜜淨脩梵行我亦稱揚
是菩薩名姓須菩提亦如東方現在諸佛說
法時是中有菩薩摩訶薩淨脩梵行佛亦歡
喜自稱揚讚嘆是菩薩南西北方四維上下
亦如是復有菩薩從初發意欲具足佛道乃
至得一切種智諸佛說法時亦歡喜自稱揚

BD00669號　摩訶般若波羅蜜經卷二八　（16–13）

喜自稱揚讚嘆是菩薩南西北方四維上下
亦如是復有菩薩從初發意欲具足佛道乃
至得一切種智諸佛說法時亦歡喜自稱揚
讚嘆是菩薩何以故諸菩薩摩訶薩所行甚
難不斷佛種行須菩提白佛言世尊何等菩
薩摩訶薩諸佛說法時自讚嘆稱揚佛告須
菩提阿鞞跋致菩薩諸佛說法時自讚嘆稱
揚須菩提言何等阿鞞跋致菩薩為佛所讚
嘆佛言如阿閦佛為菩薩時所行所學諸菩
薩亦如是學是諸阿鞞跋致菩薩諸佛說法
時歡喜讚嘆復次須菩提有菩薩行般若波
羅蜜信解一切法无生未得无生忍法信解
一切法空未得无生忍法信解一切法虛誑不
實无所有不堅固未得无生忍法須菩提如是
等諸菩薩摩訶薩佛說法時歡喜自讚嘆稱
揚名姓須菩提若諸菩薩摩訶薩諸佛說法
時歡喜自讚嘆者是菩薩滅聲聞辟支佛地
當得阿耨多羅三藐三菩提記須菩提若菩
薩摩訶薩諸佛說法時歡喜自讚嘆者是菩
薩當住阿鞞跋致地住是地已當得薩婆若
復次須菩提菩薩摩訶薩聞是深般若波羅
蜜時其心明利不疑不悔作是念是事如佛
所說是菩薩亦當於阿閦佛及諸菩薩所廣
聞是般若波羅蜜亦信解信解已如佛所說
當住阿鞞跋致地如是須菩提但聞般若波
羅蜜得大利益何況信解信解已如說住如說

BD00669號　摩訶般若波羅蜜經卷二八　（16–14）

所說是菩薩亦當於阿閦佛及諸菩薩所廣
聞是般若波羅蜜亦信解信解已如佛所說
當住阿鞞跋致地如是須菩提但聞般若波
羅蜜得大利益何況信解信解已如說住如說
行如說行已住一切種智中須菩提白佛言世
尊若佛說菩薩摩訶薩如所說住如所說行住
薩婆若若菩薩摩訶薩无所得法云何住薩
婆若佛告須菩提菩薩摩訶薩住諸法如中
住薩婆若須菩提言世尊除如更无法可
得誰住如中住如中已當得阿耨多羅三藐
三菩提誰住如中當說法如尚不可得何況
住如當得阿耨多羅三藐三菩提誰住如中
而說法无有是處佛告須菩提如汝所言除
如更无有法誰住如中住如中已當得阿耨
多羅三藐三菩提誰住如中當說法如尚不
可得何況住如當得阿耨多羅三藐三菩提
誰住如中而說法无有是處佛言如是如是
須菩提除如更无有法可得誰住如中住如
中已當得阿耨多羅三藐三菩提誰住如中
當說法如尚不可得何況住如中尚得阿耨
多羅三藐三菩提誰住如中而說法何以故
是如生不可得滅不可得住異不可得若法
生滅住異不可得是中誰當住如誰當住如
已得阿耨多羅三藐三菩提誰當住如中而
說法无有是處釋提桓因白佛言世尊諸菩
薩摩訶薩所為甚難深般若波羅蜜中欲得

BD00669 號　摩訶般若波羅蜜經卷二八　（16–15）

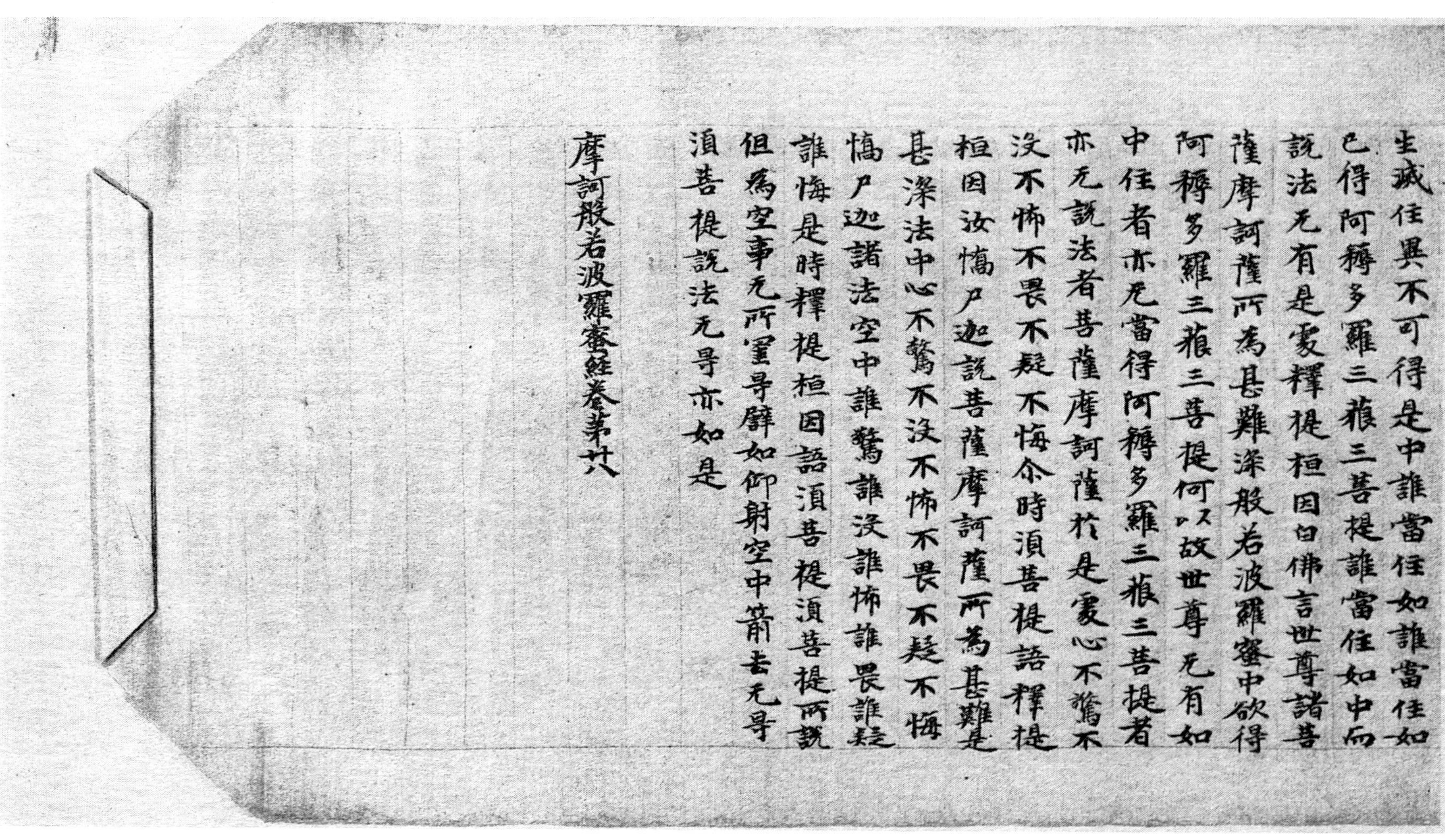
生滅住異不可得是中誰當住如誰當住如
已得阿耨多羅三藐三菩提誰當住如中而
說法无有是處釋提桓因白佛言世尊諸菩
薩摩訶薩所為甚難深般若波羅蜜中欲得
阿耨多羅三藐三菩提何以故世尊无有如
中住者亦无當得阿耨多羅三藐三菩提者
亦无說法者菩薩摩訶薩於是處心不驚不
沒不怖不畏不疑不悔尒時須菩提語釋提
桓因汝憍尸迦說菩薩摩訶薩所為甚難是
甚深法中心不驚不沒不怖不畏不疑不悔
憍尸迦諸法空中誰驚誰沒誰怖誰畏誰疑
誰悔是時釋提桓因語須菩提須菩提所說
但為空事无所罣㝵譬如仰射空中箭去无㝵
須菩提說法无㝵亦如是

摩訶般若波羅蜜經卷第廿八

BD00669 號　摩訶般若波羅蜜經卷二八　（16–16）

著　録　凡　例

本目録採用條目式著録法。諸條目意義如下：

1.1　著録編號。用漢語拼音首字“BD”表示，意為“北京圖書館藏敦煌遺書”，簡稱“北敦號”。文獻寫在背面者，標註為“背”。一件遺書上抄有多個文獻者，用數字 1、2、3 等標示小號。一號中包括幾件遺書，且遺書形態各自獨立者，用字母 A、B、C 等區別。

1.2　著録分類號。本條記目録暫不分類，該項空缺。

1.3　著録文獻的名稱、卷本、卷次。

1.4　著録千字文編號。

1.5　著録縮微膠卷號。

2.1　著録遺書的總體數據。包括長度、寬度、紙數、正面抄寫總行數與每行字數、背面抄寫總行數與每行字數。如該遺書首尾有殘破，則對殘破部分單獨度量，用加號加在總長度上。凡屬這種情況，長度用括弧標註。

2.2　著録每紙數據。包括每紙長度及抄寫行數或界欄數。

2.3　著録遺書的外觀。包括：（1）裝幀形式。（2）首尾存況。（3）護首、軸、軸頭、天竿、縹帶，經名是書寫還是貼簽，有無經名號，扉頁、扉畫。（4）卷面殘破情況及其位置。（5）尾部情況。（6）有無附加物（蟲繭、油污、線繩及其他）。（7）有無褫補及其年代。（8）界欄。（9）修整。（10）其他需要交待的問題。

2.4　著録一件遺書抄寫多個文獻的情況。

3.1　著録文獻首部文字與對照本核對的結果。

3.2　著録文獻尾部文字與對照本核對的結果。

3.3　著録録文。

3.4　著録對文獻的説明。

4.1　著録文獻首題。

4.2　著録文獻尾題。

5　著録本文獻與對照本的不同之處。

6.1　著録本遺書首部可與另一遺書綴接的編號。

6.2　著録本遺書尾部可與另一遺書綴接的編號。

7.1　著録題記、題名、勘記等。

7.2　著録印章。

7.3　著録雜寫。

7.4　著録護首及扉頁的内容。

8　著録年代。

9.1　著録字體。如有武周新字、合體字、避諱字等，予以説明。

9.2　著録卷面二次加工的情況。包括句讀、點標、科分、間隔號、行間加行、行間加字、硃筆、墨塗、倒乙、刪除、兑廢等。

10　著録敦煌遺書發現後，近現代人所加内容，裝褫、題記、印章等。

11　備註。著録揭褫互見、圖版本出處及其他需要説明的問題。

上述諸條，有則著録，無則空缺。

為避文繁，上述著録中出現的各種參考、對照文獻，暫且不列版本説明。全目結束時，將統一編制本條記目録出現的各種參考書目。

本條記目録為農曆年份標註其公曆紀年時，未經行歲頭年末之换算，請讀者使用時注意自行换算。

條 記 目 錄

BD00601—BD00669

1.1 BD00601 號
1.3 維摩詰所說經卷上
1.4 日 001
1.5 070：0897
2.1 （7.5+561）×26 厘米；14 紙；329 行，行 17 字。
2.2 01：7.5+22，17； 02：41.0，24； 03：41.5，24；
04：41.5，24； 05：41.5，24； 06：41.5，24；
07：41.5，24； 08：41.5，24； 09：41.5，24；
10：41.5，24； 11：41.5，24； 12：41.5，24；
13：41.5，24； 14：41.5，24。
2.3 卷軸裝。首殘尾脱。前 2 紙有撕裂殘損，第 4、5 紙和第 7、8 紙接縫處下部開裂，第 11、13 紙有撕裂。有烏絲欄。已修整。
3.1 首 4 行上下殘→大正 475，14/538A20~24。
3.2 尾殘→14/542A23。
8 7~8 世紀。唐寫本。
9.1 楷書。
9.2 有行間校加字。
11 圖版：《敦煌寶藏》，63/609A~616B。

1.1 BD00602 號
1.3 灌頂拔除過罪生死得度經
1.4 日 002
1.5 250：7493
2.1 （33.8+154）×27.4 厘米；5 紙；94 行，行 17 字。
2.2 01：29.0，15； 02：4.8+39.6，22； 03：44.1，22；
04：44.6，22； 05：25.7，13。
2.3 卷軸裝。首尾均殘。有横向裂紋，卷尾下邊殘缺。已修整。附《趙城藏》軸。
3.1 首 17 行下殘→大正 1331，21/533A2~19。
3.2 尾殘→21/534A11。
8 9~10 世紀。歸義軍時期寫本。
9.1 楷書。
11 圖版：《敦煌寶藏》，106/471A~474A。
從該件上揭下古代裱補紙 4 塊，今編為 BD16227 號。

1.1 BD00603 號
1.3 金光明最勝王經卷二
1.4 日 003
1.5 083：1524
2.1 （5.5+500.3）×22.4 厘米；12 紙；281 行，行 16 字。
2.2 01：5.5+12.3，10； 02：48.0，28； 03：48.0，28；
04：48.0，28； 05：44.5，26； 06：48.0，28；
07：48.0，28； 08：48.0，28； 09：48.0，28；
10：48.0，27； 11：48.0，22； 12：11.5，拖尾；
2.3 卷軸裝。首殘尾全。卷面多不規則小孔。有烏絲欄。已修整。
3.1 首 3 行上殘→大正 665，16/409C27~28。
3.2 尾全→16/413C6。
4.2 金光明最勝王經卷第二（尾）。
5 尾附音義。
8 9~10 世紀。歸義軍時期寫本。
9.1 拙楷。
9.2 卷面有墨筆校改，有刮改。
11 圖版：《敦煌寶藏》，68/306B~312B。

1.1 BD00604 號
1.3 維摩詰所說經卷上
1.4 日 004
1.5 070：0956
2.1 （2+103.5+4.5）×26 厘米；3 紙；65 行，行 17 字。
2.2 01：2+45，28； 02：46.5，28； 03：12+4.5，09。
2.3 卷軸裝。首尾均殘。第 1、2 紙接縫處上部開裂。背有古代裱補。有烏絲欄。已修整。
3.1 首行上殘→大正 475，14/539C5。
3.2 尾 2 行上殘→14/540B16~17。
8 8~9 世紀。吐蕃統治時期寫本。

9.1　拙楷。
11　圖版：《敦煌寶藏》，64/157A～158B。
　　從背面揭下古代裱補紙1塊，上有“二日神沙弼”等4行字。今編為BD16489號。

1.1　BD00605號
1.3　妙法蓮華經卷三
1.4　日005
1.5　105：5016
2.1　(3.5+832.8)×25.2厘米；20紙；511行，行16～18字。
2.2　01：3.5+10.7，7；　02：44.3，28；　03：45.7，28；
　　04：45.3，28；　05：45.7，28；　06：45.7，28；
　　07：45.6，28；　08：45.6，28；　09：45.7，28；
　　10：45.7，28；　11：45.8，28；　12：45.7，28；
　　13：45.8，28；　14：45.8，28；　15：44.4，28；
　　16：44.0，28；　17：44.1，28；　18：43.9，28；
　　19：43.9，28；　20：9.4，拖尾。
2.3　卷軸裝。首殘尾全。為標準唐代寫經紙，但紙性已失，纖維糟朽。首部殘破嚴重；卷前端有6個殘片，文字與原卷可綴接；14～15、18～19紙接縫處脱斷為2截；尾紙染潢與全卷不同。有燕尾。有烏絲欄。已修整，殘片已綴接。
3.1　首行中殘→大正262，9/19C8。
3.2　尾全→9/27B9。
4.2　妙法蓮華經卷第三（尾）。
8　7～8世紀。唐寫本。
9.1　楷書。
11　圖版：《敦煌寶藏》，88/139B～150B，但所有殘片在《敦煌寶藏》中均未反映。

1.1　BD00606號
1.3　陀羅尼鈔（擬）
1.4　日006
1.5　270：7684
2.1　(4.5+153.8)×27.1厘米；4紙；64行，行字不等。
2.2　01：4.5+34.5，16；　02：39.6，18；　03：40.0，18；
　　04：39.7，12。
2.3　卷軸裝。首殘尾脱。第1紙有殘洞。上邊殘缺。折疊欄。已修整。
3.4　説明：
　　本文獻未爲歷代大藏經所收。
　　本文獻為《陀羅尼鈔》，共抄寫《七俱胝佛母心大准提陀羅尼經》等四部經中的八段陀羅尼，詳情如下：
　　一、七俱胝佛母心大准提陀羅尼，2行。前有名題，作“七俱胝咒”。所抄陀羅尼可見《七俱胝佛母心大准提陀羅尼經》，大正1077，20/185A16～18。與《大正藏》本對照，行文有差異。
　　二、佛頂尊勝陀羅尼，22行。前有名題，作“佛頂尊勝陀羅尼”。所抄陀羅尼可見《佛頂尊勝陀羅尼》（佛陀波利本），大正967，19/350B25～C28。
　　三、如意輪陀羅尼咒，8行。前有名題，作“如意輪陀羅尼咒”。所抄陀羅尼可見《如意輪陀羅尼經》，大正1080，20/188C10～189A2。
　　四、無垢淨光陀羅尼，32行。前有名題，作“無垢淨光陀羅尼”。所抄為《無垢淨光大陀羅尼經》所有之五段陀羅尼：
　　《根本陀羅尼呪》，第34行至42行，大正1024，19/718B5～15；
　　《相輪橖中陀羅尼呪》，第43行至47行，19/719A10～16；
　　《修造佛塔陀羅尼呪》第48行至50行，19/719B6～9；
　　《自心印陀羅尼呪》第51行至57行，19/719C27～720A6；
　　《陀羅尼呪（擬）》第58行至64行，19/720C3～C9。
　　與《大正藏》本對照，上面所抄八段陀羅尼音譯時所用的漢字略有差別。從抄寫形態看，抄寫者顯然將這八段陀羅尼作為一個整體，用於某種佛事，故擬此名。以這種方式組合使用陀羅尼的具體目的及功用，尚需研究。
8　8～9世紀。吐蕃統治時期寫本。
9.1　行楷。
9.2　第4紙有行間加行。
11　圖版：《敦煌寶藏》，107/315A～317A。

1.1　BD00607號
1.3　金剛般若波羅蜜經
1.4　日007
1.5　094：3998
2.1　361×25厘米；8紙；201行，行17字。
2.2　01：45.5，27；　02：42.0，24；　03：43.0，25；
　　04：48.0，29；　05：46.3，26；　06：46.3，27；
　　07：45.9，27；　08：44.0，16。
2.3　卷軸裝。首脱尾全。第1紙有殘洞及豎裂，第5、6紙間接縫處開裂。有烏絲欄。已修整。
3.1　首殘→大正235，8/750A15。
3.2　尾全→8/752C3。
4.2　金剛波若波羅蜜經（尾）。
8　9～10世紀。歸義軍時期寫本。
9.1　楷書。
9.2　第2紙有硃筆加行。
11　圖版：《敦煌寶藏》，81/452A～456B。

1.1　BD00608號
1.3　大般若波羅蜜多經卷二七七
1.4　日008
1.5　084：2749
2.1　(26.3+820)×26厘米；18紙；484行，行17字。
2.2　01：24.5，15；　02：1.8+46，28；　03：48.2，28；
　　04：48.3，28；　05：48.3，28；　06：48.6，28；
　　07：48.3，28；　08：48.3，28；　09：48.7，28；

10：48.5，28；　11：48.6，28；　12：48.5，28；
13：48.6，28；　14：48.5，28；　15：48.6，28；
16：48.5，28；　17：48.5，28；　18：47.0，21。
2.3　卷軸裝。首殘尾全。第 2 紙有殘洞、縱向撕裂、横向殘破，下邊殘缺，第 3 紙下邊殘缺，第 5 紙縱向撕裂，第 13 紙有火燒殘洞。第 5 紙背面有古代裱補。尾有原軸，上軸頭已斷。有烏絲欄。已修整。
3.1　首 16 行下殘→大正 220，6/403A28～B15。
3.2　尾全→6/408C27。
4.2　大般若波羅蜜多經卷第二百七十七（尾）
8　8～9 世紀。吐蕃統治時期寫本。
9.1　楷書。
11　圖版：《敦煌寶藏》，74/621B～632B。
從本號背面揭下古代裱補紙 2 塊，現編為 BD16092 號。

1.1　BD00609 號
1.3　金光明經卷二
1.4　日 009
1.5　081：1400
2.1　（2＋82.3）×26.2 厘米；3 紙；44 行，行 17 字。
2.2　01：2＋0.8，02；　02：46.0，27；　03：35.5，15。
2.3　卷軸裝。首殘尾全。卷面有小殘洞，下有撕裂。卷尾剪有穿繩紙縫，長 2 厘米。有烏絲欄。
3.1　首行中下殘→大正 663，16/345C21～22。
3.2　尾全→16/346B9。
4.2　金光明經卷第二（尾）。
6.1　首→BD00512 號。
8　7～8 世紀。唐寫本。
9.1　楷書。
11　圖版：《敦煌寶藏》，67/337B～338B。

1.1　BD00610 號
1.3　大般若波羅蜜多經卷三七
1.4　日 010
1.5　084：2098
2.1　（82.4＋2.6）×29.1 厘米；3 紙；50 行，行 17 字。
2.2　01：27.5，16；　02：46.6，28；　03：8.3＋2.6，06。
2.3　卷軸裝。首尾均殘。未入潢。有烏絲欄。
3.1　首殘→大正 220，5/205A10。
3.2　尾 2 行上殘→5/205C1～3。
6.1　首→BD00600 號。
6.2　尾→BD00499 號。
8　8～9 世紀。吐蕃統治時期寫本。
9.1　楷書。
11　圖版：《敦煌寶藏》，71/652B～653A。

1.1　BD00611 號 1
1.3　懺悔滅罪金光明經冥報傳
1.4　日 011
1.5　081：1361
2.1　784.6×25.7 厘米；17 紙；449 行，行 17 字。
2.2　01：45.2，26；　02：48.0，28；　03：48.0，27；
04：48.0，28；　05：48.0，28；　06：40.8，24；
07：44.3，26；　08：48.4，28；　09：48.5，28；
10：48.0，28；　11：47.7，28；　12：47.7，28；
13：47.5，28；　14：47.8，28；　15：47.1，28；
16：47.6，28；　17：32.0，10。
2.3　卷軸裝。首尾均全。上邊有等距離殘破。有燕尾。尾有原軸，軸頭塗漆，醬色，頂端點有硃漆。有烏絲欄。已修整。
2.4　本遺書包括 2 個文獻：（一）《懺悔滅罪金光明經冥報傳》，81 行，今編為 BD00611 號 1。（二）《金光明經》卷一，368 行，今編為 BD00611 號 2。
3.1　首全→大正 663，16/358B1。
3.2　尾全→16/359B1。
3.4　說明：
該《懺悔滅罪金光明經冥報傳》一般附在四卷本《金光明經》卷一之首。
4.1　懺悔滅罪金光明經冥報傳（首）。
8　9～10 世紀。歸義軍時期寫本。
9.1　楷書。
11　圖版：《敦煌寶藏》，67/152A～161B。

1.1　BD00611 號 2
1.3　金光明經卷一
1.4　日 011
1.5　081：1361
2.4　本遺書由 2 個文獻組成，本號為第 2 個，368 行。餘參見 BD00611 號 1 之第 2 項、第 11 項。
3.1　首全→大正 663，16/335B5。
3.2　尾全→16/340C10。
4.1　金光明經序品第一（首）。
4.2　金光明經卷第一（尾）；
5　與《大正藏》本對照，品題“金光明經懺悔品第三”誤寫作“金光明經懺悔品第四”。此品題下並註有“二”字，意義待考。
8　9～10 世紀。歸義軍時期寫本。
9.1　楷書。

1.1　BD00612 號
1.3　金光明最勝王經卷九
1.4　日 012
1.5　083：1906
2.1　（14.5＋694.4）×26.5 厘米；18 紙；428 行，行 17 字。
2.2　01：14.5＋6.7，12；　02：42.1，26；　03：42.1，26；

04：42.0，26；　05：42.3，26；　06：42.3，26；
07：42.3，26；　08：42.3，26；　09：42.3，26；
10：42.2，26；　11：42.3，26；　12：42.3，26；
13：42.2，26；　14：42.1，26；　15：42.0，26；
16：42.0，26；　17：34.5，20；　18：20.4，6；

2.3　卷軸裝。首殘尾全。前14紙有等距離破洞。第11紙字體與其餘諸紙均不同，似為後補。有烏絲欄。

3.1　首8行下殘→大正665，16/444A27～B5。

3.2　尾全→16/450C15。

4.2　金光明最勝王經卷第九（尾）。

5　尾附音義。

8　7～8世紀。唐寫本。

9.1　楷書。

11　圖版：《敦煌寶藏》，70/581B～590B。

1.1　BD00613號

1.3　空號（妙法蓮華經卷二）

1.4　日013

1.1　BD00614號

1.3　大般若波羅蜜多經卷三五六

1.4　日014

1.5　084：2976

2.1　（2.4+116.2）×25.8厘米；3紙；71行，行17字。

2.2　01：2.4+22，15；　02：47.2，28；　03：47.0，28。

2.3　卷軸裝。首殘尾脫。有烏絲欄。

3.1　首2行下殘→大正220，6/834B24～26。

3.2　尾殘→6/835B9。

6.1　首→BD00553號。

6.2　尾→BD00730號。

8　8～9世紀。吐蕃統治時期寫本。

9.1　楷書。

11　圖版：《敦煌寶藏》，76/6A～7B。

1.1　BD00615號

1.3　大乘密嚴經（地婆訶羅本）卷中

1.4　日015

1.5　040：0379

2.1　（11+384.5）×25.5厘米；5紙；241行，行17字。

2.2　01：11+64.5，47；　02：80.0，48；　03：80.0，49；
04：80.0，49；　05：80.0，48。

2.3　卷軸裝。首殘尾脫。卷首下部殘破。通卷正反面多黴點。紙變色。有烏絲欄。已修整。

3.1　首7行殘→大正681，16/731B25～C6。

3.2　尾脫→16/735A6。

8　8～9世紀。吐蕃統治時期寫本。

9.1　楷書。

11　圖版：《敦煌寶藏》，58/461A～466A。

1.1　BD00616號

1.3　大般若波羅蜜多經卷二〇一

1.4　日016

1.5　084：2508

2.1　（12+677.9）×26厘米；16紙；403行，行17字。

2.2　01：12+8.8，12；　02：46.5，28；　03：46.5，28；
04：46.6，28；　05：46.6，28；　06：46.8，28；
07：46.6，28；　08：46.7，28；　09：46.8，28；
10：46.8，28；　11：46.8，28；　12：46.7，28；
13：46.6，28；　14：46.6，28；　15：46.5，27；
16：16，拖尾。

2.3　卷軸裝。首殘尾全。第1紙有殘洞，上邊殘缺，第2紙至第6紙有等距離殘洞，第2、3紙上邊殘缺。有烏絲欄。已修整。

3.1　首7行下殘→大正220，6/1B17～25。

3.2　尾全→6/6A16。

4.2　大般若波羅蜜多經卷第二百一（尾）。

8　8～9世紀。吐蕃統治時期寫本。

9.1　楷書。

11　圖版：《敦煌寶藏》，73/545A～553B。

1.1　BD00617號

1.3　空號（大般若波羅蜜多經）

1.4　日017

1.1　BD00618號

1.3　大般若波羅蜜多經卷二七四

1.4　日018

1.5　084：2740

2.1　190×25.9厘米；4紙；112行，行17字。

2.2　01：47.7；28；　02：47.5，28；　03：47.8，28；
04：47.0，28。

2.3　卷軸裝。首尾均脫。第1紙上邊、下邊殘破。有烏絲欄。已修整。

3.1　首殘→大正220，6/387A16。

3.2　尾殘→6/388C9。

5　與《大正藏》本對照，本號有錯簡。第4紙應接於第1紙之後。第4紙與第2紙之間經文尚有空缺，不能直接綴接。空缺經文相當於《大正藏》6/387C14～388A13，大體相當於一紙。

8　8～9世紀。吐蕃統治時期寫本。

9.1　楷書。

11　圖版：《敦煌寶藏》，74/596A～598B。

1.1　BD00619號

1.3　空號（金剛般若波羅蜜經）

1.4　日019

1.1 BD00620 號
1.3 空號（金光明經）
1.4 日 020

1.1 BD00621 號
1.3 妙法蓮華經卷二
1.4 日 021
1.5 105：4974
2.1 103.2×27.7 厘米；3 紙；53 行，行 16 字（偈頌）。
2.2 01：16.9，10；　02：49.9，29；　03：36.4，14。
2.3 卷軸裝。首殘尾全。有燕尾。有烏絲欄。
3.1 首殘→大正 262，9/18A29。
3.2 尾全→9/19A12。
4.2 妙法蓮華經卷第二（尾）。
8 8～9 世紀。吐蕃統治時期寫本。
9.1 楷書。
11 圖版：《敦煌寶藏》，87/357A～358A。

1.1 BD00622 號
1.3 大般若波羅蜜多經卷五八五
1.4 日 022
1.5 084：3388
2.1 （14+92.8）×25.1 厘米；3 紙；54 行，行 17 字。
2.2 01：14.0，護首；　02：45.3，26；　03：47.5，28。
2.3 卷軸裝。首殘尾脫。下邊前部殘破；尾紙前端下有 1 處撕損。卷面多橫裂。有護首，殘破不全。有烏絲欄。已修整。
3.1 首全→大正 220，7/1024B15。
3.2 尾殘→7/1025A13。
4.1 大般若波羅蜜多經卷第五百八十五/第十二淨戒波羅蜜多分之二，三藏法師玄奘奉詔譯/（首）。
8 8～9 世紀。吐蕃統治時期寫本。
9.1 楷書。
11 圖版：《敦煌寶藏》，77/461B～462B。

1.1 BD00623 號
1.3 為皇帝祈福文（擬）
1.4 日 023
1.5 305：8304
2.1 234.3×27 厘米；7 紙；132 行，行 20 餘字。
2.2 01：38.0，17；　02：37.0，21；　03：37.0，22；
04：37.3，22；　05：37.0，22；　06：37.0，22；
07：11.0，6。
2.3 卷軸裝。首脫尾殘。第 1 紙有撕裂，第 6 紙上部有殘損。所用為唐代經疏常用紙。折疊欄。已修整。
3.4 說明：
本文獻未爲歷代大藏經所收。
8 8 世紀。唐寫本。
9.1 楷書。
9.2 有行間校加字。有墨筆校改。
11 圖版：《敦煌寶藏》，109/589B～592B。
許國霖《敦煌雜錄》收入本號《太上皇帝讚》、《開元皇帝讚》之錄文，參見該書第 215 頁、第 217 頁。

1.1 BD00624 號
1.3 妙法蓮華經卷五
1.4 日 024
1.5 105：5453
2.1 （16.2+989.6）×26.2 厘米；23 紙；612 行，行 17 字。
2.2 01：16.2+1.5，11；　02：44.5，28；　03：44.8，28；
04：45.0，28；　05：44.7，28；　06：44.8，28；
07：44.8，28；　08：44.8，28；　09：44.8，28；
10：44.8，28；　11：45.0，28；　12：45.0，28；
13：45.0，28；　14：45.0，28；　15：45.0，28；
16：45.0，28；　17：45.0，28；　18：45.0，28；
19：45.0，28；　20：45.0，28；　21：45.0，28；
22：45.1，28；　23：45.0，13。
2.3 卷軸裝。首殘尾全。第 1、2 紙接縫處上開裂，第 2 紙有橫向破裂，上下有撕裂，第 3、4 紙，5、6 紙及 7、8 紙接縫處下開裂。有燕尾。有烏絲欄。已修整。
3.1 首 10 行上下殘→大正 262，9/37A22～B4。
3.2 尾全→9/46B14。
4.2 妙法蓮華經卷第五（尾）。
8 6 世紀。南北朝寫本。
9.1 正楷。
9.2 有墨筆校改。
11 圖版：《敦煌寶藏》，93/31A～46A。

1.1 BD00625 號
1.3 維摩詰所說經卷中
1.4 日 025
1.5 070：1197
2.1 （96.5+1.5）×26 厘米；3 紙；55 行，行 17 字。
2.2 01：18.5，10；　02：48.5，28；　03：29.5+1.5，17。
2.3 卷軸裝。首尾均殘。有烏絲欄。
3.1 首殘→大正 475，14/549B2。
3.2 尾行上殘→14/550A27～28。
8 8～9 世紀。吐蕃統治時期寫本。
9.1 楷書。
9.2 有硃筆校改。
11 圖版：《敦煌寶藏》，65/645B～646B。
與 BD00627 號紙張、字體、風格均相同，原為同卷。但中間尚有殘缺，不能直接綴接。

1.1 BD00626 號

1.3　金剛般若波羅蜜經
1.4　日 026
1.5　094：3625
2.1　(3.6 + 104.5) ×25.6 厘米；3 紙；64 行，行 17 字。
2.2　01：3.6 + 9.2，8；　02：47.9，28；　03：47.4，28。
2.3　卷軸裝。首殘尾斷。有烏絲欄。已修整。
3.1　首 2 行下殘→大正 235，8/749A9 ~ 11。
3.2　尾殘→8/749C20。
8　8 ~ 9 世紀。吐蕃統治時期寫本。
9.1　楷書。
11　圖版：《敦煌寶藏》，79/208A ~ 209A。

1.1　BD00627 號
1.3　維摩詰所說經卷中
1.4　日 027
1.5　070：1182
2.1　111.5 ×26 厘米；3 紙；64 行，行 17 字。
2.2　01：15，08；　02：48.5，28；　03：48.0，28。
2.3　卷軸裝。首殘尾斷。有烏絲欄。
3.1　首殘→大正 475，14/547B27。
3.2　尾殘→14/548B9。
8　8 ~ 9 世紀。吐蕃統治時期寫本。
9.1　楷書。
11　圖版：《敦煌寶藏》，65/616A ~ 617B。
　　與 BD00625 號紙張、字體、風格均相同，原為同卷。但中間尚有殘缺，不能直接綴接。

1.1　BD00628 號
1.3　無量壽宗要經
1.4　日 028
1.5　275：7700
2.1　(18 + 202.5) ×31 厘米；5 紙；138 行，行 30 餘字。
2.2　01：18 + 26.5，29；　02：44.0，30；　03：44.0，30；
　　04：44.0，30；　05：44.0，19。
2.3　卷軸裝。首殘尾全。第 1 紙上邊有撕裂，下邊殘缺；第 2、3 紙，4、5 紙中下部開裂；第 4、5 紙接縫處斷為二截。有烏絲欄。已修整。
3.1　首 11 行中下殘→大正 0936，19/0082A03 ~ 20。
3.2　尾全→19/0084C29。
4.1　大乘無量壽經（首）。
4.2　佛說無量壽宗要經（尾）。
7.1　第 5 紙尾題“索慎言”1 行。
8　8 ~ 9 世紀。吐蕃統治時期寫本。
9.1　楷書。
11　圖版：《敦煌寶藏》，107/354B ~ 357A。

1.1　BD00629 號
1.3　妙法蓮華經卷二
1.4　日 029
1.5　105：4135
2.1　991.9 ×24.7 厘米；21 紙；551 行，行 17 字。
2.2　01：49.4，28；　02：49.2，28；　03：49.3，28；
　　04：49.2，28；　05：49.5，28；　06：23.9，14；
　　07：24.2，14；　08：49.6，28；　09：49.8，28；
　　10：49.9，28；　11：49.9，28；　12：49.9，28；
　　13：49.9，28；　14：49.9，28；　15：49.8，28；
　　16：50.0，28；　17：49.8，28；　18：49.9，28；
　　19：49.7，28；　20：49.7，28；　21：49.4，19。
2.3　卷軸裝。首脫尾全。經黄紙，打紙。首紙有 2 殘洞；尾紙下有 1 處殘損。有燕尾。有烏絲欄。已修整。
3.1　首殘→大正 262，9/11B21。
3.2　尾全→9/19A12。
4.2　妙法蓮華經卷第二（尾）
8　7 ~ 8 世紀。唐寫本。
9.1　楷書。
11　圖版：《敦煌寶藏》，86/79B ~ 92B。

1.1　BD00630 號
1.3　法王經
1.4　日 030
1.5　294：8278
2.1　(17.5 + 800.4) ×26 厘米；19 紙；474 行，行 17 字。
2.2　01：17.5 + 21.3，22；　02：47.8，28；　03：46.6，28；
　　04：44.5，27；　05：46.2，28；　06：47.5，29；
　　07：48.0，28；　08：48.0，27；　09：48.0，27；
　　10：47.8，29；　11：47.8，29；　12：47.0，28；
　　13：46.6，28；　14：47.8，29；　15：48.0，28；
　　16：48.0，29；　17：48.5，26；　18：18.0，04；
　　19：03，拖尾。
2.3　卷軸裝。首殘尾全。有燕尾。有烏絲欄。已修整。
3.1　首 10 行下殘→大正 2883，85/1384C05 ~ 15。
3.2　尾全→85/1390A18。
4.2　法王經一卷（尾）。
8　9 ~ 10 世紀。歸義軍時期寫本。
9.1　楷書。
9.2　有硃筆點標。
11　圖版：《敦煌寶藏》，109/494A ~ 504A。

1.1　BD00631 號
1.3　金有陀羅尼經
1.4　日 031
1.5　254：7567
2.1　(6 + 130.5) ×26.1 厘米；3 紙；81 行，行 16 ~ 17 字。
2.2　01：6 + 37.5，26；　02：47.0，28；　03：46.0，27。

2.3　卷軸裝。首殘尾全。卷首下部有破損，卷尾下部有藏文。有烏絲欄。已修整。
3.1　首 2 行下殘→大正 2910，85/1455C16～18。
3.2　尾全→85/1456C10。
4.1　金有陀羅尼經（首）。
4.2　金有陀羅尼經一卷（尾）。
7.1　卷尾有藏文題記：“Livu－tshe－hwan－bris（李才安寫）。”
8　8～9 世紀。吐蕃統治時期寫本。
9.1　楷書。
11　圖版：《敦煌寶藏》，107/14B～16A。

1.1　BD00632 號
1.3　金剛般若波羅蜜經
1.4　日 032
1.5　094：3622
2.1　（8＋352.5）×26.5 厘米；8 紙；201 行，行 17 字。
2.2　01：8＋11.9，12；　02：48.9，27；　03：48.5，27；
04：48.5，27；　05：48.6，27；　06：48.6，27；
07：48.7，27；　08：48.8，27。
2.3　卷軸裝。首殘尾脫。有烏絲欄。已修整。
3.1　首 5 行上下殘→大正 235，8/749A5～10。
3.2　尾殘→8/751B16。
8　7～8 世紀。唐寫本。
9.1　楷書。
11　圖版：《敦煌寶藏》，79/189B～194A。

1.1　BD00633 號
1.3　佛名經（二十卷本）卷五
1.4　日 033
1.5　062：0572
2.1　892.5×26.6 厘米；19 紙；462 行，行 17 字。
2.2　01：47.0，24；　02：47.0，25；　03：47.0，25；
04：47.0，25；　05：47.0，25；　06：47.0，25；
07：47.0，25；　08：47.0，25；　09：47.0，25；
10：47.0，25；　11：47.0，25；　12：47.0，25；
13：47.0，25；　14：47.0，25；　15：47.0，25；
16：47.0，25；　17：47.0，25；　18：47.0，25；
19：46.5，13。
2.3　卷軸裝。首尾均全。第 12、13 紙接縫處下部開裂，第 16、17 紙接縫處上、下部均開裂。有燕尾。有烏絲欄。
3.4　說明：
二十卷本《佛名經》是中國佛教疑僞經之一，在敦煌較為流行，但未為我國歷代大藏經所收。本號首尾均全，甚可寶貴。
4.1　佛說佛名經卷第五（首）。
4.2　佛名經卷第五（尾）。
8　7～8 世紀。唐寫本。
9.1　楷書。
11　圖版：《敦煌寶藏》，60/97B～109B。

1.1　BD00634 號
1.3　維摩詰所說經（異卷）卷上
1.4　日 034
1.5　070：0859
2.1　（6＋648）×26 厘米；15 紙；423 行，行 25 字左右。
2.2　01：6＋32.5，25；　02：32.5，21；　03：38.3，25；
04：49.0，32；　05：49.0，32；　06：49.0，32；
07：48.5，32；　08：49.0，32；　09：49.0，32；
10：47.5，32；　11：48.5，32；　12：49.0，32；
13：49.0，32；　14：49.0，32；　15：09，拖尾。
2.3　卷軸裝。首殘尾缺。第 1 紙首有橫撕裂，上下邊有殘損。第 3 紙上邊有墨痕。第 9 紙尾中下部殘缺。第 10 紙中間有殘缺，上邊有蟲繭，有蟲蛀洞。第 11、12 紙接縫處中間開裂。第 1、2、10 紙背有古代裱補紙，共 4 塊。第 14 紙尾脫，經文缺失。其後補接一白紙，該紙與其他紙質地不同。已修整。
3.1　首 4 行中上殘→大正 475，14/537A14～20。
3.2　尾缺→14/544B7。
5　與《大正藏》本對照，分卷不同。本卷包括卷中首品文殊師利問疾品第五的部分內容。所以成爲異卷，或因本遺書是非標準的小字本的緣故。
8　8～9 世紀。吐蕃統治時期寫本。
9.1　楷書。
9.2　有行間校加字。
11　圖版：《敦煌寶藏》，63/141A～149A。

1.1　BD00635 號
1.3　大般若波羅蜜多經卷四九四
1.4　日 035
1.5　084：3234
2.1　396.8×27.7 厘米；9 紙；230 行，行 16～18 字。
2.2　01：47.4，28；　02：47.4，28；　03：47.4，28；
04：47.4，28；　05：47.4，28；　06：45.5，28；
07：45.6，28；　08：45.6，28；　09：23.1，06。
2.3　卷軸裝。首脫尾全。未入潢。下邊有殘缺。有烏絲欄。
3.1　首殘→大正 220，7/513A16。
3.2　尾全→7/515C11。
4.2　大般若波羅蜜多經卷第四百九十四（尾）。
7.3　尾端背面下方有“五十”兩字，為本號所屬袟次；上方有一“四”字，為本號所屬袟內卷次。
8　8～9 世紀。吐蕃統治時期寫本。
9.1　楷書。
11　圖版：《敦煌寶藏》，77/12B～17B。

1.1　BD00636 號
1.3　維摩詰所說經卷中

1.4　日 036
1.5　070：1056
2.1　1023×24.5 厘米；23 紙；583 行，行 17 字。
2.2　01：20.5，護首；　02：56.5，35；　03：38.5，17；
04：47.5，28；　05：47.5，28；　06：47.5，28；
07：47.5，28；　08：47.5，28；　09：47.5，28；
10：47.5，28；　11：47.5，28；　12：47.5，28；
13：47.5，28；　14：47.5，28；　15：47.5，28；
16：47.5，28；　17：47.5，28；　18：47.5，28；
19：47.5，28；　20：47.5，28；　21：47.5，28；
22：47.5，27；　23：05，拖尾。
2.3　卷軸裝。首尾均全。打紙。第 1 紙上下殘缺，中間撕裂；第 2 紙橫豎撕裂；第 4 紙下邊撕裂；第 8 紙豎撕裂。有護首，護首有經名，已殘缺。背有古代褙補紙，共 24 塊。有燕尾。有烏絲欄。已修整。
3.1　首全→大正 475，14/544A25。
3.2　尾全→14/551C27。
4.1　文殊師利問疾品第五（首）。
4.2　維摩詰經卷第二（尾）。
7.4　護首經名作："□□（維摩）詰經卷中"。
8　7～8 世紀。唐寫本。
9.1　楷書。第 4 紙以後字體不同。
11　圖版：《敦煌寶藏》，64/505A～518B。

1.1　BD00637 號
1.3　妙法蓮華經卷二
1.4　日 037
1.5　105：4712
2.1　(3.6＋973.3)×26.7 厘米；22 紙；586 行，行 17 字。
2.2　01：3.6＋28.6，19；　02：46.9，28；　03：46.8，29；
04：47.0，28；　05：47.1，28；　06：46.8，28；
07：46.7，28；　08：45.8，28；　09：46.5，28；
10：46.5，28；　11：46.4，28；　12：46.2，28；
13：45.3，28；　14：45.3，28；　15：45.4，28；
16：45.2，27；　17：45.4，28；　18：45.3，27；
19：45.5，28；　20：45.5，28；　21：45.3，28；
22：23.8，08。
2.3　卷軸裝。首殘尾全。前 8 紙有等距殘洞。後 10 紙與前 12 紙相比，紙薄，且未入潢。有燕尾。有烏絲欄。已修整。
3.1　首 2 行上中殘→大正 262，9/10C7～8。
3.2　尾全→9/19A12。
4.2　妙法蓮華經卷第二（尾）。
8　8～9 世紀。吐蕃統治時期寫本。
9.1　楷書。
9.2　第 7 紙上邊邊沿有若干小字，已殘。其中"畏"、"愚"尚可辨知，經考，為用於訂正其下相應行之相應校改字。
11　圖版：《敦煌寶藏》，85/434B～447B。

1.1　BD00638 號
1.3　妙法蓮華經卷三
1.4　日 038
1.5　105：5023
2.1　(14.9＋878.5)×25.8 厘米；22 紙；507 行，行 17 字。
2.2　01：14.9＋23.3，22；　02：42.1，24；　03：42.3，24；
04：42.3，24；　05：42.2，24；　06：42.1，24；
07：42.3，24；　08：42.1，24；　09：41.8，24；
10：35.5，20；　11：41.9，24；　12：42.9，25；
13：41.8，24；　14：41.8，24；　15：41.7，24；
16：42.0，24；　17：42.1，24；　18：42.3，24；
19：42.2，24；　20：41.5，24；　21：42.1，24；
22：20.2，08。
2.3　卷軸裝。首殘尾全。第 2 紙前方有 1 殘洞；第 5、6 紙，8、9 紙的接縫處有開裂；第 13 紙上下、第 14 紙下邊、第 21 紙上方有殘破。有燕尾。有烏絲欄。已修整。
3.1　首 9 行中下殘→大正 262，9/19C11～23。
3.2　尾全→9/27B9。
4.2　妙法蓮華經卷第三（尾）。
8　9～10 世紀。歸義軍時期寫本。
9.1　楷書。
9.2　有倒乙。
11　圖版：《敦煌寶藏》，88/220A～233A。

1.1　BD00639 號
1.3　大般涅槃經（北本異卷）卷二五
1.4　日 039
1.5　115：6426
2.1　794×25.1 厘米；17 紙；468 行，行 17 字。
2.2　01：46.5，28；　02：46.7，28；　03：46.7，28；
04：46.7，28；　05：46.7，28；　06：46.7，28；
07：46.7，28；　08：46.7，28；　09：46.7，28；
10：47.0，28；　11：46.8，28；　12：47.0，28；
13：47.0，28；　14：46.8，28；　15：47.0，28；
16：46.8，28；　17：45.5，20。
2.3　卷軸裝。首脫尾全。經黄紙，打紙。首紙上方殘破。尾有原軸，軸頭塗漆，咖啡色。有烏絲欄。已修整。
3.1　首殘→大正 374，12/509B3。
3.2　尾全→12/515A2。
4.2　大般涅槃經卷第二十五（尾）。
5　與《大正藏》本對照，分卷不同。經文相當於《大正藏》卷第二十四光明遍照高貴德王菩薩品第十之四至卷第二十五光明遍照高貴德王菩薩品第十之五。與現知諸藏經分卷均不同。
8　7～8 世紀。唐寫本。
9.1　楷書。
11　圖版：《敦煌寶藏》，99/147B～158A。
本號品相較好。

1.1　BD00640 號
1.3　妙法蓮華經卷二
1.4　日 040
1.5　105：4823
2.1　（4.7 +158.9 +5.9）×25.9 厘米；5 紙；98 行，行 17 字。
2.2　01：4.7 +12.6，10；　02：48.2，28；　03：48.3，28；
　04：48.4，28；　05：1.4 +5.9，04。
2.3　卷軸裝。首尾均殘。首紙尾部上方有 1 洞，第 2 至 4 紙接縫處下方開裂。通卷有黴點，紙張變色嚴重。有烏絲欄。已修整。
3.1　首 3 行下殘→大正 262，9/10C16 ~21。
3.2　尾 3 行上殘→9/12B9 ~12。
8　8 ~9 世紀。吐蕃統治時期寫本。
9.1　楷書。
11　圖版：《敦煌寶藏》，87/21B ~23B。

1.1　BD00641 號
1.3　大寶積經卷一〇三
1.4　日 041
1.5　006：0096
2.1　96 ×25.6 厘米；2 紙；52 行，行 17 字。
2.2　01：48.0，28；　02：48.0，24。
2.3　卷軸裝。首脱尾全。有燕尾。有烏絲欄。已修整。
3.1　首殘→大正 310，11/581A17。
3.2　尾全→11/582A5。
4.2　善住意天子所問經卷第一百三（尾）。
7.1　尾有題記“張良友寫”。
8　8 ~9 世紀。吐蕃統治時期寫本。
9.1　楷書。
9.2　有行間加行。
11　圖版：《敦煌寶藏》，56/427B ~428B。
　本號為隋天竺三藏達摩笈多所譯之《大寶積經》卷一〇三，屬《大寶積經・善住意天子會》。該會有異譯本元魏三藏毘目智仙共般若流支譯《聖善住意天子所問經》。本號首題已殘，尾題經名採用異譯本之名稱，而卷次則採用《大寶積經》之卷次。現根據經文內容，定為《大寶積經》卷一〇三。

1.1　BD00642 號
1.3　金光明經卷二
1.4　日 042
1.5　081：1383
2.1　（14.4 +75）×26 厘米；3 紙；53 行，行 17 字。
2.2　01：14.4 +12.3，16；　02：47.6，28；　03：15.1，09。
2.3　卷軸裝。首尾均殘。有烏絲欄。已修整。
3.1　首 9 行上中殘→大正 663，16/340C28 ~341A6。
3.2　尾殘→16/341B25。
6.2　尾→BD00654 號。
8　7 ~8 世紀。唐寫本。
9.1　楷書。
11　圖版：《敦煌寶藏》，67/294B ~295B。

1.1　BD00643 號
1.3　金剛般若波羅蜜經
1.4　日 043
1.5　094：4187
2.1　（5.5 +93.5）×25 厘米；2 紙；56 行，行 17 字。
2.2　01：5.5 +44，28；　02：49.5，28。
2.3　卷軸裝。首尾均脱。麻紙。第 1 紙首 3 行破損，下方脱落。紙張變色。有烏絲欄。已修整。
3.1　首殘→大正 235，8/750C21。
3.2　尾殘→8/751B22。
8　7 ~8 世紀。唐寫本。
9.1　楷書。
11　圖版：《敦煌寶藏》，82/349A ~350A。

1.1　BD00644 號
1.3　妙法蓮華經卷六
1.4　日 044
1.5　105：5663
2.1　（3.2 +993.3）×26.5 厘米；22 紙；584 行，行 17 字。
2.2　01：3.2 +16.8，12；　02：47.0，28；　03：47.5，28；
　04：47.5，28；　05：47.5，28；　06：47.0，28；
　07：47.0，28；　08：47.5，28；　09：47.9，28；
　10：47.8，28；　11：47.7，28；　12：47.8，28；
　13：47.7，28；　14：47.7，28；　15：47.7，28；
　16：47.7，28；　17：47.7，28；　18：47.7，28；
　19：47.7，28；　20：47.7，28；　21：47.7，28；
　22：25.0，12。
2.3　卷軸裝。首殘尾全。經黄紙，打紙。有烏絲欄。
3.1　首 2 行中下殘→大正 262，9/46C8 ~10。
3.2　尾全→9/55A9。
4.2　妙法蓮華經卷第六（尾）。
8　7 ~8 世紀。唐寫本。
9.1　楷書。
11　圖版：《敦煌寶藏》，93/637A ~649A。
　本號品相較好。

1.1　BD00645 號
1.3　妙法蓮華經卷四
1.4　日 045
1.5　105：5253
2.1　（5.5 +431.9）×27 厘米；9 紙；249 行，行 17 字。
2.2　01：5.5 +43.5，25；　02：48.5，28；　03：49.0，28；
　04：49.0，28；　05：48.5，28；　06：48.5，28；

07：48.7，28；　08：48.2，28；　09：48.0，28。
2.3　卷軸裝。首殘尾脱。第1紙有開裂及殘洞；第2、3紙，7、8紙及8、9紙接縫處開裂。有烏絲欄。已修整。
3.1　首3行中上殘→大正262，9/27B17～19。
3.2　尾殘→9/31A24。
8　9～10世紀。歸義軍時期寫本。
9.1　楷書。
11　圖版：《敦煌寶藏》，90/361A～367A。

1.1　BD00646號
1.3　救護身命經
1.4　日046
1.5　301：8298
2.1　(49.5+152.5)×26厘米；5紙；102行，行17字。
2.2　01：44.0，22；　02：5.5+37，24；　03：43.5，24；
04：43.5，24；　05：28.5，08。
2.3　卷軸裝。首殘尾全。第2紙有横裂，第3、4紙脱斷為兩截。有燕尾。有烏絲欄。已修整。
3.1　首25行下殘→大正2865，85/1325A04～B03。
3.2　尾全→85/1326A27。
4.1　佛説救護身命經（首）。
4.2　佛説救護身命經（尾）。
5　與《大正藏》本對照，經名、經文均有參差，序分有缺文，文字可資互校。
8　7～8世紀。唐寫本。
9.1　楷書。
11　圖版：《敦煌寶藏》，109/570B～573A。

1.1　BD00647號
1.3　四分律戒本疏釋（擬）
1.4　日047
1.5　168：7031
2.1　(1.5+965.5+4)×28.3厘米；24紙；441行，行25字。
2.2　01：01.5，01；　02：42.0，17；　03：42.0，17；
04：43.0，17；　05：42.5，17；　06：42.5，19；
07：43.0，20；　08：43.0，19；　09：43.0，20；
10：43.0，20；　11：42.5，20；　12：42.5，20；
13：42.5，20；　14：42.5，20；　15：42.5，20；
16：43.0，21；　17：42.5，20；　18：42.5，20；
19：42.5，20；　20：42.5，20；　21：42.5，19；
22：42.5，19；　23：42.5，19；　24：28.5+4，16。
2.3　卷軸裝。首斷尾殘。紙張為經疏常用紙，但入潢。第17至24紙中部有等距離殘洞，第19、23紙中下部撕裂。已修整。
3.4　説明：
本遺書所抄文獻未為歷代大藏經所收。從内容看，應為對《四分戒本》的疏釋。
8　7～8世紀。唐寫本。
9.1　楷書。
9.2　有行間校加字。
11　圖版：《敦煌寶藏》，103/534B～546B。

1.1　BD00648號
1.3　金光明最勝王經卷一
1.4　日048
1.5　083：1446
2.1　362.9×26.3厘米；9紙；220行，行17字。
2.2　01：18.5，11；　02：46.0，28；　03：45.7，28；
04：45.8，28；　05：45.6，28；　06：46.3，28；
07：46.4，28；　08：46.6，28；　09：22.0，13。
2.3　卷軸裝。首斷尾殘。紙張發脆，通卷多竪向裂紋。有烏絲欄。已修整。配用《趙城藏》軸。
3.1　首殘→大正665，16/403A23。
3.2　尾殘→16/406A28。
8　8～9世紀。吐蕃統治時期寫本。
9.1　楷書。
11　圖版：《敦煌寶藏》，67/616B～621A。
從該件上揭下古代裱補紙共76塊。今分别編為BD16039號（包括有文字殘片3塊）、BD16040號（有文字殘片1塊）、BD16041號（包括無文字殘片72塊）等三號。

1.1　BD00649號
1.3　無量壽宗要經
1.4　日049
1.5　275：7701
2.1　(10.5+202.5)×31.5厘米；5紙；141行，行30字。
2.2　01：10.5+32.5，27；　02：42.5，29；　03：42.5，29；
04：42.5，29；　05：42.5，27。
2.3　卷軸裝。首殘尾全。卷首下部殘缺。有烏絲欄。已修整。
3.1　首4行中下殘→大正0936，19/0082A03～10。
3.2　尾全→19/0084C29。
4.1　大乘無量壽經（首）。
4.2　佛説無量壽宗要經（尾）。
7.1　尾有題記“唐悉◇子寫”1行。
7.3　卷尾上邊有一“世”字。
8　8～9世紀。吐蕃統治時期寫本。
9.1　楷書。
11　圖版：《敦煌寶藏》，107/357B～360A。

1.1　BD00650號
1.3　大乘入道次第章（擬）
1.4　日050
1.5　345：8404
2.1　(2+875.5)×28厘米；22紙；592行，行30字左右。
2.2　01：2+14.5，11；　02：41，28；　03：41.0，28；

04：41，28；　05：41，28；　06：41，28；
07：41，28；　08：41，28；　09：41，28；
10：41，28；　11：41，28；　12：41，28；
13：41，28；　14：41，28；　15：41，28；
16：41，28；　17：41，28；　18：41，28；
19：41，28；　20：41，28；　21：41，28；
22：41，21。

2.3　卷軸裝。首殘尾全。卷首有殘洞，第 2 紙上邊殘缺，第 20、21 紙和第 21、22 紙接縫處上邊開裂。有烏絲欄。已修整。

3.4　說明：

本遺書首 4 行中下殘，尾全。所抄文獻未為歷代大藏經所收，是對沙門智周所撰《大乘入道次第》（參見《大正藏》第 1864 號，載第 45 卷）的疏釋。所疏釋文字可參見大正 1864，45/449C9 ~ 462B17。

8　9 ~ 10 世紀。歸義軍時期寫本。

9.1　行書。

9.2　有校改。有倒乙。有重文號。

11　圖版：《敦煌寶藏》，110/204A ~ 214B。

1.1　BD00651 號

1.3　大般若波羅蜜多經卷三六三

1.4　日 051

1.5　084：3003

2.1　（6.5 + 164.8）×26.4 厘米；4 紙；103 行，行 17 字。

2.2　01：6.5 + 22.5，19；　02：47.5，28；　03：47.3，28；
04：47.5，28。

2.3　卷軸裝。首殘尾脫。第 1 紙上下有縱向撕裂，上邊下邊殘破，第 2 紙下邊殘破。有烏絲欄。已修整。

3.1　首 4 行上下殘→大正 220，6/869B22 ~ 25。

3.2　尾殘→6/870C8。

6.2　尾→BD00872 號。

8　8 ~ 9 世紀。吐蕃統治時期寫本。

9.1　楷書。

11　圖版：《敦煌寶藏》，76/82A ~ 84A。

1.1　BD00652 號

1.3　維摩詰所說經卷上

1.4　日 052

1.5　070：0969

2.1　（2 + 89.5 + 2.5）×26 厘米；3 紙；56 行，行 17 字。

2.2　01：2 + 43，27；　02：46.5，28；　03：+2.5，01。

2.3　卷軸裝。首尾均殘。上邊有殘破，有撕裂。有烏絲欄。

3.1　首行下殘→大正 475，14/539A5 ~ 6。

3.2　尾行下殘→14/539C5。

8　9 ~ 10 世紀。歸義軍時期寫本。

9.1　楷書。

11　圖版：《敦煌寶藏》，64/192B ~ 193B。

1.1　BD00653 號

1.3　金剛般若波羅蜜經

1.4　日 053

1.5　094：4202

2.1　256.8 ×25.5 厘米；7 紙；140 行，行 17 字。

2.2　01：50.0，28；　02：50.0，28；　03：50.0，28；
04：50.0，28；　05：44.0，25；　06：09.5，03；
07：03.3，00。

2.3　卷軸裝。首脫尾全。第 1、2 紙接縫處下部開裂，第 5 紙有殘洞。第 6 紙為歸義軍時期紙張，與前不同，字體亦與前幾紙不同，為後補。第 6 紙上方、第 7 紙下方有蟲繭。有烏絲欄。

3.1　首殘→大正 235，8/750C24。

3.2　尾全→8/752C3。

4.2　金剛般若波羅蜜經（尾）。

8　7 ~ 8 世紀。唐寫本。

9.1　楷書。

11　圖版：《敦煌寶藏》，82/386B ~ 389B。

1.1　BD00654 號

1.3　金光明經卷二

1.4　日 054

1.5　081：1385

2.1　（60.5 + 1.5）×26.3 厘米；2 紙；36 行，行 17 字。

2.2　01：33.0，19；　02：27.5 + 1.5，17；

2.3　卷軸裝。首尾均殘，有烏絲欄。

3.1　首殘→大正 663，16/341B25。

3.2　尾行中殘→16/342A4。

6.1　首→BD00642 號。

6.2　尾→BD00492 號。

8　7 ~ 8 世紀。唐寫本。

9.1　楷書。

11　圖版：《敦煌寶藏》，67/297A ~ B。

1.1　BD00655 號

1.3　大般若波羅蜜多經卷二六六

1.4　日 055

1.5　084：2716

2.1　（16.3 + 437.2 + 2.3）×26 厘米；10 紙；275 行，行 17 字。

2.2　01：16.3 + 23.2，24；　02：46.4，28；　03：46.0，28；
04：46.3，28；　05：46.1，28；　06：46.3，28；
07：46.3，28；　08：46.3，28；　09：46.3，28；
10：44 + 2.3，27。

2.3　卷軸裝。首殘尾脫。首部右下殘缺一塊，上邊有殘洞。有橫向撕裂，上邊下邊有殘破。有烏絲欄。已修整。

3.1　首 10 行下殘→大正 220，6/345A15 ~ 24。

3.2　尾行上殘→6/348A29。

8　8 ~ 9 世紀。吐蕃統治時期寫本。

9.1　楷書。
9.2　有行間校加字。
11　圖版:《敦煌寶藏》, 74/504B～510A。

1.1　BD00656 號
1.3　妙法蓮華經卷一
1.4　日 056
1.5　105: 4510
2.1　(13.8+792.9)×24.5 厘米; 19 紙; 498 行, 行 17 字。
2.2　01: 13.8+8, 14;　02: 45.0, 28;　03: 45.0, 28;
04: 45.0, 28;　05: 45.2, 28;　06: 45.0, 28;
07: 45.3, 28;　08: 45.1, 28;　09: 45.1, 28;
10: 45.2, 28;　11: 45.3, 28;　12: 45.3, 28;
13: 45.5, 28;　14: 45.3, 28;　15: 45.2, 28;
16: 45.4, 28;　17: 45.4, 28;　18: 45.3, 28;
19: 16.3, 08。
2.3　卷軸裝。首殘尾全。經黄紙。有烏絲欄。已修整。
3.1　首 9 行上中殘→大正 262, 9/2A2～10。
3.2　尾全→9/10B21。
4.2　妙法蓮華經卷第一 (尾)。
8　7～8 世紀。唐寫本。
9.1　楷書。
11　圖版:《敦煌寶藏》, 83/559A～571A。
本號品相較好。

1.1　BD00657 號
1.3　金光明最勝王經卷六
1.4　日 057
1.5　083: 1762
2.1　742.3×25.5 厘米; 16 紙; 419 行, 行 17 字。
2.2　01: 26.2, 16;　02: 47.3, 28;　03: 48.0, 28;
04: 47.7, 28;　05: 47.7, 28;　06: 48.0, 28;
07: 48.0, 28;　08: 48.0, 28;　09: 48.1, 28;
10: 47.8, 28;　11: 48.3, 28;　12: 48.1, 28;
13: 48.0, 28;　14: 48.1, 28;　15: 47.0, 28;
16: 46.0, 11;
2.3　卷軸裝。首斷尾全。第 1 紙斷裂, 下邊有等距離殘缺。背有古代裱補紙 16 塊。尾有原軸, 存上下軸頭。軸頭呈蓮蓬形, 頂端鑲嵌有螺鈿花瓣。有烏絲欄。
3.1　首殘→大正 665, 16/427B26。
3.2　尾全→16/432C10。
4.2　金光明最勝王經卷第六 (尾)。
5　尾附音義。
8　8～9 世紀。吐蕃統治時期寫本。
9.1　楷書。
9.2　有行間校加字。有校改。
11　圖版:《敦煌寶藏》, 69/628B～637B。

1.1　BD00658 號 A
1.3　大般若波羅蜜多經 (兑廢稿) 卷二五九
1.4　日 058
1.5　084: 2682
2.1　60×29.7 厘米; 2 紙; 32 行, 行 17 字。
2.2　01: 49.0, 26;　02: 11.0, 06。
2.3　卷軸裝。首全尾斷。未入潢。有烏絲欄。
3.1　首全→大正 220, 6/309B10。
3.2　尾殘→6/311B10。
4.1　大般若波羅蜜多經卷第二百五十九/初分難信解品第卅之七十八, 三藏法師玄奘奉詔譯/ (首)。
5　與《大正藏》對照, 本件第 1 紙與第 2 紙之間缺行, 所缺經文相當於《大正藏》6/309C10～311B5。尾部 15 字重複。
8　8～9 世紀。吐蕃統治時期寫本。
9.1　楷書。
11　圖版:《敦煌寶藏》, 74/415B～416A。

1.1　BD00658 號 B
1.3　大般若波羅蜜多經 (兑廢稿) 卷五九一
1.4　日 058
1.5　084: 3400
2.1　48.9×28.8 厘米; 1 紙; 28 行, 行 17 字。
2.3　卷軸裝。首尾均脱。未入潢。有烏絲欄。
3.1　首殘→大正 220, 7/1056C1。
3.2　尾殘→7/1056C27。
8　8～9 世紀。吐蕃統治時期寫本。
9.1　楷書。
9.2　上邊有一 "兑" 字。
11　圖版:《敦煌寶藏》, 77/482A。

1.1　BD00659 號
1.3　四分律戒本疏卷三
1.4　日 059
1.5　169: 7052
2.1　(91.5+1.5)×27 厘米; 2 紙; 68 行, 行 26 字。
2.2　01: 46.5, 34;　02: 45+1.5, 34。
2.3　卷軸裝。首脱尾殘。有烏絲欄。
3.1　首殘→大正 2787, 85/0598A13。
3.2　尾 1 行上中殘→85/0599B07～09。
6.1　首→BD00727 號。
6.2　尾→BD00573 號。
8　8～9 世紀。吐蕃統治時期寫本。
9.1　楷書。
9.2　有倒乙。有重文號。
11　圖版:《敦煌寶藏》, 104/23A～24A。

1.1　BD00660 號

1.3　藥師瑠璃光如來本願功德經
1.4　日 060
1.5　030：0251
2.1　491.2×26.5 厘米；13 紙；257 行，行 17 字。
2.2　01：26.0，護首；　02：42.5，23；　03：43.0，26；
04：32.7，20；　05：36.0，19；　06：41.0，23；
07：40.5，22；　08：40.5，22；　09：40.5，22；
10：41.0，22；　11：41.0，22；　12：41.5，22；
13：25.0，14。
2.3　卷軸裝。首全尾殘。有護首，護首完整，有竹製天竿，有經名，無繫縹帶痕跡。後 7 紙未入潢，竪欄頂天立地，無上下邊欄，殘破嚴重。背有古時裱補紙 6 塊。前 4 紙的紙質、字體與以後各紙不同，係歸義軍時期後補。有烏絲欄。已修整。
3.1　首全→大正 450，14/404C12。
3.2　尾 15 行上下殘→14/407C21～408A9。
4.1　藥師瑠璃光如來本願功德經（首）。
7.4　護首有經名，作"藥師經"，上有經名號。
8　7～8 世紀。唐寫本。
9.1　楷書。
11　圖版：《敦煌寶藏》，57/451B～458A。

1.1　BD00661 號
1.3　金光明經卷二
1.4　日 061
1.5　081：1394
2.1　（2+130.7+1.2）×26.3 厘米；4 紙；78 行，行 17 字。
2.2　01：2+26.2，16；　02：48.0，28；　03：48.0，28；
04：8.5+1.2，6；
2.3　卷軸裝。首尾均殘。有烏絲欄。
3.1　首行中殘→大正 663，16/343A29。
3.2　尾行下殘→344A22。
6.1　首→BD00766 號。
6.2　尾→BD00807 號。
8　7～8 世紀。唐寫本。
9.1　楷書。
11　圖版：《敦煌寶藏》，67/326A～327B。

1.1　BD00662 號
1.3　觀世音三昧經
1.4　日 062
1.5　295：8280
2.1　（3.5+329.1）×26 厘米；9 紙；191 行，行 16 字。
2.2　01：3.5，殘；　02：43.5，26；　03：43.5，26；
04：43.5，26；　05：44.0，26；　06：43.2，26；
07：43.2，26；　08：43.2，27；　09：25.0，08；
2.3　卷軸裝。首殘尾全。有烏絲欄。
3.4　說明：
本遺書所抄文獻未為歷代大藏經所收。敦煌遺書中尚存有 BD02380 號、斯 04338 號等。
4.2　觀世音三昧經（尾）。
8　7～8 世紀。唐寫本。
9.1　楷書。
9.2　有行間校加字。
11　圖版：《敦煌寶藏》，109/509B～513B。

1.1　BD00663 號
1.3　大般涅槃經（北本）卷五
1.4　日 063
1.5　116：6539
2.1　（15+869.5）×26 厘米；19 紙；508 行，行 17 字。
2.2　01：15+27.5，24；　02：49.0，28；　03：48.5，28；
04：48.5，28；　05：48.5，28；　06：48.5，28；
07：48.5，28；　08：48.5，28；　09：48.5，28；
10：48.5，28；　11：48.5，28；　12：48.5，28；
13：48.5，28；　14：48.5，28；　15：48.5，28；
16：48.5，28；　17：48.5，28；　18：48.5，28；
19：17.0，08。
2.3　卷軸裝。首殘尾全。首紙下部殘缺，背有古代裱補紙一塊，劃有烏絲欄。第 4、5 紙接縫下方開裂，第 10、18 紙下部撕裂。紙張變色。有烏絲欄。已修整。
3.1　首 8 行下殘→大正 374，12/390C14～22。
3.2　尾全→12/396C11。
4.2　大般涅槃經卷第五（尾）。
8　9～10 世紀。歸義軍時期寫本。
9.1　楷書。
11　圖版：《敦煌寶藏》，100/226B～238B。

1.1　BD00664 號
1.3　金剛般若波羅蜜經
1.4　日 064
1.5　094：3603
2.1　（24.5+461.6）×26.5 厘米；12 紙；306 行，行 17 字。
2.2　01：24.5+17，26；　02：42.0，27；　03：42.0，27；
04：42.0，27；　05：42.2，27；　06：42.0，27；
07：41.9，27；　08：42.0，27；　09：42.0，27；
10：42.0，27；　11：42.0，27；　12：24.5，10；
2.3　卷軸裝。首殘尾全。卷首右下殘缺一塊。紙張發脆，變色、殘破嚴重，且脱落下一小殘片。上邊有等距離殘破。有燕尾。有烏絲欄。已修整。
3.1　首 16 行下殘→大正 235，8/748C17～749A6。
3.2　尾全→8/752C3。
4.1　金剛般若波羅蜜經（首）。
4.2　金剛般若波羅蜜經（尾）。
8　7～8 世紀。唐寫本。

9.1　楷書。
9.2　有行間校加字。
11　圖版:《敦煌寶藏》,79/88A~94A。

1.1　BD00665 號
1.3　大般若波羅蜜多經(兌廢稿)卷一三〇
1.4　日 065
1.5　084:2356
2.1　50.7×29 厘米;1 紙;28 行,行 17 字。
2.3　卷軸裝。首尾均脫。未入潢。有烏絲欄。
3.1　首殘→大正 220,5/712A25。
3.2　尾殘→5/712B21。
8　9~10 世紀。歸義軍時期寫本。
9.1　楷書。
9.2　上邊有"剩兩行兌"四字。
11　圖版:《敦煌寶藏》,73/66B~67A。

1.1　BD00666 號 A
1.3　大般若波羅蜜多經卷二三二
1.4　日 066
1.5　084:2597
2.1　(5.2+43.2)×28.2 厘米;1 紙;26 行,行 17 字。
2.3　卷軸裝。首殘尾脫。未入潢。有烏絲欄。
3.1　首全→大正 220,6/166B5。
3.2　尾殘→6/166C7。
4.1　大般若波羅蜜多經卷第二百卌二/初分難信解品第卌四之五十一,三藏法師玄奘奉詔譯/(首)。
7.1　背有殘題記一行:"金搵寫,惠舟(?)勸(?)借(?)請(?)□…□。"
8　8~9 世紀。吐蕃統治時期寫本。
9.1　楷書。
11　圖版:《敦煌寶藏》,74/166B~167A。

1.1　BD00666 號 B
1.3　金剛般若波羅蜜經(兌廢稿)
1.4　日 066
1.5　094:3683
2.1　49×27 厘米;1 紙;15 行,行 17 字。
2.3　卷軸裝。首尾均脫。尾有空白,經文未抄全。有烏絲欄,為 28 行。
3.1　首殘→大正 235,8/749A19。
3.2　尾闕→8/749B8。
5　與《大正藏》本對照,本件尾 2 行間漏抄"衆生,若心取相則為著我人衆生壽者,若取"等字,見大正 8/749B6—7。
8　8~9 世紀。吐蕃統治時期寫本。
9.1　楷書。
11　圖版:《敦煌寶藏》,79/514B。

1.1　BD00667 號
1.3　大般若波羅蜜多經卷五四七
1.4　日 067
1.5　084:3321
2.1　(5.5+788.6)×26.3 厘米;17 紙;470 行,行 17 字。
2.2　01:5.5+40,26;　02:46.9,28;　03:46.8,28;
04:47.2,28;　05:47.1,28;　06:47.1,28;
07:46.8,28;　08:47.1,28;　09:46.4,28;
10:47.0,28;　11:46.3,28;　12:46.8,28;
13:46.9,28;　14:46.6,28;　15:46.2,28;
16:46.6,28;　17:46.4,24。
2.3　卷軸裝。首脫尾全。有燕尾。有烏絲欄。已修整。
3.1　首 2 行上殘→大正 220,7/813B2~6。
3.2　尾全→7/818C10。
4.1　□…□第五百卌七/□…□魔事品第十一,三藏法師玄奘奉詔譯/(首)。
4.2　大般若波羅蜜多經卷第五百卌七(尾)。
8　8~9 世紀。吐蕃統治時期寫本。
9.1　楷書。
11　圖版:《敦煌寶藏》,77/241A~251A。

1.1　BD00668 號
1.3　妙法蓮華經卷三
1.4　日 068
1.5　105:5074
2.1　(553.7+32.4)×27.1 厘米;14 紙;326 行,行 17 字。
2.2　01:29.3,16;　02:42.8,24;　03:42.7,24;
04:42.8,23;　05:42.8,23;　06:42.8,24;
07:42.8,24;　08:42.8,24;　09:42.8,24;
10:42.8,24;　11:42.8,24;　12:42.9,24;
13:42.9,24;　14:10.7+32.4,24。
2.3　卷軸裝。首尾均殘。紙張緻密但厚度不均勻,一般為 0.1 毫米。第 1、7 及尾 3 紙內有殘洞、破損,第 7、8 紙及第 11~13 紙的接縫處中間開裂、破損。卷尾破損嚴重。有烏絲欄。已修整。
3.1　首殘→大正 262,9/20B26。
3.2　尾 18 行上中殘→9/25A13~B3。
8　7~8 世紀。唐寫本。
9.1　楷書。
11　圖版:《敦煌寶藏》,88/440B~449A。

1.1　BD00669 號
1.3　摩訶般若波羅蜜經卷二八
1.4　日 069
1.5　088:3447
2.1　616.1×25.5 厘米;13 紙;353 行,行 17 字。
2.2　01:46.2,28;　02:46.2,28;　03:46.2,28;

04：46.3，28；　05：44.7，27；　06：45.8，28；
07：48.6，29；　08：48.7，28；　09：48.8，28；
10：48.7，28；　11：48.7，28；　12：48.7，28；
13：48.5，17。

2.3　卷軸裝。首脫尾全。經黄紙。首紙内有大小殘洞，前端有1處横裂。有燕尾。有烏絲欄。已修整。

3.1　首殘→大正223，8/357C7。

3.2　尾全→8/362A4。

4.2　摩訶般若波羅蜜經卷第廿八（尾）。

5　與《大正藏》本對照，卷次、品次、品名不同。

8　7~8世紀。唐寫本。

9.1　楷書。

11　圖版：《敦煌寶藏》，78/23B~31A。

新舊編號對照表

一、千字文號與北敦號、縮微膠卷號對照表

千字文號	北敦號	縮微膠卷號
日 001	BD00601 號	070:0897
日 002	BD00602 號	250:7493
日 003	BD00603 號	083:1524
日 004	BD00604 號	070:0956
日 005	BD00605 號	105:5016
日 006	BD00606 號	270:7684
日 007	BD00607 號	094:3998
日 008	BD00608 號	084:2749
日 009	BD00609 號	081:1400
日 010	BD00610 號	084:2098
日 011	BD00611 號 1	081:1361
日 011	BD00611 號 2	081:1361
日 012	BD00612 號	083:1906
日 013	BD00613 號	
日 014	BD00614 號	084:2976
日 015	BD00615 號	040:0379
日 016	BD00616 號	084:2508
日 017	BD00617 號	
日 018	BD00618 號	084:2740
日 019	BD00619 號	
日 020	BD00620 號	
日 021	BD00621 號	105:4974
日 022	BD00622 號	084:3388
日 023	BD00623 號	305:8304
日 024	BD00624 號	105:5453
日 025	BD00625 號	070:1197
日 026	BD00626 號	094:3625
日 027	BD00627 號	070:1182
日 028	BD00628 號	275:7700
日 029	BD00629 號	105:4135
日 030	BD00630 號	294:8278
日 031	BD00631 號	254:7567
日 032	BD00632 號	094:3622
日 033	BD00633 號	062:0572
日 034	BD00634 號	070:0859
日 035	BD00635 號	084:3234
日 036	BD00636 號	070:1056
日 037	BD00637 號	105:4712
日 038	BD00638 號	105:5023
日 039	BD00639 號	115:6426
日 040	BD00640 號	105:4823
日 041	BD00641 號	006:0096
日 042	BD00642 號	081:1383
日 043	BD00643 號	094:4187
日 044	BD00644 號	105:5663
日 045	BD00645 號	105:5253
日 046	BD00646 號	301:8298
日 047	BD00647 號	168:7031
日 048	BD00648 號	083:1446
日 049	BD00649 號	275:7701
日 050	BD00650 號	345:8404
日 051	BD00651 號	084:3003
日 052	BD00652 號	070:0969
日 053	BD00653 號	094:4202
日 054	BD00654 號	081:1385
日 055	BD00655 號	084:2716
日 056	BD00656 號	105:4510
日 057	BD00657 號	083:1762
日 058	BD00658 號 A	084:2682
日 058	BD00658 號 B	084:3400
日 059	BD00659 號	169:7052
日 060	BD00660 號	030:0251
日 061	BD00661 號	081:1394
日 062	BD00662 號	295:8280
日 063	BD00663 號	116:6539
日 064	BD00664 號	094:3603
日 065	BD00665 號	084:2356
日 066	BD00666 號 A	084:2597

日 066	BD00666 號 B	094:3683	日 068	BD00668 號	105:5074
日 067	BD00667 號	084:3321	日 069	BD00669 號	088:3447

二、縮微膠卷號與北敦號、千字文號對照表

縮微膠卷號	北敦號	千字文號	縮微膠卷號	北敦號	千字文號
	BD00613 號	日 013	084:3321	BD00667 號	日 067
	BD00617 號	日 017	084:3388	BD00622 號	日 022
	BD00619 號	日 019	084:3400	BD00658 號 B	日 058
	BD00620 號	日 020	088:3447	BD00669 號	日 069
006:0096	BD00641 號	日 041	094:3603	BD00664 號	日 064
030:0251	BD00660 號	日 060	094:3622	BD00632 號	日 032
040:0379	BD00615 號	日 015	094:3625	BD00626 號	日 026
062:0572	BD00633 號	日 033	094:3683	BD00666 號 B	日 066
070:0859	BD00634 號	日 034	094:3998	BD00607 號	日 007
070:0897	BD00601 號	日 001	094:4187	BD00643 號	日 043
070:0956	BD00604 號	日 004	094:4202	BD00653 號	日 053
070:0969	BD00652 號	日 052	105:4135	BD00629 號	日 029
070:1056	BD00636 號	日 036	105:4510	BD00656 號	日 056
070:1182	BD00627 號	日 027	105:4712	BD00637 號	日 037
070:1197	BD00625 號	日 025	105:4823	BD00640 號	日 040
081:1361	BD00611 號 1	日 011	105:4974	BD00621 號	日 021
081:1361	BD00611 號 2	日 011	105:5016	BD00605 號	日 005
081:1383	BD00642 號	日 042	105:5023	BD00638 號	日 038
081:1385	BD00654 號	日 054	105:5074	BD00668 號	日 068
081:1394	BD00661 號	日 061	105:5253	BD00645 號	日 045
081:1400	BD00609 號	日 009	105:5453	BD00624 號	日 024
083:1446	BD00648 號	日 048	105:5663	BD00644 號	日 044
083:1524	BD00603 號	日 003	115:6426	BD00639 號	日 039
083:1762	BD00657 號	日 057	116:6539	BD00663 號	日 063
083:1906	BD00612 號	日 012	168:7031	BD00647 號	日 047
084:2098	BD00610 號	日 010	169:7052	BD00659 號	日 059
084:2356	BD00665 號	日 065	250:7493	BD00602 號	日 002
084:2508	BD00616 號	日 016	254:7567	BD00631 號	日 031
084:2597	BD00666 號 A	日 066	270:7684	BD00606 號	日 006
084:2682	BD00658 號 A	日 058	275:7700	BD00628 號	日 028
084:2716	BD00655 號	日 055	275:7701	BD00649 號	日 049
084:2740	BD00618 號	日 018	294:8278	BD00630 號	日 030
084:2749	BD00608 號	日 008	295:8280	BD00662 號	日 062
084:2976	BD00614 號	日 014	301:8298	BD00646 號	日 046
084:3003	BD00651 號	日 051	305:8304	BD00623 號	日 023
084:3234	BD00635 號	日 035	345:8404	BD00650 號	日 050